STUDIEN
ZUR GERMANISTIK, ANGLISTIK UND KOMPARATISTIK
HERAUSGEGEBEN VON ARMIN ARNOLD
UND ALOIS M. HAAS

BAND 21

Das Amerikabild
Bertolt Brechts

VON HELFRIED W. SELIGER

1974

BOUVIER VERLAG HERBERT GRUNDMANN · BONN

für Roswitha

Gedruckt mit Unterstützung des 'Humanities Research Council of Canada'.

ISBN 3 416 00933 9

Herstellung Boss-Druck, Kleve.

INHALTSVERZEICHNIS

VORWORT

Die ständig und rapide anwachsende Sekundärliteratur über Bertolt Brecht und sein Werk hat bisher sein Verhältnis zu Amerika nur beiläufig behandelt. Wohl wird gewöhnlich vermerkt, daß ein Großteil seiner Stücke in einem mythischen Amerika spielt, er selbst sechs Jahre seines Lebens in den Vereinigten Staaten verbrachte und sich stets mit dem Phänomen „Amerika" auseinandersetzte. Doch meistens blieb es bei diesen flüchtigen Hinweisen. Nachdem Reinhold Grimm[1] als erster unter anderem auf einige wichtige amerikanische Quellen des Brechtschen Oeuvre hingewiesen hatte, begann sich die Kritik mit dem Quellenstudium zu den einzelnen „amerikanischen" Werken Brechts zu befassen. Inzwischen sind einige Quellen seines Amerikabildes allgemein bekannt, wenn auch nicht in ihrer vollen Bedeutung: Upton Sinclairs *The Jungle*, Johannes V. Jensens Chicagoroman *Das Rad*, Sherwood Andersons *Poor White*, Frank Norris' *The Pit* und Louis Adamics *Dynamite*. Doch gab es bisher keine zusammenhängende Studie, die systematisch den Quellen für Brechts Amerikabild nachgeht und den Wandel dieses Bildes chronologisch von 1916 bis zu seinem Tode im Jahre 1956 untersucht.

Die ersten Ansätze in dieser Richtung begannen um 1960. James Schevills Aufsatz über Brecht in New York[2] enthält meist beiläufige Bemerkungen und Verallgemeinerungen. Nicht viel besser steht es mit den Arbeiten von Eric Bentley (1961),[3] Richard Ruland (1963)[4] und Thomas O. Brandt (1966),[5] wovon die beiden letzteren einen ersten groben Überblick über Brechts Verhältnis zu Amerika liefern. Dennoch verraten diese Artikel mehr Sachkenntnis als Barbara M. Glauerts Arbeit *Brechts Amerikabild in drei seiner Dramen* (1961).[6] Klaus Schuhmann (1964)[7] und Frederic Ewen (1967)[8] schließlich können allein wegen der Anlage ihrer Studien dem Thema keine Gerechtigkeit widerfahren lassen. Trotzdem enthalten ihre Werke wichtige Teilergebnisse. Schuhmann verweist erstmals auf die zentrale Position, die dem Gedicht „Verschollener Ruhm der Riesenstadt New York" im Wandel von Brechts Amerikabild zukommt. Ewen bringt einen ersten – wenn auch kurzen – Überblick über Brechts Jahre im amerikanischen Exil. Genauere und ausführlichere Informationen darüber sind an verschiedenen Stellen in Hans Bunges Interview mit Hanns Eisler zu finden.[9] Iring Fetscher brachte als erster (in englischer Übersetzung, die leider stellenweise ungenau ist) vereinzelte Auszüge aus dem Journal, das Brecht in Amerika führte.[10] Während der

Drucklegung dieser Arbeit ist Brechts Arbeitsjournal in seiner Gänze erschienen.[11]

Ziel und Aufgabe dieser Arbeit ist es, den für Brechts Amerikabild und seine persönliche Einstellung zu den Vereinigten Staaten bedeutsamen Quellen und Einflüssen nachzugehen und den Wandel seiner Haltung während seiner lebenslangen Beschäftigung mit Amerika chronologisch zu verfolgen. Hierbei konnten nur die vor Dezember 1971 erschienenen Veröffentlichungen berücksichtigt werden. Die Studie entstand ursprünglich unter dem Titel „Bertolt Brecht und Amerika" als Dissertation für die McGill University in Montreal und wurde im Februar 1972 abgeschlossen. Die Nachricht von Patty L. Parmalees unveröffentlichter Dissertation Brecht's America[12] erreichte mich leider zu spät, als daß darauf hätte eingegangen werden können. Ihre Arbeit befaßt sich fast ausschließlich mit dem Amerikabild in Brechts Drama und Lyrik zwischen 1920 und 1932, konzentriert sich auf die Bedeutung des Interesses an Amerika für Brechts politische Entwicklung und den rückwirkenden Einfluß marxistischer Ideen auf sein Amerikabild, wobei sich nur zwei Stadien ergeben: für Amerika und wider Amerika. Nach Abschluß der Arbeiten an der Heiligen Johanna der Schlachthöfe soll Brecht das Interesse an Amerika verloren und seine Ansichten über Amerika nicht mehr geändert haben.

Der Verfasser möchte an dieser Stelle Frau Professor Dr. T. E. Goldsmith-Reber und Herrn Professor Dr. R. Grimm für die zahlreichen wertvollen Ratschläge danken. Hier sei auch dem Personal des Bertolt-Brecht-Archivs in Berlin, der Houghton Library an der Harvard University und der Sigmund Samuel Library in Toronto für die unermüdliche Unterstützung und Beratung gedankt. Besonderer Dank gebührt Frau Herta Ramthun vom Bertolt-Brecht-Archiv in Berlin für die Hilfe beim Entziffern schwer lesbarer Stellen in den Handschriften und Frau Elisabeth Hauptmann für einige hilfreiche Hinweise.

Die Zitate unveröffentlichter Texte aus dem Bertolt-Brecht-Archiv erscheinen mit der freundlichen Genehmigung von Herrn Stefan S. Brecht, New York. Das Copyright für sämtliche aus dem Archiv zitierten Texte und deren Übersetzung liegt ausschließlich bei ihm.

Dank gebührt schließlich dem Humanities Research Council of Canada, das unter Verwendung von Geldern des Canada Council die Drucklegung dieser Arbeit ermöglichte.

Toronto, im Mai 1973   Helfried W. Seliger

KAPITEL I

1916–1924
VOM FRÜHEN EXOTISMUS ZUM AMERIKANISMUS

a. Frühe Lyrik und „Prärie"

Brechts erstes literarisches Werk, in dem Amerika als Schauplatz fungiert, ist das 1916 entstandene „Lied von der Eisenbahntruppe vom Fort Donald". Die Ballade ließ Brecht in der literarischen Beilage „Der Erzähler" der *Augsburger Neuesten Nachrichten* vom 13. Juli 1916 veröffentlichen, und zwar im Gegensatz zu seinen früheren Beiträgen nicht mehr unter dem Pseudonym „Bertold Eugen". Er zeichnete selbstbewußt und offen mit „Bert Brecht". Die Tatsache, daß er von nun an ohne Pseudonym an die Öffentlichkeit herantritt, hat in der Forschung zu vielerlei Spekulationen über die Beweggründe Anlaß gegeben. Die sonst allgemein akzeptierte These, ein „scharfer Bruch"[1] trenne die Arbeiten des vor 1914 noch vaterländisch begeisterten Jünglings von den ab 1916 erscheinenden Produkten eines skeptischen und kritischen jungen Mannes, ist seit R. Grimms gründlicher Untersuchung von „Brechts Anfängen"[2] zu „beträchtlichen Teilen" fragwürdig geworden. Es läßt sich jedoch nicht bestreiten, daß der junge Dichter mit dem Lied von der Eisenbahntruppe insofern neuen Grund betritt, als er sich von nun an neuen Stoffen zuwendet. In Zukunft wird er sich öfters mit Sujets befassen, die das Geschehen der unmittelbaren Wirklichkeit entrükken. Die neuen Wirklichkeitsbereiche seiner Dichtungen liegen erstmals in räumlicher und zeitlicher Ferne. Er entnahm sie Büchern, Zeitungsartikeln, Berichten und Lexika, die er mit Vorliebe las. Hans Otto Münsterer, der Brecht 1917 kennenlernte, umreißt kurz die Lektüre des jungen Dichters in jenen Jahren: Verlaine, Baudelaire, Whitman, Villon, Litaipe, Kipling.[3] Anregungen für das sich von nun an durchsetzende exotische Milieu habe er hauptsächlich aus Kipling, Bret Harte und Johannes Vilhelm Jensen sowie Postl-Sealsfield empfangen. Im Jahre 1917 oder 1918 habe er sogar ein „kräftiges" Gedicht „mit der Wildwestatmosphäre" Sealsfields geschrieben, in dem Brecht selbst gehängt werden sollte.[4] Indien, die Südsee und Amerika treten fortan als Schauplätze seiner poetischen Welt auf. Das früheste erhaltene Zeugnis dieser neuen Entwicklung ist die erwähnte Ballade:

Lied von der Eisenbahntruppe vom Fort Donald

Die Männer vom Fort Donald – hohe!
Zogen den Strom hinauf, bis die Wälder ewig
und seelenlos sind
Aber eines Tages ging Regen nieder, und der
Wald wuchs um sie zum See.
Sie standen im Wasser bis an die Knie:
Und der Morgen kommt nie, sagten sie.
Und horchten ganz stumm auf den Wind.

Die Männer vom Fort Donald – hohe!
Standen im Wasser mit Pickel und Schiene und
starrten zum dunkelnden Himmel hinauf!
Denn es ward dunkel, und Abend wuchs über
dem plätschernden See.
Und kein Fetzen Himmel, der Hoffnung lieh!
Und wir sind schon so müd, sagten sie.
Und wir schlafen noch ein, sagten sie.
Und uns weckt keine Sonne mehr auf.

Die Männer vom Fort Donald – hohe!
Rüttelten tappend einander: Du, schlaf nicht ein,
noch zuvor!
Denn Schlaf wuchs über Wasser und Nacht, und
das Wachen tut weh!
Einer sagte: Ich weiß eine Melodie . . .
Das hält uns noch auf, sagten sie.
Ja, wir singen ein Lied, sagten sie.
Und es hob sich ein grausiger Chor.

Die Männer vom Fort Donald – hohe!
Tappten im dunkeln Wasser Ohios wie Maulwürfe, blind,
Aber sie sangen so laut, als ob ihnen ein herrliches
Wunder geschah.

Ja, so wild aus heiseren Kehlen, so groß, so
    sangen sie nie:
Näher, mein Gott zu dir, sangen sie.
Näher zu dir, sangen sie.
Und der See wuchs drunten, und oben wuchs
    Regen und Wind.

Die Männer vom Fort Donald – hohe!
Sangen voll Hoffnung, wie zitternden Winds
    im Dunkel ein Kind.
Aber der See stieg schwarz in den Stämmen, und
    lauter als sie noch der Sturmwind schrie:
Sonne und Heimat, Mutter und Kind, ade!
Näher, mein Gott zu dir, sangen sie.
O, wir ertrinken, ächzten sie.
Bis die Wasser weiterwachten für sie und ihr Lied
    sang weiter am Morgen der Wind.

Die Männer vom Fort Donald – hohe!
Modern unter den Zuggeleisen, sie tragen durch
    ewige Wälder zum sonnigen Tag.
Aber abends Musik um die sausenden Züge schrillt,
    seltsam drohend und weh.
Denn die Bäume rauschen und orgeln eine düstere Melodie:
Und der Morgen kam nie, rauschen sie.
Und sie starben vor Licht, rauschen sie.
Abends der Wind in den Wäldern Ohios singt einen Choral.[5]

Schon auf den ersten Blick fällt die ungewöhnliche Dynamik im Vergleich
zu Brechts früherer Lyrik auf. Wie Schuhmann bemerkt, hat sie nicht zuletzt das Wortbild und die Syntax des Gedichts geprägt.[6] Obwohl sich der
Dichter größerer Sorgfalt im Ausdruck befleißigt und den Handlungsverlauf mittels der Stropheneinteilung übersichtlich durchgliedert, arbeitet er
teils mit noch sehr konventionellen Mitteln. Die bisher unter dem Einfluß
des Expressionismus häufig verwendeten Komposita und zahlreichen Adjek-
tiva sowie attributiv gebrauchten Partizipien sind praktisch verschwunden.
Ausdrücke wie „zum dunkelnden Himmel hinauf", „über dem plätschernden See" oder „durch ewige Wälder zum sonnigen Tag" sind zwar nicht

mehr typisch für das Gedicht, doch erinnern sie noch an die Lyrik des Sechzehnjährigen. Offensichtlich sucht Brecht nach einem sachlicheren Ton und tastet sich zuweilen erfolglos im Ungewohnten voran. Auf der einen Seite schwingt noch Sentimentales und Gefühlvolles der expressionistischen „O-Mensch-Dichtung" mit, auf der anderen bemüht er sich um eine mehr nüchterne, kühle und distanzierte Einstellung zum balladesken Geschehen. Der dadurch entstehende Kontrast ist nicht klar genug und konsequent herausgearbeitet wie in den späteren Gedichten. Die beiden archaisierenden Wendungen – „Und wir sterben vor Licht" und „Denn es ward dunkel" – in den zwei ersten Strophen wirken fehl am Platze, denn dadurch wird der sonst bestehende sprachliche Unterschied zwischen Handlungsrahmen und dem im Refrain gehaltenen Chor der Männer verwischt. Dieser Mangel wird in der Spätfassung behoben.

In bezug auf diese Ballade von 1916 meint Helge Hultberg: „Hier begegnen wir dem neuen Brecht, das Gedicht hat USA als Schauplatz und handelt von harten Männern ohne Sentimentalität und religiöse Rechtfertigung."[7] Zweifellos kann sich dieses Urteil nur auf die spätere Version beziehen, die in der *Hauspostille* von 1927 erschienen ist.[8] Die Vermutung, daß Hultberg tatsächlich die Spätfassung im Sinn hat, wird dadurch bestätigt, daß er den Titel der Ballade als „Das Lied von der Eisenbahntruppe von Fort Donald" angibt, eine seltsame Mischung aus den Originaltiteln der zwei Fassungen.[9] Das Hauptmerkmal der Frühfassung ist eben gerade die Sentimentalität und Religiosität der Eisenbahnleute. In der Stunde ihres sicheren Untergangs stimmen sie „voll Hoffnung, wie zitternden Winds im Dunkel ein Kind" in grausigem Chor ein religiöses Lied an: „Näher, mein Gott zu dir!" Der Anruf Gottes in Zeiten der Not, der Verweis auf Heimat, Mutter und Kinder kurz vor dem Tod sind Motive, deren sich der Dichter bereits in seiner Kriegslyrik wiederholt bediente.[10] Das ursprünglich englische Kirchenlied „Nearer my God to Thee" von Sarah Flower Adams (1805–1848) wurde in Deutschland erst im Jahre 1912 durch den Untergang der Titanic allgemein bekannt. In allen Zeitungen wurde damals ausführlich von den wenigen Überlebenden berichtet, daß bis zuletzt geistliche Lieder vom Schiffsorchester gespielt wurden. Angesichts der Hoffnungslosigkeit der Lage hatten die an Bord Zurückgebliebenen diese Hymne angestimmt. Die Melodie war zu hören, bis das Schiff endgültig in den Fluten verschwand. Brechts Eisenbahntruppe befindet sich in einer ähnlich hoffnungslosen Situation und muß ihrem Untergang mit offenen Augen entgegensehen. Mit diesem englischen Kirchenlied bleibt Brecht glaubwürdig im Rahmen des amerikanischen Milieus. Das Lied stammt aus der ersten Hälfte des 19. Jahrhunderts, der Zeit, in der auch die ersten großen Eisenbahnen zum Lake Erie gebaut wurden.[11] Doch dieses Milieu selbst bleibt innerhalb des Gedichts nur angedeutet. Brecht war sich dessen bewußt und sah sich deshalb gezwungen, dem Text einen erläuternden Hinweis nachzuschicken, Fort Donald sei „Ausgangspunkt für die Truppe, die quer durch amerikanische Wälder Schienen legte".[12] Strenggenommen deutet lediglich die zweimal kurz erwähnte geographische Bezeichnung „Ohio" darauf hin, daß sich die Schienenleger in den Wäldern Nordamerikas befinden. Das Milieu selbst ist noch im Hintergrund, denn dem Dichter geht es in der Hauptsache darum, das Sterben der Pioniere als Teil des großen Naturkreislaufes von Leben und Tod zu beschreiben. Die Bahnarbeiter müssen sich dem Willen der allgewaltigen Natur fügen. Im Vergleich zu den Kriegsgedichten überrascht hier zunächst die Tatsache, daß das Todesproblem als solches gar nicht mehr existiert. Der Tod des Menschen wird jetzt als unumgängliches und natürliches Stadium des Lebenszyklus betrachtet. Die für das betreffende Individuum schrecklichen Aspekte des Sterbens verschwinden fast durch die Distanz des Dichters. Wie in der letzten Strophe betont wird, kehrt der Gestorbene wieder in den Mutterschoß der Erde zurück. Diese Ballade bildet gleichsam das Übergangsstadium von dem anfänglichen Entsetzen und dem Schrecken vor dem Tod zu der für Brecht später typischen gleichmütigen, gefühllos-gleichgültigen, mitunter auch kaltblütig-brutalen Einstellung dem Sterben gegenüber, einer Haltung, der wir auch häufig in den Werken seiner Lieblingsautoren begegnen: Verlaine, Villon, Whitman, Rimbaud. Daß er mit dieser Ballade neue Töne anschlägt, dessen ist sich Brecht bewußt. Deswegen zeichnet er nicht mehr mit dem von ihm sicherlich als zu weich empfundenen „Bertold Eugen", sondern mit dem schroffer klingenden anglisierten Bert Brecht.[13]

Als Brecht seine Gedichte für die erste Ausgabe der *Hauspostille* (Berlin, Propyläen, 1927) neu durchsah und auswählte, änderte er diese Ballade von Grund auf um und arbeitete das amerikanische Milieu viel stärker heraus. Dies geschah zu einer Zeit, als er sich beinahe ausschließlich mit amerikanischen Stoffen beschäftigte. Rein äußerlich wurde der Titel leicht geändert und die Strophen durchnumeriert:

Das Lied der Eisenbahntruppe von Fort Donald

1

Die Männer von Fort Donald – hohé!
Zogen den Strom hinauf, bis die Wälder ewig und seelenlos sind.
Aber eines Tages ging Regen nieder und der Wald wuchs um
        sie zum See.
Sie standen im Wasser bis an die Knie.
    Und der Morgen kommt nie, sagten sie
    Und wir versaufen vor der Früh, sagten sie
Und sie horchten stumm auf den Eriewind.

2

Die Männer von Fort Donald – hohé!
Standen am Wasser mit Pickel und Schiene und schauten
        zum dunkleren Himmel hinauf
Denn es ward dunkel und der Abend wuchs aus dem
        plätschernden See.
Ach, kein Fetzen Himmel, der Hoffnung lieh.
    Und wird sind schon müd, sagten sie
    Und wir schlafen noch ein, sagten sie
Und uns weckt keine Sonne mehr auf.

3

Die Männer von Fort Donald – hohé!
Sagten gleich: Wenn wir einschlafen, sind wir adje!
Denn Schlaf wuchs aus Wasser und Nacht, und sie waren
        voll Furcht wie Vieh
Einer sagte: Singt „Johnny über der See".
    Ja, das hält uns vielleicht auf, sagten sie
    Ja, wir singen einen Song, sagten sie
Und sie sangen von Johnny über der See.

4

Die Männer von Fort Donald – hohé!

Tappten in diesem dunklen Ohio wie Maulwürfe blind
Aber sie sangen so laut, als ob ihnen wunder was
      Angenehmes geschäh
Ja, so sangen sie nie.
   Oh, wo ist mein Johnny zur Nacht, sangen sie
   Oh, wo ist mein Johnny zur Nacht, sangen sie
Und das nasse Ohio wuchs unten, und oben wuchs Regen
      und Wind.

5

Die Männer von Fort Donald – hohé!
Werden jetzt wachen und singen, bis sie ersoffen sind.
Doch das Wasser ist höher als sie bis zur Früh, und lauter als
      sie der Eriewind schrie.
   Wo ist mein Johnny zur Nacht, sangen sie
   Dieses Ohio ist naß, sagten sie
Früh wachte nur noch das Wasser und nur noch der Eriewind.

6

Die Männer von Fort Donald – hohé!
Die Züge sausen über sie weg an den Eriesee
Und der Wind an der Stelle singt eine dumme Melodie
Und die Kiefern schrein den Zügen nach: Hohé!
   Damals kam der Morgen nie, schreien sie
   Ja, sie versoffen vor der Früh, schreien sie
Unser Wind singt abends oft noch ihren „Johnny über der See!"[14]

Das ursprüngliche Gedicht ist kaum mehr wiederzuerkennen, es klingt
nun härter, brutaler, zuweilen sogar kaltblütig. Der große grausige Chor
heiserer Männerstimmen singt keine religiöse Hymne mehr. Statt dessen versucht man, den Schlaf durch einen kecken, spritzigen Song zu vertreiben.
Auf den ersten Blick wird klar, daß besonders solche Wendungen gestrichen
wurden, die im Leser gewisse Gefühle wachrufen könnten: „ich weiß eine
Melodie", „Gedanken an Sonne und Heimat und Mutter und Kind", „selt-
sam drohend und weh", „herrliches Wunder", „Bäume rauschen". Am kras-
sesten tritt der Unterschied in der dritten, fünften und sechsten Strophe
zutage. Der Dichter bemüht sich offenbar, mit möglichst wenig Vergleichen

auszukommen. Wird das Verhalten der Schienenleger anfangs noch folgendermaßen umrissen:

Sangen voll Hoffnung, wie zitternden Winds
im Dunkel ein Kind

so ist für die spätere Fassung der Ausdruck „und sie waren voll Furcht wie Vieh" charakteristisch in seiner schroffen Art. Eine geschickte Änderung in der vierten Strophe ersetzt die Wendung „als ob ihnen ein herrliches Wunder geschah" durch „als ob ihnen wunder was Angenehmes geschäh". Der neue Wortlaut ist mehr im saloppen Ton gehalten und vermeidet zur selben Zeit das Substantiv *Wunder* in einer Ballade ohne jegliche Illusionen. Durch die vorgenommenen Streichungen und Änderungen nähert sich das Ganze dem burschikosen, schroffen, nahezu kaltschnäuzig-pietätlosen Ton, der in den zwanziger Jahren als typisch amerikanisch galt. Nicht nur im Ton, auch im Kolorit streicht Brecht das Amerikanische heraus. Hatte er sich zuvor mit nur zwei kurzen geographischen Angaben – „im dunkeln Wasser Ohios" und „in den Wäldern Ohios" – zufriedengegeben, so verwendet er jetzt nicht weniger als sieben örtliche Bestimmungen. Er fügt die Verbindungen „Eriewind" und „Eriesee" ein und ändert das etwas schwerfällig klingende „Tappten im dunkeln Wasser Ohios wie Maulwürfe" ab. Zweifellos war dies der schwächste Vers der frühen Fassung. Blindes Tappen kann mit dem Sichvorwärtstasten eines Maulwurfs unter der Erde verglichen werden. Jedoch entbehrt dieses Bild jeglicher Logik, wenn die beschriebene Bewegung im Wasser stattfindet. Überdies ist die Wendung „im dunkeln Wasser Ohios" äußerst unglücklich, denn der mit der amerikanischen Geographie vertraute Leser denkt, der Name „Ohio" beziehe sich auf den Fluß und nicht den Staat gleichen Namens, zumal eingangs ausdrücklich von einem Strom die Rede war. Man würde also „im dunkeln Wasser *des* Ohios" erwarten und empfindet das Fehlen des unbestimmten Artikels als störend. Brecht entgeht diesem doppelten Dilemma, indem er den ursprünglichen Wortlaut in „das dunkle Ohio" und „das nasse Ohio" aufspaltet. Wie in späteren Teilen der Arbeit gezeigt wird, war Brecht zur Zeit der Verbesserungen mit der Geographie des großen Seengebiets in Nordamerika äußerst gut vertraut. In der Spätfassung ist kein Mißverständnis mehr möglich, und die Bildlogik bleibt bewahrt.

Wie der Vergleich beider Fassungen deutlich macht, gibt das amerikanische Milieu der Frühfassung nicht mehr als eine äußerst vage Kulisse ab. Was den jungen Brecht beeindruckte, war die Ursituation des Menschen im hoffnungslosen Kampf gegen die Allgewalt der Natur. Das Interesse gilt

nicht Amerika als Land, sondern dem Exotischen an und für sich. Die Begeisterung für die Südsee, Amerika, Afrika und den fernen Osten teilte Brecht
mit den Vertretern des Expressionismus. In den damals führenden literarischen Zeitschriften erschienen ständig kosmische und exotische Gedichte von
Benn, Heym, Dehmel, Däubler, usw.[15] Es erübrigt sich, in diesem Zusammenhang nach spezifischen Einflüssen zu suchen. Brecht folgt hierin lediglich dem Stil der Zeit. Nur eines fällt auf: in seinen nächsten exotischen
Gedichten behandelt er im Grunde immer noch das Thema des „Liedes von
der Eisenbahntruppe vom Fort Donald". Zwei Jahre später, im Jahre 1918,
entsteht die „Ballade von den Seeräubern". Die Piraten bilden wie die
Schienenleger eine Gemeinschaft für sich fern jeglicher Zivilisation und
kämpfen auf ihren Raubzügen verzweifelt gegen die Elemente an. Rauhe,
abgehärtete Burschen, leben sie hemmungslos ihren Trieben, bis die Natur
den Sieg über sie davonträgt. Reminiszenzen an die Ballade von 1916 findet
man sogar im Wortlaut, obwohl der Ton des Ganzen der Spätfassung näher
kommt:

Sie fühlen noch, wie voll Erbarmen
Das Meer mit ihnen heute wacht
Dann nimmt der Wind sie in die Arme
Und tötet sie vor Mitternacht.[16]

In der letzten Strophe schließt sich der Kreislauf ewigen Wechsels auf dieselbe Weise wie in dem früheren Gedicht: Die Elemente setzen den Gesang
der Untergehenden nach ihrem Tode fort; das einzige, was von ihnen zurück-
bleibt, ist die Melodie ihres Gesanges in der Nacht:

Und ganz zuletzt in höchsten Masten
War es, weil Sturm so gar laut schrie
Als ob sie, die zur Hölle rasten
Noch einmal sangen, laut wie nie:
O Himmel, strahlender Azur!
Enormer Wind, die Segel bläh!
Laßt Wind und Himmel fahren! Nur
Laßt uns um Sankt Marie die See![17]

Diese letzten vier Zeilen werden am Ende jeder der elf Strophen unverändert wiederholt, und zuletzt sind nicht mehr die Seeräuber die Sänger, sondern die Elemente. Die Anwendung des Refrains ist bereits viel gewandter
als in dem Lied von der Eisenbahntruppe, wo der Wortlaut noch von Strophe zu Strophe variierte.

Ein Jahr später behandelt Brecht dasselbe Thema in der Chronik „Von des Cortez Leuten". Nach einem sieben Tage dauernden Marsch von der Küste Südamerikas in das Innere des Landes geraten die spanischen Eroberer in ein undurchdringliches Sumpf- und Urwaldgelände und werden zum Anhalten gezwungen. Binnen 24 Stunden werden sie von den wild wachsenden Pflanzen buchstäblich aufgefressen. Auch sie müssen sterben, ehe es Tag wird:

> Erst gegen Morgen war das Zeug so dick
> Daß sie sich nimmer sahen, bis sie starben.
> Den nächsten Tag stieg Singen aus dem Wald.
> Dumpf und verhallt. Sie sangen sich wohl zu.[18]

Das noch vor *Baal* entstandene Gedicht „Tod im Walde"[19] ist Ausdruck desselben Kreislaufgedankens innerhalb der Natur. Die Elemente sind nicht mehr der Grund des Untergangs, noch wird das Sterben unbeteiligt als eine Art friedliche Heimkehr betrachtet. Der Tod an sich ist der unvermeidbare grausame Abschied vom geliebten Leben. Dieses verzweifelte Festhalten am Leben um jeden Preis kann den Verfall des Körpers, den Gang der Natur, nicht aufhalten. Die Todesursache ist nicht mehr unwirtlichen klimatischen Verhältnissen zuzuschreiben, der Dichter befaßt sich mit dem Sterben als natürlicher Folge des Lebens. Leben, Tod und Verwesung sind Teil eines allgemeinen beständigen und unentrinnbaren Kreislaufes. Allein von der Thematik her gehört „Tod im Walde" in den Kreis dieser Gedichte. Während hier das Geschehen nur in einem Wald, irgendeinem Wald, angesiedelt ist, zeichnen sich die übrigen Gedichte durch die exotische Kulisse aus. Bei Aufnahme des Gedichts in die *Hauspostille* lokalisierte Brecht den Schauplatz im exotischen Amerika, indem er die Eingangsverse umänderte in:

> Und ein Mann starb im Hathourywald
> Wo der Mississippi brauste.[20]

Diese um fast zehn Jahre verspätete Setzung des Akzents kann zwar dahingehend gedeutet werden, daß Brecht schon für die erste Fassung Amerika als Schauplatz im Sinne hatte,[21] doch scheint es viel eher eine spätere, unter dem Einfluß des Amerikanismus vorgenommene Lokalisierung zu sein. Der Vergleich mit den thematisch verwandten Gedichten zeigt eindeutig, daß Brecht exotische Kulissen verwendet, die praktisch untereinander austauschbar sind.[22] Es handelt sich um Variationen eines Themas.

Die Erkenntnis dieses unumstößlichen Kreislaufes von Leben und Tod und die daraus erwachsende hedonistische Lebensphilosophie des „carpe diem" sind überhaupt die Grundthemen von *Baal*.[23] Brecht steht hier eindeutig unter dem Einfluß von Wedekind, Verlaine, Rimbaud, Dehmel und

Verhaeren.[24] Einige dieser Namen läßt er sogar in der Eingangsszene von *Baal* erwähnen, wenn sich die Bewunderer Baals darum bemühen, seine Lyrik durch Vergleiche mit bekannten Dichtern zu charakterisieren. Bezeichnenderweise fällt hierbei auch der Name Walt Whitman: es heißt, Baals Gedichte erinnerten an den amerikanischen Dichter, seien aber „bedeutender".[25] Im Laufe des Dramas gibt Baal einige Kostproben seiner Dichtkunst, wenn er u. a. die Lieder „Choral vom großen Baal" und „Tod im Walde" zum besten gibt.[26] Es läßt sich nicht bestreiten, daß gerade diese beiden Gedichte an Whitman „erinnern", und zwar besonders in der Thematik. Auch die Lyrik des Amerikaners zeugt von einer unbeschreiblichen Vitalität, von einem „Baalschen Weltgefühl". In Whitmans Sammlung *Leaves of Grass*, die zu jener Zeit in Deutschland sehr hochgeschätzt wurde, kommen insbesondere die Gedanken der „Chain of Being" und des Vitalismus zum Ausdruck.[27] Dies sind nicht nur die Themen der beiden soeben erwähnten Gedichte, sondern des ganzen Dramas überhaupt. Die für Baal charakteristische Furchtlosigkeit vor dem Tod, den er eigentlich als Phase des kosmischen Wechsels willkommen heißt, ist ebenso typisch für die Dichtung Whitmans. Gegen Ende des ersten Weltkrieges erhoben in Deutschland Sozialisten und linke Dichter den Amerikaner zu ihrem Idol, belebten — wenn auch aus politischen Überlegungen — den bereits abklingenden Whitman-Kult von neuem und veröffentlichten wiederholt Übersetzungen seiner Gedichte in den *Sozialistischen Monatsheften*.[28] Wie wir von H. O. Münsterer wissen, beabsichtigte Brecht, im „Choral vom großen Baal" die „Quintessenz" seiner damaligen Philosophie auszudrücken, einer Philosophie, in der nur dem Irdischen und Animalischen Gewicht und Bedeutung zuerkannt wird.[29] Dieser Choral ist im Grunde Brechts eigenes lyrisches Porträt aus jener Zeit. Münsterer erwähnt, daß Brecht dieses Genre aus der amerikanischen Lyrik übernommen und ihm während der Augsburger Zeit ein solches lyrisches Porträt zugesandt habe, ein Genre, das die „amerikanischen Dichter zur Vollendung gebracht hatten".[30] Die Ähnlichkeit des Gedankengutes zwischen den Frühwerken Brechts und der Lyrik Whitmans liegt auf der Hand. Nach der Stelle in *Baal* zu schließen, wußte Brecht selbst, was ihn mit Whitman verband. In der Form ist Brechts Lyrik in dieser Hinsicht äußerst unabhängig, aber wenn man dem Urteil der jungen Dame Glauben schenken soll, auch „bedeutender".

Brechts Beschäftigung mit Amerika geht bis in die frühesten Jahre seines dichterischen Schaffens zurück. Die Anregungen dazu sind vielseitig und oft verschwommen, sind zu jener Zeit auf jeden Fall nicht eindeutig nachweisbar. Wahrscheinlich hat er wie jeder andere als Junge die Wildwestromane von Karl May, die Lederstrumpfgeschichten von J. F. Cooper und vielleicht auch Gerstäckers und Mark Twains Bücher über das Leben am Mississippi gelesen; alles Bücher, in denen Amerika als fernes, exotisches Land voll atemberaubender Naturschönheiten und großer, gewaltiger Naturkatastrophen geschildert wird. Amerika wird für den jungen Brecht zum Inbegriff des Exotischen. Deshalb ist es auch nicht verwunderlich, daß dieses Land den ersten exotischen Hintergrund abgibt, den er verwendet: das große Seengebiet zwischen Ohio und Erie, das Land der tiefen Wälder, Schauplatz unzähliger Abenteuer- und Indianergeschichten aus der Jugendzeit.

Im Jahre 1919 trug sich Brecht mit dem Gedanken, eine Oper über das Leben der Farmarbeiter im amerikanischen Westen zu schreiben. Ein vom 3. Oktober 1919 datiertes Notizheft, das im Bertolt-Brecht-Archiv aufbewahrt ist,[31] enthält einen skizzenhaften Entwurf unter dem Titel *Prärie. Oper nach Hamsun*. Der Stoff geht auf Knut Hamsuns Novelle *Zachäus* zurück, in der der norwegische Nobelpreisträger von 1920 einige Erlebnisse aus seiner Zeit als Farmarbeiter in der Prärie schildert. Um zeigen zu können, inwiefern Brecht den Stoff umwandelt, neue Motive einschiebt, andererseits aber Hamsun fast wörtlich zitiert, sei hier kurz der Inhalt dieser in fünf Abschnitte untergeteilten Novelle wiedergegeben.

I. Völlig isoliert, weit draußen in der baumlosen Prärie, liegt die Billybory Farm, die nur von Frühling bis Herbst bewohnt ist. Zur Erntezeit arbeiten dort ungefähr siebzig Männer; keine einzige Frau ist bei ihnen. Der Koch der Gruppe ist ein früherer Soldat, der Irländer Polly, ein Riese von Gestalt, der sich etwas auf seine „Bibliothek" und seine Lesekunst einbildet. Er besitzt eine alte Zeitung und ein abgegriffenes Soldatenliederbuch, zwei Kleinodien, die er wie seinen Augapfel hütet. Eines Tages nimmt sein fast erblindeter Landsmann Zachäus aus Langeweile die Zeitung und versucht die großen Lettern der Überschriften zu entziffern. Polly ist außer sich, daß es jemand wagt, seine Zeitung zu nehmen und es entspinnt sich ein böses Wortgefecht mit gegenseitigen Beleidigungen und Anschuldigungen. Zachäus beklagt sich dabei über die schlechten Mahlzeiten und trifft den Stolz des Koches. Von nun an leben die beiden in bitterer Feindschaft.

II. Nach getaner Arbeit kehren die Feldarbeiter ins Lager zurück. Während sich die anderen zur Ruhe legen, versucht Zachäus sein Hemd zu waschen und nimmt aus Trotz das weiche Regenwasser, welches Polly in einem Eimer für sich gesammelt hatte. Der Koch bemerkt dies, und nachdem Zachäus das Wasser lässig ausgeschüttet hat, kommt es zwischen den beiden zum Handgemenge. Der kräftige Koch streckt Zachäus mit einem gezielten Faustschlag zu Boden und verläßt triumphierend den Kampfplatz, ohne sich umzusehen, obwohl einige der Umstehenden meinen, Zachäus sei tot.

III. Am nächsten Tag ölt Zachäus seine Feldmaschine, doch das Pferd scheut plötzlich. Zachäus' Hand gerät in die Messer, und er verliert dabei einen Finger, den er dann mit Hilfe seiner Kameraden im Gras sucht und auch schließlich findet. Behutsam bewahrt er ihn in einer Flasche Öl, die er unter seine Pritsche stellt. Er erkankt an Blutvergiftung und muß längere Zeit bei Polly im Lager bleiben. Während der Koch mittags das Essen auf die Felder bringt, kann Zachäus der Versuchung, die Zeitung zu lesen, nicht mehr widerstehen. Bei der Lektüre vergeht die Zeit wie im Flug. Überrascht hört er den Koch zurückkehren, der sofort die Zeitung vermißt und ihn deswegen zur Rede stellt. Zachäus hat sie gut versteckt und weigert sich, sie zurückzugeben. Polly wirft den Kranken aus dem Bett und schwört Rache.

IV. Zachäus befindet sich auf dem Weg der Besserung, doch der Koch zwingt ihn, die Mahlzeiten weiterhin allein im Bett einzunehmen. Einmal will dem Kranken das Gericht überhaupt nicht schmecken, bis er ein zähes Stück Fleisch mit Knochen in die Zähne bekommt und entsetzt feststellen muß, daß Polly ihm seinen eigenen Finger gekocht und vorgesetzt hat. Polly gibt den Streich zu und wird als Held des Lagers und großer Spaßvogel gefeiert. Abends geht Zachäus in die Prärie hinaus und kehrt spät zurück, als nur noch Polly wach ist und in der Küche arbeitet. Er bittet ihn um Seife, da er sein Hemd nochmals waschen wolle. Vor dem Küchenfenster plätschert er dabei provozierend in Pollys Wasser herum, bis dieser herauskommt und prüft, wessen Wasser er benützen will. In diesem Augenblick zückt Zachäus eine Pistole und erschießt seinen Widersacher.

V. Als Zachäus im Schlafsaal sein Lager zurechtmacht, erkundigt man sich, was er noch so spät getan habe. Völlig gelassen antwortet er, daß er den Koch mit einem Gehirnschuß umgebracht und draußen begraben habe. Keiner ist entsetzt, der Mord erregt kein Aufsehen, die Kameraden geben kurze Kommentare über die beste Art von Schuß, drehen sich um und schlafen weiter. Polly ist schnell vergessen und nach der Ernte trennen sich die Wege der Männer. Jeder strebt seinem neuen Ziel entgegen. Hinter ihnen bleibt mit ihren Geheimnissen die ewig stille Prärie.

Brecht folgt in der der Charakterisierung der beiden Männer den Angaben Hamsuns ziemlich genau. Der ehemalige Soldat ist ein stämmiger Kerl und arbeitet als Koch auf der Farm. Sein Gegenspieler Zachäus ist ein etwas schmächtig gebauter halbblinder Landarbeiter. Anlaß der sich anbahnenden Feindschaft ist der Streit um die Zeitung, die Zachäus aus Langeweile lesen wollte. Durch die Einführung der Magd Lizzie bringt Brecht jedoch das Motiv des ewigen Dreiecks mit ins Spiel. Sie ist die einzige Frau unter den vielen Männern und es ist nur natürlich, daß jeder von ihnen in einem möglichst guten Licht vor ihr erscheinen möchte. Sowohl Polly als auch Zachäus zeigen Interesse an ihr. Bei dem Streit um die Zeitung geht es eigentlich auch darum, vor Lizzie als der Stärkere und Klügere zu erscheinen.

In Brechts Libretto setzt die Handlung nach dem Unfall ein, durch den Zachäus den Finger verloren hatte. Im Anklang an Hamsun versucht Brecht zuerst, das Ruhige und Monotone des Lebens in der Prärie zu charakterisieren. Zachäus langweilt sich, indem er auf dem Boden sitzt und in den wolkenlosen Himmel starrt, über seine Wunde und den ewigen Weizen schimpft. Neben ihm wäscht die unzufriedene Lizzie Wäsche auf einer Bank:

> Z: Immer der blaue Himmel, der nur blau ist!
> Immer das verfluchte Gras! Die weiße Mauer!
> Und der Weizen, mit dem wir nie fertig werden!
> Gott, es ist so langweilig!
> Und meine Hand brennt auch, wie soll ich das aushalten.
> L: Denk, es gibt sonst nichts
> Als das Gras und den Himmel, der jetzt grün wird.[32]

Zachäus, der aus Unmut nach Pollys Zeitung gegriffen hat, wird von diesem zurechtgewiesen, worauf Zachäus sie ihm mit der Bemerkung vor die Nase wirft, daß sowieso nur Schund drin stehe. Als Polly mit der Magd allein ist, erklärt er, daß Zachäus sich vor ihr nur großmachen wolle, denn eigentlich könnte er gar nicht lesen. Er gesteht ihr seine Liebe und macht ihr in Form eines Plans einen indirekten Heiratsantrag: zusammen könnten sie die Farmpferde stehlen und sich von diesem verhaßten Flecken auf und davon machen.

> P: Und nachts sind wir zusammen
> In San Franzisko oder in Boston,
> Nur weit weg von hier.[33]

Sie könnte ihm die Hemden waschen, und er würde für sie sorgen. Von diesem Vorhaben ist sie nicht im geringsten beeindruckt, denn sie hegt Zweifel in bezug auf Pollys Charakter. Sie müßte eine sichere Stelle für eine unsichere Zukunft aufgeben. Hemden könne sie auch hier waschen, und in San Franzisko oder in Boston würde er in den Bars herumhocken und seine letzte Habe versaufen und verspielen. Sie ist ganz außer sich über diese Zumutung, doch der Koch findet sie in ihrem Zorn noch attraktiver als zuvor.

Als die Landarbeiter von den Feldern zurückkehren, sehen sie Zachäus sein schmutziges Hemd in Pollys Regenwasser waschen. Sie warnen ihn vor dem ehemaligen Soldaten, der rachsüchtig sei, ein sehr gutes Gedächtnis habe und immer mit einem Messer unter dem Kissen schlafe. Zur Essenszeit kündigt Polly in guter Laune das Menu an und überrascht Zachäus an seinem Wasser. Der sich entspinnende Streit lehnt sich sehr eng an den bei Hamsun an. Brecht verlegt jedoch den Nachdruck auf das Sexuelle und läßt den schwächlichen Landarbeiter den ehemals ruhmvollen Soldaten zutiefst in seiner Mannesehre kränken, wenn er auf einen vereitelten nächtlichen Besuch Pollys bei Lizzie anspielt:

Z: Und wo gingst du vorgestern nacht hin?
Lizzie hat es erzählt, daß wir uns gebogen haben![34]

Polly wird handgreiflich und nach einem kurzen Boxkampf, bei dem Zachäus selbstverständlich unterliegt, kehrt der Koch stolz in seine Küche zurück, ohne sich nach seinem Opfer umzusehen. Die inzwischen herbeigelaufenen Arbeiter halten Zachäus für tot, doch dieser rafft sich wieder auf und ruft dem soeben in der Küche verschwindenden Polly nach, er sei ein Hasenfuß. Die Möglichkeit eines erneuten Kampfes begeistert die Umstehenden. Lizzie ist sichtlich erleichtert, daß der Stärkere die Herausforderung nicht annimmt und kümmert sich um den zusammengeschlagenen Zachäus. Sie zeigt ihm erstmals ihre Sympathie und erklärt ihm auf seine Fragen, daß der Koch eigentlich nur versucht hatte, in ihre Kammer einzudringen, sie ihn aber wegen seines schlechten Charakters und seiner Sauferei daran gehindert habe. Sie drückt ihren Wunsch aus, abends spazierenzugehen und fragt ihn offen, ob er auch Lust dazu habe. Zachäus meint, er werde zum Weizenfeld 118 gehen, um zu prüfen, wie weit die Ernte sei. Er nimmt Pollys Zeitung und verschwindet. Polly kommt mit einigen Männern aus der Küche und bemerkt, daß die Zeitung fehlt. Öffentlich bezichtigt er seinen Widersacher des Diebstahls. Brecht läßt hier – im Gegensatz zu Hamsun – Polly den Inhalt seiner Zeitung etwas genauer beschreiben:

Das ist die Zeitung!
Drinnen stand das große Brandunglück in Chicago
Es war eine Brandstiftung

Drinnen stand die Geschichte von den Fenstern der
    Firma Cuppri und Co.
Drinnen stand die rührende Anekdote von dem armen
    Dienstmädchen in Frisko
Geschichten von Schiffen, deren Segel man gebläht sah.
Und von Häusern wo Menschen sind nicht wie hier
Und von Messerstecherei und von vielem andren
Was verkauft wird und gebraucht und wieviel alles wert ist
Alles stand drinnen und ich las es
Wo es hier doch so einsam ist.[35]

Später muß Zachäus die schreckliche Erfahrung machen, daß man ihm seinen abgeschnittenen Finger im Essen serviert. Die Farmarbeiter amüsieren sich auf seine Kosten und feiern seinen Todfeind als kapitalen Spaßmacher. Für den brutalen Koch, der Zachäus' schwache Sehkraft für seinen gräßlichen Streich ausnützte, empfindet Lizzie von nun an nur noch Abscheu. Zachäus sondert sich still von den anderen ab und geht gekränkt hinaus in die weite, stille Prärie. Später entfernt auch Polly sich von der Gruppe. Als Lizzie schließlich auch weggeht, wendet sich das Gespräch der Männer auf sie, die einzige Frau in der Gegend. Plötzlich glaubt einer, draußen einen Schuß gehört zu haben, doch ist man der Meinung, er müsse sich getäuscht haben. Kurz darauf kehrt Lizzie in großer Aufregung zurück. Außer Atem berichtet sie, sie habe Zachäus auf Feld 118 treffen wollen, er sei aber nicht erschienen. Während ihr die Männer klarmachen wollen, sie sehe vor lauter Liebe nur Hirngespinste, kommt Polly langsam ins Lager, um wie gewöhnlich Tee zu machen. Im Vorbeigehen sagt er völlig gelassen zu Lizzie: „Ich glaube nicht, daß Zachäus wieder kommt."[36]

Aus dem Vorhergehenden ist ersichtlich, daß Brecht den Stoff umformte und völlig neu behandelte. Brecht wählt die Gattung der Oper, um diesen Kampf auf das Wichtigste zu beschränken. Die das Milieu schildernden Passagen Hamsuns werden auf ein Minimum reduziert oder ganz eliminiert und die Kampfhandlung selbst dadurch in den Vordergrund gerückt. Es galt den Stoff so umzugestalten, daß daraus ein dramatisches Ganzes wurde. Brecht konzentriert sich denn auch auf den Konflikt zwischen den Männern und bringt durch die Einführung einer weiblichen Gestalt eine Nebenhandlung – Lizzies inneren Konflikt – mit ins Spiel. Dramatischen Überlegungen zufolge läßt Brecht, wie schon erwähnt, die Handlung erst nach Zachäus' Unfall einsetzen. Die ursprüngliche Handlungsdauer von einigen Wochen beschränkt er auf einen Tag und gliedert die Fabel in zwölf eng aufeinanderfolgende Szenen oder Bilder, die keine Unterbrechungen des Handlungsablaufes zulassen.

Von größerer Bedeutung ist jedoch, daß für Brecht aus dem Zweikampf aus Stolz und Unabhängigkeitsgefühl der offene Kampf zweier Männer um die Gunst einer Frau geworden ist. Hamsun zeigt lediglich, wie ein kräftiger Kerl seinen Gegner rücksichtslos und schadenfroh schikaniert, ihn brutal niederkämpft, bis der arme Unterlegene sich schließlich zur Verzweiflungstat aufrafft, um durch den Mord an seinem Peiniger all seinen erlittenen Demütigungen ein rasches Ende zu setzen. Brecht hingegen gestaltet den Kampf einseitig. Bei ihm fällt für den Unterdrückten – wie in seinen späteren Dramen – die Hoffnung auf eine Besserung der Zustände fort. Das brutale Gesetz der Natur, daß der Stärkere den Schwächeren bezwingt, bewahrheitet sich auch im menschlichen Bereich. Es herrscht das „Gesetz der Prärie", man befindet sich in der gnadenlosen Welt des Wilden Westens. Diesem harten Lebensgesetz begegnet man in Brechts Frühwerk des öfteren. Es scheint ihn in seiner Jugendzeit besonders beschäftigt zu haben, daß in der Welt kein Platz für Schwache ist. In dem Drama *Im Dickicht* (1922) befinden sich einige Stellen, wo Brecht die in einen bitteren Kampf verwikkelten Männer Shlink und Garga verschiedene zunächst ziemlich kryptische Bemerkungen machen läßt, die erst in diesem Zusammenhang klar verständlich werden. Wenn zum Beispiel Garga in der ersten Szene der Frühfassung zu dem mit der Pistole drohenden Moti sagt: „Wollen Sie die Prärie aufmachen, hier?",[37] oder in der zweiten Szene der späteren Fassung: „Sie haben Prärie gemacht. Ich akzeptiere die Prärie."[38] Seit der Lektüre von Hamsuns Novelle und dem Versuch, den Stoff als Oper zu bearbeiten, ist für Brecht das Wort „Prärie" mit bestimmten Assoziationen verbunden. Es umschreibt den Existenzkampf des einzelnen, wobei jedes Mittel gutgeheißen wird, solange es den gewünschten Erfolg zeigt. Diesem verbissenen Kampf bis aufs Letzte widmet man sich notgedrungen und trotzdem empfindet man eine gewisse Genugtuung und Freude dabei. Dieses Element war schon bei Hamsun zu finden.

Was das amerikanische Milieu anbetrifft, fügt Brecht einige Einzelheiten hinzu, die verraten, was für ihn damals als typisch amerikanisch galt. Hamsun bemüht sich, die Atmosphäre der einsamen Weizenfelder des mittleren Westens genauestens wiederzugeben, einer Welt, mit der er aus eigener Erfahrung nur zu gut vertraut war. Brecht bringt aber bereits zu diesem frühen Zeitpunkt eines seiner späteren Lieblingsthemen mit ins Spiel: das Janushafte der modernen Großstadt, die als Industriezentrum eine unerklärlich starke Anziehungskraft auf die Landbewohner ausübt, andererseits jedoch die große Hoffnung auf ein besseres Dasein nicht erfüllen kann und sich schließlich als brutales Monster entpuppt.[39] Diese beiden Aspekte der Großstadt spiegeln sich in den entgegengesetzten Haltungen Pollys und Lizzies wider. Für Polly bedeutet die Flucht in die Städte eine Möglichkeit, dem einsamen, monotonen Alltag in der Prärie zu entrinnen; auch hofft er, „in San Franzisko oder in Boston" mit der von ihm geliebten Frau in der Anonymität der Menge allein sein zu können. Die Frau sieht mit klarem Blick die lauernden Gefahren des Lebens in der Großstadt. Sie befürchtet, daß der Mann den Versuchungen des Trinkens und Spielens erliegt, und sieht den ungewissen und oft schlechten Stellenmarkt voraus. Sie weiß, daß die Großstadt ein Sündenpfuhl und Verbrecherzentrum ist. Bei dieser Charakterisierung der Stadt bewegt sich Brecht auf eigenem Boden, denn bei Hamsun übt die Stadt keinerlei Wirkung auf die Landleute aus.

Brecht lehnte sich in der Beschreibung des Lebens auf der Prärie, ja der gesamten Atmosphäre sehr eng an sein Vorbild an. Wenn er auch den Ausgang des Kampfes ändert, so zeigt sich doch eine weitere Übereinstimmung mit der Novelle: bei Brecht wird mit der gleichen Nonchalance getötet wie bei Hamsun. Der Mörder zeigt keine Furcht vor den Konsequenzen seiner Tat. Betont lässig gesteht er den Mord, und die anderen Farmhelfer fordern keine Rache oder Bestrafung; denn der Kampf beider wird als Privatangelegenheit betrachtet, in die man sich nicht einmischt. Ein Vergleich der betreffenden Stellen bei Hamsun und Brecht bringt dies klar zum Vorschein. Nach vollendeter Tat läßt Hamsun den ins Lager zurückkehrenden Mörder Zachäus kurz mit seinen Kameraden sprechen. Auf die Frage, was er draußen so lange getrieben habe, antwortet er:

„Nichts. Ich habe Polly erschossen."
Die Kameraden richteten sich auf den Ellenbogen auf,
um besser zu hören.
„Du hast ihn erschossen?"
„Ja!"
„Das wäre doch des Satans! Wo trafst du ihn?"
„In den Kopf. Ich schoß ihn durchs Ohr, die Kugel ging nach oben."
„Den Teufel auch! Wo hast du ihn begraben?"
„Westlich in der Prärie. Ich gab ihm die Zeitung in die Hände."
„Das hast du getan?"
Damit legten sich die Kameraden wieder hin, um weiter zu schlafen. Nach einer Weile fragt noch einer von ihnen: „War er gleich tot?" –

„Ja," antwortete Zachäus, „beinahe sofort. Die Kugel ging durch das Gehirn."

„Ja, das ist der beste Schuß," sagt der Kamerad.

„Geht sie durch das Gehirn, so ist das der Tod."

Und dann wird es ruhig in dem Schuppen, und alle schlafen . . .[40]

Brecht verändert diese Stelle radikal, behält aber die lässige Kaltblütigkeit des allein zurückkehrenden Mörders (diesmal Polly!) bei, der von den Männern aufgefordert wird, ihnen vor dem Schlafengehen noch Tee zu kochen:

1. Mann: Thee, Polly! Du könntest uns Thee machen!
(Polly zur Küche)
3. Mann: Aber so rede doch was, Polly!
Sonst machst du doch nicht so gern Thee!
Wo warst du denn?
2. Mann: Wo ist denn Zachäus, Polly?
1. Mann: Wir wollen mit dem Thee auf ihn warten!
Polly (in der Küchentür, dreht sich um, langsam):
Ich glaube nicht, daß Zachäus wieder kommt!
[Sehr laute Musik. Drinnen die wilde Stimme Lizzies][41]

Diese ruhige, kühle und nonchalante Haltung des Verbrechers muß Brecht fasziniert haben, denn wie Reinhold Grimm in anderem Zusammenhang bereits zeigte,[42] war Brecht gerade für solche Eindrücke aufgeschlossen. Trotz aller Umarbeitung und Abänderung folgt Brecht seiner Quelle mitunter wortwörtlich. An Hand von Vergleichen lassen sich verblüffende Übereinstimmungen zwischen seinem und Hamsuns Text in einer deutschen Übersetzung von 1914 nachweisen. Als Beispiele seien hier je zwei Stellen aus der Szene des Faustkampfes herangezogen:

H a m s u n : Der Koch nannte Zachäus einen schwarzhaarigen Räuber und Hund. Er schnalzte dicht vor seiner Nase mit den Fingern und fragte, ob er jemals einen Soldat gesehen habe und ob er die Einrichtung eines Forts kenne. Nein, die kenne er nicht! Aber dann solle er sich nur lieber in acht nehmen, weiß Gott, er solle sich in acht nehmen! Und das Maul solle er halten! Was er im Monat verdiene? Ob er etwa Häuser in Washington habe, ob seine Kuh gestern gekalbt habe?

Zachäus antwortete nichts auf das alles; aber er beschuldigte den Koch, daß er rohes Essen koche und Brotpudding mit Fliegen darin anrichte.[43]

B r e c h t : P. Willst du sofort das Blatt hergeben!
　　　　　　Aus deinen schmutzigen Pfoten!
　　　　　　Schwarzhaariger Räuber, Hund!
　　　　　　Hast du jemals einen Soldaten gesehen?
　　　　　　Oder wie ein Fort von innen aussieht?
　　　　　　Nein, das weißt du nicht, weil du ein Affe bist.
　　　　　　Aber dann nehme dich lieber in Acht,
　　　　　　Weiß Gott, nimmt dich in Acht!

　　　　Z. (wütend)
　　　　　　Und was tust du? Bist du so großartig?
　　　　　　Du kochst rohes Essen, das niemand fressen kann!
　　　　　　Brotpudding mit Fliegen drin!
　　　　　　Du treibst es nicht mehr lange!
　　　　P. Halt dein Maul. Was verdienst du im Monat?
　　　　　　Hast du etwa Häuser in Washington?
　　　　　　Oder hat deine Kuh gestern gekalbt?[44]

Bei der folgenden Stelle sind die Übereinstimmungen noch frappierender:

H a m s u n : Der Koch wandte sich an die Menge:
„Ja, da liegt er nun! Laßt ihn liegen! Ein Soldat hat ihn gefällt."
„Ich glaube, er ist tot!" sagte eine Stimme. Der Koch zuckte die Achseln.
„Meinetwegen!" erwiderte er übermütig. Und er fühlt sich wie ein großer, unüberwindlicher Sieger vor seinem Auditorium, er wirft den Kopf in den Nacken und will seinem Ansehen noch Nachdruck verleihen, er wird literarisch: „Ich überlasse ihn dem Teufel", sagt er.
„Laßt ihn liegen! Ist er etwa der Amerikaner Daniel Webster? Kommt her und will mich lehren, Pudding zu kochen, mich, der ich für Generale gekocht habe! Ist er Oberst der Prärie, frage ich?"
Und alle bewunderten Pollys Rede.
Da erhob sich Zachäus wieder vom Boden und sagte genau so verbissen, genau so trotzig wie vorhin: Komm heran, du Hasenfuß!
Die Leute brüllten vor Entzücken, der Koch aber lächelte nur mitleidsvoll und sagte: „Unsinn! Ich kann mich ja ebenso gut mit dieser Lampe prügeln!"[45]

B r e c h t : Polly: Ein Soldat hat ihn gefällt.

Andere: Er ist tot.

Polly (übermütig): Meinetwegen!

Ich überlasse ihn dem Teufel!

Laßt ihn liegen!

Ist er etwa der Amerikaner Daniel Webster?

Kommt her und will mich lehren, Pudding zu kochen, mich, der ich für Generale gekocht habe. Ist er Oberst der Prärie, frage ich.

Z. (auf): Komm her du Hasenfuß.

Männer (entzückt): Das ist wundervoll! Er sagt Hasenfuß! Es geht von vorn an! Ihr müßt tüchtig boxen! Zachäus, das ist ein Kerl!

P. Unsinn! Ich kann mich ja ebenso gut mit einem Zaunpfahl prügeln.[46]

Brecht hatte es hier nicht mehr nötig, die Sätze umzuformen, da das Wortgefecht bei Hamsun bereits in direkter Rede gehalten ist. Teile davon sind direkte Zitate aus einer Übersetzung der Novelle, die 1914 bei Langen in München erschien. Brecht übernimmt ganze Zeilen, wobei er den Sinn der kommentierenden Nebensätze in knappen Bühnenanweisungen wiedergibt. Sein Text wirkt aus diesem Grunde viel knapper und deutlicher, der Kampf wird krasser gestaltet. Die der ganzen Novelle innewohnende Dramatik wird Brecht wohl von Anfang an dazu bewogen haben, den Stoff als Oper zu bearbeiten. Der von ihm dahin geänderte Ausgang des Kampfes, daß der Stärkere mit seiner Brutalität gewinnt, mag auch damit zusammenhängen, daß der junge Brecht damals vom dramaturgischen Standpunkt aus ein klares, rasches und kraftvolles Ende einem erneuten Umschwung vorzog.

In diesem Opernentwurf zeigte sich zum ersten Male Brechts Faszination für die Gestaltung eines Zweikampfes bis ans bittere Ende. Den bei Hamsun beschriebenen Schauplatz, die amerikanische Prärie, übernahm Brecht jedoch nicht automatisch. Er fügte einige für ihn typisch amerikanische Züge hinzu und versuchte, den Ausgang des Kampfes seinen Anschauungen vom amerikanischen Westen anzugleichen. Daß diese Vermutung zutrifft, wird daraus erkenntlich, daß er für seine nächste dramatische Gestaltung eines Kampfes zwischen zwei Männern erneut das amerikanische Milieu wählte.

Das Motiv zweier in einen unerbittlichen Kampf verstrickter Männer muß Brecht äußerst fasziniert haben. Seine große Vorliebe für englische und amerikanische Kriminalromane, die ihrem Wesen nach oft nur einen Kampf zwischen Detektiv und Verbrecher beschreiben, war schon früh ausgeprägt. Auch wissen wir von ihm selbst, daß ihm Anfang der zwanziger Jahre eine andere Art des Zweikampfes, nämlich der Boxsport, „als eine der großen mythischen Vergnügungen der Riesenstädte von jenseits des großen Teiches" unheimlichen Spaß bereitete. Die Begeisterung für den Kampf zweier Gegner ist also für Brecht von vornherein mit der anglo-amerikanischen Welt in Zusammenhang zu bringen. Das gegenseitige Kräftemessen zweier Gegner bildet denn auch das Grundthema von Brechts erstem Drama mit einem amerikanischen Schauplatz: *Im Dickicht* (1922).

b. Im Dickicht

Nach H. O. Münsterer soll Brechts Beschäftigung mit dem Stoffkomplex, aus dem schließlich dieses Drama hervorging, bis ins Jahr 1919 zurückreichen. Sie fällt also in die Zeit, als er sich noch eingehend mit Hamsuns Novelle *Zachäus* beschäftigte. Der Jugendfreund erinnert sich,[1] Brecht habe sich zu jener Zeit einen billigen Kassenschlager, ein angeblich aus dem Englischen übersetztes Kriminalstück, aus Begeisterung gleich zweimal angesehen. Das Stück sei zwar in mehreren Städten unter verschiedenen Titeln zur Aufführung gelangt, habe aber in München den Titel *Mister Wa oder die Rache des Chinesen* geführt. Es habe die raffinierten Vorbereitungen eines reichen Chinesen zur Ermordung des verhaßten Schwiegersohns gezeigt, wobei der Reiche durch einen Zufall selbst ums Leben kommt. Münsterers Meinung nach hat dieses Spektakelstück zweifellos zur Konzeption des späteren *Dickicht* beigetragen. Es ist durchaus möglich, wenn auch nicht nachprüfbar, daß die Gestalt des erfolgreichen und kampflustigen malaiischen Geschäftsmannes Shlink in gewissen Zügen auf jenen reichen Chinesen zurückgeht. Gisela E. Bahr, die in ihrer Ausgabe der Erstfassung des Dramas eine kurze Entstehungsgeschichte folgen läßt,[2] übergeht Münsterers Bemerkung und stützt sich vor allem auf die Entwürfe und die von Brecht später selbst angegebenen Quellen.

Es ist inzwischen bekannt, daß Brecht im Frühjahr 1920 Upton Sinclairs Roman *Der Sumpf (The Jungle)* gelesen hatte und so tief davon beeindruckt war,[3] daß er ihn als Lektüre weiterempfahl. Im gleichen Jahr beschäftigte er sich mit dem Chicagoroman *Das Rad* aus der Feder des Dänen Johannes V. Jensen,[4] der zu jener Zeit durch zahlreiche Veröffentlichungen in der *Neuen Rundschau* hervorgetreten war[5] und dann mehr als zwanzig Jahre später den Nobelpreis für Literatur bekommen sollte. Beiden Romanen gemeinsam ist die Beschreibung der Großstadt Chicago als Dschungel, als offenes Kampfgebiet, wo allein der Stärkere und Rücksichtslose den Sieg davonträgt. Motive und Eindrücke aus diesen zwei Romanen und anderen literarischen Werken verquicken sich und finden ihren Weg in das *Dickicht*.[6] In einer Notiz vom 11. September 1921 behauptet Brecht, daß er eine „epochale Entdeckung" gemacht habe, „daß eigentlich noch kein Mensch die große Stadt als Dschungel beschrieben" habe. Er möchte ihre Helden, ihre Kolonisatoren, ihre Opfer zeigen und „ihre Feindseligkeit", „ihre bösartige, steinerne Konsistenz, ihre babylonische Sprachverwirrung" beschreiben; denn „ihre Poesie ist noch nicht geschaffen".[7] Offenbar möchte Brecht damit nicht behaupten, die Darstellung der Großstadt als Dschungel wäre seine Entdeckung.[8] Vielmehr scheint er damit sagen zu wollen, dies sei etwas Neues für das Theater. Hatten Jensen und Sinclair diese Poesie der großen Städte im Roman, die Expressionisten sie in der Lyrik geschaffen, so wollte Brecht sie auf die Bühne bringen. Da es ihm in erster Linie um die Verhaltensweisen der Kämpfenden innerhalb der Riesenstädte ging, war das Drama die dazu am besten geeignete Gattung. Auch hatte er ein Jahr zuvor noch ausdrücklich erwähnt: „Um einen Roman zu schreiben, bin ich noch zu unreif." Gerade die für den Roman erforderliche „Freude am Gegenständlichen (nicht am Problematischen!)" lasse ihn davor zurückscheuen.[9]

Die ersten ernsthaften Arbeiten an dem neuen Drama begannen im Herbst 1921 in Augsburg. Einige Entwürfe und Vorstufen, Aufzeichnungen und später wieder verworfene Szenen hat Bahr im Anhang zur Erstfassung zum ersten Male veröffentlicht.[10] Einige andere Materialien, die im Brecht-Archiv als Vorarbeiten zu einem ganz anderen Drama eingestuft wurden, stammen zwar aus demselben Jahr, sind aber bisher noch nicht im Hinblick auf das *Dickicht* untersucht worden. Diese handschriftlichen Aufzeichnungen faßte Brecht selber unter der Überschrift *Das Stück vom kalten Chicago* zusammen. Im neuen Bestandsverzeichnis des Brecht-Archivs werden diese Materialien als Entwürfe zu einem Drama dieses Titels beschrieben. Nach dem Verzeichnis handelt es sich lediglich um drei Blätter, nämlich die Posten:

Nr. 3247. *Das Stück vom kalten Chicago*	450/10, 13
‹Der Unbestechliche›	
Entwürfe. Notizbuch, geh. 1921,	2/2 H.
Nr. 3248. *Schluß des kalten Chicago:*	459/4
‹Die babylonische Verwirrung:*	

*Es entstehen Kreise und Ellipsen
in der Arena›;* Entwurf.   1/1 H.

Im folgenden soll versucht werden zu zeigen, daß diese Angaben[11] nicht
ganz korrekt sind und es sich hierbei wahrscheinlich um die frühesten Vorarbeiten zum *Dickicht* handelt. Bei exakter Prüfung des Postens 3247 stellt
sich heraus, daß sich die zwei dazwischenliegenden Seiten des *gehefteten* (!)
Notizbuches, Seiten 11 und 12, nicht von den Seiten 10 und 13 trennen lassen. Hier der Text von Seite 10:

Der Unbestechliche „es muß doch einmal Ruhe in die Dinge hineinkom-
men" er wird abgewürgt
Der sich anwanzt „Cancer-Recht"

Schluß: die erfrorenen Flocken unten. Die anstürmenden Tiere. Der grinsend „übriggebliebene" über die Bühne geht: der Krumme.
„Die geldjagende Menschheit"

Brecht steht hier eindeutig unter dem starken Eindruck von Jensens Roman, den er später selbst als eine der Quellen für das *Dickicht* identifizierte.[12] Wie Bahr bereits an Hand von Zitaten klargemacht hat, fand Brecht
darin „das Modell eines privaten Kampfes zweier Männer, des Dichters
Ralph Winnifred Lee und des alternden Evanston, auch ‚Cancer' genannt".[13] Wie aus obiger Notiz zu entnehmen ist, schwebte Brecht für *Das
kalte Chicago* ein Kampf zwischen einem unbestechlichen Idealisten und
einem negativ konzipierten Gegner vor, der sich an ihm festsaugt, sich „anwanzt" und nicht mehr von ihm läßt. Man vergleiche hierzu zwei innerhalb
von Jensens Roman wichtige Stellen. Die erste bezieht sich auf die Aufnahme des Kampfes zwischen Lee und „Cancer", die zweite auf die letzte
große Attacke „Cancers", Lee endgültig geistig zu vergewaltigen, ihn als
Dichter für die von ihm gestiftete Religion zu gewinnen:

Das war der Stachel, den er kaltblütig Lee ins Herz stieß. Lee fühlte den
Stich. Es lähmte ihn, daß man ihn gerade ins Gesicht zum Gegenstand des
Raubes machte. Was wollte dieses Tier mit ihm?[14]

Jetzt bin ich Cancer. Finden Sie den Namen eigentümlich? Ich habe ihn
mir genau überlegt, ehe ich ihn gewählt habe ... Ja, ich bin der Krebs!
... Ich bin eine fressende Bakterie![15]

Das Stichwort „Cancer-Recht" in Brechts Notiz deutet darauf hin, daß
der Rücksichtslosere, der Mann ohne jegliche Skrupel (wie Cancer bei Jensen) sein eigenes Gesetz schafft. Es ist das Recht des Überlegenen, das Gesetz
der Prärie oder des Dschungels. Der Unbestechliche wird „abgewürgt", das

heißt, er gerät unter die Räder. Vom Ende des *Dickichts* und dem Schluß von Jensens Roman her zu schließen, wird Brecht damit gemeint haben, daß der Idealist „abgewürgt" wird, sich dem realen Leben zuwendet, wie die unerfahrenen Idealisten Garga und Lee. Diese Vermutung wird durch eine andere Notiz Brechts, die nach dem Bestandsverzeichnis – auf Seite 12 des Notizbuchs – jedoch nicht mehr dazu gehört, unterstützt:

6) Das Dasein durch die Tat geformt. „Durch *Sein* regieren, nicht durch bestimmte *Form.*"

Der Mensch, der das Leben nicht formt, sondern drinnen lebt.

Im Kampf zwischen Idealisten und Pragmatiker wird also der letztere siegreich hervorgehen. Der Nachweis, daß die Aufzeichnungen auf den Seiten 12 und 13 dazugehören, stützt sich nicht nur auf die Tatsache, daß es sich um ein geheftetes Notizbuch handelt. Der Text selber liefert den unumstößlichen Beweis, denn auf den Seiten 11 und 12 führt Brecht unter der Überschrift „Literatur" einzelne Gedankensplitter und passende Zitate aus seiner Lektüre auf (darunter ein englisches Zitat von Oscar Wilde), die er von eins bis sieben durchnumeriert. Die Seiten 11 und 12 bringen die Ziffern 1 bis 6, die Bemerkung auf Seite 13 führt die Ziffer 7: es ist somit klar, daß die Seiten 11 und 12 als Zwischenglied für die übrigen Notate nicht übergangen werden dürfen.

Die Notate über den Schluß *Des kalten Chicago* verweisen ebenso auf *Das Rad*. Bei Jensen bringt Lee – aus Notwehr – schließlich Cancer um, indem er ihn in einer Winternacht unabsichtlich aus dem Fenster stößt:

Er beugte sich heraus und sah hinunter. Er lauschte, aber der Schneesturm erstickte jeden Laut von der Straße.

Ein irrtümlich des Mordes an Cancer verdächtigter Junge wird vom Mob wie von einer Raubtierherde angefallen und gelyncht. Das rasende Leben der Riesenstadt Chicago geht unerbittlich weiter, als ob nichts geschehen wäre:

Dies [Lynchjustiz] ereignete sich im Armenviertel, ... auf dem Grunde einer tiefen, engen Straße unserer Zeit mit Fenstern, Treppengängen, elektrischen Klingeln und was dazu gehört. Der Schnee senkte sich lautlos von dem täglichen Himmel ...

Aber das Rad rollte ... Das tiefe Meeresbrausen des Verkehrs schloß die Stadt ein, wie ein Kreis, ein Horizont von Lauten, der nicht abschloß, sondern ans Ende der Welt führte.

... Und nichts war geschehen, nichts erreicht, nichts beendet, und keine neue, große Ära hatte begonnen. Die Erschütterung, die durch Chicago gegangen war, war nicht Vorbote eines neuen Zustandes der Dinge gewesen, sondern die letzte Krampfzuckung einer barbarischen Vorzeit, eine fallende Sucht mit allen Zeichen der Giftigkeit des Todes. Es war auch keine Versöhnung darin, daß die Gesellschaft, wie sie war, stehen blieb, kein Friedensschluß, und kein Fest, keine Sicherheit. Nur der Alltag war zurückgekehrt mit seinen Chancen und Gefahren, der Alltag und der alte Geschmack an der Arbeit.[16]

Die Atmosphäre nach dem Lynchtod wird genau in Brechts weiter oben zitierter Notiz nachgezeichnet: „die erfrorenen Flocken unten. Die anstürmenden Tiere. Der grinsend übriggebliebene ... Die geldjagende Menschheit." Eine andere Aufzeichnung zum Schluß des geplanten Stückes, Posten Nr. 3248 des Bestandsverzeichnisses, lautet:

Schluß des kalten Chicago:
Die babylonische Verwirrung:
es entstehen Kreise und Ellipsen in der Arena; jeder Mensch kreist um sich; die Gemeinschaft löst sich rapid auf. Lokomotiven zischen und zugleich spielen Orgeln in den Höhen.
Es ist eine graue Dämmerung hereingebrochen und eine prunkvolle Verwirrung ist aufgetan.
Das ist der Schluß des kalten Chicago.[17]

Auch bei Jensen wird gezeigt, daß jeder letzten Endes auf sich selbst gestellt ist, „um sich kreist". Lee weigert sich, den Mord an Cancer zuzugeben. Der ihn verfolgende Detektiv Mason hat ihn zwar als Mörder erkannt, kann aber keinen definitiven Beweis liefern, um den Schuldigen zu überführen. Masons Versuche, den Mörder Lee für die Gesellschaft zurückzugewinnen, sind zum Scheitern verurteilt. Ironischerweise wird Mason selbst später aus Irrtum in Japan festgenommen und Lee, der es abgelehnt hatte, für seine Schuld zu büßen, kehrt als freier Mensch in die USA zurück. Der Europäer Mason denkt noch in alten Kategorien und beruft sich auf Lees Verantwortungsgefühl der Gesellschaft gegenüber:

Sie schulden dem Dasein, der Gesellschaft und mir, für Ihre Schuld zu leiden, aber am meisten schulden Sie es sich selbst ... Sie werden ein unglücklicher Mensch, ein Friedloser, falls Sie nicht zurückstreben zu der Gesellschaft, gegen deren Gesetze Sie sich vergangen haben ... es ist mir persönlich zuwider, daß Sie außerhalb des Schutzes der Gesellschaft auf öden Wegen verkommen.[18]

Der inzwischen unter dem Einfluß des skrupellosen Cancer zum harten Realisten gewordene Amerikaner Lee belehrt ihn eines Besseren:

„Können Sie sich nicht denken, daß man einen Menschen ausrotten kann, um sich selbst honett zu halten?" fragt Lee.
„Das ist die Geschichte der Zivilisation selbst in Amerika, soviel will ich Ihnen doch sagen. Ein Gesellschaftsmensch, das bedeutet ein Mensch, der gewöhnlich nach seiner reinen Vernunft lebt, *darf* einen anderen Menschen, der ihn ins Impulsive hinaustreibt, töten ... das ist eine simple Rache des Instinktes selbst ... wir in Amerika tun dergleichen. Wir sind im Gleichgewicht, wir haben viel zu tun, es ist verboten, uns aufs Gefühl zu gehen, und gefährlich dazu; wir schlagen, wir *wollen* leben als Männer, ehrenhaft, selbst wenn wir deswegen schlagen müssen; wir sind eine Gesellschaft, die so eingerichtet ist, eine Nation ..."[19]

Nach Lees neuem Bekenntnis zur harten amerikanischen Wirklichkeit zu schließen, hat er erkannt, daß die Verhältnisse einem Gemeinschaftsgefühl direkt entgegenwirken. Die europäische Konzeption eines Volksgefühls, einer gegenseitigen Verbundenheit wird absolut abgelehnt. Jeder bildet eine Insel für sich, „kreist um sich selbst". Die gleichen Gedanken drückt später Garga durch seine Handlungen gegen Ende des *Dickichts* aus.
Die in Brechts Notiz für Chicago als charakteristisch angegebene Atmosphäre von zischenden Lokomotiven und in den Höhen spielenden Orgeln verweist ebenso auf Jensens Roman. Jensen gibt seinem Chicagoroman den Titel *Das Rad,* weil für ihn diese Stadt als Weltverkehrsknotenpunkt, als Herz der technischen Welt gilt. Immer wieder beschreibt er die Laute dieser Großstadt:

Tief atmend wie ein Riese, sandte die Stadt ein leises andauerndes Rollen herüber – den Atemzug eines Wesens mit gesundem Herzen. Lee witterte den Laut und kannte ihn, es waren die auch jetzt nicht ruhenden Eisenbahnen, es waren die Züge, die über und unter der Erde nach und von den sieben großen Bahnhöfen Chicagos liefen, den sieben Weltpforten – es waren die langen, stets rollenden Züge, die kamen und gingen, es war das *Rad* . . ."[20]

Der Gangster und Religionsstifter Cancer versucht dem Dichter Lee seine Vorstellungen von dem Chicago der Zukunft auszumalen:

Die Musik muß sich die moderne Technik untertan machen. Sehen sie nicht das Lächerliche darin, daß heutigen Tages eine Orgel noch mit Hand- und Fußkraft getrieben wird? Ich will eine Dampfmaschine von fünftausend Pferdekräften dem Balg vorspannen lassen, ich will die Klaviatur zu elektrischen Kontakten machen, ich will durch die Kraft der Turbinen im Freien spielen, ich will meinen Orgelturm zehn Meilen von Chicago sehen können, seine Pfeifen und Posaune und Tuba sollen als gigantische Ventile in die Wolkenregion emporragen, ich will den Ton Chicagos im Umkreis von zehn Meilen verbreiten, das dröhnende Gebrüll Chicagos, der Tempelstadt."[21]

Die Atmosphäre des geplanten Stückes lehnt sich äußerst eng an die Beschreibungen Jensens an. In diesem frühen Arbeitsstadium trug Brecht sich bereits mit dem Gedanken, den Gegensatz zwischen den beiden Kontrahenten kontrastreicher zu gestalten, und zwar nicht nur charakterlich, sondern auch kulturell-rassisch. Andeutungen dieser Art sind in den Vorarbeiten zum *Dickicht* häufig anzutreffen; auf sie wird später noch zurückzukommen sein. Als Punkt 5 der insgesamt sieben zum *Kalten Chicago* notiert Brecht sich etwas kryptisch:

Das Englische – Asiatische
anstatt des
Lateinisch – Germanisch [sic!][22]

Aus dieser Gegenüberstellung allein ist noch nicht klug zu werden, denn das fehlerhafte Deutsch sowie die ziemlich undeutliche Handschrift lassen es offen, wie der Kontrast aufzufassen sei. Handelt es sich um vereinigende Bindestriche oder Gegensätze andeutende Gedankenstriche? Letzteres scheint eher der Fall zu sein, besonders im Hinblick auf das abgeschlossene *Dickicht*, wo sich Angelsachse bzw. Amerikaner und Malaie gegenüberstehen. Eben dieser Gegensatz zwischen englischem und asiatischem Wesen kommt in allen Variationen in Kiplings Werken zum Ausdruck, mit denen

Brecht sich schon ab 1920 befaßt hatte.[23] In einer vom 11. September 1921 datierten Bemerkung gibt Brecht sogar an, daß ihn Kiplings Werke eigentlich erst auf den Gedanken gebracht hätten, die Großstadt als Dschungel zu beschreiben. Unumstößlicher Beweis dieses Einflusses ist schließlich der Umstand, daß Shlinks Gehilfe in der Erstfassung von 1922 auf den Namen Moti Gui hört. In einer von Kiplings Kurzgeschichten, in der das enge Verhältnis zwischen Herr und Elefant geschildert wird, trägt das blind gehorchende Tier, also der Diener, diesen exotisch klingenden Namen.[24] Die frühesten Entwürfe zum *Dickicht* spiegeln den Gegensatz Englisch – Asiatisch eindeutig wider: Shlink ist dort vorerst noch Chinese und heißt Dschin-in oder „der Chinese", dann Li, bis er schließlich zum Malaien Shlink wird. Sein Gegner wird abwechselnd George Kride, George, zuletzt George Garga genannt. Brecht stellte sich den Chinesen/Malaien Shlink als breit gebauten, kräftigen Typ vor, der in „ruhigem Diktus" spricht, „nur mit langsamen Gesten, nie entschleiernd".[25] Typisch für ihn ist die Kampfweise mit der „nach hinten ausweichenden Verbeugung",[26] er versucht „durch Passivsein zu siegen" und „durch Erleiden Macht zu bekommen".[27] Durch „ein geistiges System scheinbarer Passivität" verstrickt er den Gegner in ein immer dichter werdendes „Dickicht" der Intrigen.[28] Brechts Auffassung des asiatischen Wesens tritt besonders deutlich aus einer Bemerkung hervor, die sich auf die Szene „Mansarde Gargas" bezieht, in der sich die Kontrahenten gegenseitig beeinflussen:

Garga wird asiatisch, Shlink gehetzt.[29]

Die scheinbare Passivität, das in sich ruhende Wesen des Asiaten, kontrastieren mit der zu Handlung und Unruhe neigenden Art des Weißen. So stellt sich zwar der durchschnittliche Europäer das spezifisch Asiatische vor, doch wird bei Brecht auch noch eine literarische Reminiszenz das Ihrige dazu beigetragen haben. Unter dem Datum des 14. Dezember 1920 vermerkte Brecht, er habe Alfred Döblins chinesischen Roman *Die drei Sprünge des Wang-lun* gelesen und bewundere die Art, wie „die Verhältnisse der Menschen zueinander in unerhörter Schärfe herausgedreht, die gesamte Gestik und Mimik virtuos in die Psychologie hineingezogen und alles wissenschaftliche daraus entfernt sei".[30] Dieser Roman war das Ergebnis von Döblins Begegnung mit dem Taoismus[31] und zeigt den Untergang der Anhänger des taoistischen Lebensprinzips des Wu-wei (Nichthandelns, Nichtwiderstrebens). Die Vertreter dieser Lehre werden selber in Gewalttaten

verstrickt und gehen kämpfend unter. Völlig unsentimental zeigt Döblin die
Niederlage der ihm sonst sympathischen östlichen Weisheit des Wu-wei.
Hatte Jensen in seinem Roman lediglich zwei charakterlich entgegengesetzte
Typen als Gegner verwendet, den nach außen hin passiv erscheinenden,
ruhigen, gesetzten Cancer und den jüngeren, schwärmerisch veranlagten,
unausgeglichenen, fast impulsiven Lee, so übernahm Brecht für das *Dickicht*
zwar dieselbe Konstellation, betonte aber unter dem Einfluß der Döblin-
Lektüre[32] die charakterlichen Unterschiede dadurch, daß er sie zu Rassen-
eigenschaften verallgemeinerte und zugleich typisierte. Rein inszenierungs-
technische Überlegungen mögen ihn dazu bewogen haben, den innerlichen
Gegensatz beider Figuren auf der Bühne visuell anzudeuten als den Kampf
zwischen einem Gelben und einem Weißen.[33] Bei Jensen handelte es sich um
einen Kampf zwischen zwei Individuen, die äußerlich nicht besonders von-
einander abstachen. Im Hintergrund der Romanhandlung entfaltete sich
hingegen ein weiterer Kampf, und zwar zwischen dem „nördlichen" und
dem „südlichen" Prinzip, zwischen „Ariern" und „Lateinern" oder „Süd-
ländern". Nun bekommt Brechts weiter oben zitierte kryptische Anmerkung
bezüglich der nationalen Gegensätze im *Stück vom kalten Chicago* einen
Sinn. Er wollte den bei Jensen im Grunde nur Atmosphäre bildenden kulis-
senhaften Kampf zwischen südlichem und nördlichem Prinzip[34] zum büh-
nenhaft wirksamen Kontrastmittel umfunktionieren und für die beiden Pro-
tagonisten verwenden. Das „Lateinisch-Germanische" wird durch das „Eng-
lisch-Asiatische" ersetzt. Im abgeschlossenen *Dickicht* verliert dieser Gegensatz mit jeder Überarbeitung mehr und mehr an Bedeutung. Die frühen
Rezensionen betonen fast durchweg das Asiatentum Shlinks.[35] Nachdem
Brecht das Drama dreimal überarbeitet hatte, konnte er mit gutem Gewissen
im Programmheft zur Heidelberger Aufführung erklären:

> Praktisch gesprochen, würde es mir ausreichen, wenn die Theater ... sich
> damit begnügten, das Asiatentum des Shlink durch einen schlichten gel-
> ben Anstrich anzudeuten, und ihm im übrigen erlaubten, sich zu beneh-
> men wie ein Asiate, nämlich wie ein Europäer. Damit würde schon *ein*
> großes Geheimnis aus dem Stück ferngehalten.[36]

Es ergibt sich demnach eine klare Linie der Abschwächung dieses Rassen-
gegensatzes vom *Stück vom kalten Chicago* über das *Dickicht* bis hin zum
Dickicht der Städte.

Die eingehende Untersuchung von Brechts Aufzeichnungen zu dem *Stück
vom kalten Chicago* erweist deutlich, daß es sich hierbei um eine Vorstufe

zum *Dickicht* handeln muß. Grundthema sollte der Kampf zwischen einem Asiaten und einem Angelsachsen, einem Realisten und einem Idealisten, sein. Details bezüglich der Atmosphäre Chicagos (Dröhnen des Verkehrs und Rollen der Züge), die Vereinsamung des Individuums und Loslösung von der Gemeinschaft, die Relativierung sämtlicher Werte durch die „geldjagende Menschheit",[37] der Vergleich der Menschen mit „anstürmenden Tieren"[38] und der Großstadt mit einer „Arena" des Kampfes, alle diese Details gehen auf Jensens Chicagoroman zurück und tauchen später im *Dickicht* wieder auf. Die Vermutung, daß es sich beim *Stück vom kalten Chicago* um den ersten vagen Arbeitstitel für das spätere *Dickicht* handeln muß, wird außerdem durch andere Umstände bestärkt. Sowohl in Jensens, besonders aber auch in Sinclairs Roman wird der harte Winter Chicagos beschrieben, der Stadt, die im Volksmund „the windy city" genannt wird. Der strenge Winter symbolisiert bei Sinclair gleichsam die Kälte und Hartherzigkeit der Bewohner der Stadt. In den Entwürfen zum *Dickicht*, in der Erstfassung des Dramas sowie in Einschüben der späten Fassung *Im Dickicht der Städte* bezeichnet Brecht die Stadt konsequent als „das kalte Chicago":

E n t w ü r f e :
Oh das Fluchen der Fuhrleute jagt die Tramgaleeren vorwärts in die gewöhnliche Schlacht, das Muh des unverdaulichen Volkes steht jeden Morgen auf, und die frische runde Brust *des kalten Chicago* atmet, mit Morgenluft immer versorgt, ruhig und mächtig hin.[39]

Im Dickicht:
Die Fenster sind geschlossen, da *Chicago kalt* ist.[40]
Ich werde mein rohes Fleisch in die Eisregen hineintragen. *Chicago ist kalt.* Ich gehe hinein.[41]

Im Dickicht der Städte:
Kann man vergessen, daß *Chicago kalt* ist?[42]

Selbst in seinen Privatbriefen an Arnolt Bronnen verwendet er zur Zeit der Vorbereitungen zur Erstaufführung des *Dickicht* Ausdrücke wie „das kalte chicago",[43] „dickicht"[44] und „asphaltdschungel"[45] für Berlin und München. Noch 1925 spricht Brecht in diesen Worten über die Publikumsaufnahme der Erstfassung *Im Dickicht:*

Sie waren erfreut, daß *das kalte Chicago* so angenehm anzusehen ist.[46]

Es besteht also kein Zweifel mehr, daß der Ausdruck das „kalte Chicago" für Brecht synonym mit „Dickicht" und „Dschungel" war und daß er mit dem *Stück vom kalten Chicago* nichts anderes meinte als das spätere Drama *Im Dickicht.*

Von Herbst 1921 bis Anfang 1922 war Brecht mit den Arbeiten an diesem seinem dritten Drama beschäftigt, dem ersten, in dem er Amerika als Schauplatz für die Bühne wählte. Er hoffte, sich mit diesem Drama in der Theaterstadt Berlin einen Namen zu machen. Berliner Theaterleuten las er im Frühjahr 1922 das abgeschlossene Stück vor und „rechnete mit einer Aufführung bei Jessner oder Reinhardt".[47] Zu den ersten wohlwollenden Kritikern gehörten Erich Engel, der Jugendfreund Jakob Geis und Herbert Jhering, der ihm noch im selben Jahr den Kleistpreis (für die ersten *drei* Dramen, einschließlich des *Dickicht*) zuerkannte. Arnolt Bronnen hatte schon im Mai 1922 ein Exemplar des Dramas in Händen, und einen Monat später wurde mit dem Residenztheater in München der Vertrag für die Uraufführung abgeschlossen. Erich Engel führte Regie, der Augsburger Jugendfreund Caspar Neher hatte die Bühnenausstattung übernommen. Bei der Premiere am 9. Mai 1923 kam es zu tumultartigen Ausschreitungen, da das in seiner Meinung geteilte Publikum sowohl seiner Begeisterung als auch seiner Empörung lauten Ausdruck verlieh. Nach den damaligen Pressestimmen zu urteilen, stand man dem Stück im großen und ganzen völlig ratlos gegenüber. Selbst Freunde wußten nicht so recht, wie sie es beurteilen sollten. Jakob Geis meinte:

... Brecht [legte] ein neues Stück *Im Dickicht* auf den Tisch seiner Freunde, drückte sich und ließ sie rätselratend zurück. Man las und war etwas verwirrt durch diesen immer bösartiger werdenden Kampf zwischen einem Leihbudenkommis und einem malaiischen Holzhändler.[48]

Hier einige Beispiele negativer Pauschalurteile der damaligen Theaterkritiker:

G. J. Wolf *(Münchner Zeitung)*:

Auf alle Fälle: ein Wirrsal, über das man eine Meinung haben kann, das sich aber jeder Erkenntnis verschließt.[49]

H. W. Geissler *(München-Augsburger Abendzeitung)*:

So vollkommen verworren ist es [das Stück], und so kläglich versagt der Verfasser bei dem Versuche, Ideen deutlich zu machen oder gar Menschen zu gestalten. Ein umfassenderes Fiasko dürfte selten auf der Bühne gemacht worden sein.[50]

J. Stolzing *(Völkischer Beobachter)*:

Wenn man mich mit schwerster Strafe bedrohte, ... ich schwöre es ..., daß ich keine Inhaltsangabe liefern kann, weil ich keine blasse Ahnung von dem bekam, was eigentlich auf der Bühne vorging.[51]

Herbert Jherings Rezension im *Berliner Börsen-Courier* vom 12. 5. 1923 wies allein auf die Verdienste von Brechts neuem Drama hin, vor allem auf die „Suggestionskraft der Sprache" und die meisterhaft gezeichnete Atmosphäre: „Brecht gibt die Atmosphäre, in der Unerhörtes, die Luft, in der Undeutbares geschehen muß."[52] Mit diesem Drama wollte Brecht in erster Linie die Atmosphäre des existenziellen Kampfes in der modernen Großstadt zeichnen. Jhering erkannte das sofort und war zu jener Zeit wohl der einzige namhafte Rezensent, der etwas weiter sah und hinter dem Chinesenviertel Chicagos den sich damals in ganz Deutschland abspielenden Kampf wiedererkannte:

... aber der Kampf, der heute, wo man hinsieht, in Deutschland geführt wird, hat kaum noch etwas mit politischen Einstellungen zu tun. Es ist ein Kampf gegen das Unbequeme, Unkonventionelle, gegen das Unphiliströse, Irrationale auf allen Gebieten.[53]

Die Atmosphäre der Riesenstadt Chicago steht stellvertretend für die der modernen Großstadt an und für sich. Es wäre zu einfach und zu eng, eine Gleichung „Chicago = Berlin" aufzustellen. Wie bereits erwähnt, verwendete Brecht 1923 in seinen Briefen an Bronnen unterschiedslos Ausdrücke wie „das kalte chicago", „asphaltdschungel" und „dickicht" für Städte wie Berlin und München. Die von Sinclair und Jensen in ihren Romanen beschriebenen Großstadtprobleme lernte der junge Brecht aus eigener Erfahrung in Berlin kennen. Um die zwanziger Jahre wurde überhaupt das unaufhaltsame Wachstum der Städte zu einem ernsten Problem der jungen Generation. Auf dem europäischen Kontinent gab es zwar große Weltstädte, doch konnten sie in Ausdehnung und Einwohnerzahl mit den mythischen Mammutstädten Nordamerikas nicht konkurrieren. Erst nach dem ersten Weltkrieg begannen die europäischen Städte sich schnell auszudehnen. Kurz bevor Brecht sich mit dem Gedanken trug, ein Stück über die großen Städte zu schreiben, erhielt auch Deutschland seine „Superstadt". Der Stadtkern Berlins verschmolz mit sieben umliegenden Städten und etwa sechzig Landgemeinden zu der neuen städtischen Einheit „Groß-Berlin". Mit einem Schlage rückte Berlin mit vier Millionen Einwohnern zur zweitgrößten Stadt Europas auf und wurde durch die enorme Ausdehnung des Stadtgebietes rein flächenmäßig zu einer der größten Städte der Welt.[54] Berlin folgte nur einer logischen Entwicklung, die die amerikanischen Städte schon längst durchgemacht hatten. Notgedrungen produzierte der Existenzkampf in der völlig neuartigen Umgebung der Riesenstädte auch eine neue Art von Menschen. Brecht wollte die Vereinzelung und Vereinsamung des Menschen in der Großstadt aufzeigen und befürchtete, das Publikum werde den eigentlichen Sinn des Stückes nicht verstehen. Im Programmzettel zur Erstaufführung wies er deshalb auf die „hier nur im Extrakt" wiedergegebenen Gespräche der Charaktere hin:

> ... es sind, einige für das Drama *unentbehrliche* Verdeutlichungen und *Unwahrheiten* abgerechnet und eine den Brettern anhängige, vielleicht zu *romantische Ausschmückung* der Ereignisse zugegeben, lediglich die wichtigsten Sätze, die hier an einem bestimmten Punkt des Globus zu bestimmten Minuten *der Menschheitsgeschichte* fielen.[55]

Die „romantische Ausschmückung" bedeutete eine Gefahr. Zu leicht konnte sie das Grundthema verschleiern und überwuchern, nämlich den fundamentalen Kampfcharakter des Großstadtlebens. Es sollten die Verhaltensweisen der Großstadtbewohner gezeigt, aber keineswegs erklärt werden. Sechs Jahre später schreibt Brecht über die letzte Fassung des Dramas ausdrücklich, daß es unmöglich sei, „eine Figur von heute, eine Handlung von heute durch Motive zu klären, die zur Zeit unserer Väter noch ausgereicht hätten". Er habe sich – besonders in *Im Dickicht der Städte* – damit beholfen, „die Motive überhaupt nicht zu untersuchen, um wenigstens nicht falsche anzugeben", und habe aus diesem Grunde „die Handlungen als bloße Phänomene dargestellt".[56] Im Vorwort zur letzten Fassung betont er nochmals ausdrücklich, daß die Motive des Kampfes nebensächlich seien. Das Publikum solle eher die „Kampfform der Gegner" beurteilen und das „Interesse auf das Finish" lenken.[57]

Die stete Landflucht der Bevölkerung bewirkt eine allmähliche Verstädterung gewisser Landstriche. In der neuen Umgebung muß sich die zugezogene Landbevölkerung in ihren Verhaltensweisen den Lebensbedingungen der Großstadt anpassen. Es entsteht somit nicht nur ein neuer Stadttyp – der Asphaltdschungel riesenhaften Ausmaßes – sondern auch ein völlig neuer Menschentyp. Diese „Städte- und Menschentypen aus den ersten Jahrzehnten des Jahrhunderts" waren für Brecht von solcher Bedeutung, daß er diese Typen anhand von Abbildungen im Anhang zur Erstausgabe des *Dickicht der Städte* zu verdeutlichen suchte.[58]

Der sich täglich in der Großstadt abspielende Existenzkampf geht dem Stadtmenschen in Fleisch und Blut über, so daß er letztlich Freude am Kampf selber verspürt, ohne dabei an den Ausgang zu denken. Als Ausdruck dieser Kampfeslust deutete Brecht die besonders in den Riesenstädten Amerikas – und nach dem ersten Weltkrieg auch in Deutschland – um sich greifende Begeisterung für den Boxsport. Der Boxkampf als Sport war in Brechts Augen symptomatisch für die Entwicklung dieses neuen Menschen-

typs, „der einen Kampf ohne Feindschaft mit bisher unerhörten, das heißt
noch nicht gestalteten Methoden führte, und seine Stellung gegen die Familie, zur Ehe, überhaupt zum Mitmenschen und vieles mehr".[59] Die Handlungsweise dieses neuen Menschenschlages konnte durch herkömmliche Motive nicht erklärt werden, da es oft keine Erklärung gab. Für viele Verbrechen in der modernen Großstadt ist kein Motiv des Täters mehr zu finden.
Deshalb mahnt Brecht sein Publikum, es dürfe nicht erstaunt sein, wenn
„gewisse Menschentypen in gewissen Situationen anders handeln als erwartet" und wenn die „Mutmaßungen über die Motive einer bestimmten Handlungsweise sich als falsch erweisen".[60] Zur gleichen Zeit hebt er noch einmal
ausdrücklich als Grundgedanken des Dramas hervor, „daß purer Sport zwei
Männer in einen Kampf verwickeln könnte, der ihre wirtschaftliche Situation sowie sie selbst bis zur Unkenntlichkeit verändert". Von einer beabsichtigten Darstellung des Klassenkampfes kann keine Rede sein. Shlink und
Garga sind eher als zwei Faustkämpfer in der Arena der Großstadt zu betrachten, die aus purer Kampfbegeisterung Schläge austeilen und zu parie-
ren versuchen.

Amerika bot sich Brecht aus verschiedenen Gründen als Schauplatz für
diese neuartigen Verhaltensweisen an. Wie bereits erwähnt, war die in
Europa erst einsetzende Tendenz zur Mammutstadt in Amerikas Riesenstädten bereits vorweggenommen. Städte wie Chicago und New York waren mit ihren Steinschluchten und in den Himmel ragenden Wolkenkratzern
zukunftweisend. Die in einer solchen Umgebung akut werdenden gesellschaftlichen Probleme der Vereinsamung inmitten einer anonymen Masse,
das Abstreifen jeglicher Bindung an Familie, Heim und Tradition sowie die
zunehmende Kriminalität waren dort bereits in einem viel höheren Aus-
maße ausgeprägt als in Europas Städten.

Brecht nannte einmal George Garga (der im Aussehen an Rimbaud erinnern sollte) ziemlich vage „im Wesentlichen eine deutsche Übersetzung aus
dem Französischen ins Amerikanische".[61] Gerade seine Handlungsweise sei
das typisch Amerikanische an ihm, eine Charakteristik, die auch für die
meisten anderen Figuren gilt:

Meine Wahl amerikanischen Milieus entspringt nicht, wie oft gemeint
wurde, einem Hang zur Romantik. Ich hätte ebensogut Berlin wählen
können, aber das Publikum hätte dann nicht gesagt: „Der Mensch handelt
eigenartig, auffällig, bemerkenswert", sondern nur: „Ein Berliner, der so
handelt, ist eine Ausnahmeerscheinung". Durch einen *Hintergrund* (eben
den amerikanischen), *der meinen Typen von Natur entsprach*, so daß er

sie nicht preisgab, sondern sie deckte, glaubte ich das Augenmerk am leichtesten auf die *eigenartige Handlungsweise* zeitgemäßer großer Menschentypen lenken zu können. In deutschem Milieu wären diese Typen romantisch: Sie hätten sich bloß in einem Gegensatz zu ihrer Umgebung befunden, statt im Gegensatz zu einem romantischen Publikum. Praktisch gesprochen, würde es mir ausreichen, wenn die Theater Amerika als gewöhnliche Photographie auf den Prospekt würfen..."[62]
Der amerikanische Hintergrund entsprach also nicht nur den dargestellten Typen von Natur aus. Brecht weist in dieser Bemerkung aus dem Jahre 1928 – als er die Theorie des epischen Theaters bereits dargelegt hatte – auch auf die verfremdende Funktion des Milieus, die erst das Augenmerk auf die eigenartige, typisch amerikanische Handlungsweise richten läßt.

Das Drama ist nicht allein die Beschreibung des Kampfes zwischen Shlink und Garga, sondern im weiteren Sinne auch die Geschichte des Untergangs der Familie Garga, die aus einem Landbezirk in die Großstadt gezogen ist, und dort unter die Räder gerät. Hier eröffnen sich einige Parallelen zu Sinclairs *The Jungle,* wo der Verfall der Familien Rudkus und Lukoszaite geschildert wird, die in der Hoffnung auf ein besseres Leben aus dem ländlichen Finnland nach Chicago gezogen sind. Allzu bald müssen sie erkennen, daß außer dem Geld keine anderen Werte mehr Gültigkeit besitzen. Wie Maë und Marie Garga wird auch Jurgis' Frau um der finanziellen Sicherheit der Familie willen gezwungen, ihren Körper zu Markte zu tragen. Die ältere Generation kämpft bei der Arbeitssuche gegen unüberwindliche Hindernisse, bleibt arbeitslos und wird zuletzt als nutzlose und lästige Mitesser geduldet. Der dem Alter gebührende Respekt verwandelt sich anfangs in Mitleid, später in kalte Gleichgültigkeit. Als wichtiger Brotverdiener und Ernährer der Familie wird Jurgis zunehmend desillusioniert und verkommt in den Kneipen Chicagos, wo er seine Verantwortung der Familie gegenüber zu vergessen sucht. In sehnsuchtsvollen Träumen an die geordneten Verhältnisse der ländlichen Heimat versucht er wie George Garga, der grausamen Wirklichkeit des Alltags zu entgehen, bis er sich dazu entschließt, seine Angehörigen ihrem eigenen Schicksal in der Stadt zu überlassen, um selber ein neues Leben fern der Stadt beginnen zu können. Bis hierher ähneln sich Brechts *Dickicht* und Sinclairs *The Jungle* auffallend. Brecht war nicht darum zu tun, nach Ursachen zu forschen und Mittel der Veränderung und Abhilfe vorzuschlagen. Sinclair hingegen läßt seinen Romanhelden zurückkehren und aktiv auf der Seite der Sozialisten für eine bessere Zukunft kämpfen.

In Anlehnung an Sinclair versucht Brecht im *Dickicht* zu zeigen, daß die allmähliche Erosion sämtlicher gesellschaftlicher Bindungen symptomatisch für das Leben im Asphaltdschungel ist. Die Familie verliert ihre Bedeutung als kleinste Zelle des gemeinschaftlichen Zusammenlebens, denn durch den ständigen Existenzkampf bleibt jeder letzten Endes auf sich selbst gestellt. Wer wie Shlink lange genug in dieser Atmosphäre des gegenseitigen Halsabschneidens gelebt hat, der empfindet sogar Lust daran, sich mit anderen zu messen, zumal dies oft die einzige Möglichkeit ist, mit anderen in Kontakt zu kommen. Selbst Garga gesteht am Ende reumütig:

> Es war die beste Zeit. Das Chaos ist aufgebraucht, es entließ mich ungesegnet. Vielleicht tröstet mich die Arbeit. Es ist zweifellos sehr spät. Ich fühle mich vereinsamt.[63]

Garga spricht offensichtlich mit gemischten Gefühlen. Seine Lust am Kampf kann er nicht verbergen, doch sucht er Trost in der „Arbeit" zu finden, bei der Kultivierung des Landes im Süden. In der späteren Fassung *Im Dickicht der Städte* hat er sich der neuen Umgebung der Großstadt vollends angepaßt. Er empfindet ungeschmälerte Freude am Kampf und zieht nicht aufs Land zurück; seine Stimmung ist optimistischer und er macht sich auf den Weg in die einzige Stadt, die noch größer ist als Chicago: New York.

Der Kampf zwischen den beiden Kontrahenten bezieht sich hauptsächlich auf „gewisse Vorstellungskomplexe", die ein „junger Mann von der Art des George Garga von der Familie, von der Ehe oder von seiner Ehre hat".[64] Wie Rosenbauer in seiner Studie *Brecht und der Behaviorismus* dargelegt hat, liefert der erfahrene Shlink „im Verlauf des Stückes die Stimuli, Garga reagiert darauf".[65] Die scheinbare Passivität Shlinks ist im Grunde eine Art Herausforderung, also Aktion. Shlink erzeugt in seinem Gegner „gewisse Gedanken, die ihn zerstören müssen, er schießt Gedanken in seinen Kopf wie Brandpfeile".[66] Der psychologische Kampf zwischen Shlink und Garga folgt in groben Zügen der Auseinandersetzung zwischen Evanston und Lee in Jensens Roman *Das Rad*. Wie Evanston ist Shlink genauestens über das Privatleben seines Gegners informiert und versteht es, den unerfahrenen Jüngeren in eine unerbittliche Auseinandersetzung zu verstricken, bei der „mit vollem Einsatz"[67] wie zwischen Raubtieren gekämpft wird.[68] Shlinks Methoden der geistigen Vergewaltigung sind die gleichen, die Evanston Lee gegenüber zur Anwendung gebracht hatte: zuerst eine unerklärliche Aufdringlichkeit, die im anderen das Bedürfnis erweckt, den unbekannten Gegner kennenzulernen und ihn offen herauszufordern,[69] ebenso das auf ein genaues Studium der Persönlichkeit gestützte Manövrieren und Manipulieren der Handlungen des Gegners,[70] die Vereitelung ungewünschter Reaktionen durch ihre Prophezeiung und Vorwegnahme,[71] die Ausnützung der Ideale und Grundsätze des anderen als wunde Punkte, mit denen beliebig zum eigenen Vorteil operiert werden kann.[72] Shlinks Charakter und Handlungsweise beeinflussen den im Stadtleben noch unerfahrenen Idealisten Garga, während Gargas Rastlosigkeit und Impulsivität mit der Zeit auf Shlink abfärben. Diese gegenseitige Beeinflussung ist auch einer der Gründe, warum der ganze Kampf zu einem Schattenboxen ausartet und die ersehnte Verständigung Shlink als auch Garga letztlich versagt bleibt. Gargas Weltanschauung ändert sich von Grund auf. Er vergißt nach und nach seine ursprünglichen Ideale und gehört zuletzt dem gleichen Menschenschlag an wie der frühe Shlink, den das amerikanische Großstadtleben von klein auf geprägt hat. Zum Vergleich seien hier kurz Jensens Beobachtungen über die in dem Idealisten Lee vorgegangenen Veränderungen aufgeführt, die sich ebensogut auf Garga anwenden ließen:

Ja, er [Lee] hatte seine Lebensanschauung verlassen, sie fast organisch ausgeschieden ... all das hatte die Farbe verloren, war vor der Wirklichkeit verblaßt, vor dem Eindruck des heutigen Geschlechts ... Aber hier, in diesem Vergangenheitsgefühl ... Hier hatte ihm Evanston mit allen Affeninstinkten beikommen können! Zum Teufel mit Phantasie und seelischem Reichtum, solange man auf Erden lebte! ...
Weg mit der Vergangenheit! Zur Hölle mit Amerikas Geistesleben! Es gab kein anderes Geistesleben als Arbeit. Der Geist Amerikas war die Arbeit ...
Geistesleben, ... das war ja im letzten Grunde nur eine Taktik im Daseinskampfe ebenso wie die Farbe es ist in der Tierwelt. Es war sinnlos, von Seele im Sinne einer Art Inventar, das den Besitzer wechseln könnte, zu sprechen. Man war, was man war, und niemand konnte sein Wesen auf Kosten des andern bereichern. Die Menschen, die scheinbar keine Seele hatten, waren natürlich die lebendigsten von allen![73]

Der harte, pragmatische, illusionslose Mensch, wie er bei Jensen und Sinclair gezeichnet wurde, das Individuum, das sich trotz oder gerade wegen seiner Wurzellosigkeit und seines Nichtgebundenseins im realen Lebenskampf behauptet, dies ist für Brecht der in Amerikas Großstädten bereits existierende „Dschungelmensch" der Zukunft.

Die Atmosphäre dieses Dickichts wird in der Hauptsache dadurch ge-

kennzeichnet, daß der einzige gültige Wertmaßstab der Preis ist, den andere
für eine Sache zu zahlen bereit sind. Nichts existiert, was nicht wie eine
Ware be- und gehandelt würde: Shlink will Gargas Meinung über ein Buch
abkaufen; Gargas Braut Jane Montpassier wird von dem Pavian[74] durch die
relativ geringe Ausgabe für einige Cocktails für das leichte Leben gewonnen
und fortan als Objekt behandelt.[75] In der späteren Fassung wird die alles
beherrschende Rolle des Geldes klarer herausgearbeitet. Es ist einzig und
allein Shlinks Wohlstand, der es ihm ermöglicht, Garga „die Hunde auf den
Hals zu jagen". Er spricht aus langjähriger Erfahrung, wenn er sagt, „Geld
ist alles."[76] Selbst treue Mitarbeiter im eigenen Betrieb sind letztlich nur
Schachfiguren, die man im Interesse des eigenen Kampfes rücksichtslos auf-
opfert, ohne sich Gedanken über ihr weiteres Schicksal zu machen. Das
Geschäftsleben ist von unbeschreiblicher Härte und Gemeinheit. Vor dop-
peltem Verkauf einer Ware schreckt man nicht zurück,[77] denn die Unter-
gebenen können im Ernstfall zum Sündenbock gemacht werden. Das
Schicksal der Einwanderer ist unsagbar hart. Der Malaie konnte sich nur
durch unmenschliche Anstrengung hocharbeiten und seine eigene Firma
gründen. Mit sieben Jahren begann er zu schuften, vierzig Jahre arbeitete er
„mit den Nägeln an den Fingern" bei nur vier Stunden Schlaf die Nacht.[78]
Garga sehnt sich in diesem Dschungel nach Freiheit, die ihm zu erringen
ebenso ausgeschlossen erscheint wie Shlink die Verständigung und Gemeinschaft mit einem anderen Menschen.[79] Die Massengesellschaft bedeutet zugleich die unsagbare Vereinsamung des einzelnen, dem es selbst durch
Feindschaft unmöglich wird, „Fühlung" zu bekommen:

Shlink: ... Wenn ihr ein Schiff vollpfropft mit Menschenleibern, daß es
birst, es wird eine solche Einsamkeit in ihm sein, daß sie alle gefrieren.[80]

Im Städtedickicht gilt das gleiche Gesetz wie in der Prärie: „Aug' um
Aug', Zahn um Zahn",[81] denn „in dem Dschungel ist jeder allein".[82] Brechts
frühe Entwürfe zeigen, daß dies von Anfang an eines der Grundthemen des
Stückes war.

Zum Milieu des amerikanischen Schmelztiegels gehört für Brecht selbstverständlich das Problem des Rassenunterschieds. Während in der Erstfassung und besonders in den frühesten Entwürfen dieses Merkmal noch stark
hervorsticht, verschwand es praktisch völlig in der endgültigen Druckfassung. Die Schwarzen werden abfällig als „Nigger" bezeichnet und gelten als
dumm und sexuell ungewöhnlich potent. Heißt es z. B. 1922 noch: „Ich

verstehe nichts, Sir, ich bin dumm wie ein Neger," so ersetzt Brecht später das Wort „dumm" durch das neutralere, aber dennoch bezeichnende, „dabei".[83] Die Negerin gilt als Inbegriff der Häßlichkeit, wenn John Garga sich über seine alternde Frau beklagt:

> Früher war sie schön ... jetzt hat sie eine Haut wie eine Niggerin, eine schwarze Krokodilhaut über dem Gesicht, und Augen wie Messer in den Schlitzen. Im Dunkeln ist es ein Grauen ... Lieben Sie so eine Frau![84]

Als Marie Shlink ihren unberührten Leib anbietet, rät er ihr ablehnend: „Man mietet Neger so leicht, Ihre Virginität ist kein Hindernis."[85] Der Farbige lebt unter konstanter Angst vor der Lynchjustiz, die unter Umständen auch Sittlichkeitsverbrechern gelten kann: „Man hat heute gelyncht. Neger wie schmutzige Wäsche an Stricken. Ich habe auf der Milwaukee Brücke gehört, daß sie dich suchen, dich." Shlink wäre vor zwanzig Jahren beinahe einem solchen Mob zum Opfer gefallen und kann jenes Geschrei der blutgierigen Menge nicht mehr vergessen: „Sie werfen einen Mann wie einen Holzstamm auf den Asphalt, diese Tiere kenne ich."[86] Dem Malaien Shlink begegnet man als Gelbhäutigem nicht so ablehnend wie den Negern, doch wird der Unterschied zwischen Weißen und Asiaten stets betont. Shlink hat sogar einen Komplex seiner Hautfarbe wegen, die er als unrein empfindet; deshalb erwartet er von Gargas Eltern keinen Händedruck. Marie, die sich in ihn verliebt, findet es nötig, ihm ausdrücklich zu versichern, daß er sie keineswegs abstoße. Er hingegen gibt später vor, sein „Reinlichkeitsgefühl" zwinge ihn, von einer sinnlichen Vereinigung mit ihr als einer Weißen abzusehen.[87] Nachdem sie sich ihm dennoch hingegeben hat, gesteht sie reuevoll, „es ist widerlich vor Gott und den Menschen, ich gehe nicht mit Ihnen".[88] Manky nennt ihn gar einen „gelben Hund".[89]

Gargas endgültiges Mittel, den Kampf gegen Shlink zu gewinnen, ist die Rassenhetze gegen den Asiaten:

> Gelbhäutige vergewaltigen eure Töchter und die Weiber werfen gelbhäutige Bälge von ihnen! Ihr müßt ihn ausräuchern! Er ist gegerbt von Liebesbissen![90]

Der ihm drohenden Lynchjustiz kann der Asiate nur durch Selbstmord entgehen.

Die Atmosphäre der Erstfassung ist in mancher Hinsicht nicht konsequent amerikanisch. Die bloße Andeutung des Milieus genügte bekanntlich Brecht vollauf, und er war deshalb äußerst nachlässig in der Gestaltung der Details. Währungsangaben sind abwechselnd in englischen Pfunden und amerikanischen Dollars. Hemden werden für „zwei Dollar das Stück" genäht, die Flasche Whisky kostet „vier Pence". Etwas später wird ein Lohn von „fünf Shilling" erwähnt.[91] Dann bittet man wiederum um Schnaps für „vier Groschen".[92] Wirkt in diesem Falle die offensichtliche Vermischung des amerikanischen mit dem englischen Milieu ziemlich störend, so verschwindet dieses Durcheinander in bezug auf das Religiöse. Wenn der Wurm im Schnapssalon der Kohlenbar vorgibt, er sei Methodist und unterrichte die Kinder in der Sonntagsschule, dann wirkt dies durchaus glaubwürdig in diesem Milieu. Seine Behauptung, erst durch Orgelmusik und Gesang könnten die Gläubigen mobilisiert und ausgebeutet werden, erinnert an Evanstons hinterlistige Machinationen als Religionsstifter in Chicago.[93] Die aus dem angelsächsischen Bereich stammende Heilsarmee, die mit Gitarrenmusik, Trommelschlag und Hallelujarufen operiert, wird nicht ohne abfällige Bemerkungen in das Bild Chicagos hineinverflochten. Garga hält nichts von ihrer Tätigkeit, Shlink nennt ihre Mitglieder gar „hymnensingende Halsabschneider".[94] Hier ist bereits der Angriff gegen die „Strohhüte" angedeutet, den Brecht später in *Happy End* und *Die heilige Johanna der Schlachthöfe* in den Vordergrund rückt.

In den Kneipen Chicagos trinkt man bei Brecht zwar mitunter Whisky oder Cocktails, meist aber Schnaps, Rum, Absinth und Eierkognac – alles typisch europäische Getränke. Man „pokert",[95] hat den „Browning" griffbereit in der Gesäßtasche,[96] droht mit dem Sheriff,[97] und denkt an „Sing-Sing",[98] oder erhofft sich von den Ölfeldern bessere Verdienstmöglichkeiten.[99] Als höfliche Anrede verwenden Brechts „Amerikaner" Ausdrücke wie „Gentlemen" und das britische „Mylady". Manky („Monkey"?) nennt Gargas Schwester andauernd „Nice", eine von Brecht wohl selbst zurechtgezimmerte Anrede, die er in der Spätfassung durch das deutsche „Schönes" ersetzt.

Chicago selbst wird zu einer mythischen Großstadt, die zu den im Drama beschriebenen Handlungsweisen den passenden Hintergrund bilden muß: „Grau. Wolken. Staub. Der Verkehr. Lärm von der Milwaukeebrücke." Im Steinbruch sind von weitem das „Rollen der Pazifikzüge" sowie der „Züge nach Illinois" zu hören.[100] In der Szene „Chinesisches Hotel", die ursprünglich „In den Kohlenlagern" ersetzen sollte, läßt Brecht den „Lärm des erwachenden Chicago" durch eine geöffnete Tür in den Raum dringen. Die

Bühnenanweisung hierzu lautet: „Geschrei der Milchhändler, Rollen der Fleischkarren".[101] Die darauf folgende Beschreibung der erwachenden Riesenstadt geht, wie Bahr zeigte, eindeutig auf Jensens Roman zurück, wo eine ähnliche Szene beschrieben wird.[102] In einem Szenenentwurf, der in keiner Fassung Aufnahme fand, beziehen sich Shlink und Garga im Laufe eines Streites auf das unaufhörliche Dröhnen und Lärmen der Stadt:

> Garga: ... Es ist verhallt weder der Tumult der Milwaukeebrücke, noch
> das Gestampf der guten Wagenpferde, noch sind verhallt Eis-
> regen auf Fischerkärren und das Knirschen der Elektrischen in
> den Eisengeleisen, die man mit Viehsalz bestreut ... Oh, das Flu-
> chen der Fuhrleute jagt die Tramgaleeren vorwärts in die ge-
> wöhnliche Schlacht, das Muh des unverdaulichen Volkes steht
> jeden Morgen auf, und die frische runde Brust des kalten Chicago
> atmet, mit Morgenduft immer versorgt, ruhig und mächtig hin.
> Shlink: Vor zwanzig Jahren war ich Trambahnschaffner in Chicago. Es
> war so wie Sie es beschreiben.[103]

Auch was die Geographie des neuen Kontinents anbetrifft, nimmt es Brecht nicht so genau. Die vom Land zugezogene Familie Garga sehnt sich immer wieder nach der alten Heimat – doch wo dieses ursprüngliche Zuhause zu finden ist, bleibt absichtlich vage: Wenn Maë beteuert, sie seien „im flachen Land daheim gewesen", winkt Shlink ab und gibt zu verstehen, daß er darüber Bescheid weiß.[104] Doch später wirft er Garga vor, seine ganze Familie „aus den Alleghani-Gebirgen" opfere er „im flachen Land" auf, sie sei ihm nur Mittel zum Zweck.[105] Es paßt zu diesen vagen geographischen Bezügen, daß Schiffe direkt nach Tahiti auslaufen, vierzig Jahre ehe der St. Lawrence Seaway die Verbindung zwischen den Großen Seen und dem Atlantik herstellte.

Dieses mythische, zuweilen direkt absurd anmutende Chicago hatte zweifellos die Funktion, die Geschehnisse auf der Bühne in eine verfremdende Atmosphäre der Ferne und Exotik zu tauchen, um so diesen eigenartigen Kampf der Gegner klarer in den Vordergrund zu rücken. Wie Gisela Bahr in ihrer Dissertation erwähnt, machte sich Brecht bald daran,[106] das Drama zu schaffen und übersichtlicher zu gestalten. Doch geht aus den Rezensionen der Aufführungen von 1924 wiederum hervor, daß das Stück deswegen nicht verständlicher geworden war.[107] Brecht überarbeitete es daraufhin noch einmal, und in dieser Fassung wurde es 1927 in Darmstadt aufgeführt. Ein Vergleich dieser Druckfassung mit dem Titel *Im Dickicht der Städte* mit der Erstfassung *Im Dickicht* zeigt, daß Brecht das amerikanische Milieu viel stärker, klarer und logischer herausarbeitete, es nicht mehr nur beim Atmosphärischen beließ, sondern sich mehr und mehr auf die amerikanische Wirklichkeit bezog. Das Stück wird sachlicher mit exakten Orts- und Zeitangaben. Es bringt Vorgänge zwischen dem 8. August 1912 und dem 27. November 1915 in Chicago auf die Bühne. Jeder Szene gehen genaue Einzelheiten über Ort und Zeit voraus, selbst Shlinks Holzhandlung bekommt eine Adresse: „6, Mulberry Street".[108] Ein flüchtiger Blick auf die „dramatis personae" zeigt ein Streben nach größerer Glaubhaftigkeit des Milieus: Jane Montpassier heißt nun Jane Larry, Moti Gui wird zu „Skinny", die eigentlichen Namen des Pavians und des Wurms werden als Collie Couch und J. Finnay angegeben, aus dem umständlichen „Manky-boddle" wird das amerikanisch kurze „Manky". Lehnte sich die Frühfassung in der Darstellung der sozialen Probleme einer Zuwandererfamilie ziemlich eng an Upton Sinclairs *The Jungle* an, so tritt das Thema der dehumanisierenden Wirkung der Armut zugunsten der Großstadtproblematik an und für sich in den Hintergrund. Im *Dickicht* trug George Garga die Hauptschuld an den unsicheren Verhältnissen der Familie. In der letzten Fassung hingegen ist es das undurchsichtige „milchglasige" Chicago, welches die Gargas bedroht. Der Vater ist es gewohnt, zu ertragen, was „diese Stadt an Demütigungen für mich noch hat."[109] Die Mutter denkt mit Schrecken an die Zeit, die sie schon wie „Schlachtvieh" hier verbracht hat: „Vier Jahre in dieser Stadt aus Eisen und Dreck! O George!"[110] In solchen Städten können die alltäglichsten Handlungen unabsehbare Folgen nach sich ziehen. Eine gute Ernte garantiert keinen vollen Magen, noch bewahrt Vertrauen auf Gott einen vor Unglück:

John: ... Der Weizen in den Staaten wächst durch Sommer und Winter. Manky: Aber Sie haben plötzlich, ohne daß es Ihnen einer sagt, kein Mittagessen. Sie gehen mit Ihren Kindern auf der Straße, und das vierte Gebot wird genau beobachtet, und plötzlich haben Sie nur mehr die Hand Ihres Sohnes oder Ihrer Tochter in der Hand, und Ihr Sohn und Ihre Tochter selber sind schon bis über ihre Köpfe in einem plötzlichen Kies versunken.[111]

Durchtriebenen Gangstern wie dem Wurm sind die Gargas nicht gewachsen. Er kann ihre Tochter vor ihnen eine Hure nennen, den Sohn dafür verantwortlich machen und mit der Polizei drohen, falls die Tochter nicht aufhört, Hotelgäste mit unsittlichen Anträgen zu verfolgen. Maries Eltern

durchschauen weder die Verleumdungen Wurms noch die verlogenen Aus-
flüchte des eben eintretenden Shlink, der von nichts wissen will. Die Mutter
bricht über den Verlust ihres zweiten Kindes fassungslos zusammen. Sie
weiß, daß es nur in der Großstadt so weit kommen konnte:

> Großer Gott! Sagen Sie uns doch, wo sie ist. Ich weiß nicht, wo mein
> Sohn ist. Er ist weggegangen, seien Sie nicht hartherzig! O Ma! O John!
> Bitte ihn! Was ist mit Ma vorgegangen, was geschieht mit mir? George!
> John, was ist das für eine Stadt, was sind das für Menschen![112]

Brecht bemüht sich, das amerikanische Milieu konsequenter zu zeichnen.
Amerikanische Firmennamen werden erwähnt, man verabredet sich in der
„Metropolitan Bar"[113] und trinkt fast ausschließlich „Whisky mit viel Eis"
oder „Cocktails"[114] – Getränke, die erst Anfang der zwanziger Jahre von
Amerika nach Europa kamen. Der Heilsarmeegeistliche liest aus Begeisterung mit harter Stimme, „jedes Wort auskostend", die Likörkarte, während
aus dem Orchestrion Gounods ‚Ave Maria' erklingt:

> Cherry-Flip, Cherry-Brandy, Gin-Fizz, Whisky-Sour, Golden Slipper,
> Manhattan Cocktail, Curaçao extra sec, Orange, Maraschino, Cusinier
> und das Spezialgetränk dieser Bar: Egg-Nog. Dieses Getränk allein be-
> steht aus: rohem Ei, Cognac, Jamaica-Rum, Milch.[115]

Marie denkt sehnsüchtig an die Zeiten zurück, als ihr Bruder „in Jimmy
und Ragtime" der Stolz der Frauen war.[116] Shlink – so steht es ausdrücklich
in einer Bühnenanweisung – trägt gegen Ende des Stückes einen amerikanischen Anzug.[117] Preise werden nunmehr durchweg in Dollars und Cents
angegeben, die Temperaturen in Fahrenheit gemessen: „Vierundneunzig
Grad im Schatten".[118] Dem Gast bietet man „ein Steak und ein Glas Whisky"[119] an, um ihn wissen zu lassen, daß er willkommen ist. Wurden in der
Erstfassung noch „Zeitschriften" gelesen und als Beispiel einer Naturkatastrophe „das Erdbeben von Lissabon" erwähnt, so handelt es sich jetzt um
„Magazine" und „das Erdbeben von San Franzisko".[120]

KAPITEL II

1924–1926
DER HÖHEPUNKT DES BRECHTSCHEN AMERIKANISMUS

a. Allgemeine Einflüsse in den frühen zwanziger Jahren

Nach dem verlorenen Weltkrieg ergriff den jungen desillusionierten Dichter die Europamüdigkeit, jene Überdrüssigkeit mit allem Alten, die sich bei so vielen seiner Generation bemerkbar machte. Sämtliche von Elternhaus und Schule eingeimpften Werte und Ideale wurden in Frage gestellt, denn angesichts der Erfahrungen während des entsetzlichen Krieges erwiesen sich nicht nur die Vaterlandsliebe und die Verteidigungsbereitschaft als böswillige Täuschungen. Die Staatsform der Monarchie, der Glaube an einen Gott, die Vorstellung vom ‚freien Willen‘ gehörten nicht mehr ins 20. Jahrhundert. Als einziger Ausweg aus diesem verkalkten und verbrauchten Kontinent bot sich die hoffnungsvolle „Neue Welt“ an, der Kontinent der Zukunft. In einer Notiz aus dem Jahre 1920 bekennt Brecht:

Wie mich dieses Deutschland langweilt! Es ist ein gutes mittleres Land, schön darin die blassen Farben und die Flächen, aber welche Einwohner! Ein verkommener Bauernstand, dessen Roheit aber keine fabelhaften Unwesen gebiert, sondern eine stille Vertierung, ein verfetteter Mittelstand und eine matte Intellektuelle! Bleibt: Amerika![1]

Aus diesem ungeheuren Gefühl der Enttäuschung heraus schreibt er zur selben Zeit das äußerst kritische und anklagende Gedicht „Deutschland, du Blondes, Bleiches“, von dem hier die letzten beiden Strophen zitiert seien:

Deutschland, du Blondes, Bleiches
Nimmerleinsland! Voll von
Seligen! Voll von Gestorbenen!
Nimmermehr, nimmermehr
Schlägt dein Herz, das vermodert
Ist, das du verkauft hast
Eingepökelt in Salz von Chile
Und hast dafür
Fahnen erhandelt!

O Aasland, Kümmernisloch!
Scham würgt die Erinnerung
Und in den Jungen, die du
Nicht verdorben hast
Erwacht Amerika![2]

Die Desillusion über das ermattete Europa weicht der Begeisterung für das tatkräftige, virile Amerika. In dieser Hinsicht war Brecht kein Einzelfall. Man vergleiche zum Beispiel Benns Gedicht „Alaska", das bereits 1913 in der *Aktion* (26. 2. 1913) erschienen war und den gleichen Gedanken ausdrückt:

Alaska
Europa, dieser Nasenpopel
aus einer Konfirmandennase,
wir wollen nach Alaska gehen.

Der Meermensch, der Urwaldmensch,
der alles aus seinem Bauch gebiert,
der Robben frißt, der Bären totschlägt,
der den Weibern manchmal was reinstößt:
der Mann.[3]

Mit seinen ersten poetischen Werken, denen eine Atmosphäre voller Gewalt und Verbrechen, Saufen und Huren in solch exotischen Ländern wie Indien, Tahiti und Amerika eignet, folgte Brecht einer bestimmten künstlerischen Richtung, die in den frühen Jahren der Weimarer Republik von der jungen Generation eingeschlagen wurde. In Berlin befreundete sich Brecht bald mit den aus der Dadaistenbewegung („dada – merica"!)[4] hervorgegangenen jungen Künstlern, die den aus Amerika kommenden Neuerungen anfangs zumindest offen, wenn nicht gar enthusiastisch gegenüberstanden: Walter Mehring, George Grosz, die beiden Herzfelde und Egon Erwin Kisch. Mehrings freche und frivole Balladen und Songs, Grosz' das bürgerliche Großstadtleben anprangernde Zeichnungen und Kischs satirische Reportagen und Anekdoten sowie John Heartfields Photomontagen wurden für Brechts weitere Entwicklung von Bedeutung. John Willett spricht sogar von einer ganzen „Schule der künstlerischen Hemmungslosigkeit", für die eine Atmosphäre Vorbild wurde, ein Gemisch aus exotischer Knabensehnsucht, Seeräuberromantik, Karl May, J. F. Cooper, Buffalo Bill, Gangsterstories und Kiplings neu übersetzten Geschichten.[5] Deutschland war offen für jederlei Einfluß von „drüben", alles Amerikanische galt bald als fort-

schrittlich und wegweisend. Der „Amerikanismus" schlug immer höhere
Wogen: Chaplin-Filme, Jazz, amerikanische Tänze (Shimmie, Cake Walk)
und Getränke wurden tonangebend. Willett bringt es auf einen Nenner:
„Sport war die Kultur dieser mythischen Welt, Jazz ihre Musik, die Heilsarmee die fesselndste Religion."[6]

Die Lust am Schockieren, das Rebellische und Anarchische, das politische
Engagement der Dadaisten überlebte den Dadaismus und kennzeichnet auch
Brechts frühes Schaffen. Für Brechts „Amerikanismus" werden während
der ersten Berliner Jahre drei „Zentren" maßgebend, von denen die ver-
schiedenartigsten Einflüsse auf ihn einstürmen: erstens die Galerie Flechtheim mit ihrer Hauszeitschrift *Der Querschnitt*, zweitens die sich um die
Brüder Herzfelde und den Malik Verlag bildende Gruppe junger engagier-
ter Künstler und drittens die damals in Deutschland führende intellektuelle
Zeitschrift *Die Weltbühne*.

Alfred Flechtheim, der ab 1923 exklusiver Kunsthändler des unverbesser-
lichen Amerikaschwärmers George Grosz wurde, gründete den von 1921 bis
1933 erschienenen *Querschnitt*, eine reich illustrierte Zeitschrift, in der
Künstlerisches und Banales, Literatur und Literatentum mit gleichem Recht
zu Worte kamen. Nur hier konnten Photographien von tätowierten Neger-
busen, altdeutschen Stilmöbeln, amerikanischen Filmstars und russischen
Rekruten neben alphabetisch angeordneten Cocktail-Rezepten, im englischen Originaltext abgedruckten „Salvation Army Songs" und seriösen Artikeln über Jazzmusik, das japanische Theater oder altchinesische Buddha-
typen erscheinen, ohne den Rahmen der Zeitschrift zu sprengen. Daß Brecht
schon sehr früh zu den regelmäßigen Lesern des Blattes zählte, erklärt fol-
gendes: Nach Abbruch seiner Freundschaft mit Brecht schrieb Arnolt Bronnen einen offenen Abschiedsbrief, worin er sich und seine Haltung rechtfer-
tigt, und ließ ihn im *Querschnitt* veröffentlichen, wo Brecht ihn mit Sicherheit lesen würde.[7] Brecht gehörte nicht nur zu den Dichtern, deren Werke
vom *Querschnitt* rezensiert wurden, er lieferte selbst Beiträge – wenn auch
erst viel später. So sandte er z. B. eine von ihm selbst aufgenommene Photographie seines Freundes Lion Feuchtwanger ein,[8] die ihn beim Teetrinken
zeigt, und gab Ende 1931 eine Szene seines neuen Stückes *Die heilige Johanna der Schlachthöfe* zur Veröffentlichung frei – was bisher von sämtlichen Brecht-Bibliographen übersehen wurde.[9]

In den frühen Jahrgängen dieser vielseitigen und abwechslungsreichen
Zeitschrift taucht mit penetranter Konsequenz ein Thema auf: der Boxsport
und seine Beziehungen zur Kunst. Interviews mit Hans Breitenstraeter, dem

deutschen Schwergewichtsmeister, werden mit reichem Photomaterial gebracht, dem Meister selber wird die Chance gegeben, einen autobiographi-
schen Artikel über seinen ersten Sieg zu veröffentlichen, der Maler Rudolf
Großmann bringt eine *Boxermappe* heraus, zu der Breitenstraeter das Vorwort schreiben darf. Der Boxer wird nicht nur Objekt einer Biographie, er
wird selbst zum Schriftsteller. Die Beziehung zum „Amerikanischen" wird
auf Schritt und Tritt herausgestrichen: das Kühne, Gelassene, Virile. Der
Artikel des Amerikaners Scofield Thayer (Herausgeber von *The Dial* in
New York) über Jack Dempsey und George Carpentier wird unverändert
auf englisch (!) abgedruckt.[10] Andere Artikel befassen sich mit weiter gefaß-
ten Themen: „Wie gewinnt der Boxsport das Allgemein-Interesse?"[11] „Ist
der Boxsport roh?"[12] oder „Die Psychologie des Boxens – Geistige Konzentration."[13] Vorbilder sind und bleiben die Amerikaner. In Breitenstraeters
Kurzbiographie fragt sich der Autor, wie der Deutsche in diesem amerikanischen Sport so hoch aufsteigen konnte, und gibt gleich selbst die Antwort
darauf:

Aus Magdeburg? Aber sehr lange aus den Wäldern in Westamerika. Also
„getouched" vom Amerikanischen. Das war auch nicht anders denkbar.
Wie kommt sonst dieser Gleichmut, diese Kühle, diese stilisierte Wursch-
tigkeit in diesen Burschen hinein.

In seinen Beinen ist Gemütlichkeit, Sanftheit, Komik, zarteste Vorsicht,
wie ein vorsichtiges Tasten eines temperamentvollen, aber mißtrauischen
Tieres, alles noch ein wenig schwer und unbewußt, fern dem formsiche-
ren, kurz entschossenen, willensstarken lateinischen Ideal.[14]

Im Jahre 1924 siegte Paul Samson-Körner über Breitenstraeter und wird
prompt im *Querschnitt* gefeiert.[15] Zur selben Zeit erschienen in Deutschland
die Übersetzungen von Shaws Boxerroman *Cashel Byron's Profession*, worauf die Leser des Blattes in einem großen Inserat des Kiepenheuer Verlages
hingewiesen wurden.[16]

Brechts persönliche Bekanntschaft mit Samson-Körner fällt in das Jahr
1925, und von der Welle der allgemeinen Begeisterung für den Boxsport
getragen, entschließt er sich, den im *Querschnitt* gegebenen Vorbildern zu
folgen und den „Lebenslauf des Boxers Samson-Körner" nach dessen eigenen Erzählungen aufzuschreiben. Die ersten Teile der Arbeit erschienen in
Scherls Magazin (Januar, Februar 1926) und der Berliner Sportzeitschrift
Die Arena (Oktober 1926 bis Januar 1927), für deren Titelseiten John
Heartfield damals Photomontagen machte (Februar, März 1927). Als Public
Relations Trick ließ Brecht jenes später berühmt gewordene Bild im *Quer-*

schnitt veröffentlichen, das den Hühnen Samson-Körner mit seinem schwächlich aussehenden Biographen zeigt, dem er scherzend die drohende Rechte vor das Kinn hält. Darunter der Werbetext:

Der deutsche Halbschwergewichtsmeister Samson-Körner und der Dramatiker Bert Brecht, der eine Biographie des Boxers schreibt.[17]

In dem Fragment gebliebenen „Lebenslauf" sowie seiner anderen Boxgeschichte „Der Kinnhaken" versteht es Brecht, auf ironisch-spritzige Weise, einen angelsächsisch-amerikanischen Hintergrund mit ins Spiel zu bringen. Im „Kinnhaken" heißt es knapp: „Freddy hieß natürlich Friedrich. Aber er war ein halbes Jahr drüben gewesen . . ."[18] Die ausführlicher angelegte Boxerbiographie erlaubte es, so etwas besser auszuschlachten. Im Hinblick auf das, was vom Leser erwartet wird und was der Wahrheit entspricht, versucht Brecht, beiden Anforderungen gerecht zu werden und beginnt deshalb mit einer umständlichen Erklärung, daß jedes Ding seine zwei Seiten habe, eine Seite, „die mehr oder weniger bezahlt wird" und eine, „die einen Haufen Geld kosten kann". Die eine Seite also (was das Publikum hören will und auch Geld bringt):

Ich will es daher gleich bemerken, daß ich in Beaver im Staate Utah, U.S.A., geboren bin, im Mormonendistrikt, fast am Großen Salzsee. Ich kann auch andeuten, warum ich dort geboren bin: es ist, weil Beaver im Staate Utah, U.S.A., an keiner Eisenbahnlinie liegt. Sie können dort zwölf Frauen ehelichen, aber Sie können, wenn Sie nach meinem Geburtshaus schauen wollen, nicht anders als zu Fuß hinkommen. Das ist die eine Seite von dem Ding. Sie ist sehr wichtig, . . .

Andrerseits bin ich in Zwickau in Sachsen geboren, weil ich dort das Licht der Welt erblickte.[19]

Nachdem die Beziehungen zu Amerika hergestellt sind, werden jene transatlantischen „Tugenden" sowohl bei Freddy als bei Samson-Körner herausgestrichen: Gleichmut, Kühle, Gelassenheit. Auf Schritt und Tritt sickert die literarische Welt Brechts durch, so daß der „Lebenslauf" mehr über den Biographen enthält als über den Boxer. Das Matrosenmilieu mit Whisky und Pokerspiel und der Exotik fremder Länder wird auf Kosten einer Charakterstudie in den Vordergrund gerückt. Die Schiffe der Matrosen gehören der „Morganlinie" oder der „Standard Oil", und sie werden allen anderen vorgezogen; denn „auf den amerikanischen Schiffen gibt es besseres Geld, besseres Essen, mehr Arbeit und mehr Sport als auf allen anderen, auch den deutschen".[20] Selbst Brechts berühmtes Diktum „Erst kommt das Fressen, dann die Moral" taucht hier bereits kaschiert auf:

Mit der Unmoral ist es nach meiner Ansicht so: Wenn es einen nicht frieren würde, wenn es kalt ist, und der Hunger nicht wegginge, wenn man ein Stück Brot ißt, dann stünde die Moral viel höher.[21]

Brechts Begeisterung für den Boxsport hielt lange an. Von dem ersten Opernfragment *Prärie* (1919) und der Überarbeitung des *Dickicht* (1927) und dem neuen Vorspruch, der das Stück mit einem Boxkampf vergleicht, wurde schon gesprochen. Das zu *Mann ist Mann* (1926) gehörige Zwischenspiel „Das Elefantenkalb" endet mit der Regieanweisung „Alle ab zum Boxkampf",[22] und seinen neuen Ideen des „Rauchtheaters" entsprechend ließ Brecht die Bühne für einige seiner Stücke in einen Boxring umgestalten, um sowohl die sich abspielenden Kämpfe zu symbolisieren als auch im Publikum eine kühlere, sachlichere Betrachtung, wie sie bei Sportveranstaltungen üblich ist, zu fördern: für das Songspiel *Mahagonny* (1927), die Oper *Aufstieg und Fall der Stadt Mahagonny* (1929) und das Lehrstück *Die Maßnahme* (1930). In der Oper *Mahagonny* vertreibt sich das Volk die Zeit mit Fressen, Saufen, Lieben und Kämpfen. Die fünfzehnte Szene bringt einen Boxkampf zwischen dem Dreieinigkeitsmoses und Alaska Wolf Joe bis ans bittere Ende.

Diese Vereinigung von Bühne und Boxring geht auf Brechts enges Verhältnis zu dem Medizinstudenten Emil Burri zurück, der dem deutschen Meister Samson-Körner im Ring assistierte. Emil Burri war nicht nur selbst begeisterter Boxsportler, der unter anderem mit Breitenstraeter trainierte, sondern gleichzeitig ein junger Dramatiker, mit dem Brecht an einigen Projekten gemeinsam arbeitete.[23] Mit ihm besuchte Brecht die Boxveranstaltungen im Berliner Sportpalast, wobei er die kühle, sachliche Einstellung der Zuschauer gegenüber den Vorgängen innerhalb des Ringes schätzen lernte. Es war genau die Haltung, die er sich dann von seinem Publikum im Theater wünschte.

Als Vorbereitung auf die Samson-Körner-Biographie hat sich Brecht offensichtlich intensiv mit der Geschichte des Boxsports in Körners Gewichtsklasse beschäftigt. Dem Schwergewichtskampf konnte Brecht kein so großes Interesse abgewinnen, weil dabei eher pure Kraft und Brutalität als die gekonnte Anwendung von Taktik und Technik überwogen. Den Höhepunkt dieser langjährigen Boxbegeisterung stellt zweifellos Brechts Gedicht „Gedenktafel für 12 Weltmeister" (1927) dar,[24] worin er einen Überblick über die Inhaber des Weltmeisterschaftstitels im Mittelgewicht von 1891 bis 1927 gibt, von Bob Fitzsimmons, „dem Vater der Boxtechnik", über Billie Papke, die „menschliche Kampfmaschine", bis zu Mickey Walker. Brecht feiert sie als Helden, „die auf ihrem Gebiet die besten ihrer Zeit waren".

In Brechts Nachlaß befindet sich einiges Material zu einem *Das Renommee* betitelten Boxerroman,[25] der sich laut Brechts Vermerk in seinen Tatsachen an den Weltmeisterschaftskampf zwischen Jack Dempsey und Georges Carpentier vom Jahre 1921 anlehnen sollte. Aus der kurz umrissenen Fabel wird deutlich, daß das Boxermilieu lediglich der Spannung wegen gewählt wurde, der Zweck des Romans aber die Enthüllung der zwielichtigen Mittel war, durch die ein Held von gerissenen Managern aufgebaut wird. Schauplätze der internationalen Story sind Marseille, Paris, New York und Kuba, das Milieu „Bars. Salons. Trainingsquartiere. Schiff. Managerbüros. Zeitungsredaktionen".[26] Auf den Mitte der zwanziger Jahre entstandenen Entwurf, der die Entwicklung des Boxsports in einen Schiebungssport analysiert, wird an späterer Stelle noch zurückzukommen sein. Hier interessiert vorerst nur die Tatsache, daß Brecht den Boxsport stets – wenn auch entfernt – mit Amerika assoziierte.

Die eigenartige Verquickung von Boxsport und Kunst ist beim jungen Brecht besonders stark ausgeprägt. Anregungen hierzu empfing er zwar von vielen Seiten. Doch kommt der Hauszeitschrift der Galerie Flechtheim, die sich in ihrem Untertitel „Zeitschrift für Kunst und Boxsport" nannte, besondere Bedeutung zu.

Die Brüder Herzfelde und die „Malik-Gruppe" bildeten das zweite „Zentrum", von dem stets Anregungen und Einflüsse kamen. Seit Silvester 1918 Mitglieder der KPD, waren die beiden ab 1923 stets in engem Kontakt mit der offiziellen Seite der Partei. Als enger Freund war Brecht mit John Heartfields Arbeit gut vertraut. Heartfield fungierte als Editor (1923–27) des von der KPD herausgegebenen satirischen Magazins *Der Knüppel* und wurde zum Hauskünstler des Malik-Verlages, für dessen Ausgaben er die einmalig illustrierten Buchumschläge kreierte. Beeindruckend ist die Zahl der Illustrationen zu den deutschen Übersetzungen amerikanischer Romane (siehe Tabelle S. 58 oben).

Es ist unmöglich, im einzelnen festzustellen, welche Romane Brecht davon gelesen hat, aber bereits eine nur oberflächliche Kenntnis von Heartfields Arbeit konnte ihn in keinem Zweifel über den Tenor dieser Literatur lassen. Auf einzelne Arbeiten Heartfields wird im Laufe dieser Arbeit noch zurückzukommen sein. Die Literatur der amerikanischen „muck rakers" erfreute sich unter den linken Intellektuellen – also gerade den Freunden Brechts – großer Beliebtheit und Bewunderung. Das Interesse an dieser Art von Schrifttum wurde von dem offiziellen Organ der KPD, der *Roten Fahne,* aufs stärkste unterstützt. Ein Blick durch das Feuilleton dieser Zei-

Autor	Romantitel	Verlag	Datum
Sinclair	*Jimmie Higgins*	Kiepenheuer	1919
Sinclair	*Man nennt mich Zimmermann*	Malik	1922
Sinclair	*Der Sumpf*	Malik	1922
Sinclair	*Nach der Sintflut*	Malik	1925
Dos Passos	*Drei Soldaten*	Malik	1925
Sinclair	*Petroleum*	Malik	1927
Sinclair	*Singende Galgenvögel*	Malik	1927
Sinclair	*Hundert Prozent*	Malik	1928
Sinclair	*Sündenlohn*	Malik	1929
Sinclair	*Boston*	Malik	1929
Sinclair	*So macht man Dollars*	Malik	1931

tung läßt erkennen, wie hoch die amerikanischen sozialistischen Schriftsteller in offiziellen Kreisen der Partei im Kurs standen. Hinzu kommt, daß viele der Malik-Ausgaben der *Roten Fahne* zur Vorveröffentlichung freigegeben wurden, wo sie dann mit kritischen Einleitungen in Fortsetzungen erschienen. Die hier folgende schematische Aufführung dieser Abdrucke, beziehungsweise Rezensionen kann nur einen skizzenhaften Überblick verleihen.

Hanford, Ben	„Jimmie Higgins"	März	1920
London, Jack	„Südseegeschichten"	Aug.	1920
Sinclair	„Der Klassenkampf in Amerika" (Anhang zu dem Roman *Hundert Prozent*)	Juni	1921
Sinclair	„Ich und mein Nächster" (aus *Das Buch des Lebens*)	Sept.	1921
Whitman	„Jahre der neuen Zeit" (aus *Ich singe das Leben*)	Sept.	1921
Sinclair	„Der Sklave" (aus *Manassas*)	Sept.	1921
Sinclair	*König Kohle*	Okt. 1921– Feb.	1922
Harris, Frank	*Die Bombe*	Mai 1922– Aug.	1922

Sinclair	*Man nennt mich Zimmermann*	Aug. 1922– Okt. 1922
London	*Die eiserne Ferse*	Jan. 1923
Sinclair	„Das Geschlecht und die Armen" (aus *Das Buch des Lebens*)	Juli 1923
London	2 Südsee-Erzählungen	April 1925
London	„Als Landstreicher in Amerika"	Dez. 1925
London	*Der Ruf der Wildnis*	Jan. 1926
Gold, Michael	„Der Tod eines Negers"	Aug. 1926
[Hašek, J.	*Die Abenteuer des braven Soldaten Schwejk*	Okt. 1926– Jan. 1927]
Traven, B.	„Café La Aurora" (aus *Der Wobbly*)	Feb. 1927
Sinclair	*Petroleum*	Okt. 1927– Jan. 1928
Friedländer, P.	über John Dos Passos' *Manhattan Transfer*	Dez. 1927

Andere Artikel, die sich direkt mit Aspekten des amerikanischen Lebens oder der Wirtschaft befassen, erschienen fast regelmäßig, können in dieser Aufstellung aus Raummangel jedoch nicht berücksichtigt werden. Der Einfluß des Feuilletons der *Roten Fahne* in linksorientierten Kreisen darf nicht unterschätzt werden. Alfons Paquets Drama *Fahnen* (1923) fußt auf Frank Harris' Roman *Die Bombe*; Jack Londons Erzählungen und Romane genossen so großes Ansehen (selbst die Südseegeschichten!), daß Franz Jung eine Studie über ihn schrieb. Auch der Abdruck von Hašeks Roman zeigt, wie gut der Puls jener Kreise am Feuilleton der *Roten Fahne* gemessen werden kann. In den Artikeln über Amerika wurde in den Seiten dieser Zeitung selten etwas Positives veröffentlicht. Es war Inbegriff und zugleich Hochburg des zu bekämpfenden kapitalistischen Systems, es war der ideologische Feind. Außerdem ließen die Schriften der abgedruckten „muckrakers" den Eindruck entstehen, daß Amerika ein Land der sozialen Ungerechtigkeit und der kapitalistischen Ausbeutung ist. Dennoch war dieses Bild Amerikas nicht durchwegs negativ, hatte das Land doch eine solch starke sozialkritische Literatur hervorgebracht, die als vorbildlich gelten mußte.

Als drittes „Zentrum" wirkte Siegfried Jacobsohns politisch-literarische Wochenzeitschrift *Die Weltbühne* von anderer Warte auf Brecht ein. Sie

folgte weder einer strikten Parteilinie oder einem bestimmten politischen
Dogma wie die *Rote Fahne*, noch war sie frei und vielseitig wie *Der Querschnitt*. Elisabeth Hauptmann zufolge verfolgte Brecht die darin regelmäßig
erscheinenden Wirtschaftsanalysen aus der Feder Richard Lewinsohns, der
stets mit dem Pseudonym „Morus" zeichnete. Im Jahre 1927 veröffentlichte
er ein Buch mit dem Titel *Wie sie groß und reich wurden*, worin er u. a. den
Amerikanern John D. Rockefeller, J. P. Morgan, Th. A. Edison und Henry
Ford je ein Kapitel widmete.[27] Ob Brecht jenes Buch kannte, muß dahingestellt bleiben. Die Artikel von Morus lieferten Gelegenheit genug, mit
Aspekten der kapitalistischen Wirtschaft vertraut zu werden. In den frühen
Jahrgängen der *Weltbühne* existierte das Thema Amerika kaum oder überhaupt nicht. Erst um das Jahr 1926, als der „Amerikanismus" in Deutschland bereits in vollem Schwunge war, wurde dieser Trend in mehreren –
meist satirischen – Beiträgen aufs Korn genommen:

Datum	Beitrag	Verfasser
12. Jan. 1926	„Der Autoismus"	Kurt Heinig
19. Jan. 1926	„Das fließende Band"	Kurt Heinig
9. Feb. 1926	„Amerikanische Bauten"	Robert Breuer
23. Feb. 1926	„Coué"	Theobald Tiger (Kurt Tucholsky)
18. Mai 1926	„Das amerikanische Tempo"	Kurt Heinig
6. Juli 1926	„Die Heilsarmee"	Rudolf Arnheim
14. Sept. 1926	„Das Lächeln des Amerikaners"	Eduard Goldbeck
28. Dez. 1926	„Deutscher Amerikanismus"	Kurt Heinig

Von dem ausgesprochen amerikafreundlichen und alles Amerikanische bejahenden *Querschnitt*, der meist negativen und letzten Endes doch widersprüchlichen Haltung der Malik-Gruppe und von der ab 1926 den Amerikanismus in Deutschland ablehnenden Haltung der *Weltbühne* ausgehend
ergibt sich ein Amerikabild, das äußerst vielseitig und zum Teil auch widersinnig ist, im Grunde aber doch die in jenen Jahren übliche Amerika-Stimmung gut widerspiegelt. Es wird sich zeigen, daß Brechts Amerikabild nicht
leicht auf einen gemeinsamen Nenner zu bringen ist; gewisse Haupttendenzen werden sich herauskristallisieren, aber über deutliche Widersprüche
nicht hinwegtäuschen können.

Ehe ein Gesamturteil über Brechts Amerikabild jener Jahre gefällt wird,
sollen zunächst seine Werke, Versuche und Entwürfe, die sich mit dem

Komplex Amerika befassen, in chronologischer Folge beschrieben und im Vergleich mit ihren direkten Quellen untersucht werden.

b. Mann aus Manhattan

Im Jahre 1924 war Brecht endgültig nach Berlin gezogen, denn um wirklich erfolgreich zu werden, mußte er in die Hauptstadt ziehen, die zugleich auch das Theaterzentrum Deutschlands war. Bald wurde er neben mehreren anderen bei Reinhardt Dramaturg am Deutschen Theater, doch wie wir von seinem damaligen Kollegen Carl Zuckmayer wissen, nahm ihn diese Tätigkeit kaum in Anspruch,[1] so daß ihm genügend Zeit blieb, das Berliner Theaterleben für die nächsten zwei Jahre aufs genaueste zu studieren und seine eigenen dramatischen Pläne voranzutreiben.

Unter den damals führenden Berliner Regisseuren muß Erwin Piscator Brecht am meisten zugesagt haben, denn vieles, was Brecht später in seiner Theorie des epischen Theaters vertrat, war bereits durch Piscators Inszenierungsstil vorweggenommen worden. Unter Piscators Leitung wurde im Mai 1924 Alfons Paquets *Fahnen,* eine Dramatisierung des Chicagoer Anarchistenaufstandes, der sogenannten „Haymarket Affair" von 1886, ein durchschlagender Erfolg. Dieses Stück trug bereits den Untertitel „dramatischer Roman".[2] Piscator nannte es „den ersten konsequenten Versuch, das Schema der dramatischen Handlung zu durchbrechen und den epischen Ablauf des Stoffes an seine Stelle zu setzen". Auch bezeichnete er es als „in gewissem Sinne das erste marxistische Drama".[3] Paquets „episches Drama" bedeutete einen Durchbruch auf dem Theater hin zur journalistischen Reportage. Diese Abwendung von der „reinen Kunst" des erbaulichen und unterhaltsamen Theaters zugunsten einer offenen und klaren Behandlung und getreuen „Schilderung der aufregenden Mysterien der Gefängnisse, der Fabrik, des Kontors, der Maschinen, des Mehrwerts, des Klassenkampfes" nannte Leo Lania vage „die Amerikanisierung" der deutschen und französischen Literatur.[4]

Paquets Stück zeigt eindrucksvoll die Chicagoer Arbeiter im Kampf gegen die Trustmagnaten um den Achtstundentag. Das geldmächtige Unternehmertum besticht in der Person des Cyrus McShure Polizei und Justiz. Im Namen von „Gesetz und Ordnung" wird rücksichtslos gegen die Arbeiter vorgegangen. Nach vielem Blutvergießen werden die vier Anführer (aus Deutschland emigrierte Arbeiter) gefangengenommen, vor Gericht gestellt und schließlich gehängt. In den Augen der Kameraden sind sie zu Märtyrern geworden und spornen durch ihr Beispiel zur Weiterführung des Kampfes an. Paquet zeichnet ein äußerst negatives Bild der Stadt Chicago, in der sich ein erbitterter Krieg zwischen Besitzenden und Habenichtsen abspielt, den letztere so lange nicht gewinnen können, als korrupte Politiker und Verwalter den Finanzkapitänen hörig bleiben.

Von Brecht wissen wir, daß er diese ersten Experimente Piscators verfolgte und vieles für seine späteren Stücke anwandte.

Der radikalste Versuch, dem Theater einen belehrenden Charakter zu verleihen, wurde von Piscator unternommen. Ich habe an allen seinen Experimenten teilgenommen, und es wurde kein einziges gemacht, das nicht den Zweck gehabt hätte, den Lehrwert der Bühne zu erhöhen. Es handelte sich direkt darum, die großen zeitgenössischen Stoffkomplexe auf der Bühne zu bewältigen, die Kämpfe um das Petroleum, den Krieg, die Revolution, die Justiz, das Rassenproblem und so weiter.

. . .

Die Bühne hatte den Ehrgeiz, ihr Parlament, das Publikum, instandzusetzen, auf Grund ihrer Abbildungen, Statistiken, Parolen, politische Entschlüsse zu fassen.[5]

Direkte Einflüsse von Paquets negativem Amerikabild lassen sich auf Brecht im einzelnen nicht nachweisen, unterschied sich der Tenor des Stückes doch kaum von dem in Sinclairs *The Jungle*.

Neben den Arbeiten zur Vorbereitung für die Berliner Erstaufführung von *Im Dickicht* bei Reinhardt am 29. Oktober 1924 und die am 4. Dezember stattfindende Aufführung von *Leben Eduards des Zweiten von England* im Staatlichen Schauspielhaus begann sich Brecht mit neuen Plänen zu befassen. Die Vorarbeiten zu dem Stück *Mann ist Mann* fallen in dieses Jahr; auch trug er sich mit dem Gedanken, einen Operntext zu schreiben, dem er zuerst den Titel *Sodom und Gomorrha* gab, den er jedoch später – als die Arbeiten weiter fortgeschritten waren – in *Mann aus Manhattan* umänderte.

Im Bertolt-Brecht-Archiv ist der frühe Entwurf mit dem Titel *Sodom und Gomorrha* erhalten, der den Stoff in vier Akte unterteilt.[6] Der Einfachheit halber sei hier der Grundriß der Fabel kurz wiedergegeben:

1. Akt

Ein Pferdedieb wird gefaßt und gelyncht. Als er bereits unter dem Galgen steht, bittet er die sieben Männer, die ihn ertappten, um einen Aufschub der Urteilsvollstreckung, bis er seinen Vater befreit hat, der einem strengen Mann einige Waggons Weizen schuldet. Man kommt der Bitte erst entgegen, als sich ein Freiwilliger trotz Warnungen seitens seiner Freunde dazu bereit erklärt, einen Monat für ihn zu bürgen und im Notfall für ihn auf den elektrischen Stuhl zu steigen.

2. Akt

Auf dem Weg zu seinem Vater trifft der Dieb einen Freund, der ihm zur sofortigen Umkehr rät, da der Vater inzwischen verstorben sei und ihn verflucht habe. Am nächsten Morgen könne er ein Schiff zurücknehmen, das er aber nicht versäumen darf. Damit er es nicht verschläft, läßt der Freund ihn in Gesellschaft seiner Schwester, die ihm Tee macht und ihn mit der Erzählung der Geschichte Amerikas wachhalten will. Über der spannenden Geschichte vergißt er jedoch das Schiff und seinen Bürgen. Obwohl während der Erzählung der Geschichte von der Eroberung des amerikanischen Kontinents dreimal Leute erschienen und sich nach ihm erkundigten, gibt er jeweils eine ausweichende Antwort und verleugnet zuletzt sogar seinen Bürgen. Er bittet das Mädchen, bei ihm zu bleiben, da er sich unruhig fühlt.

3. Akt

Drei Monate sind vergangen und der Dieb ist noch immer nicht zurückgekehrt. Die sieben Männer schleifen den Bürgen zum elektrischen Stuhl. Trotz der Bitten, er möge ruhig sterben, setzt sich der Bürge lauthals zur Wehr. In einem Augenblick der Beruhigung fleht er zu Gott, er möge den Dieb an sein Versprechen erinnern, damit er zurückkehre. Durch lauten Gesang übertönen die Männer seine verzweifelten Schreie während der Hinrichtung.

4. Akt

Der Dieb hat das Mädchen geheiratet und wohnt nach vier Jahren noch immer auf der Farm. Seinen Sohn unterrichtet er in Ehrlichkeit und Mut, den Tugenden, die ihm selber fehlten. Merkwürdige Anzeichen machen sich im Lande bemerkbar: Der Wald wird schon im Frühjahr gelb, der Weizen wächst nicht und der Dieb bleibt blind, so daß Gott über sein Haus Feuer regnen lassen muß wie einst über Sodom und Gomorrha. Als es bereits zu spät ist, erinnert er sich an sein gebrochenes Versprechen. Die Frau beklagt sich, daß sie einen Unbekannten geheiratet hat. Die ganze Familie kommt in den Flammen um.

Aus den ersten handschriftlichen Entwürfen ist ersichtlich, daß Brecht zuerst eine andere Version geplant hatte, bei der der Pferdedieb James Sorel,
nachdem in Illinois, Dakota und Manhattan eine schreckliche Hungersnot
ausgebrochen ist, viermal vier Monate ausbleibt und dadurch seinen Bürgen
John Brown aus Manhattan auf den elektrischen Stuhl bringt. Als Erklärung für sein langes Ausbleiben gibt er die Faszination für die Großstadt,
„das Fieber des Städtebaus", an.[7] In einem weiteren Entwurf wird dies präziser formuliert. Brecht deutet dort an, daß den Dieb das Fieber der Eroberung und des Aufbaus Amerikas sowie der Gründung der neuen Riesenstädte, die größer sind als je zuvor, derart gepackt habe, daß er darüber nicht
mehr an die Leiden eines einzelnen denken konnte, weil im Vergleich zu
diesen grandiosen Taten ein Einzelschicksal unbedeutend wird.[8]

Zum ersten Akt der Oper liegen die ersten drei Szenen ausgearbeitet vor,
und zwar in zwei Typoskripten, A und B. Version A ist in der für Brecht
charakteristischen Kleinschreibung gehalten und umfaßt die Blätter
214/63–65, 71 und 72, während Version B eine Abschrift davon mit korrek-
ter Groß- und Kleinschreibung ist und nicht von Brecht selber stammt:
214/66–70. Im Bestandsverzeichnis des Brecht-Archivs wird dieser Posten
irrtümlicherweise Brecht zugeschrieben, obgleich es sich hier um eine korrigierte Abschrift der Version A aus fremder Hand handelt.[9]

Diese drei Szenen spielen auf der Prärie – nicht allzuweit von Manhattan
(!) – wo das Kind John Browns, des Mannes aus Manhattan, die Pferde des
Vaters hütet. James Sorel verwickelt das Kind in eine Konversation und
entreißt ihm in einem Augenblick der Unachtsamkeit eines der angebunde-
nen Pferde. Auf das Schreien des Kindes hin erscheinen sieben Männer,
darunter John Brown. Das Pferd hört jedoch auf den Pfiff des Besitzers,
wirft den Dieb ab und kehrt um. Nach dem „Gesetz der Prärie" will man
den Pferdedieb sofort hängen. Den Strick um den Hals bittet der Dieb
James Sorel in einer Arie um sein Leben. Er beteuert, nur gestohlen zu
haben, weil er seinen siechen Vater in „Frisko" noch einmal sehen wollte.
Dafür hätte er selbst die „Prärie", das „Atlantische Meer" oder den „Berg
Himalaya" gestohlen. Der Eigentümer des Pferdes ist von Mitleid gerührt
und schenkt ihm Glauben. Obwohl Sorel ihm fremd ist, erklärt er sich bereit, für ihn zu bürgen. Vor Freude umarmt der Dieb seinen Retter und
gelobt in einer Arie hoch und heilig, daß er für sein Versprechen einstehen
wird, sonst solle Gott ihn im Meer ertränken oder Feuer auf sein Haus
regnen lassen. Die Umstehenden warnen John vor der Bürgschaft, denn im
Nu würde das nahe New York davon erfahren, und da das Gesetz gegen

Pferdediebe keine Ausnahmen kennt, müßte auf jeden Fall einer auf den
elektrischen Stuhl. Zur Herausarbeitung des gegenseitigen Vertrauens plante
Brecht ein Duett zwischen Dieb und Besitzer, worin James die absolute
Ehrlichkeit seiner Absichten beteuert, John seinem felsenfesten Glauben an
die Ehrlichkeit des anderen Ausdruck verleiht. Die Sprache ist unwahrscheinlich einfach gehalten und das Duett ähnelt einem Wechselgang mit
formelhaft wiederholten, je nach dem Standpunkt des Singenden leicht ab-
geänderten Sätzen.

John	*James*
Ich glaube Dir, Fremder	Er, der nur glaubt
Wenn Du lügst	Ich lüge nicht
Sterbe ich	Stürbe sonst
Aber ich sehe dein Gesicht	Und ich habe nur mein Gesicht
Und da lebe ich	Daß er darin merkt
Noch viele Tage.	Er lebt viele Tage.
Wenn das Laub fällt	Wenn das Laub fällt
Bist du da	Bin ich da
Wenn der Mond wechselt	Wenn der Mond wechselt
Kommst du.	Komme ich.
Eher fiele das Laub nicht	Eher fiele das Laub nicht
Wenn es Herbst wird.	Wenn es Herbst wird.
Als daß er nicht kommt	Als daß ich nicht komme,
Eher bliebe der Mond stehn	Eher bliebe der Mond stehn
Als daß du nicht einher kommst	Als daß ich nicht einher komme
So sicher ist es.	Es ist ganz sicher.[10]

James gelobt, er werde den Mann aus Manhattan nie vergessen, weil er der
einzige ist, der ihm je Vertrauen geschenkt hat. In einem abschließenden
Oktett stehen sich zwei Parteien gegenüber: Auf der einen Seite die sechs
Kameraden Johns, die ihm von der Bürgschaft abraten, auf der anderen
John mit seinem Töchterchen, das ihn unterstützt und ermutigt. Die Männer
vertreten Brechts eigene Ansichten, wenn sie kundtun, daß überall die Lüge
herrscht, das Volk sich in den Großstädten gegenseitig zerfleischt. Die Gesichter der Menschen sind verschlossen, ihnen ist nicht zu trauen, denn in
der bösen Welt ist der Mensch das Allerschlechteste. John hingegen vertritt
den Standpunkt, daß die Welt im Grunde gut ist und der Mensch daran das
Beste darstellt. Bei Ende dieses ersten Aktes rufen die Männer zynisch da-
zwischen, was wohl geschehen werde, falls James sein Versprechen nicht
halte. Die Oper entpuppt sich als eine Art Gegenentwurf zu Schillers Bal-

lade „Die Bürgschaft", worin der idealistische Dichter die Treue und Ehrlichkeit zweier Freunde in höchstem Pathos feiert. Im Gegensatz zu dem
von Schiller gezeichneten jagenden Wettlauf mit der Zeit, dem Kampf gegen die sich wiederholt in den Weg stellenden Hindernisse und dem verzweifelten Verlangen des Freundes, seinen Bürgen vor dem sicheren Tod zu
retten, zeichnet Brecht einen ruhigen, gelassenen Menschen, der über schein-
baren Nebensächlichkeiten das Schicksal seines Bürgen vergißt. Schillers
Idealismus der Freundschaft und Treue wird als ein eitler Traum entlarvt.
Scheint bei Schiller das Schicksal dem Verurteilten nach erfolgreicher Erle-
digung seiner Privatangelegenheiten die Rückkehr zum Hinrichtungsort zu
verbauen, so fällt bei Brecht der Zweck der Gnadenfrist von vornherein
weg, wenn James unterwegs vom Tode seines Vaters erfährt. Im Gegensatz
zu der in Schillers Ballade meisterhaft betonten Eile des eigentlich noch
Unschuldigen steht bei Brecht die Gemächlichkeit und Gelassenheit des
wirklichen Verbrechers. Im Prosaentwurf macht Brecht diesen Unterschied
besonders deutlich, indem er bei der Erzählung der Geschichte Amerikas
gleich drei volle Monate verstreichen läßt.

Der einzige andere ausgearbeitete Teil der Oper ist die zum zweiten Akt
gehörige Szene „Anne Smith erzählt die Eroberung Amerikas",[11] also jene
Geschichte, die den Verbrecher so lange säumen läßt. Annes „Bericht" ist in
der für Brecht üblichen Form des freien Prosagedichts, der Chronik, gehalten und verfolgt den Werdegang Amerikas von der Vorzeit bis zur Gegenwart. Zeitlich teilt er sich in vier Abschnitte. Im ersten wird das primitive
Amerika des roten Mannes als ein Land von Grasflächen zwischen dem
Atlantik und Pazifik beschrieben, wo Bären und Büffel lebten und den In-
dianern zur Nahrung dienten. Brecht unterläuft ein Anachronismus, wenn
er erwähnt, daß die damaligen Indianer Pferde hatten, die beim Mississippi
grasten. Kamen die Indianer doch erst durch die Ankunft der Weißen mit
Pferden in Berührung. Hier spielt dem Dichter die Erinnerung an die Jugendlektüre (Sealsfield, May), in der der rote Mann stets beritten war, einen
Streich. Der zweite Abschnitt befaßt sich mit der 300 Jahre dauernden Eroberung des Kontinents durch den weißen Mann. Die Europäer werden negativ gesehen. Sie brachten Alkohol, Feuerwaffen und die christliche Religion, töteten die Eingeborenen rücksichtslos und überquerten den Kontinent, bis sie alles in Besitz genommen hatten. Im nächsten Teil folgt der
Hinweis auf die Entdeckung der natürlichen Reichtümer des Landes – Gold,
Erze, Öl – und den Beginn ihrer Verwertung. Anstelle der ehemals hölzer-
nen Hütten der Pioniere wuchsen nunmehr Steingebirge heran, die man

Städte zu nennen pflegt und worin das weiße Volk den Anbruch eines neuen Zeitalters – des technischen – verkündet. Bezeichnend hierbei ist, daß für Brecht das eigentliche Zeitalter der Technik in Amerika seinen Anfang nahm und nicht im Europa des neunzehnten Jahrhunderts. Im vierten und letzten Abschnitt wird ein Bild des modernen Amerika gezeichnet. Mittels der Elektrizität sind die Städte auch nachts erhellt, Züge donnern durch die Wälder, in denen weder Büffel noch Indianer mehr zu finden sind. Dafür herrscht ein Überfluß an Öl, Eisen und Gold. Bei lärmender Musik und Geschrei hält sich das weiße Volk in den steinernen Prärien der Städte auf. Es folgt eine Aufzählung der Namen jener großen Städte, doch Brecht führt irrtümlicherweise fast ausschließlich Namen amerikanischer Staaten auf (Arkansas, Connecticut, Ohio, New York, New Jersey und Massachusetts), was seine zu jener Zeit noch oberflächlichen Kenntnisse der nordamerikanischen Geographie verrät. Abschließend und mit einem Blick auf die Zukunft läßt er Anne Smith in das allgemeine Urteil einstimmen, daß dies zur Zeit „das größte Geschlecht der Erde" sei.[12] Seine Häuser werden immer höher gebaut, es erschließt durch seine Eisenbahnen die Welt, ernährt mit seinem Weizenanbau ganze Kontinente und wird nicht (wie z. B. die Indianer) unbekannt und vergessen in die Vergangenheit einsinken, denn dies ist „eine ewige Rasse in des Erdballs größter Zeit".[13]

Anne Smiths und James Sorels Faszination für die atemberaubenden Errungenschaften Amerikas, das im Vergleich zum alten Europa in kurzer Zeit die Entwicklung von Jahrhunderten durchmachte und es dabei noch weit überflügelte – diese Faszination teilte Brecht zu jener Zeit noch fast uneingeschränkt. Das ungefähr vier Jahre später entstandene Gedicht „Lied eines Mannes in San Francisco" drückt diese Faszination am besten aus:

Eines Tages gingen alle nach Kalifornien
Dort ist Öl, sagten die Zeitungen.
Und
Auch ich bin nach Kalifornien gegangen.
Ich bin gegangen für zwei Jahre.
Meine Frau blieb in einem Ort im Osten
Meine Farm war nicht tragbar.
Aber ich zog in eine Stadt im Westen
Und die Stadt wuchs, als ich hinkam.
Ich habe kein Öl gefunden
Ich habe Autos zusammengesetzt und gedacht:
Die Stadt wächst jetzt, ich

Warte auf ihr 30. Tausend.
Da waren es über Nacht viel mehr.
Zehn Jahre vergehen rasch, wenn Häuser gebaut werden.
Ich bin zehn Jahre da und habe Lust
Nach mehr. Auf dem Papier
Habe ich eine Frau im Osten
Über dem fernen Boden ein Dach
Aber hier
Ist etwas los und Spaß, und
Die Stadt wächst noch.[14]

James Sorel verspürt dasselbe Fieber des Städtebaus, auch er vergißt seine Pflichten, wie der Mann aus San Franzisco, den das Großstadtgetriebe in Bann hält. Bei Sorel ist es aber nur die Erzählung dieser Vorkommnisse, er selbst sitzt irgendwo auf einer Farm im mittleren Osten der USA, während hier im Gedicht das Erlebnis der Stadt unmittelbar einwirkt. Das Gedicht gibt lediglich die Ansichten des Sängers wieder; der Dichter bleibt Außenstehender und vermittelt auf diese Weise ungeschmälert die Erlebnisfreude des Sängers. Ähnlich in *Mann aus Manhattan*. Auch hier zeichnet sich keine Kritik der Großstadt ab, obgleich all dieser phänomenale Fortschritt nur durch eine äußerst brutale und egoistische Einstellung nicht nur der Umwelt, sondern auch den Mitmenschen gegenüber möglich war. Das schon zuvor im *Dickicht* bearbeitete Thema des im Interesse des Überlebens notwendigen Alleinseins wird wiederum angeschlagen. Diesmal war aber – zumindest nach dem Prosaentwurf der Fabel zu schließen – für den letzten Akt der Oper die strafende Hand eines alttestamentlichen Gottes für den nach diesem Gesetz der Prärie Handelnden vorgesehen. Der anfängliche Arbeitstitel *Sodom und Gomorrha* verweist allzu deutlich auf das biblische Thema der göttlichen Bestrafung. Brecht beabsichtigte, eine ganze Reihe alttestamentlicher Motive zu verwenden, wie sie in den Schriften der Propheten (besonders Jeremia und Jesaia) anzutreffen sind, wo Gott zuerst Warnzeichen seines strafenden Zornes gibt, um die Sünder noch rechtzeitig zur Besinnung zu bringen: eine Dürre bricht aus, die Ernte wird vernichtet, eine Flut überschwemmt die Felder. Kurz, der regelmäßige Lauf der Natur wird plötzlich auf krasse Weise unterbrochen. Die bei Brecht verwendeten Motive beziehen sich nicht auf eine bestimmte Bibelstelle; er kombiniert vielmehr verschiedene eschatologische Motive,[15] die den Treulosen zur Vernunft bringen sollen. Der Weizen gedeiht nicht mehr und die Wälder werden frühzeitig im April gelb, doch James Sorel erinnert sich immer noch nicht an sein Versprechen, bis Gott auf seine Farm ein vernichtendes Feuer vom Himmel regnen lassen muß. Der Einfluß der Bibel geht über diese Motive hinaus, denn an einzelnen Stellen bricht auch die Sprache der Lutherbibel durch, z. B. in Wendungen wie: „über ihn und sein Haus"[16] oder im Gebrauch archaischer Wörter wie „allenthalben" für „überall".[17]

Die hier angeschnittenen Probleme sind vielfältig. Trotz des ursprünglichen Titels unterzieht Brecht die modernen Großstädte keiner negativen Kritik. Ungeachtet der Gewaltanwendung, die Jahrhunderte lang notwendig war, bleibt die Geschichte der Eroberung Amerikas und seiner Städte eine Geschichte des Ruhmes, der Staunen und Bewunderung gezollt wird. Brechts Oper hat als Hauptthema das unehrenhafte Verhalten eines Individuums, nicht die Schlechtigkeit der modernen Großstadt. James Sorels unglaubliche Faszination für die Städte dient lediglich zur Motivierung seines Handelns, was immer wieder in den Entwürfen hervorgehoben wird:

Oper
den mann erfaßt das fieber des aufbaus der eroberung amerikas und der gründung der städte sosehr daß er nicht an die leiden eines einzelnen ehrlichen mannes denken kann.

anfang
schluß

der mann mich erfaßte das fieber der eroberung amerikas und der gedanke der erbauung von städten größer als zu irgend einer anderen zeit[18]

Dies sagt noch nichts über die Städte selbst aus, nur über die Intensität von Sorels Begeisterung. Hier ergaben sich Schwierigkeiten für Brecht, denn der Bezug auf den Untergang der biblischen Städte konnte zu leicht als sein eigenes Urteil über die moderne Großstadt interpretiert werden. Kein Teil der Entwürfe berechtigt zu einem Vergleich zwischen amerikanischen Großstädten und Sodom und Gomorrha. Hier steht eindeutig das Verhalten eines Individuums im Vordergrund, dessen Sünde (Nichteinhaltung eines Versprechens) im alttestamentlichen Sinne die rächende Gottheit auf den Plan ruft. Um einer potentiellen Fehlinterpretation vorzubeugen, sah sich Brecht genötigt, der Problemstellung der Oper gemäß einen deutlicheren Titel zu wählen: *Mann aus Manhattan*.

c. Dan Drew

Brechts am weitesten gediehenes Fragment aus der Mitte der zwanziger Jahre ist das geplante Stück über den Erzrivalen Vanderbilts, eines der reichsten Männer des neunzehnten Jahrhunderts: den amerikanischen Eisenbahnkönig Daniel Drew. Das im Brecht-Archiv erhaltene Material umfaßt Fassungen von acht mehr oder minder ausgearbeiteten Szenen auf 40 Maschinenseiten, die laut Emil Burri Ende 1925, Anfang 1926 entstanden sind. Darüber hinaus existieren noch ungefähr ebenso viele Seiten Entwürfe, Notizen und Bruchstücke, einige davon in doppelter Ausführung. *Dan Drew* war als Stück mittlerer Länge vorgesehen, sollte insgesamt ca. 45 Seiten lang sein und eine Spieldauer von eineinhalb Stunden haben.[1] Das Stück stand also kurz vor seiner Vollendung, es war praktisch zu 75 Prozent fertig, und es wird später die interessante Frage zu beantworten sein, warum Brecht nicht mehr an einen Abschluß der Arbeiten dachte.

Elisabeth Hauptmann arbeitete schon seit November 1924 mit Brecht zusammen, und einige Notizen in ihrer Handschrift verraten, daß sie einen Teil der Vorarbeiten geleistet hat. Eine ihrer frühen Aufzeichnungen gibt Aufschluß darüber, was das Stück binnen fünf Akten vor Augen führen sollte. Wie der „Wolf" Daniel Drew sich der Schafherde – den Leuten der Eriebahn – gegenüber verhält, die Schafe den Feind des Wolfes (Vanderbilt) zu Hilfe rufen, der daraus entstehende Kampf den „dunkelsten Tag" Amerikas herbeiführt und schließlich den finanziellen Ruin des Eisenbahnkönigs bewirkt, der zuletzt einsehen muß, daß er nur deswegen zu Fall kam, weil das Land, auf dessen Untergang er gesetzt hatte, entgegen seinen Vorhersagen unerwartet doch wieder aufblühte.[2] Ein zweiter Stückplan, von Brecht selbst angefertigt,[3] ist detaillierter und gibt das Schema der Handlung in zehn Punkten wieder. 1. In einer Zeit der Arbeitslosigkeit und des Elends wird eine Eisenbahnlinie gebraucht. 2. Drew drängt sich früh in die Bahngesellschaft hinein und handelt aus Eogismus gegen die Interessen der Bahn, indem er ihre Aktien „kurz" verkauft. 3. Vanderbilt beginnt seinen Kampf gegen Drew, zwingt ihn auf die Knie und akzeptiert Fisk und Gould als Drews neue Helfer. 4. Die Betrügereien Drews (betrügerische Schienengeschäfte und Aktiendrucke) machen seine Flucht notwendig. 5. Vanderbilts und Amerikas schwarzer Tag. 6. Während seiner „Quarantäne" (Aufenthalt in New Jersey) ereignen sich Eisenbahnunglücke. 7. Schlichtung der Differenzen zwischen Vanderbilt und Drew, Hinzuziehung Fisks und Goulds, während Drew den Aufsichtsrat der Bahn verlassen muß. 8. Gould und Fisk bewirken Drews Ruin. 9. Weiteres Schicksal der früheren Mitarbeiter Drews: Fisks Tod, Tweeds Verhaftung, Goulds Vereinsamung und 10. Drews Ende und Zeitungsberichte darüber.

Charakteristisch für Brechts Arbeitsweise ist die Gewohnheit, im Frühstadium der Arbeiten einen zusammenhängenden Prosaentwurf anzufertigen, worin er auf Ziel und Zweck des Stückes zu sprechen kommt. Im Grunde ist solch ein Entwurf wie ein an den Dichter selbst gerichteter Prolog zu verstehen, der ihn die ursprüngliche Intention des Stückes während der weiteren Arbeiten nicht aus den Augen verlieren lassen soll. Im Laufe der Jahre ging er überhaupt dazu über, seinem Publikum solche Hinweise zunächst zu Beginn einzelner Szenen zu geben. Schließlich werden volle Prologe durch die Person des Sängers oder Ansagers vorausgeschickt. Eine solche „Absichtserklärung" zu *Dan Drew* existiert in drei praktisch identischen Exemplaren.[4] In knapper und sachlicher Ausdrucksweise wird erklärt, daß Drew und Genossen durch Betrügereien die Eriebahn in eine „Aktienmolkerei" verwandelten und somit Ausbau und Fertigstellung dieses Unternehmens sowohl verzögerten als verteuerten. Solange der Aufbau vonstatten ging, habe hingegen kein öffentliches Interesse bestanden, ihren Machinationen Einhalt zu gebieten. Drews Sturz sei erst eingetreten, nachdem sich die anfänglich „wilde und unübersichtliche" Ausnützung der allgemeinen Bevölkerung auf die übliche Ausbeutung der Arbeitnehmer beschränkt hatte. Sein Untergang sei nicht die Folge seiner Unehrlichkeit gewesen. Der Grund dafür sei eher in der Tatsache zu erblicken, daß er seine Geschäftsmanöver in der Überzeugung abwickelte, keines der von ihm geleiteten Unternehmen könne seine Führung überleben, eine Ansicht, die sich als falsch erweisen sollte.

Brecht schwebte also eine Studie über Aufstieg und Fall eines bekannten Kapitalisten vor, ein Thema, mit dem er sich zur selben Zeit in seinem *Fleischhacker*-Stück beschäftigte. Während Joe Fleischhacker ein fiktiver Charakter war, hatte es Brecht in Dan Drew mit einer Person zu tun, die wirklich gelebt hatte. Hier ging es um die Behandlung eines historischen Stoffes. Er mußte sich mit geschichtlichen Tatsachen auseinandersetzen. Schon nach einem flüchtigen Blick durch das Fragment steht fest, daß sich Brecht intensiv mit dem Stoff befaßt haben muß, denn auf Schritt und Tritt stößt man auf Stellen, die sowohl eine genaue und detaillierte Kenntnis der Geschichte der Erie Railroad beweisen als auch eine zuweilen frappierende Vertrautheit mit persönlichen Eigenschaften des Eisenbahnkönigs bis hin zu Slang-Ausdrücken verraten. Die Literatur zur Geschichte der Erie Railroad ist nicht gerade umfangreich und außerdem meist ziemlich unzuverlässig. Die allgemeinen Geschichtswerke über die Entstehung der amerikanischen Eisenbahnen scheiden nach näherer Überprüfung als Quellen für Brechts Informationen sofort aus. E. H. Motts Werk *The Story of Erie*[5] enthält zwar eine Unmenge an Material, ist aber teilweise unzuverlässig, und vieles beruht auf inoffiziellen Quellen. Stewart Daggets *Railroad Reorganization*[6] bringt in skizzenhaften Umrissen die Entwicklung der großen amerikanischen Eisenbahngesellschaften und enthält viel zu wenig Material über die Erie Railroad. Dasselbe gilt in noch größerem Maße von Slason Thompsons *Short History of American Railways*,[7] einem einseitig und ziemlich oberflächlich geschriebenen Werk. Was die Entwicklungsgeschichte der Erie Railroad anbelangt, hätten im Hinblick auf die von Brecht verwendeten historischen Fakten nur drei Geschichtswerke in Frage kommen können: John Moodys *The Railroad Builders*,[8] das einen knappen aber präzisen Überblick über die Entwicklung der Erie Railroad bietet und wichtiges Kartenmaterial über die Ausweitungen des Streckennetzes enthält. Adams *Chapters of Erie*[9] ist vielleicht überhaupt das beste Geschichtswerk zu diesem Thema. Es diente Gustavus Myers als Quelle für seine Schilderung von Cornelius Vanderbilts Reichtum in seiner epochemachenden *Geschichte der großen amerikanischen Vermögen*[10] und bringt auch eine Charakteristik der wichtigsten mit der Erie Railroad verbundenen Personen. Brecht kannte Myers' Werk und zählte es zusammen mit Mendelsohns *Amerika* – als Antwort auf eine Rundfrage – zu den besten Büchern des Jahres 1926:

> Für die Liebhaber kriminalistischer Lektüre ist Myers „Geschichte der großen amerikanischen Vermögen" ein Fressen. Bekanntlich sind Angelegenheiten, die mit Geld zusammenhängen, in der guten Gesellschaft und ihrer Literatur verpönt. Ich nehme an deswegen, weil so viel Geist drin steckt (in den Geldangelegenheiten).[11]

Obgleich Myers' Buch schon im Jahre 1916 erschienen war, wird es Brecht erst im Laufe des Jahres 1926 gelesen haben, zu einem Zeitpunkt also, als er mit den Arbeiten zu seinem neuen Stück bereits begonnen hatte. Myers kommt auch auf die persönlichen Unterschiede zwischen Drew und Vanderbilt zu sprechen. Drew ist der durch seine Schlauheit und Durchtriebenheit emporgekommene Viehtreiber, der zwar nie eine angemessene Ausbildung genossen hat, doch trotz seines anscheinend naiven und burschikosen Auftretens ein scharfsinniger, einfallsreicher und schwer zu fassender, weil rücksichtsloser Gegner ist. Vom Temperament her ist er ein Baissespekulant („Bär") im Gegensatz zu seinem Kontrahenten Vanderbilt, der von Natur aus an Wall Street auf Hausse spekuliert („Bulle"). Kommodore Vanderbilt ist im Unterschied zum düsteren, dunklen Drew frohgemut, aufgeschlossen, sieht die Dinge in ihrem größeren Kontext und ist auf Grund seiner Bildung ganz allgemein überlegen. Für die aus der amerikanischen

Börsensprache genommenen termini technici „bear" und „bull" (Ausdrücke, die bei Brecht in direkter Übersetzung als „Bär" und „Bulle" auftauchen) liefert Adams eine aufschlußreiche Erklärung:

A bull in the slang of the stock exchange is one who endeavors to increase the market price of stocks, as a bear endeavors to depress it. The bull is supposed to toss the thing up with his horns, and the bear to drag it down with his claws.[12]

Doch in den Entwürfen Brechts, der schon immer eine Vorliebe für die bildliche und sprichwörtliche Ausdrucksweise zeigte, sind diese Ausdrücke direkt übernommen worden, ohne den Versuch, sie dem deutschen Publikum irgendwie anschaulich zu machen. Andererseits befremdet es, wenn der sonst für Anglizismen so aufgeschlossene Brecht verdeutschte Formen wie „Wallstraße" verwendet. Brecht hatte zweifellos Zugang zu einer anderen Quelle, denn innerhalb der Entwürfe wird wiederholt auf bestimmte Seiten eines gewissen Buches verwiesen, z. B. „Rede über die Eisenbahnen, S. 122", „Am besten die Szene S. 198/99" oder „Jim erzählt die Gesch. S. 219". Insgesamt gibt es vierzehn solcher Verweise, und zwar immer bei Szenen, die noch nicht ausgearbeitet waren, aber in das ursprüngliche Handlungsskelett eingefügt werden sollten. Diese Quelle ist aus zwei Gründen identifizierbar: Brecht wußte Einzelheiten wie Namen von Hotels und Adressen, wo Drew sich aufgehalten hatte, und ließ den ungebildeten Drew das Wort „spekulieren" konsequent als „spikkilieren" aussprechen. Diese Art von Informationen, falls sie sich auf Fakten stützen, konnte Brecht nur aus einer Biographie Daniel Drews haben. Die Auswahl ist hier nicht groß. Es gibt nur eine, nämlich die von Bouck White unter dem Titel *The Book of Daniel Drew*.[13] Brechts Notizen mit den Seitenangaben beziehen sich ausschließlich auf die deutsche Übersetzung des Buches, die 1922 als *Das Buch des Daniel Drew. Leben und Meinungen eines amerikanischen Börsenmannes* erschien.[14] Charakteristisch für sie ist die Eindeutschung englischer geographischer Namen wie z. B. Wallstraße, Weststraße, Ludlowstraße und selbst Dünkirchen (für Dunkirk, N. Y.). Ausschlaggebend ist aber die Wiedergabe von Drews schlechter englischer Aussprache „spickilation" als „Spikkilation".[15] Brechts Bild des Eisenbahnkönigs stützt sich also weitgehend auf die Informationen, die Whites Buch entnommen werden konnten.

Im Vorwort zur deutschen Ausgabe weist H. H. Ewers darauf hin, daß dieses Buch in USA völlig unbeachtet geblieben ist. Die Gründe hierzu seien sowohl in dem verhältnismäßig niedrigen Niveau der in Amerika beliebten Literatur zu suchen als auch bei den amerikanischen Kritikern, die sich bewußt auf den seichten Geschmack der Massen einstellten. Whites Biographie wird als exemplarisches Werk gepriesen, das „mehr von der Seele New Yorks und seiner Geschäftswelt während des neunzehnten Jahrhunderts enthält, als es hunderte anderer Bücher zusammen tun".[16] In seiner überschwenglichen Begeisterung sieht Ewers in diesem Buch „ein sehr wichtiges Kulturdokument – das interessanteste, das die amerikanische Literatur überhaupt aufzuweisen hat".[17]

Bouck White war in amerikanischen linken Kreisen tätig und hatte zuvor u. a. ein Liederbuch für sozialistische Propaganda und Massenversammlungen von Arbeitern verfaßt.[18] Seine Drew-Biographie schrieb er jedoch nicht aus der Sicht eines marxistischen Kritikers. Hier versetzt er sich in die fiktive Rolle eines Archivars, bzw. Historikers, der die privaten Aufzeichnungen Daniel Drews zusammenstellt und ordnet und sie der Nachwelt überliefert. Durch diesen literarischen Kunstgriff gelingt es ihm, Drew selber zu Wort kommen zu lassen, was dem Ganzen – sobald die kurze Einführung vorüber ist – den Anschein einer echten Autobiographie verleiht. Dieses Verfahren hat zwei ausschlaggebende Vorteile: erstens kann Drews Persönlichkeit durch seinen Personalstil und seine Erzählhaltung ohne jegliche Beschreibung aus zweiter Hand direkt und damit intensiver herausgearbeitet werden, und zweitens wird der Autor der Aufgabe enthoben, irgendwelche Werturteile oder sonstige Kommentare über die zu untersuchende Person abzugeben. Die Tatsachen sprechen für sich selbst.

Da Whites Buch im Deutschen wie im Englischen in sehr kleiner Auflage erschien und daher schwer zu beschaffen ist, sei hier der Inhalt in groben Zügen wiedergegeben. Später läßt sich dann um so leichter feststellen, worin Brechts Pläne von seiner Vorlage abweichen. „Drew" erzählt in naivem Stil, völlig unprätentiös in chronologischer Folge die Geschichte seines Lebens von den frühen Tagen, als er sich unter den vielen Viehtreibern in New York durch Gewissenlosigkeit, Einfallsreichtum und Durchtriebenheit das Grundkapital erkämpfte, welches es ihm erlaubte, sich in das Dampfschifffahrtsgeschäft am Hudson River einzukaufen und mit Vanderbilts Schifffahrtslinien in Konkurrenz zu treten. Die ersten Bahnlinien begannen das weite Hinterland für die Stadt New York zu erschließen. Offensichtlich würden die Schiffe mit den entstehenden Bahnen nicht auf die Dauer konkurrieren können. Da es aber noch keine direkte Bahnverbindung zwischen New York City und dem Gebiet der Großen Seen gab und nur zwei Teilstrecken – die südliche New York Central und die nördliche Erie Railroad (ERR) – durch den Staat New York führten, die auf beiden Seiten durch

Schiffahrtslinien am Eriesee und am Hudson River ergänzt wurden, sah Drew seine große Chance, die ERR dadurch in die Hand zu bekommen, daß er ihre Schiffsverbindungen in seine feste Kontrolle brachte und somit Druck auf die dazwischenliegende Bahn ausüben konnte. Durch rücksichtslose Ermäßigungen und Sonderregelungen für die NYC machte er die ERR so lange konkurrenzunfähig, bis man sich gezwungen sah, ihm einen Direktorposten anzubieten. Um die prosperierende Bahn von sich abhängig zu machen, setzte er böse Gerüchte in Umlauf, die die Aktien fallen ließen, so daß er der ERR großzügig 1,5 Millionen Dollar vorstrecken konnte. Als Sicherheit forderte er eine Hypothek auf den beweglichen Besitz der Bahn. Nur so war es ihm möglich, an die für seine geplanten Spekulationen notwendigen Geheimtips zu gelangen. Durch böswillige Ratschläge zu kostspieligen und langwierigen Tunnelbauten verstrickte er die Bahn in derartige finanzielle Schwierigkeiten, bis er sie ganz übernehmen konnte.

Jahrelang betrachtet Drew die ERR als eine private Aktienmolkerei, durch geplante Manöver beeinflußt er ungehindert ihren Börsenkurs zu seinen Gunsten mittels Verbreitung falscher Informationen, Umwerbung von politischen Bossen und einflußreichen Richtern, mittels offener Bestechung und dunkler „deals". Als Baissespekulant kann er nur auf Kosten des allmählichen Ruins der ERR Gewinne erzielen. Vanderbilt, der geborene Haussemann, erkennt das ungeheure Potential der Bahn, die er durch verantwortungsvolle Führung Riesengewinnen entgegenführen könnte. Das Element der Unsicherheit, das durch Drews Spekulationen den Markt zu kennzeichnen begann, könnte ausgeschaltet werden, und eine bessere Ausstattung der inzwischen unsicher gewordenen Bahn würde eine Zunahme im Verkehr gewährleisten. Ein verantwortungsvolles Management durch seine Leute würde ihm sowohl ein gutes Image geben als auch eine potentielle Konkurrenz für seine eigenen Bahnen aus dem Wege räumen. Vanderbilt kauft sich heimlich in die ERR ein, bis er die Mehrheit der Aktien in Händen hält und somit in der Lage ist, Drew aus dem Direktorposten zu verdrängen. Unter Aufbietung seines ganzen schauspielerischen Talents sucht Drew seinen Gegner auf und appelliert an dessen Gewissen, er könne einen ehemaligen Kollegen und Selfmademan im Alter nicht ruinieren wollen, und verspricht hoch und heilig, die Interessen der ERR zu seinen eigenen zu machen, wenn er wieder in den Vorstand aufgenommen würde. In einem Moment der Schwäche gewährt Vanderbilt diese Bitte und folgt Drews Rat, wie er die bereits beschlossene Entlassung legal umgehen kann. Ein Fehler, den er bald bereuen sollte. Drew zieht zwei junge Partner, James Fisk und

Jay Gould, mit sich in den Vorstand, und mit ihnen konspiriert er sofort wieder gegen die Interessen Vanderbilts und der ERR. Mit seinen Komplizen gelingt es ihm, den Vorstand zu neuen Schienenkäufen zu überreden. Zur Finanzierung lassen sie in Aktien umwandelbare Obligationen im Werte von zehn Millionen Dollar ausgeben. Anstatt neue Schienen zu legen, läßt er die alten Schienen einfach umdrehen, tauscht die Obligationen heimlich in Aktien um und wirft sie durch eigene Makler auf den Markt. Vanderbilt, der in dem Bestreben, alle ERR-Aktien an sich zu bringen, ständig weiterkauft, schluckt unter großem Verlust diese wertlosen Aktien. Durch Bestechung machen sich Vanderbilt und Drew je einen Richter hörig, um dem Gegner durch juristische Manöver die Hände zu binden. Vanderbilt erwirkt eine Verfügung, um die Direktoren an weiteren Aktienausgaben zu hindern und künftige Umwandlungen in Aktien zu verbieten, während Drew sich die legale Vollmacht zur Ausgabe neuer konvertibler Obligationen verschafft. Er läßt sie im Werte von 10 Millionen Dollar (= 100 000 Aktien) drucken und bringt sie plötzlich auf den Markt. Vanderbilt wird übertölpelt, kauft sämtliche frisch gedruckten Aktien und verliert dabei 7 Millionen Dollar.

Drew nimmt sofort die Fähre nach New Jersey, um der New Yorker Gerichtsbarkeit zu entgehen; Fisk und Gould folgen später auf abenteuerliche Weise bei Nacht und Nebel in einem Ruderboot. Insgesamt haben sie zu dritt über 6 Millionen Dollar in Banknoten (!) über den Hudson retten können. In Jersey City mieten sie sich im Hotel Taylor ein und verwandeln es mit Hilfe der Ortspolizei in ein bewaffnetes Fort, um sich gegen die von Vanderbilt gekauften „hoodlums" verteidigen zu können, die den Auftrag haben, das Trio zu kidnappen und vor die New Yorker Gerichte zu bringen. Drews Reichtum ebnet alle Wege. Das Staatsparlament von New Jersey beschließt, die ERR mit all ihren Privilegien in New Jersey aufzunehmen. Mit 1,5 Millionen Dollar Bestechungsgeldern schickt Drew Gould heimlich zum New Yorker Staatsparlament in Albany, um die Unterstützung für ein Gesetz zu gewinnen, das die ursprüngliche Aktienausgabe im Werte von 10 Millionen nachträglich legalisieren würde. Selbst nach Verabschiedung dieser „Bill to legalize Counterfeit Money" drohen dem Trio noch mehrere andere Prozesse in New York. Ohne Wissen seines Partners versucht Drew Verhandlungen mit Vanderbilt über die Bedingungen einer Rückkehr aufzunehmen. Doch von Spitzeln über das Treffen unterrichtet, überraschen sie ihn in Vanderbilts Haus. Man einigt sich über die Entschädigungen (die aus der Eriekasse bezahlt werden!), aber Gould und Fisk verschwören sich, von nun an auf Drews Untergang hinzuarbeiten, den sie später durch Verrat schlagartig und gnadenlos herbeiführen. In kurzen Zügen wird das weitere Schicksal seiner ehemaligen Partner vor Augen geführt: Gould gelangt durch Zusammenarbeit mit dem Politiker Tweed zu unwahrscheinlichem Reichtum, Tweed endet im Gefängnis, und Fisk wird von einem eifersüchtigen Liebhaber seiner Mätresse Josie Mansfield erschossen.

Obwohl Brecht in vielen Details White aufs genaueste folgt, wäre es zu oberflächlich, *Dan Drew* als eine blasse Adaptation von Whites Buch abzutun. Die Biographie des Kapitalisten Drew ist im Grunde ein spannender Abenteuerroman, der durch die Persönlichkeit des einfachen Emporkömmlings an Farbe gewinnt. Drew entpuppt sich zwar als skrupelloser Egoist, der nicht ohne Schadenfreude selbst Vertrauten und Freunden eine Grube gräbt, solange er dabei verdienen kann; er ist also auch ein gewitzter und humorvoller Schauspieler, der immer wieder nach rentablen „Streichen" Umschau hält. Ein naives, ja primitives Verhältnis zur Religion ist ihm eigen, das ihn zwar seine eigenen Schwindeleien vergessen, doch die skandalösen Hurengeschichten seines Partners Fisk als eine Schande vor Gott verurteilen läßt. In Zeiten des Reichtums vergißt er Gott, in Krisen wird er kindlich fromm. Als äußeren Beweis seiner Gottesfurcht stiftet er das Drew Theological Seminary. Sein überschwänglicher Sinn für Humor läßt ihn in einem farbenreichen Stil sprechen und durchwegs amüsante Vergleiche aus der Welt des Viehtreibers anstellen sowie Bauernweisheiten und Sprichwörter verwenden. All diese Aspekte machen die Biographie zu einem spannenden Buch, das man nicht ungelesen beiseite legen kann. Wie aus Brechts Verweisen auf bestimmte Stellen des Buches hervorgeht, begeisterte ihn gerade das Abenteuerliche daran.

Der Vermerk „genau das gespräch von seite 195"[19] bezieht sich auf die Versöhnungsszene, bei der Drew das Vertrauen Vanderbilts für sich gewinnt und wieder in den Vorstand der Erie aufgenommen wird. Drews Selbstsicherheit und Einfallsreichtum zeigen sich, als er dem Kommodore die Wahl eines Strohmannes in den Vorstand vorschlägt, um das den Aktionären gegebene Versprechen einer Entlassung Drews einhalten zu können. Nach der Wahl würde der Strohmann freiwillig abtreten und Drew an seiner Statt ernannt werden.

Mit dem Hinweis „am besten die szene von seite 198, 199"[20] bezieht sich Brecht auf die Beschreibung von Fisks Frauenskandalen. Fisk hatte ein Theater gegründet und einen Prachtbau dafür errichten lassen. Sämtliche Schauspielerinnen und Ballettänzerinnen rekrutierte er als Mätressen. Mitten während der Arbeitszeit brachte er oft eine Kutsche voller Gespielinnen ins Büro und feierte dann Orgien bis tief in die Nacht.

Die Bemerkung „jim erzählt die gesch. 219"[21] verweist auf die spannende Geschichte der Flucht Fisks und Goulds, ihre Irrfahrt im geldgefüllten Ruderboot über die starke Strömung des Hudson im Nebel, ihren im letzten Augenblick verhinderten Zusammenstoß mit einer Fähre und die Gefahr, kurz vor dem Ziel Millionenwerte über Bord zu verlieren.

In dem von Brecht extra notierten „monolog 129"[22] drückt Drew seine Philosophie aus, stets ruhig zu bleiben, selbst angesichts ärgster Attacken, und sich über die öffentliche Meinung hinwegzusetzen, denn nur so läßt sich der bereits geschaffene Reichtum vergrößern. Im Grunde unterscheidet er sich hierin keineswegs von seinem Kontrahenten und dessen Motto „the public be damned."

Die Anmerkungen „Buch 159–161" und „192–196"[23] deuten auf die Beschreibung der Bestechungsmanöver in Albany, mit deren Hilfe das „Gesetz zur Legalisierung von Falschgeld" zur Verabschiedung gelangte, und auf die Erklärung des Systems der austauschbaren Pfandbriefe mit dem großen Notendrucken, das den Riesenbetrug gegen Vanderbilt ermöglichte.

Nach weiteren Seitenangaben („132" und „277–78")[24] ist zu schließen, daß zwei von Drews größten Streichen einen Platz im Stück finden sollten: die Überredung der Direktoren, die Strecke zu verlängern und einen Tunnel durch die Felsen des Bergen Hill zu treiben, was zu neuen Geldschwierigkeiten führen muß, und das an Till Eulenspiegel erinnernde Wenden der Schienen, um die für Neuanschaffungen bewilligten Mittel in die eigene Tasche zu bekommen.

Der durchtriebene und rauhbeinige Gauner Drew, der sich über alle anderen mit spielerischer Leichtigkeit hinwegsetzt, sich weder um geprellte Aktionäre noch um die auf der heruntergekommenen Bahn Verunglückten kümmert, aber dennoch seiner Leutseligkeit wegen von jedermann als „Onkel Drew" angesprochen wird, dieser Mann war für Brecht der echte Typ des Amerikaners. Die von Brecht notierten Stellen in Whites Buch verweisen durchwegs auf Situationen, in denen gerade diese gefeierten Aspekte von Drews Charakter in Erscheinung treten.

Brecht empfand nicht ungeteilte Bewunderung für diesen Menschentyp, er verspürte eher eine Art Haßliebe für ihn. Auf der einen Seite beeindruckte ihn die unerschrockene Selbstliebe Drews, der sich – Baal und Garga ähnlich – an keine Gesetze gebunden fühlt und auf den Luxus eines Gewissens gern verzichtet, und auf der anderen Seite weiß er nur zu wohl, daß solch ein Mensch innerhalb der menschlichen Gesellschaft ein Giftpilz ohnegleichen ist. Schon sehr früh hatte Brecht die Attraktion der rücksichtslos ihren eigenen Interessen lebenden Typen verspürt und sie oft mit Amerika assoziiert: Polly in *Prärie*, Shlink und Garga im *Dickicht*, James Sorel in *Mann aus Manhattan*. Obwohl bei James Sorel Brechts Kritik an solchem Verhalten zum ersten Male in den Vordergrund tritt, begeistert er sich noch immer für diese stark egozentrischen Individuen. Aufschlußreich in dieser Beziehung ist ein Gedicht, das ungefähr zwei Jahre vor *Dan Drew* entstand:

Entwurf eines Gesellschaftsvertrages

Ich Thomas P., verpflichte mich
Aus freien Stücken heute, angesichts
Des Zustands dieser Welt und feierlich
Zu nichts.
Der Herr, der meine Mutter sexuell weckte
Sorgte, obgleich begütert, nicht rechtzeitig für Abort
So fallen alle Pflichten wohl, auch indirekte
Meinerseits fort.
Ich verpflichte mich ausdrücklich nicht, meine Schwester, das Luder
Auf den Händen zu tragen
Und meinen jüngeren Bruder
Aufs Maul zu schlagen.

Jedoch erkenne ich hiermit die Verpflichtung an
Meine eigenen Interessen ehrlich im Auge zu haben
Und meinem Mitmenschen dann und wann
Fleißig eine Grube zu graben.
Und ich verspreche, den Gesetzen mutig
Die Stirn zu bieten und nach bestem Wissen
Wohltaten zu rächen, wenn nötig, blutig.[25]

Freilich werden diese Vorschläge zu einem neuen Gesellschaftsvertrag einem „Thomas P." in den Mund gelegt, aber des Dichters Faszination dafür läßt sich nicht abstreiten. Es ist mehr als lediglich ein ironischer Gegenentwurf zu Rousseaus *Contrat social*. Das „Thomas P." befremdet zunächst. Der nächstliegende Gedanke wäre, daß es auf den amerikanischen Politiker und Schriftsteller Thomas Paine verweist, dessen Schrift *The Rights of Men* zur Zeit der französischen Revolution erschien. Paine war aber Humanist und Republikaner, Verfechter demokratischer Bürgerrechte. Seine Philosophie ist der im Gedicht ausgedrückten diametral entgegengesetzt. Ob Brecht zu jener Zeit (1923) mit Paines Schriften vertraut war, ist höchst zweifelhaft. Für die völlig falsche Einschätzung Thomas Paines bietet sich aber eine andere Erklärung an. Als großer Büchnerverehrer wird sich Brecht an die Ausführungen des „Amerikaners" Payne in *Dantons Tod* erinnert haben, die denen Dantons gleichen.

Büchners Payne:

Was wollt ihr denn mit eurer Moral? Ich weiß nicht ob es an und für sich was Böses oder was Gutes giebt, und habe deswegen doch nicht nöthig meine Handlungsweise zu ändern. Ich handle meiner Natur gemäß, was ihr angemessen, ist für mich gut und ich thue es und was ihr zuwider, ist für mich bös und ich thue es nicht und vertheidige mich dagegen, wenn es mir in den Weg kommt.[26]

Das falsche Bild Thomas Paines scheint Brecht also von Büchner übernommen zu haben, dessen Quellen für *Dantons Tod* mehrere andere historische Fehler enthielten. Das im Gedicht ausgedrückte Credo könnte auch von dem nach außen hin frommen, eigentlich aber doch nur dem Mammon lebenden Drew stammen. Brechts Gedicht preist gerade die Verhaltensweisen, die dem Eisenbahnkönig den Weg zum Erfolg bahnten: Abstreifen der Familienbande, Konzentration auf den eigenen Vorteil, schadenfrohe Übervorteilung anderer, konsequente Bekämpfung unangehmer Gesetze und skrupellose Behandlung selbst wohltätiger Freunde (Vanderbilt).

Wettbewerbsgeist, Kampfeslust und das Recht des Stärkeren, bzw. Klügeren sind Eigenschaften, die Brecht von Anfang an in seinen Werken feierte. Auch der Traum vom großen Geschäft, vom „großen Wurf", war für ihn seit eh und je Teil seines mythischen Amerikas und erklärt gewissermaßen seine ehrfurchtsvolle Begeisterung für alles Amerikanische. Er selbst war jenen männlichen Tugenden ganz ergeben, und es ist kein Geheimnis mehr, wie sehr er darauf brannte, in die Großstadt Berlin zu gelangen, um sich sein „Stück Fleisch" herauszuschneiden. Diese Einstellung des jungen Brecht charakterisierte Bernhard Reich treffend mit den Worten:

Brecht verhehlte niemals, daß die Kunst Brot geben solle ... es wäre eine Schande, dachte Brecht damals, wenn ich es nicht bald zu einem Auto und zu einem Landhaus brächte.[27]

Im Brecht-Archiv existiert ein vierzeiliges Gedichtfragment aus den frühen zwanziger Jahren, das diese Haltung getreu widerspiegelt.

einmal möcht ich reich sein
groß und angesehen
es muß ja nicht gleich sein
auch ein traum ist schön[28]

Vorsichtshalber wird im Bestandsverzeichnis des Archivs die Autorschaft Brechts mit dem Vermerk „Von B. B.?" in Frage gestellt,[29] obwohl es in der für Brecht charakteristischen Weise ohne Zeichensetzung und Großschreibung getippt ist. Man könnte also fast sagen, es besteht eine Art Wahlverwandtschaft zwischen dem jungen Dichter und seinen fiktiven Charakteren. In ihrem unbändigen Egoismus und rücksichtslosen Streben nach Erfolg sind sie gleichgesinnt. Das Gedicht „Entwurf eines Gesellschaftsvertrages" ist nicht bloßes Beispiel Brechtscher Rollenlyrik, wobei er sich in die Rolle eines fiktiven „Thomas P." versetzt. Der Gedichtanfang deutet auf mehr. Unwillkürlich denkt man an den ersten Vers des im Vorjahr entstandenen Gedichtes „Vom armen B. B.":

„Ich, Bertolt Brecht, bin aus den schwarzen Wäldern."[30]

Die Selbstidentifizierung mit „Thomas P." wird nicht nur vom ideellen Gehalt des Gedichtes, sondern auch vom Sprachlichen her angezeigt, denn des Dichters eigener Name „Bertolt Brecht" läßt sich ohne weiteres anstelle des fiktiven Namens in die Apposition einfügen, ohne Silbenzahl und Rhythmus zu verändern.

Der geheime Traum vom schnellen Reichwerden mag Brecht ursprünglich dazu bewogen haben, sich für die Lebensgeschichten reicher Leute und das Geheimnis ihres Erfolges zu interessieren. Nur zu früh mengte sich allerdings der anfänglichen Begeisterung ein schlechter Beigeschmack bei. Je länger und je mehr er diesen „Geheimnissen" nachging, desto klarer und deutlicher erkannte er die wahre Grundlage des phänomenalen Erfolges jener Leute: die konsequente Täuschung, Übertölpelung, Belügung und Ausbeutung anderer.

In *Dan Drew* kann Brecht seine Bewunderung für den kapitalistischen Erzgauner und dessen Komplizen nicht verhehlen. Im großen und ganzen sieht er den Aufstieg des Eisenbahnkönigs als einen Kampf zwischen Drew und der Öffentlichkeit, später als Zweikampf zwischen ihm, der von der Zerstörung profitiert, und dem auf die Zukunft Amerikas bauenden Kommodore. Die ziemlich komplizierte und langwierige Geschichte, wie Drew sich zum Direktor der ERR hocharbeitet, komprimiert Brecht beträchtlich.

Die chronologische Folge wird über Bord geworfen, und Fisk und Gould werden von Anfang an zu Drews Partnern gemacht. Für den Beginn des Stückes erfand er ein Treffen zwischen den dreien, wobei sie darüber beraten, wie man am schnellsten reich werden könnte. Auf Fisks Frage, was er von Amerika halte, antwortet Drew:

es ist der übelste strich der welt. wenn einer nicht mit klapperschlangen handelt und die platten steine aus dem hudson verkaufen kann, wird er hier nie geschäfte machen.[31]

Worauf Fisk entgegnet, er müsse doch zugeben, daß New York „eine dicke Stadt" werde und ihn tadelt, daß er keinen Gedanken habe, „um Geld zu machen". Äußerst pessimistisch über die Lage, malt Drew Amerikas Zukunft in den dunkelsten Farben:

ich will euch etwas sagen

solang die verrückten new yorker noch krieg führen kann man noch etwas verdienen. wenn der krieg aus ist, dann ist alles aus. dann können wir verhungern, hunger, meine ich und viel zu viel leute wird die zukunft sein und mir wird schlecht, wenn ich daran denke wie man ein geschäft machen kann.

. . .

der krieg wird ja doch verloren, und dann gehts noch weiter zurück mit diesem unfruchtbaren land und wir müssen auf der lauer liegen um aus dem untergang noch etwas zu holen.[32]

Der spätere Brecht hätte sofort die Gelegenheit benutzt, um den Zusammenhang zwischen Krieg und Geschäft herauszustreichen, wußte er doch von Whites Buch, daß Drew Schiffe an die Regierung der Nordstaaten vermietet hatte. Hier hilft das bevorstehende Ende des Bürgerkrieges lediglich, die verzweifelte Suche nach neuen Einnahmequellen zu motivieren, weil mit einer Niederlage der Nordstaaten zu rechnen ist. In einer späteren Szene wird die Begründung für den unerwarteten Erfolg der ERR auf folgende Weise gegeben:

die eriebahn ist die goldader die angestochen wurde es war nur schwer solang der krieg war, es war sehr schwer aber mit dem sieg steigt das geschäft wie saurer teig[33]

Brechts Drew befaßt sich mit der ERR, weil er einen Sieg der Südstaaten als unumgängliche Tatsache sieht. Ehe die Zeiten schlimmer werden, einigt er sich mit Fisk und Gould auf einen Schlachtplan, wie sie trotz allem ihren Fischzug machen können. Da Dampfschiffahrt und Ochsenverkauf keinen Profit mehr versprechen, kommt Drew die Idee, zwei kurze Bahnstrecken zu kaufen, die eine bei Albany, die andere bei Buffalo. Er sieht voraus, daß einst eine Verbindung durch ein Mittelstück hergestellt werden und die beiden unrentablen Endstücke, „Kopf" und „Fuß", zu einem einträglichen Geschäft machen würde.

> … und eine gesellschaft,
> die das mittelstück aufbringt, zu dem allerlei Geld gehört
> würden wir dann sauber zwischen den fingern haben,
> dann werden wir schon sehen.
> ich werde zu dieser liebenswürdigen gesellschaft gehen,
> zu der alle farmer bis buffalo gehören und die rosinenbürger
> aus new york stadt, und sagen
> hallo: ihr wißt wohl nicht daß ein gewisser dan drew lebt.
> und ich kalkuliere, daß wir uns dann einen teil aus dem pudding
> herausschneiden können.[34]

Die Kampfansage findet an einem für die Neuenglandstaaten unwahrscheinlichen Platz statt: in der Prärie. Assoziationen an frühere Werke schwingen hier mit *(Prärie, Dickicht)*. Drew „macht Prärie" wie ehedem Shlink und Garga. Hier wird nicht mehr so sehr gegen einzelne gekämpft, sondern gegen alle. In der Regieanweisung heißt es: „Prärie. Wellblechschuppen. Dürres Gras. Hudsonspiegel Grau Donnerwind".[35] Drews Kampfansage gegen die anonymen Bürger des Staates wird mit einem dunklen Gewitter verglichen, das sich drohend über ihnen zusammenzieht.

Die ersten spektakulären Erfolge des ehemaligen Viehtreibers beruhen teils auf seinem richtigen Tip, größtenteils jedoch auf dem unerwarteten Sieg der Nordstaaten. Es ist die phantastisch anmutende Mischung von Einfallsreichtum und purem Glück, die Brecht herausstreicht. Die historische Wirklichkeit sah völlig anders aus. Wie bereits gesagt, springt Brecht willkürlich mit der Reihenfolge von Drews Manövern um. Fisk und Gould holte er sich erst als Berater und Komplizen, nachdem er von Vanderbilt wieder in die ERR eingestellt worden war. Obwohl in Whites Biographie konsequent keine Daten erwähnt werden, wußte Brecht genau, daß Drew die Bahn bereits ein halbes Jahrzehnt vor Ausbruch des Sezessionskrieges (1861–1865) in Händen hatte. Von Elisabeth Hauptmann ließ er sich die Hauptdaten zur Geschichte der ERR notieren:

> Gegründet 32, erste Strecke 51 dem Verkehr übergeben (ursprünglich New York + Erie Railroad) Baubeginn 36. 56 Zusammenbruch 55 hatte Drew bereits 2 Millionen vorgeschossen. 57 Dan Drew (Erie Railroad) 66 Vanderbilt. 68 Gould + Fisk († 72) 24. September 69 Black Friday.[36]

Die Daten wurden offensichtlich Myers' Geschichtswerk entnommen, in dem ein kurzer historischer Überblick mit sämtlichen Daten gegeben wird, einschließlich der genauen Angaben für den schwarzen Freitag, dessen Datum bei White ebenfalls fehlt.

Auch die Art, in der Drew sich der Bahn bemächtigten will, ist von Brecht geändert worden. Der historische Drew hatte sich durch seine Schifffahrtslinien der bereits fertig gebauten großen Mittelstrecke bemächtigt. Bei Brecht existiert gar keine Überlandverbindung, und Drew spekuliert darauf, daß irgendjemand einmal eine Mittelstrecke bauen werde. Auf diese Weise erhöht sich das Risiko für Drews verzweifelte Spekulation um ein Vielfaches, und der erste große Wurf des Kapitalisten erscheint als purer Glücksfall. Diese Uminterpretierung der historischen Tatsachen zwingt Brecht zu einer weiteren bedeutenden Änderung. Aus den oben angeführten Zitaten ist Drews pessimistische Beurteilung der Zukunft Amerikas ersichtlich. Um in diesem unfruchtbaren Land („„dürres Gras"!) Geschäfte zu machen, mußte man Drews Meinung nach mit Klapperschlangen oder platten Steinen aus dem Hudson Handel treiben. In Brechts Quelle bietet sich ein genau entgegengesetztes Bild. Gerade weil er aus seinen frühen Tagen als Viehtreiber das fruchtbare Hinterland genau kennt, wittert Drew den künftigen Riesenhandel zwischen dem aufstrebenden New York und den reichen Farmgebieten zwischen Hudson und Lake Erie.

> I had kept my eye on the road while it was abuilding. Because I knew something of the country it went through. My western cattle trips had made me acquainted with Ohio and the great region west, which this road was now to lead into. And my shorter drover trips out from New York had made me more or less at home in those counties that the Erie Road passed through. I knew that southern York State country was a rich one ... I knew a whole lot about that Ramapo section.[37]

Seitenlang feiert Whites Drew die Fruchtbarkeit und Schönheit dieses Landes in fast euphorischen Tönen, bis er abschließend emphatisch wiederholt: "Yes, I knew something of the richness of the country."[38] Brecht war daran gelegen, Drews Einstieg in die ERR spektakulärer zu gestalten, als er eigentlich war. Zwischen die erste und die folgende Szene, die im Kontor der ERR spielt, legt Brecht einen gewaltigen Zeitsprung. Das „große Mittelstück" ist von anderen unter Riesenopfern gebaut worden, worüber „schwerreiche leute", ausländische Finanziers und „alle farmer und städter von Albani bis buffalo" zugrunde gingen.[39] Die fertiggestellte Strecke gilt als das größte Werk Amerikas. Nun beginnt Drew seine kaltblütigen Berechnungen und

Manöver, den Direktorposten an sich zu reißen. Im Technischen dieser
Aspekte folgt Brecht seiner Quelle bis ins Detail. Bei Ende des ersten Aktes
ist Drew in fester Kontrolle der Bahn und gelobt, sie mit „Haut und Haar"
zu Geld zu machen:

> die erie ist noch das einzige unternehmen das man zu ader lassen kann
> sonst gibts nichts gesundes in diesem land das meiner ansicht nach ärmer
> werden wird wie hiob.[40]

Im zweiten Akt entspinnt sich der Kampf zwischen Drew und Vanderbilt,
der zur Entlassung und Wiederaufnahme Drews und dessen verräterischem
Trick mit den austauschbaren Pfandbriefen führt. Dem großen Notendruk-
ken und der hektischen Börsenszene, als Vanderbilts Agenten die falschen
Aktien aufkaufen, ist der nächste Akt gewidmet. Im vierten dirigiert das
Trio seine Unternehmungen von „Tailors Hotel" in Jersey City aus. Der
vierte Akt ist nicht ganz ausgearbeitet, der letzte fehlt überhaupt. Aus einer
Notiz, die zehn Szenen (ohne Akteinteilung) für das Drama in Stichworten
umreißt, ist der geplante Schluß ablesbar:

> 5. erst vanderbilts (amerikas) dunkelster tag
> 6. dann quarantäne eisenbugl.
> 7. einigung vand + drew   hinzu fisk + gould   drew muß heraus
> 8. gould und fisk ruinieren dan drew
> 9. fisk stirbt   tweed kommt ins gefängnis   gould vereinsamt
> 10. schluß drew wird erledigt lear zeitungsnotiz

[und offensichtlich   die bankerotten kommen mit weiß
später hinzugefügt:]   geschminkten gesichtern.[41]

Die letzten Bemerkungen geben zu denken. Auf der einen Seite betrachtet
Brecht Drew als einen tragischen Helden wie Lear, auf der anderen kann er
die destruktiven Auswirkungen dieses Mannes nicht einfach übergehen.
Teils Sympathie, teils Kritik. Brechts frühe Begeisterung für die an keine
Gesetze gebundenen großen Individuen schlägt in eine etwas mehr realisti-
sche, kühlere Haltung um. Dieser einsetzende Gesinnungswechsel ist auch
innerhalb des Fragments festzustellen.

Whites nonchalanter und egoistischer Drew hatte natürlich die Folgen
seiner Machenschaften, besonders in bezug auf den kleinen Mann, gedanken-
los übergangen. Nur hin und wieder wurden ihm von seiten übervorteilter
Kollegen und von der Presse Vorwürfe gemacht. Sein konsequentester Kritiker bleibt Vanderbilt, der ihn nicht aus ideologischen, sondern methodischen
(und egoistischen) Gründen bekämpft. „Bär" und „Bulle" sind natürliche Gegner auf der Börse; bei Drew und Vanderbilt sind dies jedoch starre

Positionen, die eisern und stur eingenommen werden (erst im *Fleischhacker*-Fragment wird der Wechsel von einer Position zur anderen virtuos gehandhabt). Vanderbilt spekuliert auf eine allgemeine Verbesserung der wirtschaftlichen Lage Amerikas, Drew als „Bär" auf eine Verschlechterung. Letzten Endes sind beide unverbesserliche Ausbeuter, nur sind die negativen Begleiterscheinungen bei Haussespekulationen durch die allseitige Aufwärtsbewegung relativ gemildert. Auf diese Weise kann der Eindruck entstehen, daß Vanderbilt der verantwortungsbewußte Gegenspieler des nihilistischen Drew ist.

Nach außen hin übernimmt Brecht diese Konstellation und betont wiederholt diesen Unterschied zwischen den beiden Kapitalisten. Vanderbilt macht Drew den Vorwurf: „sie sind immer noch ein bär und wollen nur bei der zerstörung verdienen. es ist besser sie ziehen sich zurück",[42] oder er kommentiert entsetzt, „wenn das durchgeht so ist amerika räubern verfallen die es zerstören".[43] Einwände dieser Art werden bei Brecht (noch viel stärker als bei White) allerdings dadurch relativiert, daß die Kapitalisten einander stets auf diese Weise sehen. Als sich zum Beispiel der ruinierte Stadtverordnete Billie Tweed, dem Drew hämischerweise falsche Ratschläge gegeben hatte, über den „Verrat" beschwert, nennt er ihn einen „Wucherer", „Blutsauger" und „Schwindler", der auf den Galgen gehörte.[44] Wäre aber Drews Tip richtig gewesen, hätte sich Tweed in nichts von Drew unterschieden. Diese oberflächlich hingeworfenen Beschuldigungen enthalten keine soziale Kritik. Sie sind Ausdruck des Neides und der eigenen Geldgier, wie sich allzubald herausstellt. Als Drew Tweeds politischen Einfluß in der Stadtverwaltung braucht, verhilft er ihm wohlweislich zu profitablen Spekulationen. Tweed lernt seine Lektion überraschend schnell. In einem Augenblick des Nachdenkens über Drew und den durch phänomenale Grundstücksspekulationen reich gewordenen J. Astor gelangt er zur Einsicht, „früher war es fleiß und ehrlichkeit, jetzt scheinen es skrupellose geschäftsleute zu sein, die verdienen".[45] Unter Fisk und Gould steigt der „fleißige" und „ehrliche" Tweed bis zu einem Direktorposten in der Eriebahn auf – während Drew verdrängt wird.[46] Der hartgesottene Astor wiederum macht gemeinsame Sache mit Vanderbilt gegen Drew und kommentiert bei schlechter Geschäftslage: „die wallstraße ist eine räuberhöhle kommodore, und es ist zeit aufzuräumen".[47] In kritischen Augenblicken gelangt selbst ein gerissener Bursche wie Jimmie Fisk zu dem Schluß: „mehr oder weniger verliert man sein gewissen in der wallstraße".[48] Die berühmte Börse an der Wallstreet wird somit von den Maklern selbst als eine Räuberhöhle geschildert. Von sozialem Gewissen kann aber keine Rede sein.

Drews Untergang ist aus verschiedenen Gründen unabwendbar. In der wilden Frühzeit des Kapitalismus hochgekommen, als noch ein einzelner die Börse und den Markt überblicken konnte, hat er sich nicht wie Vanderbilt oder seine Kollegen Fisk und Gould an die neue Zeit anpassen können. In der Nachkriegsperiode, bei dem Wachstum der Städte und der unaufhaltsamen Verbesserung der wirtschaftlichen Lage, ist der Baissespekulant aus Prinzip fehl am Platze. Aus Dörfern sind Großstädte geworden, und die Börse, an der er jeden persönlich zu kennen pflegte, hat sich in einen „Weltkriegsschauplatz" verwandelt, wo er im Gedränge unerkannt bleibt.[49] Wie ihm Vanderbilt erklärt, fällt der einzelne gar nicht mehr ins Gewicht, „weil amerika so wächst".[50] Der alternde Drew zieht sich denn aufs Land zurück und stellt resigniert fest, es sei nicht gut zu „spikkilieren", „wenn man nicht mehr im ring steht".[51] Die Tage der körperschaftlichen Finanz lösen die des großen Einzelkämpfers an der Börse ab. Fisk und Gould bedienen sich bei ihren Transaktionen nunmehr eines Netzes von 75 Agenten und Büros in 16 Städten. Sowohl Drews Ansichten über die amerikanische Wirtschaft als auch seine Methoden sind veraltet und überholt. Drews Untergang ist in gewisser Hinsicht das Schicksal eines Greises, der mit dem Tempo der Zeit nicht mehr Schritt halten kann.

Brecht argumentiert nicht mit Vanderbilt, daß dem alles zerstörenden, anarchistischen, ja nihilistischen Raubtier Drew ein für allemal Einhalt geboten werden muß, um Amerika aufblühen zu lassen. Vanderbilts nachträgliche Erklärung seiner Frau gegenüber,

ich hätte mich nicht in den eriekrieg eingelassen, wenn ich gewußt hätte, daß das gesetz nicht die oberste macht ist in diesem land. aber die tage kommen, und dann werden wir unsere großen werke schaffen können,[52]

diese Erklärung ist nicht als bare Münze zu nehmen, kommt sie doch unmittelbar, nachdem Vanderbilt die rohen Burschen von Cherry Hill gekauft und bewaffnet hatte, um Drew kidnappen zu lassen. Eigentlich ist er darüber entrüstet, daß seine ungeheuren Bestechungssummen das große Desaster letzten Endes nicht abwenden konnten. Drew spricht aus guter Erfahrung, wenn er sagt: „kleine leute kann man ausplündern, aber so große wie sie kommodore sind verflucht gefährlich, wahrhaftig."[53] Relativ gesehen mußte Vanderbilt den Umständen gemäß als der harmlosere erscheinen, weil er in die richtige Richtung zog, absolut gesehen – und darüber gab es für Brecht keinen Zweifel – glichen sich die beiden aufs Haar.

Den von Whites Buch oft vermittelten Eindruck, Vanderbilt sei der verantwortungsvolle und daher akzeptablere der beiden, hatte Brecht in seinem

Fragment bereits relativiert. Inzwischen hatte Brecht Myers' Buch gelesen, in dem der Beschreibung von Vanderbilts Vermögen weit mehr Platz (insgesamt sechs Kapitel) gewidmet wird als dem Drews. Der Sozialist Myers entwirft ein anderes Bild des Kommodor als White:

> Weit entfernt davon, das „schöpferische Genie" zu sein, als das er in jedem biographischen Werke dargestellt wird, war Vanderbilt der bedeutendste kaufmännische Pirat und kommerzielle Gauner seiner Zeit . . .
>
> . . .
>
> Überall wird Vanderbilt als ein geistig äußerst hochstehender Mann geschildert, der niemals zu Listen, Täuschungen und Verrätereien seine Zuflucht nahm und dessen erste Millionen jedenfalls auf die damals übliche Art erworben wurden.[54]

Myers' Schilderung der haarsträubenden Machenschaften der amerikanischen Kapitalisten sowie die häufig eingeschobenen Gegenüberstellungen der im Luxus lebenden Reichen und der in abscheulichem Elend dahinvegetierenden ausgebeuteten Arbeiter muß Brecht zutiefst beeindruckt haben. Als Marxist unternahm es Myers, die der Vermögensbildung zugrundeliegenden Gesetze aufzudecken und den Kapitalismus als das verbrecherische System der Ausbeutung an den Pranger zu stellen. Myers' Ton ist der der Empörung und Anklage, sein Ziel die Aufklärung, die einer Veränderung der Zustände notwendigerweise vorausgehen muß.

Die anfängliche Faszination für das Thema „wie wird man schnell reich?" führt zu unerwarteten Ergebnissen. Brecht gehen die Augen auf. Hatte er im Vergleich zu White die „Güte" Vanderbilts durch die geschickte Plazierung gewisser Zitate zwar weitgehend relativiert und beide auf mehr oder weniger die gleiche Stufe gestellt, so war seine Bewunderung für die beiden Kapitalisten doch erkennbar. Vanderbilt erwies sich lediglich als der Überlegene, weil er mit der Zeit ging. Noch bevor er das systematische Studium der kommunistischen „Klassiker" beginnt, denkt Brecht bereits an eine Umarbeitung des *Dan Drew*. Der Einfluß Myers' ist hierbei nicht zu unterschätzen. Elisabeth Hauptmanns erwähnte Notiz, in der Myers' Werk die Daten der Geschichte der ERR entnommen wurden, enthält eine aufschlußreiche Gegenüberstellung zweier Vanderbilt-Zitate: „das Unglück meines Landes ist das einzige, worauf ich nicht spekuliere" und das berühmte "the public be damned",[55] das bei Myers als Überschrift eines ganzen Abschnitts im 6. Kapitel des 3. Teils fungiert. Zu derartigen Aussprüchen hatte sich Brechts Vanderbilt noch nicht hinreißen lassen. Die Notiz ist ein Hinweis darauf, daß man sich Gedanken über Vanderbilts zwielichtige Erscheinung machte.

Sollte Drew in einem weniger bewundernswerten Licht erscheinen, so mußte vor allem die auf besonderen Effekt getrimmte Eingangsszene überarbeitet werden. Brecht tat dies und änderte gleichzeitig den Stil. Die Sprache ist jetzt gehobener und hat etwas Deklamatorisches an sich, wie es sich zur Einleitung einer Parabel eignen würde.

Dan Drew sagt:

Dies ist ein Land, das nur für Menschen taugte, die satt von Klapperschlangen werden und sich nähren können von den platten Steinen aus des Hudsons Tief. Für Wölfe lebend vom Schneewind, denen der reine Himmel Unterschlupf genug ist.

Fisk

Doch da wir gerne hier leben und nicht anderswo laßt uns umschauen nach Fleisch vom Fleisch dieses Landes und auch nach Tischen von dieses Landes Holz.

Gould

Und nach des Menschen bestem Zugtier, welches der Mensch ist. Also schaut nicht aus nach dem, was da ist, sondern nach etwas, das noch fehlt. Und wärs so kleines wie eine Eisenbahn von diesem Land, das nichts ist zu einem anderen Land, das auch nichts ist.

Die drei Männer lachen.[56]

Die Akzente werden neu gesetzt. Das Brutale tritt in den Vordergrund. An die Stelle der gegen Anonyme gerichteten Spekulation tritt die offene Ausbeutung des Mitmenschen. Die drei Männer vergleichen sich stolz mit reißenden Wölfen, die selbst in unwirtlichen Gegenden zu überleben wissen, doch unentwegt Ausschau halten nach neuer Beute: „nach des Menschen bestem Zugtier, welches der Mensch ist". Hier klingt bereits der Ton der Empörung des späteren Lehrers durch.

Brechts Interesse wendet sich nun einer Randfigur des exklusiven Maklerringes zu. Bei White wurde vorübergehend das Augenmerk auf Fisks Beziehungen zu seiner langjährigen Mätresse Josie Mansfield gelenkt, die durch ihn zu beträchtlichem Reichtum gelangte. Genauere Einzelheiten bleiben unerwähnt, der Leser erfährt aber, daß Josie nichts außer ihren Kleidern am Leibe besaß, als sie Fisk kennenlernte, später von ihm ein palastartiges Haus vermacht bekam, wo ihr Gönner ein- und ausging, bis sie ihre Gunst einem jüngeren Verehrer schenkte, der bei ihr einzog und schließlich Fisk in einem Anfall von Eifersucht erschoß. Josie Mansfields Geschichte erregte Brechts Phantasie und er entwarf zwei Szenen, die sie an zwei wichtigen Punkten ihres Lebens zeigen: bei ihrer ersten Ankunft in der Stadt New York als

19jähriges Mädchen[57] und zwanzig Jahre später als völlig desillusionierte Frau.[58]

Wie so viele andere Brechtsche Figuren kommt sie aus den Südstaaten. Hoffnungsvoll sucht sie ihr Glück in der Stadt („nur der Anfang ist schwierig"), indem sie sich dem Meistbietenden verkaufen will. New York unterscheidet sich – wie sonst in *Dan Drew* – in nichts von Brechts kaltem Chicago. Der Existenzkampf brutalisiert den Menschen zu einem Tier. Ihre potentiellen Käufer herrscht Josie an: „Ihr Fleischerhunde, wollt ihr mich umsonst haben?" In Sprache und Ton eine Reminiszenz an den gleichzeitig entstehenden *Joe Fleischhacker*. Als Vierzigjährige blickt sie auf die Vergangenheit zurück und zieht den Schluß, daß man in der Zwischenzeit zwar unheimlichen technischen Fortschritt gemacht habe, er dem Menschen selber aber wenig nützte. „Jetzt bin ich schlechter dran als ehedem."[59] Dennoch will sie in der Stadt bleiben, da sie gelernt hat, daß es ihr dort gefällt. Sie hat sich mit der brutalen Lebensweise abgefunden, sich eingelebt („ich weiß, was geht und nicht geht"). Trotz allem, was ihr in der Stadt begegnete, Gutem und Bösem, schnellem Aufstieg zu Reichtum und erneuter Verarmung, hängt sie an ihr und will nicht mehr aufs Land zurückkehren, ein Traum, der sie jahrelang beschäftigt hatte. Mit ihr schafft Brecht eine Figur, die die Ansichten Gargas, John Browns und des Mannes in San Francisco teilt.

In diesen beiden skizzenhaften Entwürfen wie auch in den anderen späteren Notizen zeichnet sich eine Verlagerung von Brechts Interesse ab. Nach der effektvollen Beschreibung der spektakulären Beutezüge großer Kapitalisten beginnt sich das Gewicht mehr und mehr auf ihre Auswirkungen auf den gewöhnlichen Stadtbewohner zu verlagern. Dafür zeugen die Umarbeitung der Eingangsszene, die Josie Mansfield-Entwürfe und die offensichtlich später dem Stückplan angefügte Bemerkung bezüglich des Schlusses, „die bankerotten kommen mit weiß geschminkten gesichtern".

d. *Der Untergang der Paradiesstadt Miami (1926)*

Als eifriger Zeitungsleser, der stets nach verwendbaren Stoffen mit Materialwert suchte, pflegte sich Brecht regelrechte Sammlungen von Zeitungsausschnitten zu bestimmten Themen anzulegen. Aus den für die Fragmente *Sintflut* und *Untergang der Paradiesstadt Miami* zusammengetragenen Materialien wird ersichtlich, daß schon früh sein besonderes Interesse den für den amerikanischen Kontinent typischen Naturkatastrophen galt, wie z. B.

Tornados, Zyklonen und Hurrikanen – in Europa unbekannten atmosphärischen Phänomenen, die wegen ihrer vorhergesehenen Plötzlichkeit und verheerenden Auswirkung an von Gott verhängte Strafen gemahnen. Allein an Hand des erhaltenen Materials ist erkennbar, daß Brecht nach immer besseren Informationen Umschau hielt. Hier sei eine nach Daten geordnete Übersicht der identifizierbaren Artikel gegeben:

1924:
6. Juli Beilage zur *Vossischen Zeitung.* „Die Todesbahn der Wirbelstürme".[1] Im Anschluß an die Katastrophe in Ohio werden die Eigenschaften von Zyklonen, Taifunen und Tornados erklärt.

1925:
In Leitartikeln der *BZ am Mittag* (19. 3. 1925), *Berliner Morgenpost* (20. 3. 1925) und *Vossischen Zeitung* (19. 3. 1925) wird über den furchtbaren Tornado berichtet, der südlich von Chicago bis fast nach St. Louis ein Meer der Verwüstung hinterließ. Die Blätter führten in dicken Lettern Schlagzeilen wie:
„Furchtbare Sturmkatastrophe in Amerika: 1500 Tote, 2500 Verletzte".[2]
„Sturmverwüstungen in Amerika. Ein Wirbelsturm verheert die Vereinigten Staaten. Städte und Dörfer vernichtet.[3]
„Ein Tornado im Zentrum der Union".[4]
Einige dieser Artikel versuchen, dem Leser eine pseudowissenschaftliche Erklärung über Entstehung und Art eines solchen Sturmes zu vermitteln, andere bestehen aus einer Aneinanderreihung von Hiobsbotschaften wie z. B. „Cyklon zerstört New Yorker Vororte".[5]

1926:
Als im Herbst 1926 Miami von einem Wirbelsturm heimgesucht und überschwemmt wurde, verschaffte sich Brecht zur besseren Informierung neben deutschem Material (*Vossische Zeitung*, 20. September 1926) erstmals amerikanische Zeitungen, und zwar die Ausgaben der *Chicago Daily Tribune* vom 20., 21. und 22. September 1926. Elisabeth Hauptmann übersetzte für ihn einen ungewöhnlich ausführlichen Bericht jener Katastrophe. Brecht sammelte auch Bilder der Verheerungen aus verschiedenen nicht identifizierbaren Veröffentlichungen.
Eindrücke, die auf dieses Material zurückgehen, tauchen an verschiedenen Stellen in Brechts Werk auf. In den Entwürfen zu *Joe Fleischhacker* wird die unerwartet über die Familie Mitchel hereinbrechende Geldkata-

strophe mit einem „Hurrikan" verglichen,[6] an anderen Orten spricht er diesbezüglich von einem „Orkan über Texas",[7] „Hurrikanen"[8] und notiert sich einige Charakteristika eines solchen Wirbelsturmes.

1. gewisse anzeichen künden ihn an jedoch weiß
   man noch nicht wie er sich bewegen wird
2. vom beginn an hat er eine richtung man sieht
   ihn auf sich zukommen
3. links und rechts stehen die häuser noch[9]

In dem um 1925 entstandenen „Song zur Beruhigung mehrerer Männer", der schließlich in *Happy End* Aufnahme findet, wird der von großen Leuten angerichtete Schaden wirkungsvoll auf diese Weise charakterisiert:

Ja, so große Leute
Erkennt man nicht gleich heute
Denn sie sitzen gleich wie hinter einem Rauch
Aber ihre Taten
Machen großen Schaden
Hurrikane über Florida sind nicht
Was von euch *ein* Hauch![10]

Aus heiterem Himmel brechen ihre Taten über einen herein wie ein Tornado, dessen allgemeine Richtung von einer dicken Rauchsäule angezeigt wird. Nur sind ihre Folgen viel verheerender.

Die so gewonnenen Eindrücke verdichten sich zu dem Plan, ein Hörspiel mit dem Titel *Sintflut* zu schreiben. Dies ist für ihn keinesfalls ein neues Thema. Im Vorjahr hatte er zwei Geschichten „Betrachtungen bei Regen" und „Der dicke Ham" unter dem gemeinsamen Titel „Von der Sintflut" in der *Frankfurter Zeitung* (27. 7. 1925) veröffentlicht. Obgleich sie, oberflächlich betrachtet, humoristischen Inhalts sind, enthalten sie einen ernsteren Kern. Niemand hat aus dem in der Bibel belegten Gottesurteil eine Lehre gezogen, obwohl jederzeit eine neue Katastrophe über die Menschheit hereinbrechen kann. „Was einmal war, das kann wieder sein – und: was nie war."[11] Andererseits bezeichnet Brecht die absurde Geschichte vom dicken Ham in ironisch-spöttischer Weise als gerade das, was „den Eseln [!] von der Sintflut besonders in Erinnerung geblieben ist".[12]

Die Idee vom apokalyptischen Untergang der Städte begann Brecht intensiv zu beschäftigen. Es war ein Thema, das in jenen Tagen sozusagen in der Luft lag. Die junge europäische Filmindustrie hatte Streifen über den Untergang Pompejis und das Schicksal der Städte Sodom und Gomorrha gedreht.[13] Das im Vorjahr erschienene Drama *Die Sündflut* von Ernst Barlach gelangte im April 1925 am Staatlichen Schauspielhaus in Berlin zur Aufführung. Es stellte Gott als ein unwahrscheinlich zurückhaltendes Wesen dar, das in vielem dem Bild entspricht, das sich der Mensch von ihm macht, bis er schließlich die Sünder vernichtet. Ob Brecht die Aufführung besucht hat, ist fraglich. Jedenfalls wird er von der Diskussion um dieses Drama gewußt haben, dem eine ausführliche Besprechung in der *Weltbühne* gewidmet wurde,[14] die zu Brechts regelmäßiger Lektüre gehörte.

Brechts erste *Sintflut*-Entwürfe sind konventionell gehalten. Ein erhaltener Stückplan gibt darüber Aufschluß:

I. Akt. Schluß: Der Profet sagt den Untergang der Städte an.

II. Akt. Er erfolgt nicht. Der Profet wird ausgewiesen. Wiedererbaut ist die Stadt Gomorrha. Die Städte sind unzerstörbar.

II. Akt. Zu Noah im Lande Kanaan kommt ein Mann, auf den alte Beschreibungen passen und erkundigt sich nach dem Stande der Flüsse und der Höhe der Berge.

Profet: Als ich jung war . . .

III. b. Noah baut eine Arche. Alle spotten.

Schluß: Regen

IV. Akt. Während die Städter in die Gebirge laufen, läuft Nahaia den Städten zu. Er ertrinkt.[15]

Der Schluß bleibt hierbei offen. Über das Schicksal der Städter verlautet nichts, wohl aber über das der Städte und des Propheten.

Für den Beginn hatte Brecht Teile eines Gesprächs der „wiedererbauten Städte" Ninive, Sodom und Gomorrha ausgearbeitet, in dem sie ihre Wiedererstehung und ihren Fortschritt preisen. Sie wiegen sich in Sicherheit, daß ihnen keine Gefahr mehr drohen kann. Sodom ist in siebenfacher Größe wiedererstanden, „nicht aus kalk der verbrennen kann sondern aus unverbrennbarem stahl". Es brüstet sich einer „ungeheuren stimme" (Radiotelegraphie), mit der es im Notfall die anderen Städte zu Hilfe rufen könnte; aber ein neues Feuer gilt als eine Unmöglichkeit. Ninive zeichnet sich durch seinen Unglauben aus. Falls es je einen Gott gab, so hat er sich von den Anstrengungen der letzten Zerstörung noch nicht erholt oder ist gar an ihnen gestorben. Doch ein Mann in Ninive ist mit den neuen Städten unzufrieden und wünscht ihre Vernichtung. Für ihn ist der gemachte Fortschritt ein Zeichen des Übels. Die ständige Bautätigkeit, die gen Himmel strebenden Häuser, an denen nunmehr auch nachts gearbeitet wird, und der dabei entstehende ohrenbetäubende Lärm übertönt seiner Ansicht nach die Stimme Gottes. Er will es auf sich nehmen, die Stadtbewohner zu warnen und sie zur Einkehr zu bewegen. Sie sollten ihre Häuser abreißen, das Eisen verbergen und in die Löcher des Bodens Disteln säen, um Gott den Anblick dieses „frechen Auswuchses" zu ersparen. Hier geht es nicht um Einkehr und Buße im christlichen Sinne. Die Auswüchse der modernen Zivilisation sollen rückgängig gemacht werden.

Für den zweiten und dritten Akt liegt kaum Material vor, lediglich für die Rede des Propheten („Als ich jung war . . ."), in der er Gott vorwirft, angesichts dieser Städte geduldig und untätig zuzusehen und auf Besserung zu hoffen.

aber es ist nicht wichtig dass sie nicht sünde tun sondern dass sie ausgerottet werden.

du weißt was gut ist aber du bist einmal so und einmal so und setzt eine kommission dass du sie untersuchst anstatt daß du sie ausrottest

immer hoffst du[17]

Die zum letzten Akt gehörenden Bruchstücke bezeugen, daß Brecht sich mehr mit dem Schicksal des Propheten befaßte als mit dem eigentlichen Untergang der Städte. Nahaia ist der Typ des selbstgerechten Weltverbesserers, der selbst Gott noch Ratschläge erteilen zu müssen glaubt. Aus Ninive kommend ist er mit dem alttestamentlichen Nahum in Beziehung zu bringen, der durch seine Weissagung die Stadt vor Gottes gerechtem Zorn warnen und zur Umkehr bewegen will. Anders Nahaia. Er unternimmt keinen echten Versuch, den Leuten eine Chance zur Bereinigung ihrer Fehler zu geben. Böswillig drängt er Gott, sie mit Stumpf und Stiel zu vertilgen. Ihm liegt der Untergang der Städte mehr am Herzen als dessen Verhinderung. Von der Idee der göttlichen Rache derart besessen, zieht er den aus der Stadt Entfliehenden entgegen, um in seiner Schadenfreude Zeuge ihrer Ausrottung zu werden. Spöttisch sprechen die Leute über ihn, der den Untergang der Welt vorhergesagt hatte und nun zu den Städten hinuntereilt, „um nachzusehen, ob sie auch untergehen".[18]

Befremdend ist des Propheten Einstellung, wenn er über den zu langsam steigenden Wasserspiegel klagt. Von dem biblischen Untergang eines Sündenbabels kann hier nicht gesprochen werden:

N. Jetzt sind die letzten aus der Ebene fort. Das Wasser ist zu langsam gekommen. Man konnte nicht damit rechnen, daß sie ihre Städte so schnell lassen und in die Gebirge gehen würden. Sie werden wieder entkommen.[19]

Der Prophet eilt willig in die Stadt, um selbst darin umzukommen, „damit nichts bleibe", obwohl ihm die Flüchtlinge zurufen, kein Mensch sei mehr dort, außer den Kranken. Der Schluß – wie im Stückplan – ist eigenartig. Indirekt erfährt man vom Untergang der Städte. Im Vordergrund steht jedoch der Tod des Propheten, der das Leben in ihnen nicht mehr lebenswert fand und sie deshalb verdammte. Das Schicksal der in die Gebirge geflüchteten Bewohner bleibt unerwähnt, weil im Grunde irrelevant. Hier geht es um den Bau der in den Himmel stürmenden Städte, der unerbittlich und ohne Unterbrechung vorangetrieben wird. In einem separaten fragmentarischen Szenenentwurf konzipiert Brecht ein Wettbauen mit den steigenden Fluten. Zuletzt wird „auch nachts gearbeitet", mehr und mehr fertige Eisenschienen werden verwendet, kaum mehr Steine und Mörtel.[20] Die Wasser steigen jedoch ebenso schnell wie die Häuser höher werden können. Der technische Fortschritt erweist sich angesichts einer solchen Katastrophe als unnütz und irrelevant.

Gewisse Ähnlichkeiten zwischen Brecht und der Figur Nahaias verweisen darauf, wie stark er sich mit dessen Rolle identifizierte. Des Propheten rückblickende Bemerkung über seine Jugendzeit, „seit meiner geburt, die schon in die unruhige zeit fällt",[21] erinnert an die Zeilen des acht Jahre später entstandenen Gedichts „An die Nachgeborenen", das zu Brechts persönlichsten zählt und wo er von sich sagt:

In die Städte kam ich zur Zeit der Unordnung
Als da Hunger herrschte.
Unter die Menschen kam ich zur Zeit des Aufruhrs
Und ich empörte mich mit ihnen.
So verging meine Zeit
Die auf Erden mir gegeben war.[22]

Mit Nahaia teilt er auch den Wunsch, im Falle einer Sintflut lieber in ihr unterzugehen als gerettet zu werden.[23] Mit der in *Sintflut* zum Ausdruck gebrachten Kritik an den Riesenstädten setzt eine drastische Wende im Denken Brechts ein. Hatte er zuvor den Fortschritt in der Technik als besonders wünschenswert gelobt und das Zeitalter des großen Fortschritts als neue Ära der Menschheitsgeschichte gefeiert, so beginnt er nun die für die Mammutstädte typischen Schwierigkeiten – jedoch ohne jegliche Analyse im einzelnen – zu erkennen und in scharfer Weise gegen sie zu demonstrieren. Er fühlt intuitiv, daß im Städtebau der Fortschritt um jeden Preis nur auf Kosten der Zukunft betrieben werden kann. Zu dieser Einsicht mag er durch seine eigenen Erfahrungen in Berlin gekommen sein, ein beträchtliches wird auch Mendelsohns zum Teil kritisches Buch über Amerikas Städte beigetragen haben, das er zu jener Zeit eifrig studierte.[24] Das reiche Bildmaterial schien ihm den „bestimmt trügerischen" Anschein zu erwecken, „als seien die großen Städte bewohnbar".[25] Ähnliche Gedanken kamen bereits in den Stadtgedichten „Von der zermalmenden Wucht der Städte" (um 1925) und „Bidis Ansicht über die großen Städte" (Dezember 1925) zum Ausdruck:

Aber die Händelosen
Ohne Luft zwischen sich
Hatten Gewalt wie roher Äther
In ihnen war beständig
Die Macht der Leere, welche die größte ist.
Sie hießen Mangel-an-Atem, Abwesenheit, Ohne-Gestalt
Und sie zermalmten wie Granitberge
Die aus der Luft fallen fortwährend.

. . .

Plötzlich
Flohen einige in die Luft
Bauend nach oben; andere vom höchsten Hausdach
Warfen ihre Hüte hoch und schrien:
So hoch das nächste!
Aber die Nachfolgenden

. . .

. . . sehen mit Augen des Schellfischs
Die langen Gehäuse
. . .[26]

Im Zusammenhang mit *Sintflut* ist es gewiß nicht uninteressant, daß John Heartfield im Jahre 1925 eine eindrucksvolle Montage kreierte, die den Einband für die geplante deutsche Erstausgabe von Upton Sinclairs Zukunftsroman *The Millenium* zieren sollte.[27] Als deutscher Titel war *Nach der Sintflut* vorgesehen.[28] Die Montage zeigt eine schräg in den Himmel ragende Front amerikanischer Wolkenkratzer, gegen die von links her hochaufgepeitschte Brecher heranrollen. Es entsteht dadurch der Eindruck, daß die Wolkenkratzer durch die heranstürmenden Fluten bis auf ihre Grundfesten erschüttert worden sind und kurz vor dem Zusammenbruch stehen.[29] Ob Brecht Sinclairs Roman selbst gelesen hat, ist zweifelhaft. Doch besteht durchaus die Möglichkeit, daß ihm Heartfield zumindest das Verhältnis der Montage zum Inhalt des Buches erklärt hat.

Sinclairs *Millenium* ist ein sozialistischer utopischer Roman mit starken didaktischen Tendenzen. Die Überbetonung des technischen Fortschritts innerhalb der kapitalistischen Gesellschaft führt zu Machtkämpfen, die aufs brutalste ausgeführt werden. Eine höher entwickelte Technik verspricht den Machthabern größere Gewalt. Bei einer mittels eines neuen Elements ausgelösten Strahlenexplosion, die alle Lebewesen tötet, den materiellen Besitz aber nicht beschädigt, entkommen nur elf Leute in einem Flugschiff, das über der Atmosphäre den Todesstrahlen entrinnt. Nach ihrer Rückkehr in die Stadt entspinnt sich unter ihnen ein Kampf um das beste Gesellschaftssystem. Den Kapitalisten fehlen nunmehr die Sklaven. Langsam setzt sich der Sozialismus von selber als die akzeptabelste Gesellschaftsform durch. Sinclairs Anliegen der Gesellschaftsreform steht Brecht zu diesem Zeitpunkt noch kühl gegenüber, doch teilt er mit ihm die Ablehnung einer Philosophie, die in der Technik ein Allheilmittel erblickt und durch gewaltsam vorangetriebene Entwicklungen den Planeten schließlich unbewohnbar zu machen droht.

In seinem letzten Entwurf zum Thema der Sintflut reißt sich Brecht von der ursprünglichen Quelle (Buch Nahum) endgültig los und wendet seinen Blick auf das zeitgenössische Amerika. Leider sind die unmittelbar zu *Untergang der Paradiesstadt Miami* gehörigen Aufzeichnungen derart spärlich, daß nur mit Vorbehalt darüber gesprochen werden kann. Die für Brecht übersetzten Zeitungsartikel werden deshalb als Informationsquelle über Miami bedeutungsvoll.[30] Im Vordergrund der Berichte steht der Verlauf des Hurrikans. Von Westindien kommend, fegte er mit 120 Meilen pro Stunde über die flache Ostküste bei Miami, Miami Beach und dem nördlich von Miami gelegenen Hollywood, zog nach Fort Lauderdale, überquerte die Halbinsel und bewegte sich über den Golf von Mexiko. Man erwartete, er werde die Küste zwischen Pensacola und der Mississippi-Mündung erreichen. Späteren Artikeln gemäß blieben einige Orte verschont und hatten keine Todesopfer zu verzeichnen. Der Rest der Informationen besteht fast ausschließlich aus Augenzeugenberichten und Statistiken über die Größe des angerichteten Sachschadens. Gewisse Einzelheiten, die ein überzeugter Sozialist sofort ausgeschlachtet hätte, überging Brecht völlig, so zum Beispiel die Tatsache, daß nach der Sturmflut über das gesamte Überschwemmungsgebiet der Ausnahmezustand ausgerufen werden mußte, da in den Negervierteln Plünderungen stattfanden, bei denen es zu regelrechten Gefechten mit der Polizei kam. Um die Situation nicht aus der Hand gleiten zu lassen, sah man sich gezwungen, die Nationalgarde einzuberufen, neue Polizisten zu vereidigen und eine Militärkontrolle einzuführen. Schließlich wurde der Kriegsmarine gestattet, das Feuer auf die Plünderer zu eröffnen. Ebenso ließ

Brecht die Berichte über das Schicksal der Paläste der Reichen Amerikas (T. E. Edison, H. Ford und Chicagoer Millionäre) unbeachtet.[31] Die Beschreibung der Auswirkungen auf Stahlbauten und Wolkenkratzer hatte Brecht schon in *Sintflut* verwendet, sowie den Umstand, daß die höher gelegenen Teile Floridas („Gebirge") vom Unglück verschont blieben.[32] Dort erfuhr man von der Katastrophe erst durch das Ausbleiben der Zeitungen. Viele dieser Einzelheiten finden später ihren Weg in die Hurrikanszene in *Aufstieg und Fall der Stadt Mahagonny* (1929).

Der Prosaentwurf zu *Miami* enthält nur zwei kurze Abschnitte. Daß der vor über 2000 Jahren erfolgte Untergang der Städte Herkulaneum, Pompeji und Stabiae in der Erinnerung aller weiterlebt, schreibt Brecht der Lebenskraft des römischen Volkes zu, das durch seine Geschichtsschreibung jahrtausendelang das Entsetzen der Menschheit für sich zu beanspruchen wußte. Brecht fühlt sich jedoch aus anderen Gründen dazu berufen, zum Chronisten der Katastrophe in Miami zu werden.

Weniger auf Ruhm bedacht, die Solidarität der Menschheit verwünschend, am ehesten noch ihrem Entsetzen Bestand wünschend, also aus einem ganz anderen Gefühl heraus, wollen wir es unternehmen [1. Fassung: werde ich es versuchen] der Erinnerung an den zu unserer Zeit stattgefundenen Untergang der Paradiesstadt Miami einige Dauer zu verleihen. Sind doch seit dem Erdbeben von San Francisco (1906) erst wenige Jahre, kaum ein Menschenalter verflossen und schon ist es im Gedächtnis der Menschen zum Triumph der Dummköpfe und zum Schaden des Klügeren beinahe völlig ausgetilgt.[33]

Im zweiten und letzten Abschnitt des Entwurfs umreißt Brecht knapp die Entstehungsgeschichte der Städte Miami und Palm Beach und beweist damit seine enge Vertrautheit mit den früheren Grundstücksspekulationen, die dem Bau der Stadt vorausgingen. Vor nicht mehr als zehn Jahren hatten „einige wenige Leute von Weitblick" eine Autobahn durch das Sumpfgebiet gebaut, legten die Sümpfe trocken, teilten das so gewonnene Land in Grundstücke auf, die sie unter Riesengewinnen an den Mann brachten. Auf diese Weise bauten sie eine Stadt, ohne zuvor Bewohner für sie zu haben. In riesigen Werbekampagnen in sämtlichen Großstädten der USA verkündeten sie, „der beste Strand der Welt sei der von Florida und die besten Leute der Welt würden sich dort finden".[34] Der Ton des Entwurfs verrät Brechts Bewunderung für die Leistung jener wenigen „Leute von Weitblick", die in „unglaublich kurzer Zeit" inmitten unbewohnten Gebietes eine Superstadt aus dem Boden stampften und sie mit Erfolg bevölkerten, d. h. „verkauf-

ten". Brecht war so sehr davon beeindruckt, daß er diese Tat als eines der
Elemente in *Mahagonny* verwandte. Es wäre müßig, nach Brechts Informationsquelle über die Entstehungsgeschichte Miamis zu suchen. Vielen Zeitungsberichten über die Katastrophe folgten Artikel über Geschichte und
Bedeutung der Stadt. Als Beispiel dafür mag die Ausgabe der *New York
Times* gelten, deren Artikel von Hunderten von Zeitungen übernommen
wurden.[35] Für die Charakterisierung Miamis als „Paradiesstadt" mag der in
der *Vossischen Zeitung* erschienene Artikel ausschlaggebend gewesen sein, in
dem es hieß: „Es ist ein tragisch-ironisches Schicksal, das dieses paradiesische Land mit dem poetischen Namen getroffen hat."[36]

Auf zwei losen Blättern schrieb Brecht einige Gedankensplitter zu *Miami*
nieder, die Licht auf die Gesamtkonzeption werfen. Er spricht von neuen
Menschentypen, die sich in den Jahren der Flut herausbilden (stärker, finsterer, größer und lachend) und diese Periode zur „größten Zeit" machen,
„die die Menschheit erlebt hat".[37] Die seuchenartige Verbreitung ungeheurer
Erfindungen, das Auftreten von Flugmenschen und das Umsichgreifen des
Atheismus werden als Zeichen der drohenden Endzeit gewertet. Nach dem
Untergang der Städte Sodom, Gomorrha, Yokohama und Miami erreichen
die Fluten das europäische Festland und verbreiten große Furcht.[38]

Brechts Haltung bleibt wiederum ambivalent. Er preist die neuen Typen,
die dem „Wasser-Feuer-Menschen" ähneln, nennt die Ära bejahend die
größte der Menschheit, sieht aber die drohende Schrift an der Wand. Der
Fortschritt ist in jeder Beziehung überwältigend, doch der Fortschritt um
des Fortschrittes willen – das in seinen Augen typisch amerikanische Verlangen, das Unmögliche möglich zu machen – kann auf die Dauer nur zu einer
Katastrophe führen, die zu gegebener Zeit auch das in Amerikas Fußstapfen
folgende Europa erreichen wird. Ähnlich wie in *Dan Drew* setzt in den
Entwürfen zu Sintflut/Miami eine Wende in Brechts Denken ein. Seine bisherigen Werturteile geraten ins Wanken und deuten in eine neue Richtung.
In dem mit strahlend hellen Farben gezeichneten Bild Amerikas treten die
ersten dunklen Flecke auf.

e. *Revue für Reinhardt* (1926)

Sehr früh mit Piscators Bühne und seinen umwälzenden Neuerungen in
Kontakt gekommen, verfolgte Brecht die weiteren Experimente des Regisseurs und Theaterleiters mit Aufmerksamkeit. In Zusammenarbeit mit Felix
Gasbarra, der die Texte verfaßte, brachte Piscator 1924 und 1925 zum er-

sten Mal „politische Revuen" auf die Bühne. Im November 1924 fand die Uraufführung ihrer *Revue Roter Rummel* statt. Piscator nannte sie eine „politisch-proletarische", „revolutionäre" Revue, die nichts mit den „aus Amerika und Paris importierten" Schauformen gemein hatte.[1] Ihm ging es dabei nicht um seichte Unterhaltung in Form eines Kostümfestes à la „Ziegfeld Follies". Was ihn an dieser Form interessierte, war das Fehlen einer einheitlichen Handlung und der Umstand, daß die charakteristisch lose Struktur die Ausnützung sämtlicher dramatischer Effekte zuließ und „zugleich etwas ungeheuer Naives in der Direktheit ihrer Darbietungen" hatte.[2] Eine rein politische Verwendung der Revueform hatte Piscator schon lange vorgeschwebt, und er versprach sich davon eine viel tiefergreifende Wirkung auf das Publikum, als die zuvor in Paquets *Fahnen* durch die Auflösung in Einzelszenen möglich gewesen war. Von der politischen Revue erhoffte er sich eine „direkte Aktion" auf dem Theater. Jede einzelne Nummer konnte dasselbe gesellschaftskritische Leitmotiv einhämmern:

Ceterum censeo, societatem civilem esse delendam! Das Beispiel sollte variiert werden, kein Ausweichen durfte es mehr geben. Darum brauchte man Buntheit. Das Beispiel mußte mit dem Zuschauer zu reden beginnen, es mußte überleiten zu Frage und Antwort, gehäuft werden – ein Trommelfeuer von Beispielen mußte herangebracht – in die Skala der Zahlen getrieben werden. Tausende erfahren es, du auch! Glaubst du, es gilt nur dem andern? Nein, dir auch! Es ist typisch für diese Gesellschaft, in der du lebst, du entgehst ihm nicht – hier noch eins und noch eins! Und das unter skrupelloser Verwendung aller Möglichkeiten: Musik, Chanson, Akrobatik, Schnellzeichnung, Sport, Projektion, Film, Statistik, Schauspielerszene, Ansprache.[3]

Die Aufführung wurde ein außerordentlicher Erfolg, Zehntausende besuchten sie. Ein halbes Jahr später brachte Piscator aus Anlaß des 10. Parteitages der KPD im Juli 1925 *Trotz alledem!* Das Programmheft erläuterte: „Historische Revue aus den Jahren 1914 bis 1919 in 24 Szenen mit Zwischenfilmen".[4] Der in knapp drei Wochen mit Gasbarra montierte Text ergab mit dem Bühnenbild von J. Heartfield und der Musik von E. Meisel Piscators erstes „dokumentarisches Drama" des von ihm entwickelten politischen Aktionstheaters. Erstmals wurde hier mit Film- und Diaprojektionen auf der Bühne gearbeitet. Durch die Verwendung von Zeitungsnotizen, Reden, Flugblättern und allen sonst erdenklichen Mitteln wie zum Beispiel der Ablehnung eines rein dekorativen Bühnenbildes zugunsten eines terrassenförmigen Spielgerüstes, in dessen Terrassen und Nischen er die verschiede-

nen Spielflächen einbauen konnte, durch all diese Neuerungen verwandelte
er die Revue in einen pausenlosen, mitreißenden Katarakt. Die Aufführung
fand ironischerweise in Reinhardts Großem Schauspielhaus statt, der mit
seinem Drama vergeblich die breite Öffentlichkeit erreichen wollte, aber
kein echtes „Massentheater" zu schaffen imstande war.

Diese neuartige Verwendung der herkömmlichen Revue-Technik für gesellschaftskritische und politische Zwecke machte sofort Schule. In unmit-
telbarem Anschluß daran tauchten die zahlreichen, in kabarettistisch-
revuehafter Form Agitation treibenden proletarischen Spielgemeinschaften
auf, die fortan einen wichtigen Platz innerhalb der kommunistischen Bewegung einnahmen.[5]

Im Zuge dieser Entwicklungen befaßte sich auch Brecht mit der Form der
Revue. In einem auf das Jahr 1926 datierten Notizbuch befinden sich vier
Seiten handgeschriebener Notizen und Pläne sowie ein von fremder Hand
getippter Entwurf zu einer *Revue für Reinhardt*, einer Parodie auf den
Amerikanismus. Brecht, der immer in seiner Zeit und aus ihr heraus lebte,
plante eine Parodie auf den „American way of life", wie er sich nach dem
ersten Weltkrieg, besonders gegen Mitte der zwanziger Jahre, in Deutschland mehr und mehr durchsetzte. Aus Amerika waren nicht nur sagenhafte
Kredite und Geldanleihen zur Belebung der deutschen Wirtschaft ins Land
geflossen. Auch das amerikanische „know-how" – Technisierung, Automati-
sierung, Rationalisierung, „Fordismus" – fand Aufnahme und führte zu
einem völlig veränderten, „amerikanisierten" Lebensstil, der durch betonte
Sachlichkeit, harten Existenz- und Konkurrenzkampf, starkes Interesse an
Sport und Technik und Begeisterung für sonstige amerikanische „Errungenschaften" gekennzeichnet wurde. Cocktails, Kaugummi, Wolkenkratzer,
„show business", „glamour", Ragtime, Charleston, Jazzmusik, Boxen, Rin-
gen und das Streben nach Rekorden – all diese Aspekte gehören zu dem
„Amerikanismus", der Brechts frühe Arbeiten stark durchtränkt.[6] Um die
Mitte der zwanziger Jahre hatte die Nachahmung dieses artifiziellen „way
of life" so stark zugenommen, daß sie den Gegenstand zahlreicher kritischer
Artikel, später auch von Sketches und Revuen abgab.

Brechts frühester Entwurf zu seiner Parodie ist eine durchnumerierte
Aufzählung von elf Aspekten des Amerikanismus, die er den einzelnen
Nummern der Revue als Thema zugrundelegen wollte: Rekord, Girl, Lä-
cheln, Reklame, Boxkampf, Revue, Tarzan, Sechstagerennen, Zeitlupe, Ge-
schäft und Radio.[7] Wie bereits erwähnt,[8] waren mehrere dieser Aspekte des
Amerikanismus in Artikeln der *Weltbühne* kritisch beleuchtet worden, und

es ist durchaus möglich, daß Brechts Absicht, eine Revue über gerade dieses Thema zu verfassen, auf die Lektüre jener Artikel zurückgeht. Die von Brecht unter dem Sammelbegriff „Amerika" aufgeführten Stichworte sind zwar nicht näher qualifiziert, lassen sich aber im Grunde nur vier weiter-gegriffenen Themen zuordnen. Einzelne Stichworte wie „Rekord" können sich auf verschiedene Gebiete beziehen, z. B. auf die absolute Höchstleistung im Sport, auf unübertroffene Produktionsziffern oder einen Riesenprofit im Geschäft. Gewisse Überschneidungen sind in einer Gliederung nach Haupt-themen nicht auszuschließen:

„Geschäft"	Rekord
	Reklame
	Geschäft
	Sport als Geschäft
„Sport"	Rekord
	Sechstagerennen
	Boxkampf
	Tarzan
„Technik"	Rekord
	Radio
	Zeitlupe
„Show business"	Revue
	Girl
	Lächeln
	Tarzan

Obgleich dies eines von vielen möglichen Schemata ist, kommt doch Brechts Denkrichtung zum Ausdruck. Interessant ist Brechts Absicht, mittels seiner Revue die „amerikanische Revue" zu parodieren. Das heißt, er will keine seichte Belustigung mit „chorus line" und protziger Ausstattung liefern, son-dern eher das Unwesen des kulinarischen Theaters in seiner gräßlichsten Form aufs Korn nehmen.

Die übrigen Aufzeichnungen zu diesem Projekt lassen hingegen daran zweifeln, ob Brecht mit seiner Revue über die seichte Unterhaltung hinaus-gekommen wäre, denn das Ulkige und Spaßhafte überwiegt eindeutig. Zu dem Thema „Tarzan" notiert er sechs Punkte,[9] die einen Eindruck davon vermitteln, wie kunterbunt es in seiner eigenen Revue zugehen sollte. Es verquicken sich Reminiszenzen aus Johnny-Weißmüller-Filmen, der Lek-türe Defoes und Gauguins mit zeitgenössischen Themen. Ein Königstiger sollte durch einen bloßen Blick, durch „Persönlichkeit" sozusagen, gebändigt werden. Nach einer Darstellung des schlichten, urwüchsigen Lebens auf Tahiti sollte ein europäischer Kulturträger – eine „Robinson-Tarzan"-Kombination – an die Küsten des abgelegenen Eilandes verschlagen werden und dort den Versuch unternehmen, das Land urbar zu machen und die Kultur in ein „Tahitigirl" zu verpflanzen. Als Interpreten dieser beiden Figuren hatte Brecht den bekannten Darsteller komischer Rollen Max Pallenberg und dessen Frau Fritzi Massary vorgesehen. Außerdem wird von „Coué auf Sumatra" gesprochen. Er bezieht sich damit auf die von dem französischen Apotheker Émile Coué entwickelte Methode der Heilkunst durch Autosuggestion, eine Methode, die von Frankreich auf Umwegen über England und Amerika nach Deutschland gelangte und damals viel diskutiert wurde.[10] Sowohl der Rekordschwimmer Johnny Weißmüller als auch der im selben Jahr 1926 verstorbene Heilpraktiker waren damals eine kleine Sensation und wurden dementsprechend gefeiert.[11]

Im nächsten Entwurf wird deutlich, daß Brecht sich mit dem Amerikanismus innerhalb der „tollen Großstadt Berlin" auseinandersetzen will.[12] Zu diesem leicht veränderten Thema führt er sechs Stichworte an: Sündenbabel, tolle Revue, Spielklubs, Tanz ums Goldene Kalb, Revolution und schließlich Jazzband. Der „Hexenkessel" Berlin wird als Konzentrationsherd aller Laster und Leidenschaften angesehen. Die Episoden sind als eine Reihe schnell aufeinanderfolgender, frenetisch bewegter Szenen gedacht, wobei der Nachdruck mehr auf die Vielfalt der Laster und Leidenschaften des Großstadtbewohners gelegt wird als auf spezifisch aus Übersee kommende Einflüsse im Leben der Berliner – mit Ausnahme vielleicht der „tollen Revue" und der „Jazzband".

Der spätere Entwurf ist denn auch der am weitesten gediehene und erlaubt ein Urteil über die eigentlichen Absichten. Er zerfällt in zwei Hauptteile, die sich auf die „tolle Großstadt Berlin" und das übliche Traumbild des kleinen Mannes von der Südsee beziehen. Brecht nimmt die offensichtlichsten Aspekte der Amerikanisierung zum Gegenstand seines Spottes und seiner Kritik. An erste Stelle setzt er die Amerikanisierung der Berliner Frauen; sie werden in „Girls" verwandelt und lächeln immerzu nach dem Motto des „keep smiling". Worin liegt aber der Unterschied zwischen einer „Frau" und einem „Girl"? Vom rein Sprachlichen her klingt „Frau" bieder, seriös, fast aristokratisch neben dem Ausdruck „Girl", der mehr an die unbändige Vergnügungssucht, das Flatterhafte und Seichte der Tingeltangel-atmosphäre erinnert. In seiner ursprünglichen Bedeutung bezog sich dieses englische Wort im Deutschen lediglich auf Mitglieder einer Tanzgruppe. Es ruft Gedanken wach an Charleston und Ragtime, Tänzerinnen mit Bubikopf und dickem Make-up, die sich für damalige Begriffe modern und aufreizend kleideten, Cocktails schlürften und lässig aus überlangen Zigarettenspitzen Rauch sogen. Das Äußerliche im Interesse des „Glamour" überbetonend, setzten sie sich bewußt von den durch herkömmliche Tabus beherrschten „Frauen" ab. In anderem Zusammenhang nennt Brecht als Hauptmerkmale des „Girltyps", etwa der Lilian Gish, Ausdruckslosigkeit und Verlogenheit.[13]

Auch in der Veränderung des Berliner Stadtbildes zeichnet sich der Einfluß aus Übersee zunehmend ab. Man baut mehr in die Höhe als in die Breite, und das Rekordstreben führt zuletzt zur Errichtung von Hochhäusern. Nicht nur die Silhouette der Stadt verändert sich, auch das Straßenbild. Brecht notiert sich zwei Aspekte:

2) Aufbau
– Wird amerikanisiert. Der Wolkenkratzer Rekord

. . .

5) Berliner Reklame (und ihre Objekte)
– Wird amerikanisiert.[14]

Er wird hierbei an die Ausführungen des Berliner Architekten Erich Mendelsohn gedacht haben, dessen Bildband über amerikanische Bauten Brecht – wie bereits erwähnt – zu den besten Veröffentlichungen des Jahres 1926 zählte.[15] Mendelsohns *Amerika* wurde knapp, aber positiv im *Querschnitt* rezensiert:

Erich Mendelsohn. *Amerika.* Bilderbuch eines Architekten. Verlag Rudolf Mosse, Berlin. „Ein Ausschnitt aus dem Koloß Amerika gesehen durch ein Temperament." Das Wirbelnde, Ungeheuerliche, Gigantische, Groteske, Kulturlose und wieder das sachlich Klare, Kühne, wuchtig Grandiose einer werdenden neuen Welt finden ihren Ausdruck in diesen prägnanten Bildern, photographischen Aufnahmen Mendelsohns. Diesen Atlas zu durchblättern ist ein kurzweiliges Geschäft. C.F.R.[16]

Brecht hatte diese Rezension zweifellos gesehen, denn im selben Heft ließ er jenes Werbefoto von sich mit Samson-Körner abdrucken.[17]

Mendelsohns Buch veranlaßte Robert Breuer, in der *Weltbühne*[18] einen ausführlichen Artikel über „Amerikanische Bauten" zu schreiben, worin er dessen Ausführungen in einen größeren Kontext bringt und mit Walt Whitmans Weissagungen und Forderungen vergleicht. Obwohl die amerikanische Gesellschaft noch stark von Erscheinungen durchsetzt sei, die „einem Upton

Sinclair Anklage genug boten, den *Sumpf*, *König Kohle* und *Der Sünde Lohn* zu schreiben", herrsche dennoch im Vergleich zu Europa das „Gefühl der Klassenlosigkeit", „der sozialen Monotonie", ein Charakteristikum, welches sich in der modernen amerikanischen Architektur, besonders im Wolkenkratzer widerspiegele:

> Europa und seine Klassik versinken vor einem fanatisch schönen Barbaren ... der Barbar befreit sich von Schlacken, vom historischen Raub, von den Resten des Feudalismus und seiner Stile, der Barbar entpuppt sich und reift ausdruckssicher zu einer wahrhaft neuen Welt.[19]

Brecht distanziert sich bereits von den positiven Urteilen dieser Rezensionen, nennt die modernen Städte unbewohnbar und bezeichnet Mendelsohns Bildband „eine Art Ergänzung" zu Gilbeaux' Werk über Lenin.[20] Seine Augen sind geöffnet. Anhand eindrucksvollen Bildmaterials von Chicago, Detroit und New York arbeitete Mendelsohn die Charakteristika modernen amerikanischen Städtebaus heraus: Drang in die Höhe, gesteigerte Verkehrsdichte, Mischung und Nebeneinander der Stile, Verschandelung des Stadtbildes durch restlose Verdrängung der Natur und undisziplinierte Reklamewälder – alles Auswüchse zügelloser Macht- und Profitgier. Als Beispiele der in USA üblichen Werbemethoden gelten für Mendelsohn die Beklebung häuserblocklanger Bretterzäune mit identischen Plakaten,[21] die Bemalung und Beschriftung ganzer freistehender Feuerwände, der unkontrollierte, in die Straße ragende Schilderwald,[22] sowie die zahllosen Leuchtreklamen, die die Aufmerksamkeit der Passanten bei Tag und bei Nacht auf sich lenken.[23] Die Lektüre dieses Buches beeinflußte Brecht zutiefst, und so manche seiner vielen Bemerkungen über amerikanische Städte gehen auf die darin vermittelten Eindrücke zurück. Zweifellos bedeutete für ihn die Veränderung des Berliner Stadtbildes im Zuge der Amerikanisierung eine Gefahr, die letztlich zur Unbewohnbarkeit der Stadt führen würde.

Entscheidende Neuerungen beobachtet Brecht auch im Verhalten der Leute, nicht nur im rein Äußerlichen. Die Stadtbewohner akzeptieren neue Formen der Freizeitgestaltung und neigen zum passiven Genuß von Massenveranstaltungen, die vom Einfluß der neuen Welt geprägt sind. Die Revue à l'américaine, Sechstagerennen und Boxkampf, wobei das Sensationelle aus Profitgründen ausgeschlachtet wird, bis der Sport sich „in Schiebungssport verwandelt".[24] Dieser Verfall des Boxsports war schließlich auch ein wichtiges Thema des bereits erwähnten Romanfragments *Das Renomee*, das wahrscheinlich um dieselbe Zeit entstanden sein wird. In einigen Motiven an G. B. Shaws Boxerroman *Cashel Byron's Profession* erinnernd,[25] sollten in

Brechts Roman die Zeitungsaktionen und Schiebungen der Kampfbüros einen großen Teil der Handlung ausmachen. Auswahl schwächerer Gegner, um einen Helden aufzubauen, „geplante" Niederlagen, bei denen der starke Verlierer mehr verdient als der schwächere Sieger, sind nur einige Beispiele dieser Methoden, auch das Ergebnis der Wetten zu beeinflussen. Brechts Notiz über das Hauptmotiv des Romans erklärt auch seine Absicht dieser Revuenummer: „Die Verflechtung von Zeitung, Gesellschaft und Sport zu zeigen . . ."[26]

Als Folge der zunehmenden Amerikanisierung Berlins sieht Brecht die Gefahr, daß auch hier eintreten könnte, was vielerorts in USA bereits Wirklichkeit geworden ist: Verödung, Verschandelung und Verdrängung der Natur kreieren schließlich einen unbewohnbaren „Steinhaufen", aus dem sich als einziger Ausweg der „Ausmarsch nach der Südsee" anbietet, eine Szenenfolge, die den zweiten Teil der Revue bilden sollte. Brecht gibt ihm die spöttische Überschrift: „Wie sich der kleine Max die Südsee vorstellt (als Traum?)".[27] In drei Punkten wird flüchtig auf das idyllische Leben, die rassigen Maorimädchen und die dortige Tierwelt Bezug genommen. Wiederum ist die Rede von der Bändigung eines Königstigers durch die Macht der Persönlichkeit und von der Coué-Methode, mit der diesmal ein sterbender Elefant behandelt wird. Als Höhepunkt und gräßlichen Auswuchs des unaufhaltsamen Eroberungszuges des Amerikanismus setzt Brecht voller Ironie den Gedanken:

Amerika ist schön. Südsee ist schön. Wie schön muß erst eine erstklassig amerikanisierte Südsee sein!

Wie die Entwürfe zu dieser Revue zeigen, ist für Brecht zu diesem Zeitpunkt Amerika immer noch mit dem Phantastischen, dem Überlebensgroßen, dem Fremdartig-Exotischen verbunden. Erst im Vorjahr hatte Brechts zwei Jahre jüngerer Bruder Walter eine Amerikareise zu Verwandten in New York unternommen und ihm einen in den schillerndsten Farben geschriebenen Bericht über das Land der Zukunft geschickt.[28] Darin hatte er die Gutmütigkeit und Gelassenheit des Amerikaners gepriesen und vom hohen Stand ihrer Technik, der Höhe ihrer Häuser und der Größe ihrer Städte geschwärmt. Kein Wort der Kritik war darin zu finden, auch nicht an der Heilsarmee, deren typische Straßenversammlungen er erwähnte. Er versuchte sogar seinen älteren Bruder, den er eingangs als „windigen Europäer" angeredet hatte, mit stürmischen Worten zu einer Amerikareise zu überreden:

Spare jeden Groschen, jeden Hosenknopf verkaufe und spare den Erlös und dann wenn Du die Dampferkarte kaufen kannst, komm ungesäumt!

Keine Dummheit in Deinem Leben wirst Du weniger bereuen. Es ist uner-
hört. – Man *sammelt* hier die Erfahrungen.[29]

Trotz solcher von Begeisterung übersprühenden Augenzeugenberichte seines
Bruders beginnt Brecht an Amerika zu zweifeln. Es ist wirklich das Land
der unbegrenzten Möglichkeiten, oft noch im Sinne des Guten und auch des
Kuriosen, Grotesken vielleicht, doch bahnt sich unübersehbar ein im ganzen
definitiv kritischer Gesichtspunkt an. Brecht beginnt hinter die Kulissen zu
blicken. Die Einsicht, daß man auf Kosten anderer am schnellsten zu Reichtum gelangt, schimmert in diesen Revueentwürfen zwar durch (vgl. die
Nummern über Geschäftemacherei und Entartung des Boxkampfes in Schiebungssport), doch steht sie noch im Hintergrund. Von marxistischer Warte
aus betrachtet, muß Brechts Revueentwurf als bürgerlich-oberflächlich und
„harmlos" erscheinen.

Die Harmlosigkeit dieser Parodie auf den Amerikanismus wird dadurch
noch unterstrichen, daß im Dezember 1926 eine im Vergleich ziemlich harte
antiamerikanische Revue in Berlin erfolgreich über die Bretter ging. Sie trug
den Titel *Oh! USA!* und gelangte im Kleinen Theater (Unter den Linden)
zur Aufführung. Als Autoren hatten „Julian Arendt und Otto Brock" gezeichnet, ein Pseudonym, hinter dem sich Manfred Georg versteckte, der ein
halbes Jahr später mit Brecht und mehreren anderen zum „dramaturgischen
Kollektiv" der Piscator-Bühnen gehörte.[30] Ob Brecht dieser Revue beige-
wohnt hat, ist nicht mit Bestimmtheit zu sagen. Zweifellos hat er aber von
ihr erfahren und gehört, denn er war nicht nur mit Autor und Hauptdarsteller bekannt, die Revue löste auch wegen der offenen Kritik an Amerika,
das Deutschland immerhin massive Wirtschaftshilfe leistete, einen beträchtlichen Skandal aus. Die öffentliche Diskussion über die Revue ging bis in die
Leitartikel der bürgerlichen Presse. Im *Berliner Tageblatt* würdigte man
dennoch die Tatsache, daß die Produktion „so recht bewußt im Abstand zu
der Massen-, Glitzer- und Farbenorgie" der großen Revue war:

Kurzum, mehr Geist als Glanz, mehr Hirn als Fleisch. . . . voran läßt man
aus den Verrücktheiten der Zeit manche schillernde Blase aufsteigen. Erst
wird Amerikas Geldgier mit ihrem „Ehre sei Gott in der Höhe" verspot-
tet, und dann der Amerikanismus bei uns zu Hause. Das geschieht in prall
gereimten Versen, in schnurrenden Kuplets . . . Gleichviel, es ist ein Griff
in die Gegenwart . . . Es ist noch keine richtige Revue, aber . . . ein Finger-
zeig für neue Bemühungen, eine Richtlinie, wie man mit erlaubten Mitteln
und ohne Shakespeare zu bemühen, zeitgemäße Anschauungen unter das
Volk bringen kann.[32]

In der *Roten Fahne* erschienen zwei Besprechungen, von denen die spätere sogar den Abdruck einer Szene bringt.[33] Dem Rezensenten nach wurde in dem „satirischen Spiegelbild" einer Revue Amerika in einer Reihe von Nummern „nicht ohne Schärfe" verulkt. Die angeschlagenen Themen: Bibel, Kaugummi, Prüderie, Geldmachen, Charleston, Ku Klux Klan, Börsenmanöver und Ausbeutung des Arbeiters. Man würdigt den „ernsthaften Versuch einer politischen Revue durch das bürgerliche Theater", findet sie aber dennoch „durchaus zahm und nicht bürgerfeindlich". Deswegen befremden das „Kriechen und die Aufregung der Kapitalpresse", nur weil es kurz nach der Uraufführung bekanntlich „amerikanische Kabelmißstimmung gehagelt" hatte. Die Botschafter der USA und Rumäniens hätten öffentlich protestiert und selbst der *New York Herald* habe geäußert, daß Amerika eine loyalere Haltung hätten erwarten können. Insbesondere an zwei Nummern hatte der Rezensent Gefallen gefunden. Sie trugen die Titel „Hampelmann des Kapitals" und „Ein Börsencoup in Wallstreet". Die erste zeigte drei Arbeiter als Sklaven des Fließbands, das jede einzelne ihrer Bewegungen bestimmt. Die Maschine terrorisiert sie derartig, daß sie sie bis in den Traum verfolgt. Nach zwei Jahren harter Arbeit bei halsbrecherischem Tempo werden sie als arbeitsuntauglich entlassen. Die andere Szene zeigt, wie man Geld rafft:

> *Der Börsenkönig in Newyork* macht den bekannten Trick: Er wirft Kohlenaktien auf den Markt bis die Kurse ganz unten sind, dann läßt er alles aufkaufen und hat das Doppelte verdient. Die Frau des Bergarbeiters wartet auf ihren Mann, der unten im Schacht schuftet und hustet. Für den Mehrprofit ... „Wir schürfen die Kohle und müssen frieren!" Da packt ihn die Wut, er wirft die Hacke hin: *Streik!* Aber das Kapital ruft den General und der knallt gehorsam den Kumpel nieder.[34]

Anschließend wird ein Szenenabschnitt zitiert, der die Börsenmanöver der Kapitalisten – in gereimter Form! – an den Pranger stellt. Auch der Kapitalismus in Deutschland wurde in dieser Revue unter die Lupe genommen. Stresemann wurde zum Beispiel als Mädchen für alle Gelegenheiten charakterisiert und trug zwei verschiedene Strümpfe. Den linken in schwarz-rot-gold, den rechten in schwarz-weiß-rot. Die Amerikakritik in Manfred Georgs Revue ging viel tiefer und blieb nicht so sehr im rein Äußerlichen des Amerikanismus befangen. Hätte Brecht seine ursprüngliche Konzeption beibehalten und die Entwürfe voll ausgearbeitet, wäre höchstens eine reißerhafte, schmissige Revue als Parodie auf ein Zeitphänomen entstanden, in der Methode deutlich dem Exempel Piscators folgend, doch

ohne irgendein zwingendes und überzeugendes ideologisches Argument. Im
Hinblick auf die erfolgreiche Produktion von *Oh! USA!* und die schnelle
Änderung seiner eigenen Ansichten wird verständlich, warum Brecht nicht
mehr an eine Verwirklichung seines Projektes dachte.

f. Joe Fleischhacker

Die Arbeiten zu *Joe Fleischhacker* reichen bis in das Jahr 1924 zurück,
also in die Zeit von *Dan Drew*. In jenen Tagen herrschte in Deutschland
noch immer Knappheit an Lebensmitteln und die Zeitungen beschäftigten
sich ausführlich mit dem Problem der Nahrungsmittelversorgung. Das ständige Ansteigen des Brotpreises beherrschte die Schlagzeilen. Im September
1924 erschien zum Beispiel die *Rote Fahne* mit einer Schlagzeile in fetten
Lettern: „Nieder mit den Getreideschiebern und Brotwucherern!"[1], und
zwei Tage darauf brachte sie einen längeren Artikel mit der Überschrift
„Der Brotwucher",[2] der anhand detaillierter Statistiken bewies, daß an den
Börsen von einigen wenigen Spekulanten der Brotpreis künstlich hochgetrie-
ben und somit das ganze Volk zum Leidtragenden gemacht wurde. Dem
Problem der Weizenversorgung und der damit verbundenen Spekulation
wurde in der Tagespresse immer mehr Aufmerksamkeit geschenkt, und
Brecht begann eine systematische Materialsammlung. Im Brecht-Archiv ist
eine Mappe voller Zeitungsartikel zu diesem Thema erhalten,[3] die zum
größten Teil aus der Berliner und Wiener Presse von März 1925 bis Dezember 1927 stammen. Darunter befindet sich auch ein Nachrichtenbrief (Juli
1926) der National City Bank of New York über die allgemeine Wirt-
schaftslage in den Staaten. Handschriftliche Anstreichungen verraten, daß
dem Absatz „Agricultural Conditions" besondere Wichtigkeit zugeschrieben
wurde.[4] Brecht begann sich ernsthaft mit dem damit verbundenen Fragenkomplex zu befassen und plante – wie Elisabeth Hauptmann es zwei Jahre
später ausdrückte – ein Stück über die Weizenspekulationen, das „innerhalb
einer Reihe ‚Einzug der Menschheit in die großen Städte' den aufsteigenden
Kapitalismus zeigen" sollte.[5] Nach den ersten Entwürfen und Notizen aus
den Jahren 1924/25 zu schließen, sollte das Stück anhand des Schicksals
einer Familie namens Michelson/Mitchell, die vom Land in die Großstadt
Chicago gezogen ist, die katastrophalen Auswirkungen der brutalen Weizenspekulationen des Kapitalisten Joe Fleischhacker exemplifizieren. Die
Familie wird bereits am ersten Tag in der Stadt beraubt, der Druck des
Großstadtlebens zerreißt die Familie, die durch die Preissteigerungen zum

langsamen Hungertod verurteilt ist, während Fleischhacker seine Makler-
genossen hintergeht, den gesamten Markt in die Hand bekommt und die
Weizenpreise neuen Höchstständen entgegentreibt. Nach Ausbruch eines
allgemeinen Streikes wird die mittellose Familie auf die Straße gesetzt und
kommt schließlich um. Chicago ist in einem Zustand des Chaos, und wer
kann, sucht die Stadt zu verlassen. Den anderen Spekulanten gelingt es
schließlich, Fleischhacker in einer „Börsenschlacht" zu besiegen, so daß er
sein gesamtes Riesenvermögen über Nacht einbüßt und ohne einen einzigen
Pfennig dasteht.[6]

Was die Ausarbeitung des Entwurfes anbetrifft, sollte der Stoff zunächst
in Anlehnung an den Stil der Bibel dargestellt werden, dann in der Art eines
Zeitungsberichts.[7] Wie Brecht vermerkte, sollten die Aktionen sachlich und
trocken in gelockerter Anordnung und möglichst knapp gebracht werden,
womöglich „in der Manier japanischer Holzschnitte".[8]

Die Behandlung des Stoffes führte zu großen Schwierigkeiten, nicht nur
vom Stofflich-Thematischen, sondern auch vom Dramatisch-Stilistischen
her. E. Hauptmann erklärt hierzu:

Für dieses Stück sammelten wir Fachliteratur, ich selber fragte eine Reihe
von Spezialisten aus, auch auf den Börsen in Breslau und Wien, und am
Schluß fing Brecht an, Nationalökonomie zu lesen. Er behauptete, die
Praktiken mit Geld seien sehr undurchsichtig, er müsse jetzt sehen, wie es
mit den Theorien über Geld stehe.[9]

Noch ehe er in dieser Angelegenheit weitere Entdeckungen machte, so
führte E. Hauptmann weiter aus, sei er sich darüber im klaren gewesen, daß
für die Darstellung solcher Prozesse die alte Form des Dramas nicht mehr
genüge und ein neues Drama geschaffen werden müsse. Im Verlaufe dieser
Studien habe Brecht später seine Theorie des epischen Dramas entwickelt.
Die frühen Arbeitsnotizen und Entwürfe weisen deutlich darauf hin, wo die
großen stofflichen Schwierigkeiten lagen und wie Brecht und seine Sekretärin sie aus dem Wege zu räumen hofften. Im Brecht-Archiv ist eine Liste mit
neun Fragen Brechts und E. Hauptmanns Antworten dazu erhalten.[10] Zunächst mußten Informationen eingezogen werden über: die Menge des ge-
handelten Weizens und dessen Preislagen, technische Ausdrücke der Börsensprache, Methode und Dauer der Spekulation, etc. E. Hauptmann gab die
ersten Entwürfe über das Zustandekommen eines ‚corner' ihrer Mutter zur
Überprüfung, die sich noch an den großen Winnipeger Börsencoup erinnern
konnte. Außerdem bestellte sie durch ihren Schwager, der beruflich des
öfteren nach Chicago kam, weiteres Material über Chicago und Cornerspe-

kulationen.[11] Brecht sammelte Zeitungsausschnitte, die sich auf die damaligen Weizenspekulationen der Chicagoer Barnes-Gruppe bezogen und Überschriften trugen wie: „Eine Milliarde Dollars verspekuliert. – Wahnsinnsszenen an der New Yorker Börse"[12] und „Vom Getreidemarkt. Die Weizensituation im neuen Jahre – Wertangleichung des Roggens an den Weizen".[13] In der „Wirtschaftlichen Rundschau" der *Roten Fahne* erschienen Artikel, die sich ausdrücklich gegen das System der Spekulation in Deutschland wandten, z. B.: „Eine Roggen-Wuchergesellschaft".[14] Brechts Sekretärin führte Studien über das Auf und Ab des Brotpreises durch und betrieb eifrig allgemeines Quellenstudium. Sie sammelte Ausdrücke der amerikanischen Börsensprache und erklärte sie auf deutsch, Ausdrücke wie „bull" (Haussespekulant), „bear" (Baissespekulant), „corner" (Aufkauf des gesamten Angebots, so daß arbiträre Preissetzung möglich wird), „lambs" (kleine Geschäftsleute), „skalper" [sic!] (einer, der unter dem Preis verkauft). Aus US-Magazinen stellte sie eine Liste amerikanischer Eigennamen zusammen, die in den späteren Entwürfen jedoch nicht zur Anwendung kamen.[15] Bei dieser Gelegenheit fordert sie Brecht auf: „Lesen Sie doch, bitte, noch mal meinen Buchextrakt." Nach genauer Analyse des vorhandenen Materials kann es sich hierbei nur um ein dreiseitiges Typoskript handeln, das nicht von Brecht selber stammt, aber seine Schreibweise ohne Großbuchstaben imitiert, jedoch in der Zeichensetzung inkonsequent ist. Es gliedert sich in drei Teile: „J. als baer", „J. als bulle" und „J's corner".[16] Dies ist eine konzise Zusammenfassung der komplizierten Börsenmanöver, die in Frank Norris' Roman *The Pit* vom Hauptcharakter Curtis Jadwin unternommen werden. Anhand des zweiten Abschnittes des „Buchextrakts" wird die mitunter wörtlich übernommene Beschreibung der Spekulation deutlich:

J. als bulle: „der weizen wird nicht einen cent mehr heruntergehen, noch vor herbst werden wir höhere preise haben, der wichtigste stand ist erreicht." also: die ungedeckten verkäufe müssen gedeckt werden, außerdem muß man kaufen und durch nachfrage den markt in die höhe treiben (deckt verkäufe maiweizen, kauft 500 000 sept) weizen steigt. J. verkauft maiweizen mit geringem Gewinn, kauft sofort gegen bar zu

"Just as sure as I make this pocket wheat will not-go-off-another *cent*." . . . Before fall we're going to have higher prices. (195). I'm not only going to cover my May shorts and get out of that trade, but . . . I'm going to *buy* (196) . . . You buy the September option for me tomorrow-five hundred thousand bushels (197) . . . As he had predicted the price of wheat had advanced (226) and at a small profit Jadwin had sold some

112

68. preis im juli 72. schlechte ernte-
berichte aus allen weizenländern. J.
engagiert ende juli eigene korrespon-
denten in liverpool, paris, odessa.

250 000 bushels ... when cash
wheat touched 68, Jadwin ...
bought another five hundred thousand bushels (226) ... the market
held firm at 72 cents (227) ... The
French wheat crop was announced
as poor. In Germany the yield was
to be far below normal. All through
Hungary the potatoes and rye crops
were light (227) ..." I want you to
get me some good, reliable cor-
respondents in Europe; ... I want
one in Liverpool, one in Paris, and
one in Odessa. (228)

starke nachfragen aus europa verkauft septemberweizen zu 75, kauft
sofort dezember (2 mill.) zu 80 und
platz an der produktenbörse.

... All over Europe the demand for
wheat was active (228) Jadwin sold
out his September wheat at this figure [75], and then in a single vast
clutch bought three million bushels
of the December option (229) ...
the price ... closed, strong, at the
even eighty cents. On the day when
the latter figure was reached Jadwin
bought a seat upon the Board of
Trade (229). [Telegramm von Liverpool:] Can negotiate for five million
wheat if price satisfactory
(235) — "this wheat is worth 82 cents
to them" (236) ... "Buy, buy, buy.
Everybody is in it now ... For one
fellow who wants to sell there are a
dozen buyers." (258) "Wait till we
get dollar wheat ..." (258) ...
"Why, Sam, there's less than a hundred million bushel in the farmers'
hands" ... "Why, I own ten million
bushels of this wheat already, and
Europe will take eighty million out

kauft unaufhörlich weiter immer
dringendere nachfragen aus Europa
verkauft seinen gesamten Vorrat (5
mill bsh) auf einmal zu 82 nach liverpool. anfang januar kauft alles,
auf einen verkäufer 1 Dtzd. Käufer.
J: wir werden dollarweizen haben!
...
ende januar: sichtbare versorgung in
den staaten: farmer haben weniger
als 100 Mill. vorräte in liverpool,
paris usw. gering. (trotzdem haben
viele bären ohne deckung verkauft)

von den restlichen 20 mill. die bleiben, wenn von den 100 mill 80 nach
europa gehen, hat j. schon 10. ‚ende
mai ist kein weizenkorn mehr in chicago.' ‚ich will allen weizen, den ich
kriege, gegen bar kaufen. wo sollen
die Kerls, die ohne deckung verkauft haben, ihre lieferungen an
mich hernehmen? wir können den
markt cornern".[17]

of the country. Why, there ain't
going to be any wheat left in Chicago by May! If I get in now and
buy a long line of cash wheat, where
are all these fellows who've sold
short going to get it to deliver to
me? ... Sam, we can corner the
market!" (268)[18]

Die in dem „Extrakt" beschriebenen Stadien von Jadwins Weizenspekulationen bleiben die grundlegende Richtlinie für den technischen Aspekt
sämtlicher Entwürfe Brechts.

Frank Norris war einer der Vorläufer der „muckrakers" (wie Roosevelt
die Sozialkritiker Amerikas zu nennen pflegte), die den linken Künstlern
Deutschlands als Vorbild galten. Im Feuilleton der *Roten Fahne* wurde
Frank Norris in einem groß aufgezogenen Artikel über Jack London in die
Reihen der „revoltierenden Schriftsteller" Amerikas eingegliedert und dafür
gepriesen, daß seine Romane *The Octopus* und *The Pit* „mit der Lebendig-
keit und der Ehrlichkeit eines Zola den Plünderungsfeldzug der Southern
Pacific Railway und den ihm nachfolgenden Ruin zeichneten".[19] Diese bei-
den Romane gehören zu einer geplanten Trilogie „The Epic of the Wheat",
deren dritter Teil *The Wolf* nie geschrieben wurde. Sie erschienen in der
Deutschen Verlagsanstalt unter den Titeln *Der Octopus* und *Die Getreidebörse*.[20] In Frank Norris' Roman *The Pit* wird die Kritik an dem in der
Chicagoer Weizenbörse herrschenden kapitalistischen System in einen Lie-
bes- und Eheroman eingebaut. Über die Grundkonzeption der Trilogie gibt
Norris in einem Brief aus dem Jahre 1899 folgende Auskunft:

First, a study of California (the producer), second a study of Chicago (the
distributor), third, a study of Europe (the consumer) and in each to keep
to the idea of this huge, Niagara of wheat rolling from West to East. I
think a big epic trilogy *could* be made out of such a subject that at the
same time would be modern and distinctly American.[21]

Bezeichnenderweise hebt der Autor von Anfang das echt Amerikanische
von Stoff und Thema hervor. Im ersten Band stützte er sich auf historische
Begebenheiten aus den letzten Jahrzehnten des 19. Jahrhunderts, als sich die
Streitigkeiten zwischen den Agenten der Pacific and Southwestern Railroad
und der Weizenfarmer von Tulare county im südlichen San Joaquin-Tal zu

einem Kampf entwickelten, der im Mai 1880 mit einer offenen Schlacht endete, dem sogenannten Mussel Slough Massaker. Norris wählt dieses Massaker als zentrale Begebenheit für *The Octopus*. Er zeigt, wie zur Zeit des Baus der P. and S.W.R.R. tatkräftige Männer zur Besiedlung des Landes angelockt wurden, indem man ihnen das Vorkaufsrecht zu zweieinhalb Dollar pro Acker zusagte. Nach Jahren harter Arbeit haben die Leute ertragreiche Weizenfarmen entwickelt, aber die stetig steigenden Frachttarife der Bahn bedrohen ihre Existenz. Aus Selbstverteidigung gründen sie eine Liga, in der sie für ihre Interessen gegen die Bahnmanager ankämpfen. Als die Bahn endgültig den Kaufpreis auf über zwanzig Dollar pro Acker festlegt, sind sie dem Ruin nahe. Nach einer Reihe von Prozessen ist das unumgängliche Ende erreicht: das mit vielen Armen um sich greifende Monster der Eisenbahn, der „Octopus", erdrosselt sie. Bei der Enteignung des ersten Farmers kommt es zu einer wilden Schießerei, der mehrere Farmer zum Opfer fallen. Die anderen werden von ihrem Land verdrängt und bleiben ihrem Elend überlassen.

Um die für den zweiten Band vorgesehenen Geschäfte an der Chicagoer Weizenbörse überzeugend darstellen zu können, war Norris nach Chicago gefahren und hatte intensive Studien über den weltbekannten Weizencorner getrieben, den der Makler Joseph Leiter während der Jahre 1897/98 zustandegebracht hatte.[22] Er führte zahlreiche Interviews mit Börsenmännern, die sich an den großen Coup noch erinnern konnten, nahm bei Sachverständigen regelrechten Unterricht im Spekulieren und ließ sich von dem Finanzreporter der *New York Sun*, George D. Moulson, kapitelweise die Börsenmanöver innerhalb des Romans überprüfen. Dieser Weizencoup lieferte den Erzählkern – Aufstieg und Fall eines Großkapitalisten –; doch dies ist nur *ein* Aspekt des Romans, der eigentlich die Geschichte einer Liebe erzählt. Laura Dearborn flüchtet aus der engstirnigen Gesellschaft einer neuenglischen Kleinstadt in die Großstadt Chicago, wo sie drei Freier findet, die sie zunächst ablehnt. Nur der Finanzier Curtis Jadwin kann ihr eine reiche und sichere Zukunft bieten, und aus rein materialistischen Überlegungen reicht sie ihm ihre Hand, ohne irgendwelche Gefühle für ihn zu hegen. Doch das sorgenfreie Dasein kann die beiden nicht auf die Dauer zusammenhalten. Jadwin beginnt aus Langeweile auf der Weizenbörse zu spekulieren, erliegt immer mehr seiner Spielernatur und plant zuletzt einen Weizencorner. Seine Geschäfte nehmen ihn bald derart in Anspruch, daß er darüber seine Frau vernachlässigt. Sie fühlt sich beleidigt, glaubt, er halte sie nicht mehr für attraktiv genug, und plant deswegen, sich in eine Affäre mit einem ihrer

früheren Anbeter einzulassen. Der Börsencoup glückt, aber durch die aus-
gelöste Preissteigerung wird mehr Weizen angebaut und günstige Wetterverhältnisse produzieren eine Riesenernte, die Jadwins Erfolg zunichte macht.
Bankrott kehrt er gerade an dem Abend nach Hause zurück, an dem seine
Frau ihn mit ihrem Liebhaber verlassen will. Im letzten Augenblick erkennt
sie ihre Pflichten Jadwin gegenüber und entschließt sich, bei ihm zu bleiben,
um ihm beim Aufbau einer neuen Existenz im Westen behilflich zu sein.

Diese Liebesgeschichte steht in *The Pit* im Vordergrund und verdrängt
fast die komplizierten technischen Einzelheiten des Börsen- und Makler-
wesens, dem Brechts und Hauptmanns einzige Aufmerksamkeit galt. Joe
Fleischhackers geschäftliche Laufbahn ähnelt der Jadwin Curtis' in den
meisten Aspekten, und deshalb seien hier die Hauptstadien seiner Karriere
kurz rekapituliert. Der Markt wird von Bullen beherrscht, und die Weizenpreise sind stabil, bis von der französischen Regierung eine Importbeschrän-
kung zu erwarten ist, die die Versorgung innerhalb der Staaten verbessern
und die Preise drücken wird. Deshalb will J. als Bär zu höchsten Preisen
ungedeckt Weizen verkaufen, den er später (wenn der Preis bereits gesunken
ist) billig beschaffen kann. Trotz einiger Gerüchte treiben die Bullen den
Preis hoch und J. verkauft an sie zum höchstmöglichen Preis. Bei Abschluß
seines ersten großen Geschäfts hat er sich verpflichtet, Ende Mai eine Million Bushel zu liefern. Der Coup glückt, und im Juni kauft er große Mengen
Septemberweizen. Durch wiederholte ungedeckte Verkäufe zu den jeweili-
gen Höchstpreisen, die er dann bei einem niedrigen Preis decken kann,
schafft er sich ein Millionenvermögen. In drei Jahren sinkt der Preis beständig von $93^3/8$ auf 65 Cents. Zu Beginn des vierten Jahres bemerkt J. eine
allgemeine Veränderung der wirtschaftlichen Lage. Zunehmende Kaufkraft
des Dollars und schlechte Ernteaussichten bestärken ihn in dem Glauben,
daß die Preise ihren Tiefpunkt erreicht haben und wieder steigen werden.

Seinem Gefühl nach wird das Weizenangebot bald nachlassen, und er
beginnt deshalb insgeheim seine ungedeckten Käufe zu decken. Durch einen
schnellen „verräterischen" Wechsel ins Gegenlager der Bullen versucht er
nunmehr am steigenden Preis zu profitieren. Er kauft große Mengen Septemberweizen, um durch die Nachfrage den Preis zu erhöhen. Seine Käufe
tätigt er bei 68, seine Verkäufe bringen ihm 75. Rücksichtslos setzt er seine
Käufe fort, bis er 50% des für den amerikanischen Binnenmarkt vorgesehenen Weizens besitzt. Die Bären, die ungedeckt weiterhin an ihn verkaufen,
werden keinen Weizen für ihre späteren Lieferungen an ihn finden und werden ihn bei ihm kaufen müssen. Es gelingt ihm, den Preis bis auf über einen

Dollar hochzutreiben. Durch Bestechung von Handelsblättern versuchen jedoch die Bären, Gerüchte eines Preisabfalls in Umgang zu setzen und die Preise zu drücken. In seiner neuen Machtposition kann J. es sich leisten, einen großen Posten Juliweizen ungedeckt zu verkaufen und dabei todsicher profitieren: steigt der Preis, verdient er an seinen Vorräten; sinkt er, so kann er seine Käufe mit Profit decken. Durch geschickte Transaktionen verwirrt er seine Gegner, treibt den Preis bis auf über einen Dollar und bringt einen „Corner" zustande: Er verkauft teuren Weizen, der ihm zu den abgemachten niedrigen Preisen geliefert werden muß. Die Folge sind Konkurse und Selbstmorde. Vom Spekulationsfieber besessen, möchte er durch weitere Käufe den Preis auf zwei Dollar bringen. Die erhöhten Preise ermutigen eine kolossale Zunahme des Weizenanbaues. Um den Preis oben zu halten, muß J. immer weiter kaufen. Eigentlich hat der Weizen ihn besiegt. Die Lagerkosten werden unerschwinglich und er muß im Ausland um Kunden werben, wenn er ohne Verlust verkaufen will. Seine anfangs souveränen, flexiblen Manöver werden verkrampft: er kauft auf Kredit stur weiter, um den Preis durch seine Nachfrage zu stützen, doch Riesenernten in Übersee zerschlagen die Möglichkeit günstiger Verkäufe ins Ausland. Schnell gerät er in eine ausweglose Situation. Er kann seine zur Stützung der Preise notwendigen Käufe nicht mehr finanzieren und muß den Konkurs anmelden.

Die hier beschriebenen faszinierenden Manöver sollten zunächst den Kern für Brechts Stück abgeben. Ein von E. Hauptmann angefertigter Entwurf von Fleischhackers beabsichtigten Spekulationen, der bis in die letzten Einzelheiten diesem Schema folgt, wurde jedoch wieder verworfen.[23] Kleine Änderungen werden vorgenommen. Im Grunde blieb aber das aus Norris' Roman erarbeitete technische Handlungsgerüst der Leitfaden für sämtliche Entwürfe des Stückes. Die bedeutenden Stadien sind fortan: Fleischhacker als erfolgreicher „Bär", sein „Verrat" (d. h. sein heimlicher Wechsel ins Gegenlager), sein fortwährender Erfolg als unbekannter „Bulle" und Meister des „Corner" und letztlich sein jäher Untergang durch eine starre Haltung im Angesicht eines übermäßigen Angebots.

Selbst das Befremdende an der bei Brecht dauernd abwechselnden Schreibweise von Fleischhackers Vornamen – „Joe" und „Jae"[24] – erklärt sich daraus, daß man stets den amerikanischen Roman im Sinne hatte, denn dort trug Jadwin den Spitznamen „J." [dʒei], der im Deutschen durch „Jae" und später durch „Jay" nachgeahmt wurde.

In einigen Entwürfen wird versucht, Fleischhackers frühen Erfolg und späteren Ruin auf andere Weise zu motivieren. Einmal durch die wechseln-

den Wetterverhältnisse:[25] ein längst erwarteter und für eine ertragreiche
Ernte wichtiger Regen hält zu lange an, artet zu einer Art „Sintflut" aus
und vernichtet den Weizen. Ein anderes Mal durch Kriegsgerüchte,[26] die je
nach ihrer Intensität die Nachfrage verstärken helfen. Die technischen Einzelheiten der Manöver bleiben sich aber gleich.

Brecht erkannte sofort die ungeheure Dramatik, die diesem Stoff inne-
wohnte. Er scheint jedoch nicht gewußt zu haben, daß hiervon schon vor
Jahren von einem Amerikaner namens Channing Pollock eine Bearbeitung
für die Bühne gemacht worden war, die mit so nachhaltigem Erfolg 1904 in
New York über die Bretter ging,[27] daß dreizehn Jahre später mit demselben
Hauptdarsteller (Wilton Lockeye) ein Film gedreht wurde, dessen Drehbuch
von Maurice Tourneur stammte.[28] Das Problem für Brechts Drama lag aber
darin, das Einzelschicksal des Maklers mit der Masse in Verbindung zu bringen. Denn *Joe Fleischhacker* sollte ja eine jener Historien werden, die den
Einzug der Menschheit in die Großstädte schildern. Anhand des Untergangs
einer Familie aus den Savannen – ein Thema, das er bereits im *Dickicht* mit
Erfolg behandelt hatte – wollte Brecht die Wirkungen des kapitalistischen
Börsen- und Spekulationssystems aufdecken. Es ist nicht verwunderlich, daß
die Ausarbeitung derjenigen Szenen, die sich auf die Geschichte der zuge-
wanderten Familie beziehen, am weitesten gediehen war, während die Bör-
senhandlung immer komplizierter zu werden drohte. Nach den vorliegen-
den drei Gliederungen der Handlung in einzelne Abschnitte zu urteilen,
waren zuerst fünf Akte zu je drei Szenen vorgesehen, was dann auf eine lose
Folge von elf Szenen reduziert wurde.[29]

Nun zu den Szenen der Familie Mitchel. Die ursprünglichen Entwürfe
verraten, daß Brecht sich gedanklich noch nicht so recht von *Im Dickicht*
hatte losreißen können. Bekanntlich überarbeitete er das Stück in jenen Jahren wiederholt für die Aufführung in Berlin (1924) und Darmstadt (1927),
und seine Aufzeichnungen aus jenen Tagen zeugen von seiner dauernden
Beschäftigung mit diesem Stück. Zweimal verrät ein anderer Titel für die
Mitchel-Szenen, daß Brecht zumindest anfangs eine separate Ausarbeitung
im Sinne hatte. Die Titel lauten „Untergang einer Familie aus der Savannah"[30] und „Eine Familie aus der Savannah. Historie in elf Bildern".[31] Der
Beweis für die frühere Datierung dieser Entwürfe ist leicht zu erbringen, da
die Anfangsszenen jener Historien die Vorstufen der voll ausgearbeiteten
ersten Szene von *Joe Fleischhacker* sind. In einer Fassung mit dem Titel
„Straße nach San Francisco" heißt die Familie noch „Michelsen" und
kommt in einem mit sämtlichem Hausrat beladenen Auto in die großen

Städte. Wegen einer Mißernte hatte sie das nördliche Kalifornien verlassen und legte den ersten Teil der Strecke auf der „Pazifikbahn" den Mississippi entlang zurück. Brecht nahm in diesem handschriftlichen Entwurf eine bedeutungsvolle Änderung vor, die diesen eindeutig zur frühesten Stufe stempelt: er strich den Ursprungsort der Familie („in Kalifornien") durch und fügte statt dessen ein: „in den Savannen".[32] Im anderen Entwurf wird der Umzug mit einer Mißernte im „Weizendistrikt" begründet,[33] die Familie stammt aus dem südlichen Dakota und hatte einen Prozeß gegen die „Nordsüdliche Bahn" verloren. Ihr Glück suchte sie vergeblich zunächst in den östlichen Städten des Atlantiks und zieht nun hoffnungsvoll nach San Francisco weiter. Die Eingangsszene zu *Joe Fleischhacker* folgt fast demselben Wortlaut, der Grund des Umzugs bleibt der gleiche: Mißernte im Weizendistrikt. Als Heimat gilt nun das Lake Michigangebiet; nach einem verlorenen Prozeß gegen die Nordsüdliche ziehen sie in das große Chicago.

Hier ergeben sich oberflächliche thematische Übereinstimmungen mit Sinclairs *The Jungle* und Brechts eigenem *Im Dickicht*, aber viel eingehendere mit Frank Norris' Roman *The Octopus,* wo das Schicksal kalifornischer Weizenfarmer geschildert wird, die nach zwei Mißernten und den verlorenen Prozessen gegen die „Pacific and South Western"-Bahn ihr Land räumen müssen. Das Los der Mitchels erinnert an das der Mrs. Hooven im Roman. Von der Bahn enteignet, zieht sie auf der Suche nach neuem Glück mit ihren beiden Töchtern praktisch mittellos nach San Francisco. Man setzt sie, nachdem sie die Miete nicht mehr aufbringen kann, auf die Straße, nimmt ihr die letzten Habseligkeiten weg und liefert sie dem Hungertod aus. Ihre ältere Tochter Miriam sieht keine andere Möglichkeit, als sich durch Prostitution ihren Unterhalt zu verdienen. Die Ähnlichkeiten mit *The Octopus* sind nicht von der Hand zu weisen, sie sind grundlegend. Dennoch zeigen die Entwürfe mit fortschreitender Entwicklung eine zunehmende Abweichung, zumindest in den Einzelheiten.

Die Familie Mitchel besteht aus sechs Personen: Vater John, Mutter Bagaglia, zwei Söhnen und zwei Töchtern. Hoffnungsvoll und unternehmungslustig ziehen sie in die Stadt, um sich nach dem vom Vater entworfenen „Schlachtplan" ihr „Stück Fleisch" herauszuschneiden, wie aus einem Rind. Nach kurzer Zeit verfliegt der Enthusiasmus, vor allem beim Ältesten, Calvin, der arbeitsscheu und immer unzufrieden ist. Selbst in besseren Zeiten auf der Farm, als man noch behaglich lebte und begeistert Jazzmusik hörte, war er schlechter Laune. Er trennt sich von den Seinen und findet einen Verdienst, gerät bald unter die Räder und landet schließlich auf dem elektrischen Stuhl.

Die Familie verliert kurz nach Ankunft in der Großstadt ihr Hab und Gut. Ein Milchmann nimmt sich ihrer an, verlangt jedoch dem Gesetz des Dschungels gemäß für jeden Ratschlag bare Münze. Ideen werden zur Ware. Die eine der beiden Töchter geht bald ihre eigenen Wege, die andere, Kate, ist unsagbar träge und wird von ihren Eltern „verkauft", d. h. zur Prostitution gezwungen. Nach Jahr und Tag lehnt sie sich gegen die Ausbeutung durch die Eltern auf und verweigert den weiteren Gehorsam. Die ständigen Streitereien und Sticheleien zwischen Eltern und Kate treiben den jüngsten Sohn zur Zeit des Novemberstreiks der Elektrizitätsarbeiter aus dem Haus. In eisiger Nacht durchwandert er die Straßen der Stadt (hier noch San Francisco) und kehrt nicht mehr nach Hause zurück, da die anderen inzwischen gewiß erfroren sind:

Ich hab seit sieben Tagen nichts gegessen
und keinen Penny in der Tasche mehr.
Die Straßen Friskos sind so lang wie Schläuche.
Und wie so Pennystücke sind mir die Gesichter
Der Leute von hierzuland. Unter den Autos
werd ich heute nacht schlafen.
Das Haus, sieben Stock,
Hat kein Zimmer für unsereinen.
Der Policeman
aber hat einen Gummiknüppel,
Den gibt er zu essen.[34]

Die Illusionen sind verflogen. Die Stadt, der man mit Unternehmungslust und Lebensgier entgegensah, hat sich als gefährlicher Dschungel entpuppt, in dem sich jeder selbst der Nächste ist. Trotz der Hochhäuser gibt es für die Armen keinen Unterschlupf. Die Polizei ist ihr gefürchteter Feind anstatt ihr Helfer. In einer Notiz bezeichnet Brecht es als eines der Gesetze der Stadt, daß man erst weiß, wie die Menschen sind, wenn man ihre Hilfe benötigt. Wenn man mit ihnen reden muß, sei es deshalb ratsam, ein Beil in der Hand zu halten.[35]

Der Kampf ums Dasein prägt den Charakter der Menschen, der sich in den Gesichtern widerspiegelt. So heißt es von dem in dieser Umwelt erfolgreichen Fleischhacker, er sei an der Kälte seiner Augen und der Verworfenheit seines Gesichts erkennbar,[36] er habe ein „kupfergenietetes",[37] „vernarbtes Gesicht".[38] Für die vielen, die Masse, sind die Entwicklungen in den

Städten von großem Übel. So faszinierend und aufregend der Aufstieg eines einzelnen auch sein mag, so leiden doch die meisten unter den neuen Verhältnissen. Joe Fleischhacker, der sich zuerst mit brutalen Schlachthofmethoden hochgearbeitet hatte, verlegt sich auf eine vornehmere und saubere Kampfweise – die Börsenspekulation. Zum Herrscher Chicagos geworden, erscheinen seine Worte bereits am Mittag in frischgedruckten Zeitungen, die gierig in der überfüllten Subway „zugleich von zwei Seiten" gelesen werden.[39] Kampfeslust und Spekulationsgier machen das Leben für ihn erst lebenswert:

Wechsel Besitzes. Wechsel des Verlustes.

Oh Lust an Kauf und Verkauf.[40]

Für ihn ist das Spekulieren wie ein Pokerspiel. Wie der Kartenspieler seine eigenen Karten, ohne eine Miene zu verziehen, vor sich auf den Tisch legt, die Reaktion der anderen genauestens beobachtet und sein weiteres Spiel danach einrichtet, so läßt sich Fleischhacker durch das Benehmen der anderen Makler leiten und bringt den Corner zustande. Dieser Einstellung verdankt er sein ausdrucksloses Gesicht. Er wird zum „poker-face man" (ein Ausdruck, den Brecht gern verwendete), der durch das Studium menschlicher Verhaltensweisen die Reaktionen anderer prophezeien kann. Im Gegensatz zu dem mit einem ausgezeichneten Geschäftssinn begabten Curtis Jadwin ist er das Musterbeispiel eines Behavioristen, der nach Erkenntnis bestimmter Verhaltensmuster zum Manipulierer seiner Kontrahenten wird.[41] Fleischhacker kommt zur Einsicht, daß es schwer ist, sich an ein Gefühl zu erinnern, und fragt sich, ob einer, der dauernd vernünftig denken muß, eigentlich noch Gefühle haben kann.[42] Der erfolgreiche Geschäftsmann arbeitet demnach kühl und rational mit wissenschaftlichen Methoden.

Die stete Teuerung des Brotes bringt das Volk zu waffenlosen Demonstrationen und Streiks auf die Straße, um zu verkünden, „daß menschliche Umtriebe gegen das Brot der Menschheit unmenschlich sind".[43] Die Tausenden von Kummer und Not ausgezehrten Gesichter sind ein warnendes Zeugnis der Unmenschlichkeit der Besitzenden, die das Leben in der Stadt unwürdig gemacht haben und somit auch die Stadt zugrunde richteten. Was in *Dan Drew* erst nachträglich eingeplant wurde, nämlich die Reaktion der Leidtragenden, wird in *Joe Fleischhacker* sofort integraler Teil der Pläne: der aktive Protest der vielen gegen die rücksichtslosen egoistischen Manipulationen einiger weniger.

Vor seiner Hinrichtung hält Calvin Mitchel vom elektrischen Stuhl herab eine Rede, in der er die Zukunft optimistisch beurteilt:

Viele sagen, die Zeit sei alt
Aber ich habe immer gewußt, es sei eine neue Zeit
Ich sage euch: nicht von selber
Wachsen seit zwanzig Jahren Häuser wie Gebirge aus Erz
Viele ziehen sich mit jedem Jahr in die Städte, als erwarteten sie etwas
Und auf den lachenden Kontinenten
Spricht es sich herum, das große gefürchtete Meer
Sei ein kleines Wasser.

Ich sterbe heut, aber ich habe die Überzeugung
Die großen Städte erwarten jetzt das dritte Jahrtausend
Es fängt an, es ist nicht aufzuhalten, heute schon
Braucht es nur einen Bürger, und ein einziger Mann
Oder Frau reicht aus.

Freilich sterben viele bei den Umwälzungen
Aber was ist es, wenn einer von einem Tisch erdrückt wird
Wenn die Städte sich zusammenschließen:
Diese neue Zeit dauert vielleicht nur vier Jahre
Sie ist die höchste, die der Menschheit geschenkt wird
Auf allen Kontinenten sieht man Menschen, die fremd sind
Die Unglücklichen sind nicht mehr geduldet, denn
Menschsein ist eine große Sache.
Das Leben wird für zu kurz gelten.[44]

Zu Lebzeiten Brechts blieb dieses Gedicht unveröffentlicht. Erst 1965 wurde es in den 9. Band der Gedichte aufgenommen.[45] Alleinstehend, aus dem Kontext des Fragments herausgerissen, mutet es wie ein Loblied auf die Städte an, deren rasantes Wachstum eine direkte Folge des technischen Fortschritts ist. Alles deutet darauf hin, daß es denselben Gedanken ausdrückt wie das „Lied eines Mannes in San Francisco". Nach Angaben Herta Ramthuns „um 1925" entstanden,[46] also gegen Mitte der zwanziger Jahre, der Zeit der ersten Transatlantikflüge, feiert es den Einbruch einer neuen Ära, in der die Natur endgültig durch die Technik bezwungen wird. Es spricht sich bereits herum, „das große gefürchtete Meer/Sei ein kleines Wasser". In dem nicht mehr aufzuhaltenden Zeitalter der Maschine „braucht es nur einen Bürger", um fortan die Arbeit vieler zu leisten. Freilich werden Opfer in Kauf zu nehmen sein, wenn sich die Städte zu Mammutsiedlungen zusammenschließen, aber das Endresultat wird ein tolles Leben in der Großstadt sein.

Setzt man das Gedicht in seinen Zusammenhang innerhalb des Fragments und behandelt es als Calvins Abschiedsrede vom elektrischen Stuhl herab, so kann diese Interpretation nicht zufriedenstellen. Warum soll Calvin auf einmal die Großstadt preisen, die er bereits als Junge uninteressant fand und in der er nun völlig unter die Räder geraten ist? Dem einen der beiden Stückpläne ist zu entnehmen, daß Calvins Untergang von Fleischhacker selbst beschlossen wurde. Die vorgesehene Reihenfolge der Calvin-Szenen rückt die „Rede" in ein völlig neues Licht:

7 Corner / 8 Calvins Streik / 9 Calvins Untergang beschlossen von F / 10 Calvins Verhaftung Tod der familie mitchel / 11 / 12 Calvins Tod und Rede / 13 Weizenschlacht . . .[47]

Calvins Hinrichtung ist offensichtlich als Folge seiner Teilnahme an einem Streik oder sogar seiner Funktion als Streikführer im Kampf gegen die Kapitalisten zu werten. Die Parallelen zu dem Fall Sacco-Vanzetti, der ab 1926 mit Schlagzeilen durch die Weltpresse ging, sind nicht zu übersehen. Die beiden italienischen Einwanderer lebten über sieben Jahre im Gefängnis, bis sie im August 1927 auf dem elektrischen Stuhl in Boston ihren Tod fanden. Während der letzten zwei Jahre ihres Wartens auf die Urteilsvollstreckung erhoben sich in aller Welt Proteste gegen den amerikanischen Justizskandal, und in allen europäischen Hauptstädten einschließlich Berlins fanden Sympathiekundgebungen und Demonstrationen statt. Sowohl der kaschierte Bezug innerhalb der ersten Strophe des Gedichts auf die Transatlantikflüge als auch die Parallelsituation zu Sacco-Vanzetti weisen eher auf eine spätere Entstehung des Gedichts als 1925.

Calvin findet als kämpfender Proletarier sein Ende und wird auf dem elektrischen Stuhl zum Sprecher der zahllosen Unterdrückten. Aus dieser Sicht gewinnen seine Worte einen völlig neuen Sinn. Gewiß bezieht er sich anfangs auf den Beginn einer neuen Epoche, in der durch die Technik Unvorstellbares ermöglicht wird. Deshalb konnte Brecht ohne Schwierigkeiten diesen Teil unverändert in die Szene „Ideologie" des Lehrstückes *Der Lindberghflug* übernehmen, wo der Sieg der Technik über die Natur gepriesen wird. Der Bezug auf die Überquerung des Ozeans per Flugzeug wird endgültig deutlich.[48]

Calvin setzt sich über seinen Hinrichtungstod hinweg, denn er sieht ein verheißungsvolles Zeitalter herannahen. Mit dem Wachstum der Städte haben vor allem die Reihen der Arbeiter zugenommen. Was ihnen fehlt — und Calvin spricht hier als erfahrener Streikleiter — ist ein einzelner, der bereitwillig die Führung übernimmt und zum Kampf gegen die Unterdrükker aufruft. Der Tod seiner Familienangehörigen ist eine persönliche Tragödie, die im Lichte der großen sozialen Umwälzungen unbedeutend bleiben muß, solange die Städte, und damit sind die in den Städten wohnenden Industriesklaven gemeint, sich zusammenschließen. Hier wird in prophetischer Sicht die solidarische Vereinigung der Städte vorausgeahnt. Die beschränkte Zeit der blutigen Umwälzungen wird als die „höchste" gelten, „die der Menschheit geschenkt wird". Zwar gibt es auf allen Kontinenten noch Menschen, die einander fremd sind, aber nach der Periode der Umwälzungen wird es keine Unglücklichen mehr geben, sie werden nicht mehr „geduldet", d. h. auch sie werden bekehrt von der allgemeinen Verbrüderung. Einträchtig werden die negativen Aspekte des Lebens bekämpft und tatkräftig wird dem Übel, dem Elend und der Ausbeutung Einhalt geboten. Dann erst wird das Menschsein zu einem großartigen Erlebnis und „das Leben wird für zu kurz gelten". Calvin Mitchel nimmt hier das Endresultat der beginnenden Proteste, Unruhen und Streiks vorweg, er sieht den Sieg der Unterdrückten voraus.

An einigen Entwürfen ist Brechts Versuch erkennbar, die Familie Mitchel in ein engeres Verhältnis zu Joe Fleischhacker zu bringen. Er gilt dort als ein verlorener Sohn der Familie, der als dreiwöchiger Säugling in Zeitungspapier eingewickelt ausgesetzt wurde.[49] Als die Eltern erfahren, daß ihr „verlorenes" Kind noch am Leben ist und sogar zu Ruhm und Reichtum gelangte und Besitzer vieler Häuser in der Stadt ist, geben sie voreilig ihre Wohnungssuche auf und verlassen sich auf seine Hilfe.[50] Sämtliche Entwürfe verweisen aber auf ein und dasselbe Ende: den Hungertod der Familie aus der Savannah und den Ruin des Spekulanten.

Für die Zuschauer sollte Fleischhackers Untergang „lehrreich" sein, die Machinationen der Kapitalisten sollten aufgezeigt und ihre verheerenden Auswirkungen öffentlich angeprangert werden. Aber hier traf Brecht auf unüberwindliche Schwierigkeiten, nicht nur vom Dramaturgischen her, wie er und E. Hauptmann es später zu erklären versuchten. Die beiden Handlungsstränge – die Mitchel- und Fleischhackerepisoden – ließen sich nicht wirkungsvoll genug verbinden. Notgedrungen mußte der Untergang der Familie dem des Maklers vorausgehen, denn die Familienmitglieder sind ja die Opfer seiner frühen Börsenmanöver. Fleischhackers Untergang hätte jedoch das Elend der Mitchels relativiert, denn dadurch würde bewiesen, daß weder Reiche noch Arme im kapitalistischen System sicher sind; beide können ihm zum Opfer fallen. Mit seinem plötzlichen Ruin wird der Grund für den Volksaufstand beseitigt: über Nacht stürzen die Weizenpreise auf

einen noch nie dagewesenen Tiefpunkt, und es beginnt eine für die hungrigen Massen besonders günstige Zeit. Erst durch Fleischhackers Spekulationen wurde der massive Weizenanbau ausgelöst. Auch trug der Zufall des guten Wetters nicht unbeträchtlich zu einer guten Ernte bei. Dieser totale Umschwung von negativen zu positiven Auswirkungen der Fleischhacker-Spe-
kulationen gegen Ende des Stückes ist, wenn nicht vom ideologischen, so
zumindest vom dramaturgischen Standpunkt aus ein großes Minus. Wäre
der „gerechte und verdiente" Untergang des Spekulanten wirklich noch so
„lehrreich"? Worin bestünde die Lehre? Nur in der Erkenntnis, daß weder
Reiche noch Arme Kontrolle über ihr eigenes Wohlergehen haben und ihr
Los von vielen Imponderabilien abhängt? Daß Wohlstand und Armut des
einzelnen im Kapitalismus dem Zufall überlassen bleiben und somit alle
dennoch die gleiche Chance haben?

In einem Entwurf mit dem Titel „Vor das Rad zurückgeht", also für eine
Szene vor dem Untergang, schrieb Brecht:

> Wenn ihr in euren Jahrbüchern verzeichnet lest
> J. Fleischhackers lehrreichen Untergang
> so wißt: es war etwas später Regen der Anlaß
> im fernen blutigen Indien, oder besser,
> weil sein Hut grau war statt schwarz
> an einem Tag
> dieses blutigen Oktobers oder weil's Pflastersteine
> regnete, unvorhergesehen Wasser aus der Erd
> zum Himmel floß, statt umgekehrt, Fleisch mehr
> wurde am Tisch durch hastiges Essen, ewiger Stein
> zerfiel vor „ewig" aus war, denn an diesem Tag
> dieses blutigen Oktobers war „ewig" kürzer
> als sonst.
> Aber wißt nicht zuviel, wenn ihr dieses wißt.[51]

Brecht sah die Gefahr, daß der Zuschauer dies als die Launen der Glücks-
göttin oder das Auf und Ab des Glücksrades verstehen würde, und unterstützt hier diese Interpretation. Der Kapitalismus ist alles andere als ein
„System". In ihm läßt sich nicht für die Zukunft planen. Aufgabe der letzten Szene wäre es gewesen, diese im Grunde oberflächliche Ausdeutung der
Zustände wirksam zu verhindern und die Trennungslinie zwischen den
Klassen klarer herauszuarbeiten oder aber dem Kapitalismus eine glaubhaf-
te Alternative gegenüberzustellen. Mit der für das Stück geplanten Struktur

war dies praktisch unmöglich. Für die entscheidenden Szenen des zweiten Handlungsstranges und den beide vereinigenden Schluß fehlen denn auch jegliche Entwürfe. Brecht geriet in Schwierigkeiten. Er hatte noch keine klare Antwort, er suchte nach einer Lösung. In einer ausgearbeiteten Vorrede gibt Brecht deutlich zu verstehen, worum es ihm in *Joe Fleischhacker* vor allem ging: die weniger bekannten Dinge, die mit dem Geld zu tun haben, ans Licht zu bringen. Die Wichtigkeit des Geldes werde zwar allgemein anerkannt, obwohl man selten davon spreche. Jeder ehre den Wohlhabenden, ohne es sich eingestehen zu wollen. Es sei gewöhnlich sehr ehrenhaft, durch geringe Anstrengung zu Geld zu kommen, wie durch Fleiß, Beziehungen oder Schlauheit. Sich es aber ohne jegliche Gegenleistung zu verschaffen, gelte nicht einmal als unehrenwert. Während es ehrenvoll sein könne, für das Vaterland zu lügen, sei es unehrenhaft, für Geld zu lügen, obgleich der einmal zu Geld gekommene Bürger mit Respekt behandelt werde. Aus diesen Gründen seien alle Dinge, „die sich um das Geld herum abspielen, wenig bekannt".[52] Andererseits habe bei vielen Dingen das, was über sie unbekannt geblieben ist, gerade mit Geld zu tun. Weil diese dunklen Seiten nicht ausgeleuchtet werden, entstehe folglich ein falsches Bild, und solch ein falsches Bild „entsteht z. B. beinahe immer von Kriegen".

Zu dem Thema „Eigenartigkeit von Geldkatastrophen"[53] schreibt Brecht, der „Hurrikan", in den die Mitchels geraten, müsse möglichst „nüchtern" und „kalt" geschildert werden, ohne jegliche „Romantik". Ihr Untergang werde durch Worte bewirkt, die „flach, abgegriffen" und „unpolitisch" sind wie Geldmünzen. Für ihn ist es eine charakteristische Eigenschaft finanzieller Katastrophen, daß sie sich grundlegend von den durch „kriegerische Leidenschaften oder durch Liebe" veranlaßten Katastrophen unterscheiden, und zwar durch das Trockene, Abgeklärte und Stimmungslose, das nichts Aufsehenerregendes enthält. Gerade diese nach außen hin neutrale, unsichtbare Macht des Geldes muß in ihrer ganzen Furchtbarkeit aufgezeigt werden. In unserer Zeit werden Katastrophen nicht mehr durch leidenschaftliche Gefühlsausbrüche bedingt. Die Gründe sind vielfältig und unauffällig, z. B. Mangel an Information, ein Zuwenig oder Zuviel an Anpassungsfähigkeit, die Unmöglichkeit gegenseitiger Verständigung sowie die durch verschiedene Faktoren bedingte ständige Veränderung der Lage, die eine klare Orientierung erschwert, wenn nicht gar unmöglich macht und somit zu dem für Großstadtmenschen typischen Gefühl der Unsicherheit führt. Von der ersten Konzeption des Stückes als einer Mischung aus einer „physikalischen Geldgeschichte" und einer „sentimentalen Familiengeschichte" aus einem

„Groschenroman" ist wirklich wenig übriggeblieben. Der Aufriß hätte demnach „etwas klotzig" und „nicht zu sehr komponiert" sein und „gute Laune" verbreiten sollen.[54] In *Joe Fleischhacker* wird die neue Tendenz Brechts um ein Vielfaches deutlicher als in den Änderungen zu *Dan Drew*.

Um die marxistische These „Krieg ist Fortsetzung des Geschäfts mit anderen Mitteln" verständlich zu machen, mußten zuerst diese im dunkeln gelassen, ja absichtlich verheimlichten Aspekte des kapitalistischen Systems ans Licht gerückt und unter die Lupe genommen werden. Welch besseres Milieu böte sich hier an als das amerikanische! Amerika, die Hochburg des Kapitalismus, wo die Kapitalisten in aller Offenheit über ihre Methoden geschrieben hatten. Wie wir wissen, stammen auch die Quellen ausschließlich aus der amerikanischen Literatur. Brechts Haltung dem Kapitalismus und Amerika gegenüber war zu Anfang der Arbeiten zu diesem Stück zumindest ambivalent. Auf der einen Seite Faszination und Begeisterung für das Spielerisch-Sportliche am Existenzkampf in der Stadt, auf der anderen Seite eine mit den Studien des Kapitalismus Hand in Hand gehende, zunehmende Ablehnung der Auswirkungen. Diese Ambivalenz spiegelt sich in der Sprache und den Motiven wider. Das Pokerspielhafte der Maklergeschäfte kontrastiert scharf mit den blutig ernsten Folgen: Der Name des Spekulanten spricht Bände: „Fleischhacker". Er ist ein Schlächter im wahrsten Sinne des Wortes. Seinen frühen Erfolg verdankt er brutalen Schlachthofmethoden, sein Kontor liegt „in der Nähe der Schlachthöfe",[55] seine Ausdrucksweise verrät auf Schritt und Tritt, daß er im Grunde der grobe Schlächtertyp geblieben ist, auch wenn er sich nunmehr durch „saubere" Methoden weiter bereichert, „sein Stück Fleisch" herausschneidet.[56] Wie er sich auszudrücken pflegte, arbeitet er auf der Börse „mit Messer" und „Nackenschlag".[57] Mit Freude sieht er dem nächsten großen „Schlachten" entgegen und bereitet sich dementsprechend darauf vor; sein Frühstück besteht aus „Fleisch von überfressenen Bullen und thränengenetzten Dollars", seit Tagen ißt er nur noch rohes Fleisch.[58]

Um das amerikanisch-kapitalistische System, das er von nun an als ein gegenseitiges Hinschlachten charakterisiert, genauer verstehen zu können, verlegte sich Brecht auf nationalökonomische Studien, befaßte sich mit Theorien des Geldes, besuchte Abendkurse in der Berliner Arbeiterschule und stürzte sich in das Studium des Marxismus.

Rückblickend auf jene Zeit gab Brecht zu, daß er in seinen ersten Dramen „über eine nihilistische Kritik der bürgerlichen Gesellschaft" nicht hinausgekommen war.[59] Weder Eisensteins Filme noch die Inszenierung Piscators hatten ihn zum Studium des Marxismus geführt. Den entscheidenden Schritt unternahm er erst im Laufe der Arbeiten zu *Joe Fleischhacker*.

Für ein bestimmtes Theaterstück brauchte ich als Hintergrund die Weizenbörse Chicagos. Ich dachte, durch einige Umfragen bei Spezialisten und Praktikern mir rasch die nötigen Kenntnisse verschaffen zu können. Die Sache kam anders. Niemand, weder einige bekannte Wirtschaftsschriftsteller noch Geschäftsleute – einem Makler, der an der Chicagoer Börse sein Leben lang gearbeitet hatte, reiste ich von Berlin bis nach Wien nach –, niemand konnte mir die Vorgänge an der Weizenbörse hinreichend erklären. Ich gewann den Eindruck, daß diese Vorgänge schlechthin unerklärlich, das heißt von der Vernunft nicht erfaßbar, und das heißt wieder einfach unvernünftig waren. Die Art, wie das Getreide der Welt verteilt wurde, war schlechthin unbegreiflich. Von jedem Standpunkt aus außer demjenigen einer Handvoll Spekulanten war dieser Getreidemarkt ein einziger Sumpf. Das geplante Drama wurde nicht geschrieben, statt dessen begann ich Marx zu lesen, und da, jetzt erst, las ich Marx. Jetzt erst wurden meine eigenen zerstreuten praktischen Erfahrungen und Eindrücke richtig lebendig.[60]

Dennoch kam Brecht vom Stoff des „ungeschriebenen" Stückes nicht los. Seine Notizen verraten seine weitere Beschäftigung damit bis 1928/29, bis in die Zeit nach der von Piscator für die Saison 1927/28 angesetzten Inszenierung unter dem Titel „Weizen". Jahre danach, im Exil noch, nimmt er sich den Stoff wieder vor und denkt daran, ein Drehbuch für einen Film daraus zu machen. Aber auch diese Drehbuchfabel, *Der Hamlet der Weizenbörse*, bleibt fragmentarisch.[61] Die von einem Journalisten zum besten gegebene „kleine Geschichte aus der neueren Zeit" folgt in groben Zügen dem für *Joe Fleischhacker* vorgesehenen Handlungsverlauf. „Jay" hat durch seinen Corner nicht nur innerhalb der Börse Unheil angerichtet. Der steigende Brotpreis verschlimmert die bereits angespannte Lage; im Baugeschäft, in der Schwerindustrie, im Kleinhandel, in den Packhöfen und Elektrizitätswerken treten die Arbeiter vereinigt in den Streik. Sie demonstrieren „gegen die Umtriebe der Spekulanten an der Weizenbörse". Jays Spekulationen werden auf ähnliche Weise erklärt wie zuvor; aber bei dem erneuten Versuch, eine direkte Verbindung zwischen Jay und den einzelnen Leidtragenden aus der Masse herzustellen, bricht der Fabelentwurf jäh ab:

Jay hatte im Herbst ein merkwürdiges Erlebnis gehabt. Er hatte seine Mutter getroffen.

Zwischen den Säulen der Börse war ihm eine ärmlich gekleidete Frau entgegengetreten, begleitet von zwei jungen Leuten, ihrem Sohn und ihrer Tochter, wie es sich herausstellte . . .[62]

Über den Schluß der Fabel lassen sich nur Spekulationen anstellen. Aber der Untergang Jays wird, zumindest der Einleitung nach, „mit Recht als eine Tragödie des Zauderns" bezeichnet.[63] Brechts Verständnis von *Hamlet* geht dahin, daß der Prinz kein positiver Held sein kann, weil er sich im entscheidenden Augenblick, im Übergang zur Tat, unvernünftig verhält und falsch handelt.[64] Auf Jay übertragen hieße dies, sein langes Zögern nach dem geglückten Corner, seinen Weizen schnell abzustoßen, anstatt sich weiterhin auf Bullenspekulation einzustellen, führt zu seinem Ruin. Aber hiermit würde die Katastrophe auf persönliche Umstände zurückgeführt und nicht auf die Beschaffenheit des Wirtschaftssystems. Brecht geriet offensichtlich bei der Bearbeitung gerade des Stoffes, der ihn dem Marxismus näher brachte, immer wieder in eine Sackgasse. Die Ansätze zu diesem Themenkomplex waren vor dem Studium des Marxismus entstanden und ließen sich nicht mehr nachträglich in das richtige ideologische Gleis bringen.

Im Rückblick auf Brechts Produktion während der Jahre 1924 bis 1926 läßt sich eine erhebliche Intensivierung der Beschäftigung mit Amerika feststellen. Seine literarischen Arbeiten geben Zeugnis von einer zuerst fast naiven Bewunderung aller Einflüsse aus Übersee. Er folgt darin in großem Maße seinen Altersgenossen und baut mit an einem mythischen Amerika, das wenig mit den wahren Verhältnissen in den Vereinigten Staaten jener Zeit zu tun hat. Zeitgenössische Probleme wie die Prohibition (1919–33) oder der langwierige Kampf gegen den skandalösen Justizmord an den unschuldigen Arbeitern Sacco und Vanzetti (1920–1927), die viele sozialistische Künstler spontan zur Produktion anregten, überging er praktisch völlig. Der Schauplatz des mythischen Amerika hatte bei ihm zuweilen die Funktion, die zu betrachtenden Probleme zu verfremden. Im Zuge der in Deutschland um sich greifenden Amerikabegeisterung, die erstaunlicherweise selbst in linken Kreisen zu beobachten war, beginnt er sich konkret für Amerika zu interessieren, allerdings für das Amerika zur Zeit der Jahrhundertwende, wie es in zahlreichen Romanen charakterisiert worden war. Bücher wie *The Jungle* und *The Octopus* enthielten das Thema, das Brecht so lange beschäftigen sollte: den Einzug einer Landfamilie in die Stadt. *The Book of Daniel Drew* und Andersons *Poor White*[65] behandeln ebenso das Thema der aufsteigenden Städte und zunehmenden Industrialisierung, den Aufbruch eines neuen Zeitalters.

Aus dem persönlichen Verlangen, auf schnellstem Wege zu Erfolg und

Reichtum zu gelangen, vertieft er sich in die Lebensgeschichten großer amerikanischer Kapitalisten. Darin trifft er auf Charaktere, die dem Ideal der vitalitätstrotzenden, selbstherrlichen Figuren seiner eigenen Stücke entsprechen. Obwohl seine bisherige Lektüre amerikanischer Literatur (vgl. *The Jungle!*) sein soziales Gewissen hätte erwecken müssen, verrät seine literarische Produktion bis 1925 nur die Faszination für Kampf, Spiel und Sport. Seit dem Kontakt mit Myers' marxistischem Werk über die Geschichte der großen Vermögen Amerikas zeichnet sich eine Änderung in Brechts Haltung nicht nur den Kapitalisten, sondern auch den Großstädten, dem technischen Fortschritt und Amerika gegenüber ab. Der überhandnehmende Amerikanismus gibt ihm zu denken, und Pläne entstehen, eine Parodie darüber zu schreiben. Das eingehende Studium der Theorie des Geldes und des Kapitalismus bringt ihn endgültig ins Lager der Marxisten. Gewiß, er hatte zuvor enge Kontakte mit einigen von ihnen, empfing manche Inspiration aus ihren Werken, Veröffentlichungen und Inszenierungen. Doch der entscheidende Schritt kam erst, als er der Sache der amerikanischen Börsenspekulationen auf den Grund ging. Es wird sich jedoch zeigen, daß die Umwertung des Komplexes „Amerika" nicht sofort und eindeutig vorgenommen wird. Amerika, Hochburg des nunmehr verhaßten kapitalistischen Wirtschaftssystems, übt weiterhin eine beträchtliche Anziehungskraft auf Brecht aus. Aber die Tage ungeteilter Bewunderung alles Amerikanischen sind gezählt.

Obwohl der neue Ausblick sein starkes Interesse an amerikanischer Literatur nicht zu schmälern vermochte, liest Brecht von nun an mit neuen Augen. Er entnimmt seiner Lektüre fortan eindrucksvolle Szenen mit „Materialwert", die die Solidarität der Arbeiter innerhalb des Kapitalismus veranschaulichen helfen. Das erste Beispiel dieser Art ist das Gedicht „Kohlen für Mike", das im Frühjahr 1926 unmittelbar im Anschluß an die Lektüre von Sherwood Andersons *Poor White* entstand.[66] Der Roman beschreibt die Lebensgeschichte eines Hugh McVey zur Zeit der zunehmenden Industrialisierung Amerikas. Als „armer Weißer" aus Missouri arbeitet er sich bei Pflegeeltern hoch, entwickelt sein praktisches Talent und zieht gen Osten in die neuen Industriezentren. Als Telegraphist und Stationsmeister bei der Eisenbahn brütet er über technischen Lehrbüchern und erfindet einige die Landwirtschaft revolutionierende Maschinen. Reich und berühmt geworden, heiratet er die Tochter eines seiner Finanziers, bewahrt sich aber ein soziales Gewissen im Gegensatz zu den anderen Neureichen. Hauptthemen des Buches sind der langsame Wandel eines ländlichen Ortes in eine kleine Industriestadt und die bei der Anpassung an den neuen Lebensstil entstehenden

Probleme. Das ruhige Landleben weicht der Geschäftigkeit und Rastlosigkeit eines erwachenden Fabrikstädtchens. Einzelne Handwerker morden vergeblich, um der Verdrängung durch die Konkurrenz der Fabriken zuvorzukommen; die ersten Sozialisten bekämpfen das entstehende System, andere werden zu extremen kapitalistischen Ausbeutern. Der Roman als solcher hatte wenig Nachwirkung auf Brecht, denn zu jener Zeit (Ostern 1926) hatte er das Thema der Industrialisierung, Landflucht und Verstädterung wiederholt behandelt. Es konnte nur frisches Wasser auf alte Mühlen bedeuten. Lediglich zwei innerhalb des Romans nebensächliche Stellen mit Materialwert (die übrigens sehr dicht aufeinanderfolgen) prägten sich ihm deshalb ein. Die erste liefert eine Beschreibung der Atmosphäre vor Chicagos Schlachthöfen, wo das Vieh noch einmal gemästet wird,[67] die andere bringt den Stoff für „Kohlen für Mike".

Wie Schuhmann treffend bemerkt, entsteht mit der Veröffentlichung des Gedichts[68] Brechts neuer Typ der Chronik, der sich von dem alten der *Taschenpostille* in Lebens- und Weltauffassung von Grund auf unterscheidet:

> Der neue Held hat nichts mehr mit den großen Asozialen der Augsburger Zeit gemeinsam. Ihr Einzelgängertum, ihre Absonderung von der Gesellschaft, ihre ausweglose Flucht in die Natur und ihr sinnloser Existenzkampf sind ihm fremd.[69]

Schuhmann geht in seiner ausführlichen Besprechung des Gedichts zu weit, wenn er von „unauffälligen, aber umso gewaltigeren Sinnvertiefungen" spricht, die Brecht an seinem Text vorgenommen haben soll.[70] Mit Ausnahme der von Brecht zugespitzten sozialen Klassifizierung der Witwe (Armut!), der Erfindung ihres Vornamens (Mary) und McCoys tödlicher Berufskrankheit decken sich Roman und Chronik in allen Einzelheiten. Obgleich die Texte von Roman und Gedicht gegenübergestellt werden, versteht Schuhmann durch geschicktes frühzeitiges Abbrechen des Romanzitats den falschen Eindruck zu erwecken, die solidarische Haltung der Eisenbahnarbeiter bei Anderson sei „zufällig" und entspringe „irgendeiner Laune",[71] während bei Brecht die Unterstützung der Witwe „organisiert, dauerhaft, zuverlässig" ist und zum Zeugnis einer „neuen moralischen Haltung" wird.[72] Der von Schuhmann auf Seite 212 zitierten Romanstelle fehlt der aufschlußreiche Schlußsatz:

> On Sunday mornings Hugh took a crosscut saw and cut the railroad ties into lengths that would go into the kitchen stove.[73]

Der auf regelmäßig wiederholte, habituelle Aktionen hinweisende Ausdruck „on Sunday mornings" sowie das drei Seiten später erwähnte erneute Beispiel dieser Unterstützung am folgenden Abend machen deutlich, daß Witwe McCoy keineswegs auf die Launen einiger hilfsbereiter Arbeiter angewiesen war. Auch bei Anderson ist die Arbeiterschaft organisiert und bringt diese Hilfe regelmäßig unter dem Risiko, von der Verwaltung der Wheeling Railroad dabei ertappt zu werden. Brecht unterläuft bei der Adaptierung eher noch ein Fehler, wenn er den Beruf des Verstorbenen zuerst wie Anderson als „Streckenwärter" (section hand), zuletzt aber – wegen der erfundenen Todesursache – als „Bremser" angibt.

Die so eng adaptierte Chronik bleibt dennoch symptomatisch für Brechts weitere Entwicklung. Von nun an sind die anonymen Arbeiter, kameradschaftlichen Helfer und solidarischen Kämpfer die Helden seiner Werke. Dem sozialen Unrecht muß tatkräftig unter selbstloser Aufopferung gemeinsam entgegengetreten werden. Wie bereits in den späten Änderungsversuchen zu *Dan Drew* und *Joe Fleischhacker* angedeutet, kehrt Brecht den frühen Idealen den Rücken. Die Begeisterung für das Gesetz des Stärkeren, den brutalen Existenzkampf im Dschungel der Städte und die Verherrlichung der harten, vitalen, breitschultrigen Kämpfertypen und sozialen Außenseiter verschwinden von der Bildfläche. An ihre Stelle treten die vielen Anonymen, die solidarisch gegen die sozialen Ungerechtigkeiten der kapitalistischen Welt ankämpfen. Vorerst versuchen sie noch innerhalb des Systems die Not lindern zu helfen. Nach dem Studium des Marxismus wird auch dies als unzulänglich erkannt und dem System als solchem der Krieg erklärt.

KAPITEL III

1927–1933
AMERIKA WIRD ZUR VERKÖRPERUNG DES KAPITALISMUS

a. Studium des Marxismus und Neuinterpretation
der früheren Werke

Brecht widmet in den nächsten Jahren dem Studium von Marx und Engels seine ungeteilte Aufmerksamkeit. Er nimmt Abendkurse an der Berliner Arbeiterschule (MASCH) in Neukölln, hört Vorlesungen bei dem Soziologen Fritz Sternberg und dem Marx-Kenner Karl Korsch. Es war, wie bereits erwähnt, in erster Linie die intensive Beschäftigung mit Amerika – insbesondere die mit dem *Fleischhacker*-Stück verbundenen Vorarbeiten – gewesen, die Brecht dazu anspornte, sich in dieser Richtung genauere Kenntnisse anzueignen. Über den Studien sah Brecht immer mehr ein, daß es für ihn unmöglich war, im alten Stil weiter zu produzieren. Die verschiedenen Arbeiten des Jahres 1926 an *Dan Drew* und *Joe Fleischhacker* mit Neuansätzen und Neuinterpretationen wiesen bereits in die neue Richtung, die fortan für Brecht ausschlaggebend wird. Für die Gestaltung moderner Konflikte reichten die alten Formen nicht mehr aus, es mußten neue geschaffen werden. Die bewußte und systematische Suche nach dem neuen Drama, dem „epischen Theater", wird weiterhin mit voller Energie vorangetrieben, seine bisher oft widersprüchlichen Äußerungen zu Dichtkunst und Politik kommen immer mehr auf einen gemeinsamen Nenner.[1] Eine klare Linie beginnt sich langsam herauszukristallisieren. War seine ursprünglich antibürgerliche Haltung, seine Opposition gegen die bestehenden gesellschaftlichen Institutionen, bisher oft nur Beispiel einer aus dem Generationsunterschied entsprungenen Rebellionslust gegen alles Althergebrachte, so kommt mit der bewußten Hinwendung zum Marxismus die Systematik in sein Denken. Seine Kritik gilt nicht mehr einzelnen Aspekten der Gesellschaft. Aus der neugewonnenen politischen Überzeugung heraus, die ihm unter anderem nachträglich zum klaren Verständnis seiner eigenen frühen Ansichten verholfen haben soll,[2] lehnt er die bestehende Gesellschaft rundweg ab und ist bereit, aktiv am Kampf für ein neues Gesellschaftssystem teilzunehmen. Nach Erkenntnis des historischen Prinzips des Klassenkampfes unternimmt er es, seine bisherige literarische Produktion von marxistischer Warte aus neu zu interpretieren, beziehungsweise umzuarbeiten. Seine gesamte Produktion wird im nachhinein sozusagen auf ihren „Gebrauchswert" hin untersucht. Für Brecht gibt es nunmehr keine neutrale Kunst mehr; er wird zum engagierten Dichter, dem daran gelegen ist, seine früheren Werke wenn möglich zu rehabilitieren. So kommt es zur Neuinterpretation von *Baal*, dessen selbstherrliche Reaktion gegen die Bourgeoisie als inadäquat erscheint,[3] und schließlich um 1930 zu den Umarbeitungen für *Der böse Baal der asoziale*, wo das neue Denken klaren Ausdruck findet:

die welt ist kalt

darum verändert sie

ist der mensch wärme gewohnt

und erfriert ohne mantel

gebt ihm den mantel gleich

der denkende liebt

die welt wie sie wird.[4]

Trommeln in der Nacht nennt Brecht ein „Anschauungsmaterial wie nicht leicht eines", denn hier ergab sich die Gelegenheit, den „falschen Proletarier", den fatalen „Revolutionär", kennenzulernen.[5] Wie schon erwähnt, wurden im Laufe der Überarbeitung von *Im Dickicht* die persönlichen, psychologischen Momente weitgehend gestrichen und der Versuch unternommen, den metaphysischen Kampf der beiden Antagonisten dem Klassenkampf näherzubringen. *Mann ist Mann* betrachtet er 1927 als ein Gleichnis auf den Unterschied zwischen Individuum und Kollektiv, wobei er letzterem – wenn auch zögernd – den Vorzug (!) zu geben scheint.[6]

In den nächsten Produktionen zeichnet sich die marxistische Wertung noch ziemlich undeutlich ab: in der *Dreigroschenoper* (1928), *Happy End* (1929) und der Oper *Aufstieg und Fall der Stadt Mahagonny* (1928/29). Die Funktion des Lehrens wird zur raison d'être der Lehrstücke *Flug der Lindberghs* (1929), *Das Badener Lehrstück vom Einverständnis* (1929), *Der Jasager* und *Der Neinsager* (1929/30), bis schließlich der Standpunkt der Partei offen in *Die Maßnahme* (1929/30) vertreten wird.

Parallel zu dieser in den Bühnenstücken einsetzenden Abwendung von der früheren, durch Exotismen und Abenteuerromantik überwucherten, oft widersprüchlichen Zeitkritik zugunsten einer immer deutlicher werdenden homogen marxistischen Gesellschaftskritik vollzieht sich eine Änderung in

Brechts Lyrik. Die gewohnten Themen von Vergänglichkeit, Tod, sehnsuchtsvoller Rückkehr in den Kreislauf der Natur befaßten sich fast ausschließlich mit dem Menschen als Individuum und nicht als gesellschaftlichem Wesen. Die wenigen gesellschaftskritischen Gedichte wandten sich gegen Kriegshetzerei, Nationalismus und mißverstandenen Patriotismus.[7] Der Unterschied der Klassen blieb in ihnen unerwähnt. Erst ab 1927 – in den Kranliedern – schlägt sich die marxistische Terminologie in Brechts Gedichten nieder.

Brechts Wendung zum Marxismus vollzog sich allmählich. Nur langsam wurde er zum Dichter der neuen Ideologie. Den entscheidenden „Betriebsunfall", der diese Neuorientierung beschleunigte und intensivierte, hatte bekanntlich die Beschäftigung mit Amerika hervorgerufen. Brecht hatte schon jahrelang in seinen Kritiken seiner Enttäuschung über das zeitgenössische Drama und den Theaterbetrieb Ausdruck verschafft. Seine angestrengte Suche nach dem neuen Drama wurde mit Annahme der marxistischen Ideologie in neue Bahnen, zum Lehrstück hin gelenkt. Im Jahre 1926 postulierte Brecht erstmals das epische Theater. Es folgten Jahre unsystematischer Äußerungen zu Fragen der neuen Theorie, und erst nach Abschluß der Arbeiten zur Oper *Aufstieg und Fall der Stadt Mahagonny* gibt Brecht in den dazugehörigen Anmerkungen[8] eine zusammenhängende Darstellung seiner Theorien vom epischen Theater und der epischen Oper. Es ist bezeichnend, daß diese Neuorientierung in Politik und Poetik von der Beschäftigung mit einem amerikanischen Sujet ausging und – nach wiederholter Unterbrechung durch die Arbeiten an der *Dreigroschenoper* und *Happy End* – bei der Behandlung eines amerikanischen Opernsujets ihren vorläufigen Abschluß fand. Zum erstenmal zeichnen sich fest definierte Positionen ab.

Ähnlich wie in der *Dreigroschenoper,* doch in verstärktem Maße, wird in der Oper *Mahagonny* Gesellschaftskritik mit Kunstkritik verbunden. Ihre gesellschaftskritische Funktion lag auf der Hand, und die Kritiker erkannten Brechts zugegebene Absicht, Art und Wesen der spätkapitalistischen Gesellschaft anzugreifen, die solche kulinarischen Opern benötigte.[9] Diese klar ausgedrückte Intention konnte jedoch nicht über das Widerspruchsvolle des Werkes hinwegtäuschen, und die Kritik hat dies stets als einen der Kardinalfehler hervorgehoben. Sowohl bürgerliche als auch marxistische Kritiker äußerten sich ablehnend. Die Widersprüche erklären sich bei einem Blick auf die Entstehungsgeschichte der Oper. David Drew liefert hierzu in seinem 1963 in der englischen Zeitschrift *The Musical Times* erschienenen Artikel „The History of Mahagonny" wichtige Informationen.[10] Danach machte sich Kurt Weill im Mai 1927 daran, die soeben in der *Hauspostille* erschienenen und von ihm sehr hochgeschätzten „Mahagonnygesänge" für die Musikfestspiele in Baden-Baden zu vertonen. Nach Diskussionen mit Caspar Neher entschlossen sich Weill und Brecht für ein einfaches Szenar ohne Charaktere und Handlung. Die Hauspostillentexte wurden unverändert übernommen, Brecht fügt lediglich ein Finale hinzu. Obwohl die Gesänge keine dramatische Handlung andeuten, wurden sie für die Kompositionen auf sechs Solostimmen verteilt, denen man amerikanische Namen gab. Charlie und Billie (Tenor), Bobby und Jimmy (Bass), Jessie und Bessie (Soubrette).[11] Das Werk erhielt den Titel *Mahagonny Songspiel* (Das kleine Mahagonny) und wurde am 17. Juli 1927 in Baden-Baden unter Brechts eigener Regie uraufgeführt. Dirigent war Ernst Mehlich. Die Bühne war in einen Boxring verwandelt, hinter der Projektionen auf eine von C. Neher entworfene Wand geworfen wurden.[12] Im Programmheft zur Aufführung erschien ein kurzer Kommentar, der Brecht zugeschrieben wird:

... Das kleine epische Stück – Mahagonny zieht lediglich die Konsequenzen aus dem unaufhaltsamen Verfall der bestehenden Gesellschaftsschichten. Er [sic] wendet sich bereits an ein Publikum, das im Theater naiv seinen Spaß verlangt.[13]

Brecht gibt dem Songspiel eine gesellschaftskritische Funktion, was überrascht, wenn man an die Rolle der Mahagonnygesänge innerhalb der *Hauspostille* denkt. Woher kommt überhaupt der Begriff „Mahagonny" und was versinnbildlicht er? Arnolt Bronnen zufolge hatte das braune München der frühen zwanziger Jahre Brecht dazu inspiriert, den Namen „Mahagonny" zu prägen:

Brecht hatte damals zuerst das Wort „Mahagonny" gefunden. Es war in ihm aufgetaucht, als er diese Massen braunbehemdeter Kleinbürger gesehen hatte, hölzerne Gestalten mit ihrer falsch eingefärbten, durchlöcherten roten Fahne. Der Begriff wuchs ihm aus dem Wort, wandelte sich mit ihm, doch in jenem Sommer mochte er ihm zunächst Spießers Utopia bedeuten, jenen zynisch-stummen Stammtisch-Staat, der aus Anarchie und Alkohol die bis dahin gefährlichste Mixtur für Europas Hexenkessel zusammenbraute. „Wenn Mahagonny kommt, geh ich", sagte Brecht zum Abschied.[14]

Das war im Sommer 1923, und Bronnens Kommentar ist offensichtlich ein nachträglicher, von der fertigen Oper her gefärbter Interpretationsversuch. Von hier scheint die in zahlreichen Kommentaren wiederholte Ansicht zu stammen, Mahagonny sei von Anfang an negativ konzipiert gewesen. Die bereits um 1920/21 entstandenen Balladen der *Hauspostille* verraten jedoch keine Spur dieses Ursprungs. Dort steht der Name für eine imaginäre Stätte der Vergnügungen. Deshalb ist es ratsam, zuerst einen Blick auf die Gesänge innerhalb der *Hauspostille* zu werfen.

Im ersten Mahagonnygesang erklingt die Ermunterung zum Aufbruch nach der mythischen Stadt im Tone des romantischen Volksliedes.

> Auf nach Mahagonny
> Die Luft ist kühl und frisch[15]

Brecht verwendet feste Formeln, die auf altes Liedgut zurückgehen. Der Einsatz mit dem wachrüttelnden „Auf" und der aufmunternden Feststellung, daß die frische Morgenluft zur Reise einlädt, erinnert an zahlreiche Lieder, in denen der Wanderlust gehuldigt wird. Das Verlangen nach neuen Erlebnissen und Erfahrungen kommt hiermit zum Ausdruck. Die Formel „kühl und frisch", die Wendung „die Luft ist ..." rufen sofort Reminiszenzen an das Volkslied wach. Beispiele sind das fränkische „Wohlauf in Gottes schöne Welt, / Die Luft ist blau und grün das Feld" und Joseph Viktor von Scheffels „Wohlauf die Luft geht frisch und rein, / Wer lange sitzt muß rosten". In Heines „Lorelei" heißt es „Die Luft ist kühl und es dunkelt", bei Hoelty beginnt ein Lied mit „Die Luft ist blau, / Das Tal ist grün". Brecht bezieht sich also auf kein spezielles Lied, doch gelingt es ihm, mit dem Auftakt des Gedichts diese Reminiszenzen im Leser wachzurufen. In den nächsten zwei Versen wird dieser einmal angeschlagene Ton abrupt in den des burschikosen und lasterhaften Songs abgeändert, ein Ton, der dann konsequent beibehalten wird.

> Dort gibt es Pferd- und Weiberfleisch
> Whisky- und Pokertisch.

Bemerkenswert dabei ist, daß der Reim „kühl und frisch" auf „Tisch" bereits in Eichendorffs Gedicht „Die Spielleute" vorgezeichnet ist:

> Das ist ein lustges Reisen,
> Der Eichbaum kühl und frisch
> Mit Schatten, wo wir speisen,
> Deckt uns den grünen Tisch.

Der Kontrast könnte nicht größer sein. Brecht verwendet den stimmungsvollen, volksliedhaften Auftakt bewußt, um damit die Distanz seines Songs zur Stimmungswelt der Romantik hervorzuheben. Brechts Sänger sind keine Spielleute oder fahrende Scholaren, die sich mit wenigem begnügen, ihr Glück in Gottes weiter Natur finden und sehnsuchtsvoll von einem Mädchen träumen, dem sie ewige Treue schwören.

Diese Männer haben sich ihr Geld sauer verdient. Unternehmungslustig machen sie sich auf den Weg in eine Stadt, wo sie sich Spaß und Vergnügen kaufen werden. Sie sind bereit, ihren Verdienst aufs Spiel zu setzen, solange ihnen etwas dafür geboten wird. Sie sehnen sich nicht nach Einheit mit Gott in der Natur, sondern nach dem tollen Treiben der Stadt. Ihr Sinn steht nach Wein, Weib, Gesang, gutem Essen und völliger Ungebundenheit („Dort gibt es ... keine Direktion"). Das Gefühl, die Taschen voller Geld zu haben, macht sie ausgelassen und übermütig. Sie werden es toll treiben, daß selbst der Mond dazu lächelt. Nichts, aber auch gar nichts deutet darauf hin, daß sie an ihrer Ausgelassenheit keine Freude haben werden.

Im zweiten Mahagonnygesang wird rückblickend das Leben in jener Stadt beschrieben. Das Vergnügen kostete natürlich Riesensummen, und je toller man es trieb, desto mehr mußte man dafür bezahlen. Aber hier am Spieltisch macht selbst noch das Verlieren Spaß, so gut amüsiert man sich dabei.

Abermals blieben alle
In Mahagonnys Pokerdrinksaloon
Sie verloren in jedem Falle
Doch sie hatten was davon.[16]

Die Situation ist allerorten die gleiche, „auf der See und am Land" wird jedem die Haut abgezogen. Im Kampf aller gegen alle will das Vergnügen sauer verdient sein, denn die Arbeitskraft ist billig, das Vergnügen teuer. Nach schwerer Arbeit bleibt aber die Vergnügungssucht des Menschen unbezähmbar und deshalb ist „der Verbrauch von frischen Häuten ungeheuer". Langsam aber sicher wird jedem die Abrechnung präsentiert (Gottes Mühlen mahlen langsam!) Viele verkaufen sich, da sie gern auf Vorschuß leben. Wenn sie andererseits auf das Vergnügen verzichten und in ihren vier Wänden bleiben und für kein „Weib" zu sorgen haben, brauchen sie kein Extrageld. Später sitzen sie alle zusammen in „Gottes billigem Salon", auch diejenigen, die während ihrer besten Jahre in Saus und Braus allein dem Vergnügen gelebt hatten:

Aber heute sitzen alle
In des lieben Gottes billigem Salon
Sie gewinnen in jedem Falle
Und sie haben nichts davon.[17]

Walter Benjamins Interpretation dieses Gedichts ist offensichtlich unter dem Eindruck seiner Funktion innerhalb der Oper entstanden, ein Umstand,

den sein Briefwechsel mit G. Scholem zu bestätigen scheint.[18] Benjamin mißt
dem Adjektiv „billig" zu viel Bedeutung zu, wenn er schreibt:

> Warum ist der Salon billig? Er ist billig, weil die Leute darin auf billige
> Art bei Gott zu Gaste sind. Es ist billig, weil die Leute darin alles billigen.
> Es ist billig, weil es billig ist, daß die Leute hineinkommen. Des lieben
> Gottes billiger Salon ist die Hölle.[19]

Durch diese Gleichsetzung von „Gottes billigem Salon" mit „Hölle" verlieren die letzten beiden Verse des Gedichts jeglichen Sinn, und Benjamin geht
auf dieses Problem wohlweislich nicht ein. Freilich sind die Leute in dem
Salon „auf billige Art bei Gott zu Gast". Das ist aber nicht in der Hölle,
sondern in der Kirche, im Hause Gottes. Ganz im ketzerischen Ton des
Gedichtbandes nennt Brecht die Kirche einen „billigen Salon". Dahinter
versteckt sich mehr. Nämlich die kirchliche Moral des Kleinbürgertums, wo
einem das ewige Heil im Jenseits versprochen wird. Für die unmittelbaren
Probleme des Lebens ist davon jedoch wenig zu erwarten. Später werden sie
alle zu moralgläubigen Kleinbürgern und vertrösten sich aufs Jenseits, aber
davon haben sie natürlich nichts. Als Fazit: man genieße das Leben, solange
man dazu fähig ist.

Im dritten Gesang kommt Gott zu den Männern und zieht sie ihres sündigen Lebenswandels wegen zur Rechenschaft. Anstatt zu arbeiten haben sie
sich den Sünden der Fleischeslust, der Blasphemie und des Mordes hingegeben. Bestürzt und zunächst auch eingeschüchtert, gestehen sie ihre Schuld.
Dennoch hoffen sie in ihrem Rausch in den Himmel aufgenommen zu werden. Als Gott die Konsequenzen zieht und sie aufgrund ihrer Sünden in die
Hölle verdammt, nehmen sie, noch immer befangen, den göttlichen Richter-
spruch an:

> Ansehen sich die Männer von Mahagonny.
> Ja, sagten die Männer von Mahagonny.[20]

Zwischen vierter und fünfter Strophe liegt ein Bruch. Nach einer Pause des
Überlegens erklingt die Stimme des Protests. Die Männer streiken, sie wollen nicht in die Hölle und lehnen sich gegen Gott auf. Sie verweigern den
Gehorsam und schleudern Gott ihr anmaßendes „Nein"! entgegen, weil sie
immer in der Hölle waren. Die Besonderheit der Strophe wird schon rein
äußerlich durch den fehlenden Refrain hervorgehoben. Die Geste des Protests und der Anmaßung würde durch einen abrundenden Refrain beträchtlich an Effekt verlieren.

Hier ergibt sich eine Schwierigkeit in der Interpretation. Was meinen die
Mahagonnyleute damit, wenn sie als Grund für ihren Protest angeben:

„Weil wir immer in der Hölle waren". Bedeutet das eine Verurteilung des Lebens in Mahagonny? Das ist kaum möglich, wenn man die fünf Mahagonnygesänge der vierten Lektion der Hauspostille als Einheit auffaßt und die zwei darauf folgenden Gesänge betrachtet. Sowohl im „Alabama Song" als im „Benares Song" werden wiederum genau die Laster gepriesen, denen die Männer bisher in Mahagonny gefrönt hatten: Fressen, Saufen und Huren. Sie sehnen sich nach mehr Geld und weiteren Vergnügungen, sei es in Alabama oder Benares. In der „Anleitung zum Gebrauch der einzelnen Lektionen" weist Brecht in bezug auf die vierte Lektion ausdrücklich darauf hin, daß sie „das Richtige für die Stunden des Reichtums, das Bewußtsein des Fleisches und die Anmaßung" sei.[21] Außerdem sollte die Lektüre einer jeden Lektion mit dem Schlußkapitel („Gegen Verführung") schließen, dem stärksten Ausdruck des die ganze Gedichtsammlung durchziehenden „carpe diem"-Themas. Innerhalb der Hauspostille wird das mythische Mahagonny also durchaus positiv gewertet. Der bedeutsame Ausruf der Leute, daß sie sich schon immer in der Hölle befanden, ist demnach dahin zu deuten, daß er sich nicht auf die Zeit ihres Aufenthalts in der von ihnen gefeierten Stätte der Vergnügungen bezieht, sondern auf die Zeit davor, als sie „ihre Häute verkaufen" mußten und durch schwere Arbeit sich die Summen vom Mund absparten, die ihnen die Reise zur Hochburg des Hedonismus überhaupt erst ermöglichten.

Nun erklärt sich auch der Bruch zwischen vorletzter und letzter Strophe. Nach Überdenken der Lage raffen sie sich zum Protest gegen Gott auf. Das durch Sklavenarbeit erkaufte und sauer verdiente Vergnügen soll abrupt zu Ende kommen. Konfrontiert mit der Möglichkeit, in eine neue, noch furchtbarere Hölle geschickt zu werden als die, der sie eben erst entkommen waren, treten sie in den Streik:

Ansahen Gott die Männer von Mahagonny,
Nein, sagten die Männer von Mahagonny.

Wie Bronnen mit Recht feststellte, hat Brechts mythisches Mahagonny verschiedene Bedeutungsänderungen durchgemacht. Von dem Münchner Hintergrund ist in der Hauspostille nichts zu merken. Hier hat Mahagonny eine positive Wertung. Allen fünf Gesängen ist der angelsächsische Hintergrund eigen. Es ist schwer, ein klares Urteil darüber zu fällen, ob die Stadt in Amerika zu lokalisieren wäre oder nicht. Die vagen Andeutungen des Milieus wie Whisky, Poker, Saloon, Virginia-Zigarren können auch aus der Welt Kiplings stammen. Auch die in Mahagonny übliche Währungseinheit des Dollars ist kein fester Anhaltspunkt. Die Sehnsucht nach Alabama und

Benares verrät nichts über die Lage der Stadt selbst. Das Milieu deckt sich zum Teil mit dem in *Mann ist Mann* gezeichneten des englischen Koloniallandes Indien. Auch dort rechnet man mit Cents und Pennies und Galy Gay singt:

O Mond von Alabama
So mußt du untergehn!
Die gute alte Mamma
Will neue Monde sehn.[22]

Der nicht in die *Hauspostille* aufgenommene, aber für ein geplantes Mahagonny-Stück bestimmte „Mahagonnygesang Nr. 4" deutet darauf hin, daß Brecht die Stadt zu Beginn der zwanziger Jahre doch vage mit Amerika assoziierte.[23] In diesem Song wird nämlich der in USA lebende Johnny dazu aufgefordert, seine Verpflichtungen (Boxkampf gegen Jack Dempsey!) so schnell wie möglich zu erfüllen und seine schwer erkämpfte Existenz aufzugeben, um nach Mahagonny eilen zu können, wo ihm die Sorgen um das brennende San Francisco nichts mehr anhaben können.

b. *Mahagonny – Songspiel und Oper*

In gleicher Weise wie Brecht seine anderen Werke um 1927 umzuarbeiten und zu „revidieren" beginnt, so unterzieht er das ursprünglich positiv konzipierte Mahagonny langsam einer Umwertung gemäß der neugewonnenen Überzeugung. Im *Kleinen Mahagonny* wurde der Musik und dem Bühnenbild die Aufgabe übertragen, die durch den Text geschilderten Vorgänge satirisch zu behandeln. Slonimsky beschrieb das Songspiel als „eine satirische Skizze, die vorgibt, die Entartung des Lebens in einem Land, das New York sehr ähnlich ist, zu idealisieren, jazzartige Musik, die ebenfalls vorgibt, ideal zu sein".[1] Bei der Uraufführung in Baden-Baden verwies die Nehersche Bühnengestaltung direkt auf ein amerikanisches Milieu. Aber trotz der parodierenden Elemente konnte über die positive Grundkonzeption nicht hinweggetäuscht werden. Es entstand ein Widerspruch zwischen den einzelnen Elementen der Oper, die in entgegengesetzte Richtungen tendierten. Wollte Brecht wirklich gesellschaftskritisch eingreifen, so mußten auf jeden Fall die Texte geändert werden. Brecht hatte zu zaghaft zur Kritik der bestehenden Verhältnisse angesetzt. Im Text des eigens dazu geschriebenen Finale schien er gerade diese leichte Kritik zurückzunehmen und das Ganze auf einen folgenlosen „Spaß" zu reduzieren.

Aber dieses ganze Mahagonny

Ist nur, weil alles so schlecht ist.
Weil keine Ruhe herrscht und keine Eintracht.
Und weil es nichts gibt,
Woran man sich halten kann.
Denn Mahagonny, das gibt es nicht,
Denn Mahagonny, das ist kein Ort,
Denn Mahagonny – ist nur ein erfundenes Wort.[2]

Die letzten drei Zeilen wurden im Gegensatz zu den vorhergehenden nicht gesungen, sondern in abschließendem, effektvollem Kontrast von Bessie laut deklamiert. Das Songspiel war noch unausgereift, und Brecht war sich dessen bewußt; deshalb zum Schluß dieser halbe Versuch der Zurücknahme nach außen hin.

Nach den Kammerfestspielen machten sich Brecht und Weill sofort daran, aus dem 15 Minuten dauernden Songspiel, mit dem sie die esoterischen Auswüchse der bürgerlichen Elfenbeinturmkünstler wirkungsvoll konfrontiert hatten, eine abendfüllende Oper zu machen.

Von nun an erhält der Begriff „Mahagonny" eine deutlich negative Wertung. Sie meinen damit die dekadente kapitalistische Gesellschaft, deren Auswüchse es mit allen Mitteln zu bekämpfen gilt. Mahagonny wird zur mythischen Hochburg des Kapitalismus und wird sofort mit einem eindeutig amerikanischen Milieu in Verbindung gebracht. Wie David Drew vermutet, soll man anfangs überhaupt nicht an eine Verwendung der Hauspostillengesänge gedacht haben. Das unterstützt die These, daß die Songs erst zu dem Zeitpunkt übernommen wurden, als das neue Thema der Oper genügend erarbeitet war und man die Möglichkeit erkannte, die Gesänge trotz allem noch für ein umfunktioniertes negatives Mahagonny verwenden zu können. Zuerst mußte die Fabel geschaffen werden, in die dann die geänderten Songs an passender Stelle eingefügt werden konnten.

Für die Fabel der Oper schöpft Brecht aus den verschiedensten Quellen. Er versucht, Elemente aus den unvollendeten „amerikanischen" Dramen zu übernehmen und sie mit solchen aus einigen veröffentlichten Werken zu einem neuen Ganzen zu verschmelzen. Aus Jesse Mahoney, dem Soldaten der britischen Kolonialarmee in *Mann ist Mann*, wird der rauhbeinige Holzfäller aus Alaska namens Jimmy Mahoney.[3] So wie der Name auf der Bühne ausgesprochen wurde, reimte er sich auf „Mahagonny". Die dem gleichen Stück entnommene Figur der Bierwaggonbesitzerin Leokadja Begbick eröffnet mitten in der Wüste in einem „übel zugerichteten Lastwagen" die „Hier-darfst-du-Schenke" und erklärt sie zum Zentrum der neugegrün-

deten Netzestadt. In gewissem Sinne ist hier schon Mutter Courages Marke-
tenderwagen vorweggenommen, der mitunter auch als Bar dient und zum
Sinnbild des Geschäftemachens wird. Die Hurrikanszenen sind dem für das
geplante *Miami*-Stück gesammelten Material nachgebildet. Unter Brechts
Zeitungsausschnitten befanden sich, wie erwähnt, die Hiobsbotschaften aus
dem zerstörten Pensacola in Florida und Berichte von einzelnen wie durch
Wunder vom Sturm umgangenen Ortschaften. Die Idee einer Hinrichtungs-
szene, bei der der Verurteilte vom elektrischen Stuhl herab eine Rede an
seine Mitmenschen hält, ist aus dem *Fleischhacker*-Material übernommen.
Aus Tagebucheintragungen Elisabeth Hauptmanns ist ersichtlich, daß
Brecht einmal ernstlich daran gedacht hatte, die beiden Fragmente *(Miami,
Fleischhacker)* zu verschmelzen und ein neues Stück daraus zu schaffen.
Dies war von ihm und seiner Mitarbeiterin im Februar 1926 noch als *die*
Lösung bezeichnet worden, um aus den beiden festgefahrenen Versuchen
noch etwas machen zu können.[4] An die *Dreigroschenoper* und *Happy End*
erinnern nicht nur die Atmosphäre der Verbrecherwelt und die eigentümlich
von Jazzrhythmen durchsetzte Weillsche Musik. Teile des mitreißenden,
von Kipling beeinflußten spritzigen „Songs von Mandeley" aus *Happy End*
werden in etwas verlangsamtem Tempo direkt übernommen, Ähnlich den
aus der *Hauspostille* stammenden fünf Songs werden die Gedichte „Über
die Städte", „Gegen Verführung" und „Tahiti" mehr oder minder abgeändert in den Operntext integriert. Bei näherer Untersuchung entpuppen sich
sowohl Text als Musik als eine geschickte, nicht ohne Humor verfertigte
Montage verschiedener diskrepanter Elemente. In krassem Gegensatz zu den
an barocke Hymnen gemahnenden Liedern stehen Teile anspruchsloser sen-
timentaler Schlagertexte wie zum Beispiel das „Stürmisch die Nacht und die
See geht hoch" aus dem damals äußerst populären „Seemannslos", von dem
Brecht später zwei Strophen in toto zum Eingang zweier Abschnitte im
14. Kapitel des *Dreigroschenromans* zitierte.[5] Oder die ganz im Ton der
Shanties und angelsächsischer Trinklieder gehaltenen Songs über Benares
und Alabama in dem für Brecht damals üblichen Pidgin Englisch, das der
Struktur nach mehr dem Deutschen ähnelt und dessen eklatanteste Fehler in
der Oper und den späteren Ausgaben stillschweigend getilgt wurden.[6]

Oh, show us the way to the next whisky-bar!
Oh, don't ask why, oh, don't ask why!
For we must find the next whisky-bar
For if we don't find the next whisky-bar
I tell you we must die!

Hier verrät Brecht eine überraschende Vertrautheit mit der Atmosphäre der Shanties, mit denen er sich offensichtlich befaßt hatte. Bisher wurde in dieser Beziehung nur der Einfluß von Villon und Kiplings Gedichten geltend gemacht. Brechts Kenntnisse reichten viel weiter. Er hatte ein Ohr für solche Verse und merkte sie sich. So ließ er z. B. bei der Münchner Uraufführung von *Im Dickicht* das in R. L. Stevensons *Treasure Island* zitierte Shanty „Fifteen men on the dead man's chest – / Yo-ho-ho, and a bottle of rum! / . . ." in deutscher Übersetzung singen. Das von Brecht mit Vorliebe erwähnte Lied „Johnny über der See"[7] gibt es eigentlich nicht. Hier wird einfach eine Zeile des jedem amerikanischen Kind bekannten Abzählreims übernommen, von dem es unzählige Variationen gibt, die aber alle beginnen mit: „Jonny over the ocean / Johnny over the sea".[8] So kommt der „Alabama Song" in Teilen einem Trinklied aus dem amerikanischen Westen sehr nahe, dessen Refrain lautet:

Rye whisky, rye whisky, rye whisky, I cry
If you don't give me rye whisky, I surely will die.[9]

An direkten Einfluß ist hierbei nicht zu denken, doch überrascht es, wie gut Brecht den Ton dieser Lieder trifft.

Weills eigenwillige und äußerst eindrucksvolle Kompositionstechnik zeichnet sich durch ihren Verzicht auf Ornament und Beiwerk aus. Sie bediente sich der einfachen Strophenform und der Schablone der traditionellen Tonalität, um nicht vom Text abzulenken. Weill vertonte interessant und anregend und verstand es, durch seine virtuose Verwendung von Dissonanzen und spritziger, mitreißender Rhythmik das Publikum wachzurütteln und Brechts Texte an wichtigen Stellen zu unterstreichen. Musik und Text wurden hier zu gleichwertigen Elementen. So vielseitig der Ursprung der Texte, so vielseitig der der Musik. Bluestempi wechseln mit Märschen, Anklänge an den „Jungfernkranz"-Refrain aus Webers *Freischütz* und an den Gesang der „Geharnischten" aus Mozarts *Zauberflöte*, Orchesterfuge, Händelscher Chorsatz, Bayrische Schrammelmusik und Barmusik auf leicht verstimmtem Piano, verjazzte Schlagerrhythmen und von einem Männerchor gesungene Hymnen sind nur einige der vielen musikalischen Elemente, die die Diskrepanz erhöhen.[10]

Trotzdem überwiegt das moderne Element des Jazz. Überhaupt ist die Atmosphäre der Oper praktisch auf das „Amerikanische" beschränkt. Neben der Verwendung ausgesprochen englischer Texte wird auch das Deutsche durch Anglizismen gefärbt. Aus der englischen Redewendung „put that in your pipe and smoke it" wird „Stopf's in deine Pfeife / Alter Junge /

Rauch es auf";[11] ähnlich der Gebrauch von „schießen" für „erschießen" in „Schießt Ihr meinen guten Missionar?"[12] Ebenso wird aus der amerikanischen Umgangssprache der Ausdruck „I'll eat my hat, if . . ." ins Deutsche übertragen als „Ich glaube, ich will meinen Hut aufessen".[13]

Innerhalb dieser amerikanischen Atmosphäre wird besonderer Nachdruck auf die exotischen Aspekte gelegt. Jimmy Mahoney, Billy, Jack O'Brien and Joe (Alaskawolfjoe) kommen aus Alaska, wo sie sieben Jahre in eiskalten Flüssen Gold gewaschen haben. Brechts Phantasie schafft ein mythisches Bild der Goldgräberzeit, das sich aus den verschiedensten Quellen speist. Man denkt an Jack Londons Geschichten aus dem Klondike und Bret Hartes *Kalifornische Erzählungen,* die Brecht in deutscher Übersetzung besaß.[14] Hinzu kommen noch die lebhaften Eindrücke von Charlie Chaplins Film „Goldrausch", den Brecht im Frühjahr 1926 gesehen hatte.[15] Über die in der Oper wiedergegebene Atmosphäre schrieb Lotte Lenja:

All of us were of course fascinated by America, as we knew it from books, movies, popular songs, headlines — this was the America of the garish Twenties, with its Capones, Texas Guinans, Aimes Sample MacPhersons, Ponzis — the Florida boom and crash, also a disastrous Florida hurricane — a ghastly photograph reproduced in every German newspaper, of the murderess Ruth Snyder in the electric chair — Hollywood films about the Wild West and the Yukon — Jack London's adventure novels — Tin Pan Alley songs — I think it is not difficult to trace some of this in the make-believe America of *Mahagonny.*[16]

An der Entstehungsgeschichte der Oper läßt sich die allmähliche Umwertung von Brechts Amerikabild am deutlichsten verfolgen. Hier verlieren zum ersten Male die unzähligen Einzelaspekte von Brechts frühem Amerikabild zum Teil ihre Kraft der Faszination und dienen dazu, ein negativ konzipiertes Mahagonny zu beschreiben. Daraus entspringt eine große Schwierigkeit für den engagierten Dichter. Immer wieder durchbricht das Faszinierende der Einzelzüge die Konzeption des Ganzen, die auf Kritik ausgerichtet ist. Die illusionistische Gattung der Oper widerstrebt der beabsichtigten Konfrontation mit der gesellschaftlichen Realität. Und Brecht war sich der Tatsache bewußt, daß seine geforderte „epische Oper" eine contradictio in adjecto bleiben mußte.[17] Das Resultat ist eine Mischung aus Romantik und Didaktik, Kulinarismus und Gesellschaftskritik.

Die Zuwanderer der überall gepriesenen Paradiesstadt müssen bald enttäuscht feststellen, daß dort keine paradiesischen Zustände herrschen. Den finanzkräftigen, vergnügungssüchtigen Holzfällern, den Erholungssuchenden aus den Städten voll Rauch und Lärm sollte Mahagonny als Zufluchtsstätte dienen.

> Überall gibt es Mühe und Arbeit
> Aber hier gibt es Spaß
> ...
> Und eine Woche ist hier: sieben Tage ohne Arbeit.[18]

Doch ein auf Reichtum gegründetes Schlaraffenland des Nichtstuns und des Genusses wird auf die Dauer schal und langweilig. „Ruhe, Eintracht, Whisky, Mädchen" können einen Naturburschen wie Jimmy aus Alaska nicht mehr fesseln, für ihn ist hier nicht genug los, „etwas fehlt". Ihm fehlt innerhalb der Gesellschaft die völlige Freiheit, die er in der Natur genoß, und er ist es, der aus Tatendrang die letzten Verhaltensregeln beseitigt. Die Gründer der Stadt sind aus finanziellen Gründen dazu gezwungen, jeden Wunsch der gelangweilten Gäste zu erfüllen. Durch Jimmys Verkündigung der „Gesetze der menschlichen Glückseligkeit" entsteht die rein auf Geld gegründete Anarchie, in der alles erlaubt ist:

> Im Interesse der Ordnung.
> Zum Besten der Stadt.
> Für die Zukunft der Menschheit
> Zu deinem eigenen Wohlbefinden
> Darfst Du![19]

Die als Zufluchtsort für Mühselige und Beladene, als Erholungsparadies und Vergnügungszentrum geplante Stadt entartet zum denkbar schlimmsten Dickicht. Das Geld wird zum einzig gültigen Maßstab, und alles nimmt deshalb Warencharakter an. Altruistische Gefühle werden in dieser Umwelt zum Verhängnis, die Beziehungen von Mensch zu Mensch werden verdinglicht. Wie Jim am eigenen Leib erfährt, müssen Vergnügungen bezahlt, Freundschaften gekauft werden. Durch die Alleinherrschaft des Geldes wird den niederen Instinkten Vorschub geleistet. Die Holzfäller, die einst jahrelang unter den schlimmsten Strapazen „in Gemeinschaft" gearbeitet hatten, sind zu egoistischen Einzelgängern ausgeartet, die selbstvergessen ihren Lastern frönen. Jack O'Brien frißt sich zu Tode, Alaskawolfjoe wird die Lust am Boxkampf zum Verhängnis, Jim geht an seiner Vergnügungssucht zugrunde. Sein Verhältnis mit Jenny, die Lust am Wetten und das Verlangen, sich am Schanktisch Freunde zu kaufen, kosten ihn den letzten Dollar und bringen ihn auf den elektrischen Stuhl.

> Wegen Mangel an Geld
> Was das größte Verbrechen ist
> Das auf dem Erdenrund vorkommt.[20]

Bezeichnenderweise wird der mittellose Jim in einem Gerichtshof der Kapitalisten zum Tode verurteilt. Kläger (Begbick), Verteidiger (Fatty) und Richter (Dreieinigkeitsmoses) sind Mitbegründer der Stadt und Mitinhaber der Schenke. Kurz vor seiner Hinrichtung wird Jim von seinen Freunden Jenny und Bill im Stich gelassen. Er selbst hatte sie den schnellsten Weg zur Glückseligkeit gelehrt („Denn wie man sich bettet, so liegt man").

In dieser ersten Fassung der Oper wird Brechts beabsichtigte Kritik besonders dadurch geschwächt, daß Jim Mahoney die von ihm selbst herbeigeführten Zustände in Mahagonny bis zuletzt für richtig hält. Er ist bereit, die Konsequenzen seines „Verbrechens" auf sich zu nehmen und verspürt keinerlei Reue. Auf die Frage des Richters, ob er noch etwas zu sagen habe, erklärt er:

Ja. Ich wünsche, daß ihr alle euch durch meinen schrecklichen Tod nicht abhalten laßt, zu leben wie es euch paßt, ohne Sorge. Denn auch ich bereue nicht, daß ich getan habe, was mir beliebt. Hört meine Anweisung![21]

Diese Worte werden zu einem monoton durchgehaltenen Ton der Celli gesprochen, nicht gesungen. Brecht hatte somit besonderes Gewicht auf sie gelegt. Während Vorbereitungen für Jimmys Hinrichtung getroffen werden, singt er vom elektrischen Stuhl herab seine Anweisung an die Hinterbleibenden: „Laßt euch nicht verführen, es gibt keine Wiederkehr ...".[22] Unmittelbar danach wird ihm der Helm übergestülpt.

Hier bricht das Baalsche Weltgefühl der Hauspostillengesänge durch. Jim verleiht dem Gedanken Ausdruck, daß das irdische Leben gerade durch die Verneinung eines Lebens nach dem Tode an Sinn und Bedeutung gewinnt.

Ihr steht [sic!] mit allen Tieren
und es kommt nichts nachher.[23]

Die Nichtexistenz Gottes befreit von der Furcht vor der Hölle und von der eitlen Hoffnung auf ein potentiell besseres Jenseits. Diese Einsicht gewährt einem mehr Freiheit, das Leben in seiner Wirklichkeit zu erfassen. Der marxistische Dichter bekämpft bewußt jene Vertröstung aufs Jenseits, denn es gilt, auf den Traum vom Paradies hic et nunc hinzuarbeiten. Mit seinen letzten Worten tritt Jimmy in die Fußstapfen früherer Brechtscher Figuren, namentlich Baals und Gargas, die offen ihren eigenen Launen und Interessen lebten und Freude am Kampf verspürten. Auch für Jimmy gilt Gargas Einsicht, daß das Chaos „die schönste Zeit" war.

Unmittelbar im Anschluß an die Hinrichtung, als Nachspiel sozusagen zur „Geschichte Jimmy Mahoneys", führen Jenny, Fatty, Bill, Moses und

Tobby Higgins vor geschlossenem Vorhang (!), das Spiel von Gott in Mahagonny auf. Die Bühnenanweisung „Licht aus. Gardine zu. Sofort treten vor
die Gardine . . ." läßt keinen Zweifel darüber, daß hier der Dichter in Form
einer in Szene gesetzten Parabel direkt zum Publikum spricht. Der dritte
Mahagonnygesang wird auf diese Weise hervorgehoben und erhält eine neue
Funktion. Das von Jimmy zuvor gelobte anarchistische Sichausleben wird
vom Dichter als Hölle bezeichnet. Brecht macht eine Kehrtwendung von
180 Grad und unterzieht gerade die Dinge der Kritik, die er in seinen bisherigen Werken positiv bewertet hatte: Fressen, Saufen, Huren, Kämpfen. Er
erkennt, daß der Genuß ausschließlich dieser Dinge auf die Dauer nicht
befriedigen kann und einer Veränderung der Gesellschaft große Hindernisse
in den Weg legt. Der egoistische Genießer kann weder sich noch dem Nächsten helfen. Brecht unterläßt es, den Weg aus dieser Sackgasse des Anarchis-
mus zu weisen. Wenn sich der Vorhang zur Schlußszene wieder öffnet, und
die Demonstrationszüge vor der im Hintergrund brennenden Stadt sichtbar
werden, wird klar, daß eine solche Gesellschaft zum Untergang verurteilt
ist. In dieser Erstfassung verlegt Brecht seine offene Kritik in eine von der
eigentlichen Bühnenhandlung abgesonderte Parabel. Die Lösung des Problems, der Rat des Marxisten, bleibt außerhalb der Oper.

Der sensationelle Skandal bei der Uraufführung am 9. März 1930 in
Leipzig gehört zur Theatergeschichte. Empörung, Entsetzen, Unverständnis
charakterisieren die Stellungnahme der Rezensenten jener Zeit. Es entstand
ein langer Kampf zwischen Freund und Feind dieser Oper. Doch die Kritik
überwog. Von bürgerlicher Seite wehrte man sich aufs heftigste gegen die
Verunglimpfung aller Werte „dieses denkbar übeln, hundsgemeinen und vor
allem künstlerisch impotenten Stücks".[24] Vor allem wandte man sich gegen
die provokativen Schlußdemonstrationen, in denen man kommunistische
Umzüge gegen das Bürgertum zu sehen vermeinte.[25] Ebenso ablehnend war
die Haltung der linken Kritiker. Brecht wurde vorgeworfen, Sprachrohr
eines „resignierten, skeptischen Kleinbürgertums" zu sein, das völlig verwirrt im Nihilismus einen Ausweg suche.[26] Als Antwort auf eine Bitte der
Schriftleitung der Zeitschrift *Die Musik* veröffentlichte Kurt Weill im
Märzheft 1930 einige „Anmerkungen zu meiner Oper ,Mahagonny'" und
versuchte die Funktion der Musik innerhalb der epischen Oper zu erklären:
„Die Musik ist hier also nicht mehr handlungstreibendes Element". Sie war
dem Text neben-, wenn nicht untergeordnet. Die Kritik der Oper galt meistens dem Text und bedauerte den Umstand, daß die Musik ihn nicht genügend kaschierte. Symptomatisch war das Urteil von Adolf Aber:

Endlich hat Bert Brecht seine Demaskierung vollzogen. Nach diesem Abend kann kein Zweifel darüber bestehen, mit welcher Absicht er sich in die Musik eingeschlichen hat. Er will, nachdem im Schauspiel kein Hahn mehr nach ihm kräht, seine anarchistischen Weisheiten auf dem Umweg über das musikalische Kunstwerk der Mitwelt verzapfen. Dieses Textbuch ist eine oberflächliche Sudelei. Es ist gemacht ohne Sinn für die Forderungen der Bühne, ohne Spur von Aufbau und Gliederung, von blutwarmem Empfinden. Alles ist lebens- und menschenfern, konstruiert um einer armseligen Tendenz willen, der mit diesem Machwerk ein übler Dienst erwiesen ist.

... Jedes Wort auf der Bühne ist (ausgerechnet bei diesem Text!) klar verständlich ... Zum Teufel auch mit den hetzerischen Projektionen *Caspar Nehers*![27]

Zu den wenigen Kritikern, die sich unvoreingenommen mit der Oper auseinandersetzten, gehörten u. a. H. H. Stuckenschmidt und Alfred Baresel. Ersterer pries Weills melodiöse Musik und ihre Verwandtschaft mit vorklassischen Werken,[28] letzterer sah darin zwar noch kein erfolgreiches Beispiel der von Komponist und Dichter geforderten epischen Oper, doch hatte er Anerkennung für die als kabarettistische Kabinettstücke äußerst gelungenen „20 Sittenbilder". Schiffahrtsszenen, Boxmatch, die animalischen Orgien und Gerichtsverhandlung nannte er „Genrestücke eines treffsicheren dichterischen wie musikalischen Einfalls".[29] Diejenigen Kritiker, die mit dem Songspiel von 1927 vertraut waren, gaben ihm einmütig den Vorzug über die Oper, meist aus Gründen der einfacheren Struktur und größeren Einheit des Werkes.

Brecht war offensichtlich mit der Fassung von 1929 unzufrieden und nahm einige bedeutende Änderungen im Text vor. Hatte er mit dem Songspiel lediglich die Konsequenzen aus dem unaufhaltsamen Verfall der bestehenden Gesellschaftsschichten ziehen wollen, so beabsichtigte er mit der Oper doch weit mehr: die Demaskierung der kapitalistischen Gesellschaft. In der Fassung von 1929 schien Brecht das mythische Wildwest-Amerika der Goldgräberzeit noch adäquat, an der Entlarvung der damals in Deutschland herrschenden Zustände mitzuhelfen. Doch das Exotische des grotesken Hintergrundes war zu stark und drohte, seine verfremdende Funktion einzubüßen. Das amerikanische Element war überbetont, es hatte bereits Eigenwert. Freilich spiegelte dieses imaginäre Mahagonny nicht Brechts Ansichten über Amerika wider, auch war ihm nicht an einer Kritik der USA gelegen. Die aus verschiedenen Eindrücken aus Film, Presse, Büchern und Schallplatten montierte Folie sollte die innerhalb einer von Grund auf kapitalistischen Gesellschaft üblichen Verhaltensweisen augenscheinlich und kritisierbar machen. Trotz der Intention der kritischen Beleuchtung ließ sich die ursprüngliche Faszination für die amerikanische Folie nicht wirksam genug verbergen. Es entstand immer wieder die Gefahr, daß der zu stark herausgearbeitete Hintergrund gerade den Kulinarismus unterstützte, dem mit diesem Werk entgegengetreten werden sollte. In der Fassung von 1930[30] wurden die amerikanischen Namen aus eben diesem Grund getilgt und durch deutsche ersetzt, wie aus einem von Drew zitierten Brief Weills an dessen Verleger hervorgeht:

> ... the use of American names for *Mahagonny* runs the risk of establishing a wholly false idea of Americanism, Wildwest, or such like. I am very glad that, together with Brecht, I have now found a very convenient solution ...[31]

Da die menschlichen Vergnügungen, die für Geld erhältlich sind, sich immer und überall gleich bleiben und die Vergnügungsstadt Mahagonny im weitesten Sinne international ist, können die Namen Brechts Meinung nach durch jeweils lokale ersetzt werden. Man entschied sich demnach für: Paul Ackermann (Jim Mahoney), Heinrich Merg (Bill), Jakob Schmidt (Jack O'Brien), Joseph Lettner (Joe) und Willy (Fatty). Die alte Amerikabegeisterung mußte auf ein erträgliches Maß zurückgeschraubt werden. Die einprägsamen Chorstellen aus der neunten Szene lauteten fortan nicht mehr: „Das sind die Jimmys, Jimmys, Jimmys aus Alaska".

Die positive Konzeption der Hauspostillengesänge schimmerte noch auf Schritt und Tritt durch und mußte ausgemerzt werden. In der Fassung von 1929 hatte Brecht wohlweislich die dritte Strophe des zweiten Mahagonnygesangs mit den problematischen Textstellen ausgelassen, denn Jimmy, der die Existenz eines Gottes verneinte, konnte in der 16. Szene schlecht von Gottes langsam mahlenden Mühlen und seinem „billigen Salon" sprechen. Gerade der dritte Akt (Szenen 18–21) scheint Brecht und Weill Schwierigkeiten bereitet zu haben. Man einigte sich darauf, Jims Anweisung an die Überlebenden („Gegen Verführung") vorwegzunehmen und Paul Ackermann als Begründung für die Verkündigung des „Du darfst es" in den Mund zu legen. Im Unterschied zu Jim ist Paul keineswegs der reulose, selbstgerechte zum Tode Verurteilte, der nichts dazugelernt hat. Paul hängt am Leben und gelangt zur Einsicht, daß all die Genüsse, die er sich in Mahagonny kaufen konnte, ihn letzten Endes nicht befriedigen konnten. Diese Umwertung erlaubt es Brecht, zumindest den zweiten Teil jener vorerst völ-

lig unterdrückten letzten Strophe des zweiten Mahagonnygesangs nach
Pauls Festnahme in der Bar mit großem Effekt zu verwenden. Die Struktur
der ganzen Szene fußt auf der Wiederholung des antithetischen Refrains:

Aber heute sitzen alle
In des lieben Gottes billigem Salon.
Sie gewinnen in jedem Falle
(Sie stampfen mit den Füßen den Takt)
Doch sie haben nichts davon.[32]

Aus der ursprünglichen Bedeutung von Gottes „billigem Salon" (= Kirche;
kleinbürgerliche, kirchengläubige Moral) wird ein direkter spöttischer Bezug auf die Bar, in der man sitzt und trinkt und die stellvertretend für ganz
Mahagonny steht. Man gewinnt dort ein Mehr an irdischen Genüssen, doch
am Ende bleibt nichts davon übrig. Das „Spiel von Gott in Mahagonny"
wird nun in die Handlung integriert. Man führt es dem Verurteilten als
Antwort auf seine Frage vor, ob man an einen Gott glaube. Für die Mahagonnyleute gibt es kein höheres Wesen, und wenn es eines gäbe, würden sie
es nicht anerkennen. Was von Brecht in der Frühfassung als außerhalb der
Oper stehende Schlußfolgerung des Zuschauers beabsichtigt war, wird jetzt
zu Pauls klar und deutlich ausgesprochener Botschaft an die Nachwelt:

Jetzt erkenne ich: als ich diese Stadt betrat, um mir mit Geld Freude zu
kaufen, war mein Untergang besiegelt. Jetzt sitze ich hier und habe doch
nichts gehabt ... Die Freude, die ich kaufte, war keine Freude, und die
Freiheit für Geld, war keine Freiheit ...[33]

Die Botschaft wurde stärker in den Vordergrund gerückt und direkt verkündet, um den Sinn der im Exotismus erstickenden Oper herauszuarbeiten.
Aus derselben Überlegung heraus strich Brecht die um den „Benares Song"
gestaltete 19. Szene der Frühfassung. Damit bleibt nur noch ein einziger
durchgehender Text auf englisch stehen, nämlich der „Alabama Song".
Selbst die endgültige Fassung wurde von vielen noch mißverstanden. Sie
erkannten nicht, daß mittels der amerikanischen Schablone die Zustände in
Deutschland selbst kritisiert werden sollten. Sicherlich erinnern gewisse
Züge Mahagonnys an bestimmte amerikanische Vergnügungszentren wie
Miami oder Las Vegas, Städte, die von gerissenen Spekulanten oder gar
Verbrechern aus dem Boden gestampft wurden, in denen es keine Industrie-
produktion und daher auch keine Arbeiter gibt, also Städte, die allein vom
Reichtum derer leben, die durch die dort erhältlichen Vergnügungen ange-
lockt wurden. Brecht und Weill verfremdeten nur die Zustände, mit denen
sie von Berlin und Baden-Baden her aufs engste vertraut waren. Baden-

Baden mit seinen Spielkasinos und sonstigen Vergnügungen für Wohlhabende, mit seinem langweiligen Kurbetrieb, scheint Modell gestanden zu haben für das Frühstadium der Netzestadt, wo überall Ruhe und Eintracht herrscht. Die Bühnenanweisung zur neunten Szene liest sich wie ein spöttischer Kommentar auf eine typisch deutsche Kurpromenade, mit ihren endlosen Reihen von Liegestühlen voller Leute, die sich die Zeit mit Zeitunglesen, Rauchen und Trinken vertreiben, die stur den Wolken nachgaffen und sich auf diese Weise vom gräßlichen Existenzkampf in den Städten „erholen". Eine Umgebung, in der Ruhe, Anstand und „Kultur" von jedem erwartet werden. Nicht umsonst läßt hier Weill die Melodie des damals allgemein bekannten „Gebet einer Jungfrau" auf einem leicht verstimmten Kneipenklavier ertönen und Jack spöttisch dazu kommentieren: „Das ist die ewige Kunst".[34]

Weil Brecht ein Baden-Baden/Las Vegas im Sinne hatte, unterließ er es auch, ein vollständiges Bild der kapitalistischen Gesellschaft zu zeichnen mit Produktionsprozessen, Ausbeutung und daraus resultierenden Klassenunterschieden. Er ist noch nicht bereit, die Gesellschaft kritisch zu analysieren, und er gibt sich vorerst noch damit zufrieden, nur *ein* Symptom einer restlos nach materiellen Werten ausgerichteten Gesellschaft an den Pranger zu stellen, nämlich die Entartung und Verdinglichung der menschlichen Beziehungen. Unberechtigt sind sowohl Schumachers als auch Ekmanns Vorwürfe, Brecht habe es als Marxist unterlassen, die Grundlage der Anarchie, die anarchistische Produktionsweise aufzudecken.[35] Die Tatsache, daß ein ehemaliger Holzfäller, also ein Arbeiter, die Anarchie des Geldes propagiert, mag zwar historisch falsch sein, doch bleibt es innerhalb des Werkes nebensächlich, wie die Mahagonnyleute zu Geld gekommen sind. Deswegen kann der tägliche Kampf ums Geld, der Daseinskampf als solcher, ausgespart bleiben. Brecht beschränkt sich darauf, eine in Symbolsprache gekleidete Diagnose des auf Geld gegründeten Gesellschaftssystems zu geben und eine Prognose zu wagen, ohne auf die Krankheitsgeschichte im einzelnen einzugehen. Der Kapitalismus fördert den Egoismus (das gilt auch bei Arbeitern!), bestraft menschliche Regungen und muß zur Überwindung der Krisen notgedrungenerweise immer grausamer werden, bis er zum Untergang in absoluter Anarchie führt. Die einzige Möglichkeit, wie diesem scheinbar ausweglosen Chaos zu entrinnen ist, zeigt Brecht nicht. Die Gattung der Oper, die illusionistischste der Bühne überhaupt, und die Form der Groteske ließen eine direkte Belehrung im Sinne des dialektischen Materialismus nicht zu.

Wie der Überblick über die Entstehungsgeschichte des Werkes anhand der zahlreichen Umarbeiten erkennen ließ, entstand aus einzelnen, zuerst positiv bewerteten Elementen im Interesse der indirekten Kritik ein groteskes Abbild der Welt. Die Hölle als Gegenpol zur göttlichen Schöpfung erscheint nun als irdische Perversion dieser Schöpfung. Ein christliches Gottesgericht, eine Apokalypse, wird unnötig, da die Menschen die Katastrophe selbst herbeiführen. Mahagonny ist kein Opfer göttlichen Zorns (Vgl. *Mann aus Manhattan*), es wird von einem heruntergekommenen, zerlumpten Mann in Brand gesetzt. Wie Arnold Heidsieck darlegte, verfällt der Mensch sich selber, die „Perversion wird heimgezahlt durch neue Perversion".[36] Die unbelehrbaren Überlebenden gehen, so fühlt man, einem ähnlichen Ende entgegen. Schumacher tadelte die von Brecht gezeichnete Welt der Grausamkeit, wo die Stimmung der ausweglosen Angst, des Pessimismus, ja des Fatalismus überhand zu nehmen scheint, denn für ihn stand dies „in striktestem Gegensatz zur Auffassung des Marxismus".[37] Von marxistischer Seite wird also Brecht unterstellt, er habe das Selbstzerstörerische des Menschen zur unausweichlichen Bestimmung der Menschheit mythisiert. Diese Kritik wird durch Brecht selbst entkräftet, denn er gab sich Mühe zu zeigen, daß Mahagonny von Menschen bewußt gegründet und bewußt zerstört wird. Die Tatsache, daß er die Menschen am Schluß noch immer als „unbelehrt" beschreibt, ist lediglich seiner Absicht zuzuschreiben, durch Schockwirkung das zu lehren, was durch umständliche Erklärungen an diesem Punkt nur Langeweile bewirken könnte. Im Gegensatz zu früheren Werken sollte die Welt nicht als unumgängliches Chaos, als ewiges Absurdes gezeigt, sondern das Groteske der menschlichen Verhaltensweisen aufgedeckt werden.

Mahagonny ist ein Übergangswerk in mehr als einem Sinne. Eine groteske Montage (in Text und Musik) zahlreicher Elemente aus früheren Werken wird zu einem neuen Ganzen, nicht nur in der Form, sondern auch im Gehalt. Hier leuchtet trotz allem Alten Brechts neues Weltbild des Marxismus – wenn auch noch so zaghaft – durch. Zum ersten Male werden hier in einem veröffentlichten Werke Brechts charakteristische und hervorstechende Merkmale seines bisherigen Amerikabildes dazu verwendet, ein negativ konzipiertes Amerika zu zeichnen, das zum Sinnbild der kapitalistischen Welt wird. Dieser Amerika-Folie haftete aber noch so viel Positives an, daß weitere Änderungen unvermeidbar wurden. Und selbst diese konnten die Funktion der Verfremdung nicht immer gewährleisten. Mit diesem Werk setzt erstmals eine Umwertung auf breiter Linie in Brechts Amerikabild ein. Was hier noch zögernd, nicht offen erklärt wurde, wird für Brecht bald tonangebend. Amerika wird zu *dem* Sinnbild der kapitalistischen Welt, seine Gesellschaftsform steht für die innerhalb des Kapitalismus entstehende überhaupt.

c. Happy End

Nach dem sensationellen Erfolg der *Dreigroschenoper*, der Brecht endlich den ersehnten Luxuswagen einbrachte, verfaßte er mit seiner Mitarbeiterin E. Hauptmann schnell ein neues Gangsterspiel, für das Weill die Musik komponierte. Die Idee für dieses auf die Bedürfnisse des Amüsiertheaters zurechtgetrimmte Stück stammt ursprünglich von Brecht selbst. Das geht aus einem Brief Brechts an E. Hauptmann hervor, worin er ihr kurz einige Gedanken für eine „rührende und lustige Geschichte umreißt.[1] Er umreißt Milieu (Heilsarmee und Verbrecherlokal), Teile der Fabel, Thema und Pointe von *Happy End*. Gewisse Einzelheiten des fertigen Stückes wie der Name „Ecclesiabill", der abgeschossene Finger des Gangsters,[2] die Verwendung des „Lieds vom Branntweinhändler" gehen auf Brechts Vorschläge zurück. Brecht hat es immer konsequent abgelehnt, sich als Autor oder selbst Mitarbeiter nennen zu lassen. Der Text entstand in Gemeinschaftsarbeit zwischen E. Hauptmann, Emil Burri und Brecht. Brecht lieferte die Songs dazu und Weill vertonte sie. Erst auf das Drängen Weills hin zeichnete Brecht für den Text der Songs als verantwortlich. Für die Saison 1929–30 wurde das Stück kurzerhand als Bearbeitung einer amerikanischen Magazinstory ausgegeben, die einer erfundenen „Dorothy Lane" zugeschrieben wurde. Wahrscheinlich spekulierte man mit Hilfe dieses amerikanischen Aushängeschilds auf einen sicheren Erfolg beim Publikum. Eigentlich geht vieles in dem Stück auf Brechts Vertrautheit mit unzähligen Kriminalromanen und Hollywoodfilmen sowie ein intensives Studium der Heilsarmeebewegung zurück, mit der er sich bis in die frühen Exiljahre hinein beschäftigen sollte.

Das reichhaltige Material zu *Happy End* umfaßt mehr als 650 Seiten und erlaubt einen Einblick in die zahlreichen Änderungen und Streichungen, die bis zum endgültigen Text nötig waren. Es ist im nachhinein praktisch unmöglich festzustellen, was jeder der Mitarbeiter im einzelnen dazu beigetragen hat, doch vermittelt ein Vergleich der einzelnen Fassungen den Eindruck, daß Brecht im späteren Stadium einen größeren Einfluß auf die Arbeiten ausübte. Er übernahm dann auch für die Premiere, die am 31. August 1929 im Theater am Schiffbauerdamm stattfand, die Regie, bei der ihm Erich Engel und Bernhard Reich assistierten.[3]

Hauptmann, Burri und Brecht hatten nicht nur an verschiedenen Versionen, sondern gleichzeitig an verschiedenen Stücken gearbeitet, die alle ein und demselben Themenkomplex zugeordnet werden können, ähnlich den Arbeiten, die sich zuvor alle mit dem Thema des „Einzugs der Menschheit in die großen Städte" befaßten. Der neue Komplex umfaßt neben *Happy End* die Fragmente *Untergang des Egoisten Johannes Fatzer, Aus Nichts wird Nichts* und *Der Brotladen*. Hauptthema ist jeweils der zur Hoffnungslosigkeit verdammte Kampf des einzelnen gegen die bestehenden gesellschaftlichen Verhältnisse. Ein Thema, das zuerst nur angedeutet, aber immer mehr in den Vordergrund gerückt wird. In *Happy End* wird der Zusammenhang zwischen Geschäft und Religion dargestellt und durch die Entlarvung dieser verbrecherischen Liaison trotz des angeblichen „happy ends" auf die Notwendigkeit einer Veränderung der Zustände hingewiesen. In den Fragmenten wird zunehmend das Hoffnungslose an der Situation des sich dagegen auflehnenden Individuums gezeigt. Im *Brotladen* kommt es bereits zur offenen Auflehnung der Arbeitslosen. Als krönendes Schlußstück dieser Entwicklung ist schließlich das aus diesem Komplex entstandene Stück *Die heilige Johanna der Schlachthöfe* (1931) anzusehen. Nicht zufällig sind die drei Angelstücke dieser Reihe im amerikanischen Milieu (Heilsarmee, Chicago, etc.) angesiedelt.

Brechts Beschäftigung mit der Heilsarmee begann sehr früh.[4] Er assoziierte sie von Anfang an mit einer „todsicheren" Methode der Bekehrung und sie war für ihn *das* Beispiel der Verquickung von Religion und Geschäft. Kaisers Drama *Von morgens bis mitternachts* (1916) brachte eine sehr wirkungsvolle Demaskierung dieses Zusammenhangs in einer von Geständnissen („Eine Seele ist gerettet!") unterbrochenen Heilsarmeeversammlung. Als Keimzelle für die Idee eines Heilsarmeestückes ist jedoch Paul Wieglers Buch *Figuren* zu betrachten,[5] das als Quelle für das Gedicht „Vorbildliche Bekehrung eines Branntweinhändlers" gilt.[6] Lyons vorbildliche Argumentation wird noch dadurch unterstützt, daß Brecht in seinem Brief an E. Hauptmann die Verwendung dieses Gedichts vorschlägt und es somit spontan mit der Heilsarmee assoziiert.[7] Wiegler kritisierte die Heilsarmee, die unter der Leitung von General William Booths Nachfolger zu einer „riesigen Konsumgenossenschaft" ausartete, aber trotz allem ihre ökonomische Macht behaupten werde.[8] Als erste Kritik dieser neuen Heilsarmee ohne William Booth verwies Wiegler ausdrücklich auf G. B. Shaws *Major Barbara* und die dazugehörige Einleitung. Brechts Privatbibliothek enthielt eine deutsche Ausgabe dieses Dramas mit dem Datum 1926.[9] Die Konzep-

tion des Leutnants Lilian Holiday (in der Frühfassung lautet die Rangbe-
zeichnung noch „Majorin"!) als furchtloses, unkonventionelles Mädchen
geht eindeutig auf Shaws Protagonistin zurück. In linken Kreisen wurde die
Heilsarmee damals ganz allgemein als große Konkurrenz im Kampf um das
Proletariat angesehen. So war im Dezember 1926 eine mehrseitige Sonder-
beilage der *Roten Fahne* mit dem Titel „Soldaten des Himmels" der Kritik
an der Heilsarmee gewidmet, worin man Organisation und Zweck dieser
getarnten Geschäftsinstitution studierte.[10] Auf Rudolf Arnheims Artikel in
der *Weltbühne* (6. Juli 1926) wurde an anderer Stelle verwiesen.

Die Heilsarmee fungierte bereits, wenn auch noch nebensächlich, in den
beiden Fassungen von *Im Dickicht der Städte*, wo das Bedürfnis des Geist-
lichen, den Armen zu helfen, so stark ist, daß er dazu bereit ist, sich öffentlich demütigen zu lassen, und schließlich „schmutziges Eigentum" (das von
Garga usurpierte Haus Shlinks) für die Bewegung akzeptiert. Er bestätigt
damit die alte Kritik an dieser Konfession, daß ihr in finanziellen Angelegenheiten der Zweck alle Mittel heilige. In einer „Alte Manuskripte" betitelten Mappe im Brecht-Archiv befindet sich das Fragment einer Erzählung
mit dem Titel „Bessie Soundso. Eine Geschichte der Heilsarmee".[11] Die
wahrscheinlich aus der Mitte der zwanziger Jahre stammende Arbeit ist als
Rahmenerzählung angelegt. Ein fünfzigjähriger Herr erinnert sich in Hamburg an die Zeit, als er 1906 in San Francisco Mitglied der Heilsarmee war.
Nicht ohne Ironie verweist er darauf, daß diese Bewegung im Konversa-
tionslexikon sehr positiv beurteilt wird, nämlich als eine Institution, deren
Zweck es sei, „dem Elend und der Roheit der armen Leute zu steuern".
Darauf beginnt er seine Geschichte, wie er mit vier anderen (Brown, Bessie,
Bibel-Billie und einem skrofulösen Mädchen) einen Heilsarmeetrupp bilde-
te, der durch die Bars der kalifornischen Hafenstadt zog, um neue Seelen zu
retten und Geld zu sammeln. In einer ausgesprochen wüsten Kneipe, in der
von Walfischdampfern abgeheuerte Seeleute die Stammkunden bilden, soll
gepredigt werden. Unglücklicherweise ist der sonst im Seelenretten so geschickte Bibel-Billie verhindert und der ältere Brown muß diese heikle Rolle
für den Abend übernehmen. Es war im April 1906. Kurz nach Beginn der
Predigt entsteht ein Skandal, weil man den jüngeren und viel gewandteren
Billie vermißt, doch Brown steigert sich derart in seine Bußpredigt, daß er
die anderen überbrüllt und die Sünder durch immer stärkere und krassere
Drohungen zur Umkehr bewegen will. Seine Ehre als Prediger steht auf dem
Spiel. Er prophezeit den Untergang der Stadt, erinnert an das Schicksal des
sündigen Babel und prophezeit als Klimax seiner Rede den Untergang San

Franciscos. Plötzlich beginnt ein Donnern und Dröhnen, Tische und Wände beginnen zu wanken, die Stadt wird von einem Erdbeben heimgesucht. Nach einer ausführlichen Beschreibung des Erdbebens bricht der Entwurf ab. Über Zweck und Sinn der Erzählung läßt sich nur mutmaßen. Wahrscheinlich hegte Brecht die Absicht, sich mittels der Geschichte über die Bekehrungsmethoden der Heilsarmee lustig zu machen, indem er die sonst leere Drohung mit dem Untergang wahr werden läßt und die Reaktion der Heilsarmeemitglieder in einem solchen Fall unter die Lupe nimmt. Vom Eingang der Erzählung ist klar, daß der Hamburger seine Meinung über die Armee seitdem drastisch geändert hat.

Das Motiv des Wettpredigens zweier Heilsarmeeleute, wobei eine unerfahrene Aushilfskraft dem gewohnten Hauptprediger nacheifert und dadurch die Zuhörerschaft zu offenem Protest bewegt, findet sich auch in den Frühfassungen von *Happy End*. Dort muß ein anderes Mädchen für die entlassene Lilian einspringen (Katharina, bzw. Mary, bzw. Jane)[12] und unter großem Aufruhr verlangen die Versammelten die gewandtere Predigerin. Mary predigt wie Brown, daß Gott die Stadt ausrotten werde wie einst Ninive, Jerusalem und Babylon. Ecclesiabill ist daran gelegen, die Predigt lächerlich zu machen, indem er sämtliche Gleichnisse wörtlich nimmt und um konkrete Erklärungen bittet: „. . . mitten in der Stadt Chicago schreit der Hirsch nach frischem Wasser. Bitte, das beweisen Sie jetzt".[13]

Der schon den frühesten Entwürfen zugrunde liegende Gedanke ist der, daß sowohl das Gute als auch das Böse allein keinen Erfolg versprechen können. Wer ohne Maske und Eleganz, ohne jegliche gesellschaftliche Geschicklichkeit einfach ein Verbrecher und sonst nichts ist, ist genauso zum Untergang verdammt wie derjenige, der sich nur nach dem Guten ausrichtet. Die großen Geschäftemacher sind seit jeher intelligent genug gewesen, ihre wahren Motive geschickt zu kaschieren. Der Wolf im Schafspelz (siehe *Dan Drew*) wird durch seine Verkleidung nicht harmloser, sondern nur tödlicher. Die Parole lautet demnach nicht „Gut oder Böse", sondern „Gut und Böse".[14] Man kann also das Gute im Mund führen, ohne es wirklich zu tun. Auch kann man schlecht handeln, ohne dies direkt als das Richtige zu bezeichnen. Wie der „Empiriker Andersen", der Vorläufer des Hanibal Jackson der Endfassung, einsieht:

> sogar das richtige allein ist falsch. man muß das richtige und das falsche kombinieren.[15]

Obwohl dieser frühe Stückplan nicht aus Brechts eigener Hand stammt, kommen darin Ideen zum Ausdruck, die ihm besonders durch die Lektüre von Daniel Drews Biographie und Gustavus Myers' Geschichtswerk nahegelegt wurden. Die Verbindung von Religion, beziehungsweise Philanthropie und Kapitalismus charakterisierte die meisten amerikanischen Kapitalisten von Drew über Vanderbilt bis hin zu Ford und Rockefeller, und die Heilsarmee galt für Brecht seit der Lektüre von Wieglers Buch (1920)[16] als Beispiel par excellence für die geschäftlichen Interessen religiöser Institutionen. Der einzelne Verbrecher, der offen gegen die Gesetze verstößt und dabei unheimliche persönliche Risiken eingeht, ist dagegen ein Waisenknabe.

Den frühesten Entwürfen und Bruchstücken nach zu schließen, sollte der Schauplatz des Stückes in Deutschland sein. Die Handlung konzentriert sich auf den Gasthof eines Herrn Miericke, wo im Hinterhof das Verbrechen abgewickelt wird: gestohlene Autos werden in einer Garage schnellsten repariert und neu gespritzt, so daß sie am nächsten Tag verändert und in anderer Farbe sicher weiterverkauft werden können. Die Namen der Figuren sind durchweg deutsch, beziehungsweise holländisch: Ludwig und Marie Andersen (Heilsarmeemitglieder), Schmidt, Vanmeer (Zwischenhändler, der die Wagen nach Amsterdam weiterliefert), Katharina, Zeitungsfrau Korn und ihr Sohn Albert. Funktion und Namen der Figuren ändern sich von einem Bruchstück zum anderen.

In den späteren Fassungen wird der Schauplatz nach Amerika verlegt, wahrscheinlich auf Brechts Einfluß hin, denn die ursprüngliche Konzeption des Stückes ging ja auf die Lektüre jener erwähnten amerikanischen Bücher und Filme zurück. Diese Annahme wird dadurch bestärkt, daß Brecht in seinem Brief an E. Hauptmann den Namen „eclesiadick" vorschlug, was zumindest auf ein englisches Milieu deutete. In den ersten Bruchstücken heißt der Gastwirt jedoch Karl Miericke. Dieser Name wird noch im ersten Akt der Vorstufe verwendet,[17] im dritten Akt dieser Vorstufe sind der Name eclesiadick und das amerikanische Milieu bereits eingeführt.[18] In der Endfassung heißt der Wirt Bill Cracker und hört auf den Spitznamen „Eclesiabill". Im Laufe der Arbeiten zum zweiten Akt der Vorstufe – nur ein Entwurf (896/70) ist erhalten, jedoch keine Fassung – muß man also übereingekommen sein, den Schauplatz des Ganzen nach Chicago zu verlegen. Die frühen Fassungen haben im Grunde dieselbe Problemstellung, eine ähnliche Fabel, und nur Einzelheiten ändern sich. So wurde zum Beispiel in einer Fassung des ersten Aktes, die bereits in Amerika spielt, die schon 1926 im *Simplicissimus* veröffentlichte Geschichte „Vier Männer und ein Pokerspiel oder Zuviel Glück ist kein Glück" in den Text integriert,[19] in den späteren Fassungen fallengelassen, aber 1930 in das von Brecht und

E. Hauptmann gemeinsam verfaßte Filmexposé gleichen Titels wieder aufgenommen.[20]

Im Zuge der Amerikanisierung des Milieus werden die Verbrecher als organisierte Bande vorgestellt. Zuerst ist noch von Bootleggergeschäften die Rede,[21] zuletzt wird ein Bankeinbruch bei Lloyd Chicago Deposit, bzw. der First National Bank geplant. Die große Vertrautheit mit Kriminalromanen schlägt sich in der genauen Kenntnis der Struktur solcher Gangs nieder. Innerhalb der Bande trägt jedes Mitglied einen Spitznamen, der auf besondere Kennzeichen der betreffenden Person hinweist. Gleichzeitig verringert man das Risiko, indem man es vermeidet, sich in Gesprächen vor Dritten zu identifizieren. Bill Cracker, der für Religion empfänglich ist, heißt „Ecclesiabill", Sam Worlitzer, der als Frau verkleidet seine Dinger dreht, wird „Mammi" genannt, den unreifen und leicht aufbrausenden Johnny Flint kennt jeder als „Baby". Den echten Namen des Bandenchefs wagt niemand in den Mund zu nehmen. Die „Dame in grau" bezeichnet man intern als die „Fliege", weil sie wie im Flug erscheint und die Abtrünnigen und Verräter zum Tode verurteilt. Das Urteil wird dadurch verkündet, daß sie den Betreffenden vor den anderen um Feuer bittet. Kennwörter und kodifizierte Gesten, die sich von Bande zu Bande unterscheiden. Wird jemand von seinen Genossen selbst gerichtet, so wird ein Kreis um ihn gebildet, und alle feuern ihren Revolver gemeinsam auf den Verurteilten ab; sie unterschreiben somit eigenhändig das Urteil. Dies ist genau die Situation, wenn Bill Cracker von seinen Kameraden gerichtet werden soll, die Fliege aber plötzlich ihren vor Jahren verschwundenen Mann im Heilsarmeeleutnant Jackson wiedererkennt.

Verweise auf Rockefeller, Henry Ford[22] und Präsident Roosevelt finden sich häufig. So wird Bill Cracker als ebenso groß auf seinem Gebiet der offenen Verbrechen bezeichnet wie Roosevelt auf dem seinen der kaschierten Verbrechen. Im Versammlungsraum der Heilsarmee hängen Riesenbilder von den „Heiligen" der Armee. Caspar Neher fertigte – wahrscheinlich in Anlehnung an die Chorfenster des Augsburger Domes – Heiligenbilder an, die „St. Ford", „St. Morgan" und „St. Rockefeller" mit einem Heiligenschein und dem Attribut ihres Erfolges als Hintergrund zeigen: Auto, Schiff, Bohrturm.[23] Zwischen den Heiligenbildern wand sich ein Spruchband, das spöttisch darauf hinwies, daß die Heilsarmeeorgel nur mit „Standard Oil" geschmiert würde. Dies bezog sich auf die von dem Verbrecher Sam Worlitzer (!) organisierte „Samuel Smith's Originalmammutdüsenorgan", mit deren Hilfe man sich besonderen Erfolg bei der Seelenrettung in

der „Stadt Chicago mit ihrem atemberaubenden Tempo, ihren wilden Lastern und ihrer nervenzerrüttenden Sinnlichkeit" versprach.[24] Hier sickern
Reminiszenzen an Jensens Chicagoroman *Das Rad* durch (vgl. Kapitel 2
dieser Arbeit).

Lilians geplante Standpauke vor den Verbrechern ist ein gutes Beispiel
der Überredungskünste der mit allen Mitteln arbeitenden Heilsarmee:

> Ich werde euch heute von diesem Mann erzählen (deutet auf Rockefel-
> lers Bild), er war fromm, darum wurde er reich. Er baute noch in hohem
> Alter eine Kirche und als sie niederbrannte, hatte er genug Geld, um
> gleich eine zweite zu bauen. Viele Leute werden zu euch sagen: Frömmig-
> keit kann sich nur ein reicher Mann leisten, ich sage euch: nur wer fromm
> ist und anständig, wird reich.[25]

Quod erat demonstrandum: Das Gute muß mit dem Bösen kombiniert
werden. Mit Sparkassenbuch und Bankkonto erreicht man das Ziel schneller
als mit Schlagring und Revolver. Der Song „Hosianna Rockefeller" feierte
mit seinem Refrain diese Verbindung von Gut und Böse.

Hosianna Rockefeller
Hosianna Henry Ford
Hosianna Kohle, Stahl und Öl
Hosianna Gottes Wort
Hosianna Glaube und Profit
Hosianna Recht und Mord![26]

Im großen und ganzen bleibt *Happy End* noch im alten Geleise des bürgerlichen Amüsiertheaters stecken und wärmt viele der alten Klischees von
Brechts früherem Amerikabild auf. Neu ist lediglich der Hinweis auf die
Verquickung von Religion und Geschäft, typisch sowohl für die Kirche als
Institution als auch für die großen Kapitalisten. Wie Ernst Josef Aufricht in
seiner interessanten Biographie erwähnt,[27] war Brecht zur Zeit der Haupt-
proben für die Uraufführung von „seltsamen Gestalten", zum Teil aus Moskau, umgeben, denen das Stück ideologisch nicht genug untermauert war.
Auf ihren Einfluß hin sei die Schlußbemerkung der „Fliege" entstanden,
jener inzwischen berühmte Ausspruch, der später in die 9. Szene der *Dreigroschenoper* integriert wurde:

> Was ist ein Dietrich gegen eine Aktie, was ist ein Einbruch in eine Bank
> gegen die Gründung einer Bank?[28]

Dieser zu spät hinzugefügte gesellschaftliche Schluß konnte das „Stück
mit Musik" nicht mehr retten, weder vom dramatisch-künstlerischen noch
vom ideologischen Standpunkt aus. Das Stück versandete gegen Schluß. Die

Kritik aus allen politischen Lagern war denn auch einmütig in ihrer Ablehnung und bemängelte diesen dramatischen Leerlauf. Brecht, der auf eine Wiederholung des Dreigroschenopererfolges gehofft hatte, war sich der Tatsache bewußt, daß mit *Happy End* kein Staat zu machen war und weigerte sich später, einige der weniger gelungenen Songs in seine Werke aufzunehmen.[29] Wie gesagt, läßt sich im einzelnen nicht nachweisen, welcher Anteil der Gemeinschaftsarbeit Brecht zuzuschreiben ist. Aber die Idee des amerikanischen Milieus und die Absicht, den Erfolg der Vereinigung von Religion und Geschäft, der Kombination von Gut und Böse, innerhalb dieses Milieus zu zeigen, gehen eindeutig auf ihn zurück. Die Gangster werden nicht „gerettet"; sie sehen ein, daß sie fortan unter dem Deckmantel der Heilsarmee arbeiten müssen, um erfolgreich sein zu können. Die Kritik an der Gesellschaft bleibt indirekt, und die Heilsarmee selbst wird nicht genügend sozialkritisch beleuchtet. Es wäre vielleicht unrecht, das Stück völlig zu übergehen und einfach ganz E. Hauptmann zuzuschreiben. Brecht hatte entscheidenden Einfluß ausgeübt, von der Grundkonzeption über die Entstehung bis zur Inszenierung. *Happy End* liegt zwischen der *Dreigroschenoper* und der Oper *Aufstieg und Fall der Stadt Mahagonny,* aber streng genommen zielt es mit seiner impliziten Kritik bereits auf bestimmte Aspekte der spätkapitalistischen Gesellschaft, in der der einzelne machtlos wird, wo die kleine Verbrechergang in eine „größere" (Heilsarmee) überwechseln muß, um überleben zu können.

d. Der Lindberghflug/Ozeanflug

Die Werke der Übergangszeit wiesen bereits stark kritische Züge in Brechts Amerikabild auf, doch die positiven Elemente drängten immer noch zur Oberfläche. In Brechts Haltung Amerika gegenüber war noch keine konsequente Neuorientierung auszumachen. In den Jahren 1927 bis 1929 überwiegt das Widersprüchliche in seinem Amerikabild. Einerseits schimmert die frühe Begeisterung für das Ferne, Ungewohnte, Exotische, das Sachlich-Praktische und Zweckdienliche durch, anderseits nimmt die Kritik des auf die Allmacht des Geldes und die Ausbeutung der Massen gestützten kapitalistischen Systems zu. Hatte er zuvor gewisse Aspekte des Amerikanismus (die Massenkultur des Jazz und des Sports) als gesunde Reaktion gegen Individualismus und Sentimentalität im Bürgertum begrüßt, so begann er später gewisse Auswüchse dieser Entwicklung zu kritisieren (Vgl. *Revue für Reinhardt).* Wie die Dichter der Neuen Sachlichkeit bewunderte er den Fortschritt in der Technik, und wie viele andere seiner Generation assoziierte er ihn mit Amerika. Im Hinblick auf den mit zunehmender Industrialisierung Hand in Hand gehenden Bau von Mammutstädten schlug seine Haltung von anfänglicher Befürwortung bald in Ablehnung um. Dies hatte jedoch mehr mit der Verdinglichung der menschlichen Beziehungen innerhalb des Asphaltdschungels zu tun. Dem technischen Fortschritt stand Brecht nie feindlich gegenüber. Im Gegenteil, er feierte ihn.

Bester Ausdruck dieser Einstellung ist Brechts erstes Lehrstück *Der Lindberghflug*, das noch während der Arbeiten zu *Happy End* und *Aufstieg und Fall der Stadt Mahagonny* entstand und am 27. Juli 1929 in Baden-Baden zur Uraufführung gelangte. Brecht war nicht der einzige, der Lindberghs Transatlantikflug als Stoff für ein Stück wählte, doch blieb sein Werk zweifellos das bedeutendste. So entstand zum Beispiel unter anderem eine Operette *Der Ozeanflieger*, die am 24. April 1929 in einem Provinztheater Premiere hatte.[1] Brecht wird kaum von ihrer Existenz gewußt haben. Anders wird es jedoch mit Arno Schirokauers Hörspiel *Der Ozeanflug* gewesen sein, das im Jahre 1928 von Radio Breslau gesendet wurde und zusammen mit der Hörspielfassung von Feuchtwanger-Brechts historischen Szenen *Kalkutta, 4. Mai* von Walter Jäger im *Querschnitt* besprochen wurde.[2] Ob Brecht dieses Hörspiel kannte, wird erst nachweisbar sein, wenn der Text hierzu vorliegt. Auf jeden Fall wird er zumindest von seiner Existenz gewußt haben, zumal er die Rezensionen seiner eigenen Werke systematisch studierte. Außerdem befaßte er sich ernstlich mit dem Radio als Medium und theorisierte über seine mögliche Verwendung und Funktion innerhalb der Gesellschaft. Darüber hinaus unterhielt er Kontakt mit anderen Hörspielautoren und Radiofachleuten und hatte, wie er bereits 1927 in einem Brief an Ernst Hardt, den Intendanten des Kölner Rundfunks erklärte, „sehr gute Verbindungen" zum Rundfunk in Breslau.[3] Es ist also durchaus möglich, daß Brecht erst durch Schirokauers Hörspiel auf den Gedanken kam, den *Lindberghflug* zu schreiben. Ob und inwiefern sein Lehrstück dadurch beeinflußt wurde, wird sich erst feststellen lassen, wenn der Text von Schirokauers *Ozeanflug* eingesehen werden kann.

Gerhard Hays Angaben gemäß stellte die Erstfassung des *Lindberghflugs* ein offenes Lob des amerikanischen Fliegers dar, der durch sein sachliches, rationales Verhalten sowie seinen Mut, das Unbekannte zu ergründen, in Brechts Augen wegweisend für die im neuen technisch-wissenschaftlichen Zeitalter erforderliche Einstellung war.[4] In der Fassung von 1930 wurde durch die Einfügung der achten Szene das Vorbildliche der Tat stärker ideo-

logisiert und die große Leistung des einzelnen weitgehend relativiert. Unter
Verwendung von Calvin Mitchels Abschiedsrede aus *Joe Fleischhacker* wird
auf den zunehmend schnelleren technischen Fortschritt des Zeitalters hingewiesen. Hier wird jedoch nur von den zu erwartenden technischen Umwälzungen gesprochen. Die sozialen sind zunächst noch ausgespart. Brecht
glaubt zu wissen, wie sie herbeigeführt werden können. Das entschieden
wissenschaftliche Verhalten, die sachlich-rationale Denkweise, soll die „Liquidierung des Jenseits" bewirken und schließlich eine Veränderung der Gesellschaft ohne Gewalt ermöglichen.[5] Wie Brecht von linker Seite mit Recht
vorgeworfen wurde, richtet sich sein Angriff hauptsächlich gegen den reli-
giösen Idealismus, also das Sekundäre und nicht das Primäre, den Unterschied der Klassen.[6] Dadurch entsteht im Lehrstück der falsche Eindruck,
daß der technisch-wissenschaftliche Fortschritt und die menschliche Vernunft allein als Werkzeuge der gesellschaftlichen Befreiung zu gelten hätten.

Brecht war zweifellos von der Sachlichkeit und Leidenschaftslosigkeit des
jungen Amerikaners beeindruckt, dem es bei seinem Flug lediglich um die
Förderung der Luftfahrt, nicht um den persönlichen Ruhm gegangen war.
Schumacher deutet darauf hin, daß Brechts Sprache und Diktion in Lindberghs Buch *We*[7] in gewissem Sinne vorweggenommen waren. Der Stil des
Amerikaners zeichnet sich durch das Abgeklärte, Unpathetische, durch
prägnante Kürze und Präzision des Ausdrucks aus. Lindbergh gestand sogar, daß er unfähig sei, über Gefühle zu schreiben, und hatte es deswegen im
zweiten Teil des Buches anderen überlassen, über die vielen emotionellen
Empfänge und Ehrungen nach dem geglückten Unternehmen zu berichten.
Er selbst beschränkte sich auf einen sachlichen Bericht über das Unternehmen an sich. Die im Lehrstück verwendeten Fakten fand Brecht fast ausschließlich im neunten Kapitel von Lindberghs Buch. Einiges wenige wird
sich wohl auf zeitgenössische Zeitungsberichte stützen. Teile des Lindberghschen Textes übernahm Brecht direkt, so zum Beispiel die den fortlaufenden
Text unterbrechende Aufzählung der für alle Notfälle mitgeführten Artikel. Diese knappe Aneinanderreihung von Stichworten und kurzen syntak-
tischen Einheiten ist von der Kritik als „konsequentestes Beispiel der Stilhal-
tung der Neuen Sachlichkeit" bei Brecht bezeichnet worden.[8] Hier das
Original des Lindberghschen Textes:
2 Flashlights
1 Ball of string
1 Ball of cord

1 Hunting Knife
4 Red flares sealed in rubber tubes
1 Match safe with matches
1 larger needle
1 canteen – 4 qts.
1 canteen – 1 qt.
1 Armburst Cup
1 Air Raft with pump and repair kit
5 Cans of Army emergency rations
2 Air cushions
1 Hack saw blade[9]

Brecht ändert die Liste leicht ab, indem er einige Erläuterungen aus dem Begleittext einfügt. Von Lindberghs Buch erschien noch im gleichen Jahr eine deutsche Ausgabe, und Brecht scheint nur diese gekannt zu haben.[10] Der deutsche Titel *Wir zwei* erklärt, wie das englische „We" zu verstehen ist. Es bezieht sich auf die enge Zusammenarbeit von Mensch und Maschine. Unter den zahlreichen Abbildungen des Buches befindet sich eine, die Lindbergh mit seiner Maschine im Flug zeigt und als Unterschrift den Titel des Buches enthält. Dieses in Lindberghs Werk so wichtige Thema der fast freundschaftlichen Zusammenarbeit von Mensch und Maschine rückt Brecht unter wiederholter Verwendung des deutschen Buchtitels in der 13. Szene des Lehrstücks in den Vordergrund.

Lindbergh:
Jetzt ist es nicht mehr weit. Jetzt
Müssen wir uns noch zusammennehmen
Wir zwei.

. . .

Erinnere dich: In St. Louis sind *wir zwei*
Länger in der Luft gewesen

. . .

Werden wir es schaffen?
Wir zwei?
Der Motor läuft (Radio)[11]

Brecht gestaltet ein regelrechtes Zwiegespräch zwischen Pilot und Maschine. Auf die Ermunterung und gute Zurede des Fliegers antwortet der Motor mit einem wohligen, gleichmäßigen Geräusch. Durch die spätere Verwendung des Plurals für den Lindberghpart sollte vom historischen Individuum als solchem abgelenkt und auf die im Interesse des technischen und sozialen

Fortschritts unerläßliche kollektive Anstrengung hingewiesen werden. Das Kollektive dieses Unterfangens wird auf Schritt und Tritt betont, besonders in der neu hinzugefügten achten Szene:

Darum beteiligt euch

An der Bekämpfung des Primitiven

An der Liquidierung des Jenseits und

Der Verscheuchung jedweden Gottes, wo

Immer er auftaucht.[12]

Allein die Solidarität der Arbeiter unter sich kann in diesem Kampf zum Erfolg führen. So heißt es:

Sieben Männer haben meinen Apparat gebaut in

San Diego

. . .

Was sie gemacht haben, das muß mir reichen

Sie haben gearbeitet, ich

Arbeite weiter, ich bin nicht allein, wir sind

Acht, die hier fliegen.[13]

Ernst Schumacher übergeht eine bedeutsame Interpretation des Materials durch Brecht, wenn er erklärt:

In der Pluralisierung des Lindberghparts durch Brecht steckte etwas von dem „We", in das Lindbergh in seiner Widmung die Monteure seines Flugzeuges „Spirit of St. Louis" und die Wetter- und Flugspezialisten, insgesamt acht Mann, einbezog.[14]

Wie nachgewiesen wurde, bezieht sich das „We" bei Lindbergh stets auf die Teamarbeit von Pilot und Maschine. Die Widmung des Buches hingegen ist an seine Mutter und acht Männer gerichtet, deren Namen einzeln aufgeführt werden. Lindbergh bezeichnet sie als „The Men Whose Confidence and Foresight Made Possible the Flight of the ‚Spirit of St. Louis'". Innerhalb des Buches bleiben diese Namen unerwähnt. Selbst einem flüchtigen Leser muß auffallen, daß z. B. der Name des Chefingenieurs Donald Hall nicht in der Widmung erscheint. Lindbergh hatte das Buch nicht aus Solidaritätsgefühl heraus seinen Mitarbeitern gewidmet, sondern – wie sollte es im kapitalistischen Amerika auch anders sein – den acht Finanziers, die die für das Unternehmen notwendigen Mittel bereitgestellt hatten. Auf einer der zahlreichen beigefügten Bildtafeln sind die Porträts dieser acht Reichen abgebildet.[15] Die Arbeiter selbst wurden keiner Erwähnung für wert befunden. Brecht korrigiert diesen negativen Zug und erweitert die in seinem Stoff vorgebildete Teamarbeit zwischen Mensch und Maschine auf das Zusammenwirken der Arbeiter untereinander. Das Thema des vereinten, solidarischen Kampfes im Interesse der „neuen Zeit" wurde für Brecht von zunehmender Wichtigkeit. Es liegt auch jenen im Vorjahr für eine geplante *Ruhrrevue* gedichteten „Kranliedern" zugrunde.[16] Der Klassenunterschied wird im *Lindberghflug* zwar erwähnt, doch wird er noch als der Unterschied zwischen Ausbeutern und Unwissenden charakterisiert.

... weil es zweierlei Menschen gibt
Ausbeutung und Unkenntnis, aber
Die Revolution liquidiert ihn ...[17]

Noch immer beurteilt Brecht die Lage aus bürgerlicher Sicht. Seine fromme Hoffnung, durch Aufklärung und Erziehung der Unterdrückten einer Veränderung der gesellschaftlichen Zustände entgegenwirken zu können, zeigt, wie weit er noch vom marxistischen Standpunkt entfernt ist. Diese auch für das dialektische Gegenstück, das *Badener Lehrstück vom Einverständnis*, charakteristische idealistische Einstellung sollte er bald ablegen. Hatte er zuerst vom „Unerreichbaren" gesprochen, dem man sich im Interesse des Fortschritts dennoch zu nähern versuchen müsse, so wird jetzt daraus im marxistischen Sinne das „noch nicht Erreichte".[18] Ernst Schumacher hat in seiner ausführlichen Studie über die beiden Lehrstücke auf die markantesten Abweichungen vom marxistischen Standpunkt hingewiesen. Bei Brecht überwiegt in beiden Stücken das subjektive Element. Es handelt sich im Grunde um eine Neuauflage christlicher Tugenden oder der buddhistisch-konfuzianischen Lebenslehre, wonach sich das Individuum auslöschen muß, um im Kollektiv neu geboren zu werden.[19]

Im zweiten Lehrstück wird das Gesellschaftliche betont. Brecht hat eingesehen, daß der technische Fortschritt allein keine Lösung der gesellschaftlichen Probleme bietet und den Klassenunterschied eher verschärft als beseitigt. Brecht nennt als neues Postulat das Einverständnis des einzelnen, in der Masse seine Individualität aufzugeben und willig für die Verbesserung der Zustände zu arbeiten. Die zwei Lehrstücke sind nicht nur thematisch miteinander verbunden. Ihre Parallelen sind vielseitig. Beide befassen sich mit einem Flieger und seinen Monteuren. Das eine mit dem erfolgreichen Amerikaner Charles Lindbergh und seinen Arbeitern, das andere mit dem Europäer Charles Nungesser, auf dessen unglücklichen Versuch der Atlantiküberquerung zusammen mit seinem Landsmann François Coli am 8. Mai 1927 bereits im *Lindberghflug* versteckt angespielt wurde.

4 Tage vor mir sind zwei Männer
Über das Wasser geflogen wie ich

Und das Wasser hat sie verschlungen, und mich
Verschlingt es auch.[20]

In den Fliegern Lindbergh und Nungesser stehen sich Neue und Alte Welt
in tieferem Sinne gegenüber. Der Amerikaner vertritt den schlichten, wissenschaftlichen Typ, der an kein Jenseits glaubt, sich mit seinen Helfershel-
fern solidarisch erklärt und nicht auf eigenen Ruhm bedacht ist. So wie er
selbst sind auch die anderen sieben, die symbolisch mitfliegen, im Kollektiv
aufgegangen. Ihr gemeinsames Unternehmen wird von Erfolg gekrönt.
Amerika wird hier durchaus positiv gewertet. Selbst die Haltung der Bevölkerung jenseits des Atlantik unterscheidet sich durch die Zuversichtlichkeit
und den optimistischen Glauben an den technischen Fortschritt von der der
Europäer, die dem Unternehmen mit Skepsis und engstirnigem Aberglauben
gegenüberstehen.

Der Franzose Charles Nungesser hingegen vertritt den Typ, der die
Früchte der gemeinschaftlichen Arbeit voll und ganz für sich in Anspruch
nehmen will, die Leistung der anderen nicht anerkennt und sie egoistisch für
seinen persönlichen Ruhm ausnützt. Dieser Unterschied der Persönlichkei-
ten der Transatlantikflieger ist historisch richtig. Nungesser war schon vor
dem Versuch der Überquerung in Filmen als waghalsiger Fliegerheld aufgetreten und hatte tüchtig Vorschußlorbeeren eingeheimst, während Lindbergh selbst nach geglücktem Unternehmen sagenhafte Angebote
($ 300.000!) für eine Verfilmung seiner Heldentaten strikt ablehnte.[21] Hier-
her rührt die Konzeption Lindberghs als eines bescheidenen Individuums,
das sich bereitwillig dem Kollektiv beugt. Nungesser gilt Brecht als Proto-
typ des individualistischen Helden der Bourgeoisie, als kontrastierende Ge-
genfigur. Aus diesem Grunde wird die zweifache Gegenüberstellung von
Pilot und Monteuren bedeutungsvoll. Nach ihrem gemeinsamen Unternehmen, das natürlich von vornherein zum Scheitern verdammt war, akzeptieren die Monteure Nungessers als Vertreter der progressiven Kräfte innerhalb der Gesellschaft die Lehre des gelernten Chors und sind bereit zum
„Einverständnis". Sie haben ihre „kleinste Größe" erreicht, während der
auf seine individuelle Größe pochende Pilot Nungesser aus ihrer Mitte ausgestoßen wird.

. . . Jetzt erschrick nicht, Mensch, aber
Jetzt mußt du weggehen. Gehe rasch!
Blick dich nicht um, geh
Weg von uns.[22]

Nun wird auch deutlich, warum Brecht den Namen Nungesser dem des

Copiloten Coli vorzog. Neben der zusätzlichen Übereinstimmung der Vornamen Charles, konnte Nungessers Namen leicht eine tiefere Bedeutung übertragen werden. „Nungesser" enthält sowohl im Französischen als auch Englischen Laute [non je sais; none guesser], die, wenn auch nicht grammatikalisch korrekt, an das Deutsche „Nichtwisser" erinnern. Nungesser ist derjenige, der nicht die richtige Entscheidung zu treffen weiß.

Die abgestürzten Monteure werden nach Brecht zu fortschrittlichen Kämpfern innerhalb des Kollektivs, durch das allein eine Veränderung der Zustände zu erwarten ist. Lehrhaft werden hier die Schritte unternommen, die im Lindberghflug bereits vorausgegangen waren. In beiden Lehrstücken wird Amerika mit durchaus positiven Kräften in Verbindung gebracht – obwohl der Stoff zum Gegenteil hätte Anlaß geben müssen. Zum letzten Male erscheint Amerika als konsequent positiv in einem Werke Brechts. Das hängt größtenteils damit zusammen, daß Brecht sich hier fast ausschließlich mit der für den technischen Fortschritt notwendigen persönlichen Einstellung befaßt. Nur zu bald erkennt er die Falschheit seiner idealistischen Hoffnung, durch Aufklärung und wissenschaftlichen Fortschritt die Lösung sozialer Probleme bewirken zu können. Den Aufruf zur Auflehnung und zum Kampf gegen Ausbeuter und Unterdrücker stellt Brecht immer mehr in den Vordergrund seiner nächsten Werke, die Amerika jedoch in einem völlig anderen Licht erscheinen lassen.

e. Der Brotladen

Die Verwendung des Heilsarmeemilieus in *Happy End* war vom ideologischen Standpunkt aus nicht wirkungsvoll genug gewesen. Die Kritik der Religion war im Allgemeinen steckengeblieben. Gegen Ende 1929 wurden die Studien der Heilsarmee von Brecht und E. Hauptmann systematisch weitergeführt, und die daraus gewonnenen Einsichten sollten in einem neuen Stück Verwendung finden. Bekanntlich zog Brecht mit seiner Sekretärin durch die Straßen Berlins und besuchte die Heilsarmeequartiere und Suppenküchen. Neben dieser Sammlung persönlicher Erfahrungen trugen sie massenweise Material über Geschichte, Organisation und Methoden der Bewegung nicht nur in Deutschland, sondern der ganzen Welt zusammen und studierten es in allen Einzelheiten. Das im Brecht-Archiv erhaltene Material befindet sich hauptsächlich in den Mappen 895 und 897 und umfaßt insgesamt ungefähr 200 Seiten. Es läßt sich in vier Gruppen unterteilen: 1. Notizen zur Geschichte der Bewegung, 2. Notizen zu Organisation und Struktur der Armee sowie ihren Finanzen, 3. Notizen zu ihrer Funktion innerhalb der Gesellschaft, ihrer Stärke und Bedeutung, und 4. gesammelte offizielle Veröffentlichungen der Heilsarmee in Deutschland. Viele der Notizen und Auszüge sind von Brechts Sekretärin in Kurzschrift angefertigt worden. Diese Vorarbeiten zu einem neuen Stück wurden unwahrscheinlich gründlich durchgeführt, und nach den in diesem Zusammenhang erwähnten Daten steht fest, daß der Höhepunkt dieser Studien in die Zeit von Herbst 1929 bis Frühjahr 1930 fällt, also in die Zeit nach der Uraufführung von *Happy End*. So stößt man z. B. unter anderem auf eine systematische Aufstellung der Ränge innerhalb der Heilsarmeehierarchie mit Bemerkungen über ihre Nichtbezahlung, bzw. Bezahlung oder etwaige Sondervergünstigungen.[1] Bedeutend dabei ist, daß die vier untersten Rangstufen unbezahlt arbeiten und der erste bezahlte Posten der eines „Probeleutnants" ist. Die Heilsarmee hatte 20 000 besoldete Offiziere[2] und unterhielt 2500 Heime in 81 Ländern, 20 davon in Deutschland.[3] Die beiden Heime in Berlin (Kastanienallee und Büschingstraße) wurden genau unter die Lupe genommen, und man notierte sich Dinge wie Essenspreise, Bettenzahl, Übernachtungskosten, monatliche Bruttoeinnahmen, etc. Die Aufzeichnungen verweisen ganz klar auf ein Motiv: der geschäftlichen Seite dieser Bewegung auf den Grund zu gehen. Als wichtig empfindet man es, daß manche Gebesserte und „Geläuterte" auch probeweise als Soldaten aufgenommen werden können, „d. h. man zieht sie zuerst probeweise heran zu Bürodienst, für den Besuch der Kunden (d. h. Holzverkauf) etc.".[4] Unter Bezugnahme auf den Feldzug des dänischen *Ekstrabladet* vom Januar 1927 vermerkte man sich die Hauptpunkte der öffentlichen Anklage gegen die Heilsarmee. Nämlich, daß von 2 1/4 Millionen erbettelten Kronen nur 1/4 Million die Armen direkt erreichte, die restlichen Millionen für Unterhalt, Verwaltung und Propaganda der Armee verwendet wurden, daß man sich sogar dazu habe verleiten lassen, die Materialspenden weiterzuverkaufen. Der Skandal soll derartig groß gewesen sein, daß der König eine polizeiliche Untersuchung beantragte.[5]

Stenographische Notizen verweisen auf einen Artikel, der 1904 im *Monthly Review* erschien und eine starke Anklage gegen die Heilsarmee in England enthielt.[6] Der Autor rief zum Verbot der Bewegung auf, die sich nach außen hin als sozialen Fürsorgedienst tarne, im Grunde aber eine religiöse Sekte sei, der es um die Verbreitung ihrer Lehren ginge. Unter den Kirchen Englands nehme sie die letzte Stelle in bezug auf Größe und Wirkung ein, vom finanziellen Standpunkt aus betrachtet, sei sie jedoch viel stärker. Anhand zahlreicher Zitate aus dem offiziellen Handbuch *Rules and*

Regulations for Field Officers wird gezeigt, wie materielle Hilfe als Lockmittel zur Annahme des Glaubens verwendet wird. Hartnäckigen Nichtgläubigen wird Hilfe verweigert, denn Hauptanliegen jeglicher Tätigkeit religiöser oder sozialer Art muß das Interesse der Armee sein, die stärker und einflußreicher werden soll. Fazit dieser mit reichem statistischen Material illustrierten Studie ist das völlige Versagen der Armee als religiöse Institution und ihre totale Mißwirtschaft als Institution der Sozialfürsorge. Als „Besitzer" dieses autokratischen Systems gilt der jeweilige General. Der Autor des Artikels forderte das Einschreiten der Regierung, denn dieses gänzlich von öffentlichen Spenden getragene „Unternehmen" entzog sich jeglicher öffentlichen Kontrolle, lieferte keine offizielle Statistik und veröffentlichte keine Geschäftsberichte. Dies sind Punkte, die sich Brechts Sekretärin in einer anderen Notiz nochmals ausdrücklich vermerkte, zum Beispiel:

Das Vermögen der Heilsarmee wird auf 30 Mill. Pfund geschätzt. Der jeweilige General hat das alleinige unumschränkte Verfügungsrecht über den gesamten beweglichen und unbeweglichen Besitz, gilt also als Eigentümer.[7]

Unter den von Brecht und seinen Mitarbeitern gesammelten offiziellen Veröffentlichungen befand sich die illustrierte Festschrift zum 60-jährigen Bestehen der Heilsarmee,[8] verschiedene Zeit- und Wochenschriften aus dem Heilsarmeeverlag, Zeitungsartikel und Flugschriften.[9] In der Festschrift wurde unter anderem (nicht ohne Stolz) in Wort und Bild auf das spezielle Programm der Holzverteilung hingewiesen, durch das Arbeitslose im „Holzhof" der Armee vorübergehende Beschäftigung fanden und die Armen während der strengen Wintermonate mit billigem Brennmaterial versorgt werden konnten.[10] Natürlich vermochte die Armee auf diese Weise dennoch mit einem Profit zu arbeiten. Aus diesen Angaben entstanden die späteren Szenenentwürfe, die sich auf die Holzgeschäfte der Heilsarmee und ihre Verwendung von Arbeitslosen zum Holzhacken beziehen.

Die Geschichte der Witwe Niobe Queck, der ohne Warnung die Wohnung gekündigt und die somit auf die Straße gesetzt wird, geht auf zahlreiche Zeitungsartikel zurück, die im Winter 1929/30 regelmäßig in der Tagespresse erschienen und die öffentliche Aufmerksamkeit auf die unzähligen Opfer der Weltwirtschaftskrise lenkten und die Ohnmacht der Behörden angesichts dieser Zustände kritisierten.[11] Ein im Brecht-Archiv erhaltener unidentifizierbarer Zeitungsausschnitt mit der Überschrift „Seit vierzehn Tagen auf der Treppe" berichtet empört von einer Berliner Witwe, die seit fünf Jahren zur Untermiete gewohnt hatte und plötzlich vom Hausbesitzer wegen Nichtbezahlung der Miete (offizieller Kündigungsgrund: „wegen Belästigung") exmittiert wurde. Seit vierzehn Tagen sitze die alte Frau (im November!) auf einem Stuhl im Gang und warte vergeblich auf Unterstützung durch die Stadtbehörden. Der Reporter ist über die überhandnehmenden Zustände äußerst indigniert und läßt in fetten Lettern seine Anklage abdrucken, daß es in Berlin überhaupt geduldet werde, daß

ein Mensch aus seiner Wohnung vertrieben und mit seinem Hausrat sozusagen auf der Straße einfach liegen gelassen wird.[12]

Die gründlichen Vorstudien über die Heilsarmee im allgemeinen sowie die einer offiziellen Heilsarmeeschrift und der Tagespresse entnommenen Berichte über zwei in Deutschland stattgefundene Ereignisse bilden also den Grundstoff, aus dem das *Brotladen*-Fragment heranwuchs.

Wie *Happy End* sollte auch *Der Brotladen* zuerst in einem ärmlichen Viertel Chicagos (43. Straße) spielen, und zwar um 1923, gegen Ende der Amtszeit Präsident Hardings. Die Namen der Personen sind dem Milieu angepaßt, ihre Rollen überschneiden sich teilweise von Fassung zu Fassung, von Bruchstück zu Bruchstück. Hier sei nur angedeutet, wie sich die Namen veränderten: Gorilla Bagsley/Jefferson → Ajax Januschek, Frau Quack/Jackson = Frau Queck, Sweeny/Swiney (Kaugummihändler) → Schmitt (Zeitungshändler), Brown = Meininger, Washington Myres/Myers = Meyer, Heilsarmeeleutnant Falladah Heep/Mary = Hippler. Weitere Namen sind: Edgar, Johnny, Billy, Cracker. Alle Fassungen sollten letztlich zwei Dinge vor Augen führen. Erstens die Verfilzung von Kapital und Religion, die sich in ihrem eigenen Interesse miteinander verbinden, und zweitens die aussichtslose Lage der Armen angesichts dieser Situation, der sie nur durch Gewalt entkommen können. Selbst der entschlossene Kampf einiger weniger ist zum Untergang verdammt, solange die Massen nicht solidarisch zueinander stehen und stark genug sind, die ihnen feindlich gesinnten Mächte zu besiegen, so daß sie ihre eigene Diktatur errichten können.

Das erste Thema bedeutet eine Verschärfung der in *Happy End* ausgedrückten Ideen, die bekanntlich von der Lektüre zahlreicher amerikanischer Bücher herrührten. Von den inzwischen mit Eifer und Gewissenhaftigkeit betriebenen Vorstudien in dieser Stellungnahme nur noch bekräftigt, will Brecht im *Brotladen* die Religion als unwürdige Handlangerin des Kapitalismus exponieren, und zwar am Beispiel der Heilsarmee. „Das Unnütze der Religion" im allgemeinen war zu zeigen.[13] Der Religion und damit der Heilsarmee geht es nur um ihre eigenen Interessen, nicht um die Leute. Ihr Augenmerk richtet sich eigentlich auf reiche Geldgeber, nicht auf die Ar-

beitslosen. So lautet die erste Frage des Heilsarmeeleutnants an die exmittierte Witwe, was für eine schreckliche Sünde sie begangen habe, daß Gott
sie so bestrafe. Man will ihr zuerst seelisch und moralisch helfen. Das
Äußerliche ist Nebensache, besonders wenn sich herausstellt, daß ihr Hausherr regelmäßiger Gottesdienstbesucher bei der Armee ist. Die Witwe muß
erst in sich gehen, ihre Sünde bekennen und bereuen, eher kann ihr die
Armee (aus machtpolitischen Gründen) keine Hilfe zuteil werden lassen.
Das Elend der Armen wird als direkte Folge der Börsenmanöver an Wall
Street dargestellt: „Frau Queck hat Pech wegen New York."[14] „New York
hat sich gegen Frau Queck entschieden."[15] Washington Myers, der in den
Entwürfen als „Kümmerer" charakterisiert wird, erkennt die gemeinsamen
Interessen von Kapital und religiöser Institution und will seinen „Unabhängigkeitskrieg" führen, bei dem die Armen für ihre eigenen Rechte kämpfen
sollen. Er lehnt sich auf gegen New York, das Gesetz und die Armee. Seinen
Vornamen trägt er mit Recht. Myers hat die Wölfe im Schafspelz erkannt,
er weiß, daß sich die Reichen nach außen hin zwar ein „Gewissen" leisten,
doch deshalb ihre Methoden nicht ändern werden: „nur er [Gott] hat natürlich sehr wenig einfluß in new york. man hört immer daß er eine menge
reicher freunde hat, herrn ford und herrn rockefeller, aber seine freunde
lassen ihn leider anscheinend sehr häufig aufsitzen."[16]

Sobald das Heilsarmeemädchen sich für die Witwe einsetzen will und die
richtigen, jedoch peinlichen Fragen zu stellen beginnt, wird sie von ihren
Kolleginnen zurechtgewiesen. Die Kapitalisten sind jenseits der Kritik, weil
die Armee durch ihre Spenden finanziert wird.[17] Die Heilsarmee ist im Umgang mit Leuten nicht weniger brutal als die Kapitalisten, ihre Unternehmungen sind letztlich alle geschäftlicher Natur. Die Handlungen Hipplers
sind streng nach den in Masons Artikel zitierten offiziellen Vorschriften der
Armee, wo es heißt:

> The Brigade must understand that, when a man gives himself up to their
> care, they are under obligation to look after him until he has had a *good
> chance of being saved.* At the same time, no substantial help is to be given
> him until he shows proof of the genuineness of his desire for reformation
> at the penitent form, and by what appears to be to them a sincere profes
> sion in public, and corresponding proof in private, that he has given up
> his old life. When he gives evidence *of being really saved,* he must be
> provided with employment, and with some trifling help in the way of
> clothes, or payment for lodgings, until his own wages provide these
> things.[18]

Frau Quecks großer Fehler ist ihre Passivität, ihre schnelle Bekehrung, ohne auf die rechtmäßige „Gegenleistung", also reelle Hilfe, zu drängen. Deswegen wird sie zu sehr von der Heilsarmee ausgenützt. Einer im *Brotladen*-Material enthaltenen Notiz nach sollte dieser Aspekt in der amerikanischen Fassung noch besser herausgearbeitet werden, indem sich Heeps Interesse mehr und mehr auf den geschäftlich aufsteigenden Myers konzentrierte als auf Frau Quack, der effektiv *nicht* geholfen werden sollte, da sie ohnehin schon für die Bewegung gewonnen war. Skrupellos plante man sie als billiges Werbemittel in die Public Relationskampagne der Armee ein: „ein plakat kostet mehr als frau quack, das billige lebende plakat."[19] An ihr bewahrheitet sich die Feststellung Heeps, daß die Armen aus Selbstinteresse für die Religion sein müssen, weil sonst die Reichen aus ihnen Hackepeter machen.[20] Umgekehrt gilt dies auch von der Heilsarmee, die aus Eigeninteresse nichts gegen die Reichen unternehmen darf, vielmehr für die Armen froh sein muß, aus denen sie durch ihre (von den Reichen ermöglichte) kärgliche Hilfe neue Mitglieder werben kann. Deshalb plante Brecht mit seinen Mitarbeitern eine Szene, in der die Heilsarmeeleute für die Zeitungsreklame eine Aufnahme stellen, wie Leutnant Heep der obdachlosen Witwe einen Zettel für ein Bett überreicht.[21] Durch die kostenlose Unterbringung in einem Heilsarmeeheim vermag man stärkeren Einfluß auf sie auszuüben, als wenn man ihr einen Mietzuschuß für ihre Wohnung gäbe. Diese gegenseitige Verzahnung der Interessen von Kapital und Religion zu zeigen, war wichtig. Wie die brutalen kapitalistischen Ausbeuter sich gern das Mäntelchen des Idealismus umhängen (siehe Brown!) so entdeckt man bei genauerer Prüfung hinter dem Idealismus der Heilsarmee auch nur puren Materialismus. Ein Dialogentwurf zwischen einem Heilsarmeemitglied und einem Ungläubigen spricht Bände in dieser Beziehung:

Wer eigentlich ist euer frommster Mann?
das ist der General Booth
Und wer ist denn euer reichster Mann?
das ist auch der General Booth.[22]

Gerade weil die Heilsarmee einen Versuch darstellt, innerhalb des Kapitalismus und mit kapitalistischen Mitteln Sozialhilfe zu treiben, kann ihr Vorhaben nur in geringem Umfang gelingen.[23]
In einer Notiz heißt es:

Heilsarmee: ihre funktion: sie bringt alle in den sumpf mit ihrem idealismus.
1. kampf der giganten

2. das opfer frau quack (und 5 arbeitslose)

3. die intervention des himmels – des idealismus – hat zur folge daß 2 weitere Leute abrutschen.

4. umschwung: die entdeckung des holzes. der triumphierende materialismus.

...

wirkt die armee direkt darauf hin, daß sich andere mit der frau quack beschäftigen? antwort: nein. indirekt, um die armee zu widerlegen, schlagen einige praktische lösungen vor.[24]

Die Heilsarmee kann und *will* das Elend nicht völlig abschaffen, da ihr sonst potentielle „Kunden" verlorengehen. Andererseits verschuldet sie durch ihr nur teilweise reformistisches Programm den Untergang derer, die für eine vollständige und permanente Lösung des Problems kämpfen, wie z. B. Myers. An einer hilflosen, naiven und passiven Gestalt wie Frau Quack läßt sich „das schlechte Prinzip der Stadt" demonstrieren. Es sind gerade Leute wie sie, die einen „Herrn Ford" erst ermöglichen.[25] Washington Myers durchschaut diese Zusammenhänge, er ist im Gegensatz zur Witwe ein politischer Kopf. In den dritten Akt des Stückes sollte der Tod Präsident Hardings fallen, und an der Reaktion zu diesem Ereignis sollte die Denkweise dieser beiden Figuren exemplifiziert werden. Während Myers berechtigt fragt, „Was nützt das?", das System würde dadurch nicht geändert werden, erwidert die politisch völlig naive Witwe, „sagen sie das nicht, das ist ein Schlag (redet über die Verdienste des Präsidenten)".[26] Der scharfe Ton der angeführten Zitate zeigt, daß in den frühen, besonders den „amerikanischen" Entwürfen, die Exponierung des Kapitalismus innerhalb der Heilsarmee noch als äußerst wichtig angesehen wurde. Oft hat man den Eindruck, als handle es sich um einen Frontalangriff spezifisch gegen die Heilsarmee. Gewisse Direktiven, die nötig wurden, als man den Angriff auf die Religion im allgemeinen ausweitete, scheinen das zu bestätigen:

Das Unnütze der Religion zeigen. Nicht Angriff auf Heilsarmee![27]

Was Sie jetzt sehen werden, ist keineswegs ein Angriff auf die Heilsarmee. Alle uns bekannten Religionen und Religionsgemeinschaften haben ihre Fehler und nur wenige ihre Tugenden. Was sie hier sehen, ist die gesellschaftliche Rolle, die die Religion spielt.[28]

In den später in Deutschland spielenden Fassungen sind viele dieser Spitzen gegen die Sekte der Heilsarmee als solche verschwunden, das posthum publizierte Stückfragment ist praktisch frei davon.

Das zweite Thema des Stückes, der verfrühte Unabhängigkeitskrieg

Washington Myers, der sich gegen das System der Ausbeutung auflehnt und die Arbeitslosen zum gemeinsamen Kampf gegen die Erpresser aufruft, wurde in den späteren Fassungen mehr und mehr in den Vordergrund gerückt. Von klein auf lernt Myers/Meyer seine Feinde kennen. Es sind nicht nur die fernen, unnahbaren Giganten, auch die Angehörigen seiner eigenen Klasse sind durch das System gezwungen, diejenigen, die ihnen sozial am nächsten stehen, zu bekämpfen. Das lehrt ihn das Erlebnis mit Ajax, den der Chor in direkter Übersetzung des Namens der bekannten Karl May-Figur „Alte Schmetterhand" nennt. Das Stückfragment veranschaulicht die Notwendigkeit des offenen revolutionären Kampfes, um das Los der Armen zu lindern. Von Reformen, die innerhalb des Systems funktionieren, ist keine permanente Lösung des Problems zu erwarten. Die einzige Aussicht besteht in einer gewaltsamen Revolution der Unterdrückten, die eine neue gerechte Ordnung schaffen werden. Aber mindestens ebenso wichtig ist es, auf die unheimlichen Gefahren einer verfrühten Revolution hinzuweisen. Brecht behandelt hierin dasselbe Thema wie Jack London in seinem damals in sozialistischen Kreisen bekannten Zukunftsroman *The Iron Heel*, der 1923 in der *Roten Fahne* in Fortsetzungen abgedruckt und 1922 und 1927 in Buchform unter dem Titel *Die eiserne Ferse* erschien.[29] Freilich hatte Brecht noch die Vorgänge vom Winter 1918/19 in Deutschland im Sinn, doch in Londons Roman war ein ähnliches Problem bereits literarisch gestaltet worden. „Die eiserne Ferse" wurde zu einem stehenden Ausdruck für die mit brutalsten Mitteln gegen die fortschrittlichen Kräfte (bei London die Chicagoer Kommune) kämpfende Oligarchie. Jack Londons Roman ist eine prophetische Warnung gegen eine verfrühte, nicht völlig geheimgehaltene Revolution, die nur zu einem schrecklichen Blutbad führen kann und dem Ziel der proletarischen Bewegung auf viele Jahre hin schaden muß. Wie aus einer Bemerkung Franz Jungs hervorgeht, kannte Brecht den Roman bereits zur Zeit der Arbeiten an *Mahagonny*.[30] Daß Brecht wirklich an die Lehre dieses Romans dachte, zeigt eine versteckte Bezugnahme darauf in der Warnung der Arbeitslosen an Washington Meyer, nicht verfrüht zum Angriff überzugehen, denn

Unübersehbar weit sitzen die, gegen die du anrennst.
Aber zur Stelle ist *die eiserne Ferse*, dich zu zerschmettern.
. . .
Du widerstehst, und du fällst an der Straßenecke
. . . aber
Deine Sache ist nicht beendet.

Washington Meyer, Staatsmann
Der du nicht sehen konntest das Elend liegen auf der Straße
Unordnung und Gewalt
Falle![31]
Meyer muß aus der ihn verbergenden Masse hervortreten und geopfert wer-
den, sollen die Interessen der Arbeitslosen und Unterdrückten gewahrt wer-
den. Der revolutionäre Kampf kann nur durch Selbstdisziplin und weitsich-
tige Taktik gewonnen werden. Persönlicher Eifer und Ungeduld müssen
einer Massenbewegung schaden und sind deshalb auszumerzen. In gewisser
Hinsicht wird hier das zentrale Thema des zur gleichen Zeit entstehenden
Lehrstückes *Die Maßnahme* angeschnitten, wo die Notwendigkeit absoluter
Selbstdisziplin im Interesse der Partei gelehrt wird.

f. Die Gedichte und „Die heilige Johanna der Schlachthöfe"

Nach 1928 spitzte sich die wirtschaftliche Lage in der Weimarer Republik bedenklich zu. Deutschland war durch Reparationszahlungen und amerikanische Kapitalanleihen krisenanfälliger als andere Staaten geworden.
Um die Verpflichtungen unter dem Dawes- bzw. Youngplan zu erfüllen,
mußten immer mehr kurzfristige Anleihen im Ausland, meistens in den USA
gemacht werden. Als im November 1929 durch den großen Börsensturz
25 Milliarden Dollar verlorengingen, waren die Folgen für die von Amerika
abhängige Wirtschaft Deutschlands katastrophal. Betriebe mußten schließen, die Arbeitslosenzahl stieg auf über vier Millionen, Banken meldeten
Konkurs an, die allgemeine Entwicklung förderte eine rasche Bildung von
Kartellen und die Arbeitslosenzahl nahm weiterhin zu, bis sie zum Höhepunkt der Weltwirtschaftskrise im Jahre 1932 die 6 Millionengrenze erreichte. Die weltwirtschaftliche Konjunktur hatte ein böses Ende genommen. Die Märkte waren durch Überproduktion verstopft, die über Nacht
geschwundene Kaufkraft stoppte den Absatz, die kurzfristigen Kredite aus
Übersee wurden zurückgezogen und neue waren nicht mehr aufzutreiben.
Dem Wohlstand war plötzlich die Grundlage entzogen. Die alten Illusionen,
falls noch welche übrig waren, verloren sich schnell. Selbst das finanzkräf-
tige Amerika, das Land der unbegrenzten Möglichkeiten, wurde durch die
Wirtschaftskrise auf die Knie gezwungen, das kapitalistische System erlebte
seinen Bankrott. Brechts Versuch, das *Brotladen*-Stück anfänglich in Chicago, dem Zentrum der amerikanischen Arbeiterbewegung, anzusiedeln,

geht teils auf Gründe der Verfremdung wie bei den früheren Fragmenten zurück, teils auf die Tatsache, daß die in Deutschland herrschende Krise ihren Ursprung in Amerika hatte. In den nach Deutschland verlegten Fassungen des Fragments hieß es jeweils ausdrücklich, die Lage habe sich verschlechtert, „weil Amerika, dem Europa bis an den Hals verschuldet ist, sich in einer entsetzlichen Krise windet, über deren Gründe sich selbst die größten Gelehrten absolut nicht klarwerden können“.[1]

Was dem Immobilienagenten Flamm noch unerklärlich erscheint, ist dem marxistisch geschulten Dichter längst kein Rätsel mehr. Die Kapitalisten wollen dem Volk die Erklärung für dieses stete Auf und Ab des notwendigen Geschäftszyklus vorenthalten, denn den Leuten könnten die Augen aufgehen. Zu jener Zeit schrieb Brecht das Gedicht „Diese Arbeitslosigkeit“,[2] in dem er die Scheinheiligkeit der Industriekapitäne angreift, denen es „in den Kram“ paßt, wenn allgemein die Ansicht vertreten wird, „die Erscheinung [der Krise] wird verschwinden wie sie kam“. Um ein Ende der Arbeitslosigkeit zu erzielen, müßten erst die Kapitalisten „arbeitslos“ werden. In mehreren anderen Gedichten aus jener Zeit drückt Brecht seine tiefe Desillusionierung über Amerika, den Kapitalismus und den Reformismus aus. Ein paar Jahre zuvor hatte er in einem der zum „Lesebuch für Städtebewohner“ gehörigen Gedichte sein Verhältnis zu Amerika dargelegt:

Ich höre Sie sagen:
Er redet von Amerika
Er versteht nichts davon.
Er war nicht dort.
Aber glauben Sie mir
Sie verstehen mich sehr gut, wenn ich von Amerika rede.
Und das Beste an Amerika ist:
Daß wir es verstehen.[3]

Das Gedicht ist an einen Gelehrten gerichtet, der nur die tote Vergangenheit eines Studiums für würdig hält.

Sie, Herr
Versteht man nicht
Aber New York versteht man
Ich sage Ihnen:
Diese Leute verstehen, was sie tun
Darum versteht man sie.[4]

In diesem Gespräch zweier Europäer über das Verhältnis zu Amerika wird der Standpunkt vertreten, daß die Leistungen jenes Landes klar auf der Hand liegen, für jedermann verständlich sind und zum Nachdenken anregen sollten. In gewissem Sinne ist Amerika beispielhaft:

Aber sollen wir nicht von Leuten lernen
Die es verstanden haben
Verstanden zu werden?

Im November 1927 sprach Brecht noch zurückhaltend positiv vom „sogenannten Amerikanismus", der, obwohl er neue geistige Einflüsse in die europäische Kultur gebracht habe, doch nicht mehr sei als nur eine der sich abzeichnenden „Verfallserscheinungen des *Alten*".[5] Wir wissen, daß Brecht damals dem Amerikanismus als solchem schon sehr kritisch gegenüberstand. Worauf er sich in diesem Zitat in Zusammenhang mit dem neuen Theater bezieht, ist klar: auf das Schlicht-Kühle, den von der Neuen Sachlichkeit geprägten zeitgemäßen Ton, der als modern und „amerikanisch" galt. Brechts Wortgebrauch ist leider nicht immer konsequent. So nannte er z. B. 1926 die von ihm positiv gewerteten Stücke Emil Burris (darunter *Amerikanische Jugend, Das mangelhafte Mahl*) „außerordentlich temperamentvoll, einfallsreich, unamerikanisch, ethnopolitisch, zeitbejahend und so weiter".[6] Hier gilt „unamerikanisch" als etwas Positives, wahrscheinlich im Hinblick auf den als „amerikanisch" bezeichneten seichten Revuestil. Es ist gezeigt worden, daß gewisse Aspekte des anfangs von Brecht vollauf bejahten Amerikanismus ab 1926/27 kritisch beleuchtet, manche direkt abgelehnt wurden. Hinzu kommt noch die Schwierigkeit, daß für ihn das Wort „amerikanisch" oft ein Werturteil einschließt, das je nach Kontext positiv oder negativ zu verstehen ist.

Hierher rühren nicht zuletzt die Schwierigkeiten bei der Interpretation des oben erwähnten Amerikagedichtes. Aus dem Zusammenhang der übrigen „Zum Lesebuch für Städtbewohner gehörigen Gedichte" gelöst, also isoliert betrachtet, ist es durchaus zweideutig. Es fragt sich, ob Amerika als positives oder negatives Beispiel angeführt wird, von dem zu lernen ist. Klaus Schuhmann neigt zur einen Interpretation, Iring Fetscher zur anderen.[7] Beide unterlassen es aber, auf das Gedicht im einzelnen *und* im allgemeinen Kontext einzugehen. Schuhmann deutet das Gedicht als ein Gespräch zwischen zwei Deutschen, die sich lediglich darüber unterhalten, ob es möglich sei, ein fernes Land zu beurteilen, ohne überhaupt dort gewesen zu sein. Er meint, Brecht spreche den Gedanken aus, daß die für einen Historiker typische Forschungsweise mit Studium der Geschichte und persönlichen Reisen in das Land für eine genaue Kenntnis Amerikas nicht nötig ist. Amerikas Errungenschaften sprächen für sich und bedürften keiner nachhelfenden Deutung und deswegen genüge ein Gespräch über dieses Land, „um mit ihm vertraut zu werden und es zu verstehen. Die Wirklichkeit der zwanziger Jahre lieferte Beweise genug für die Anziehungskraft der Vereinigten Staaten".[8] Die in dem Gedicht enthaltene Frage („Aber sollen wir nicht lernen") wird als eine jener Überlegungen bezeichnet, die Brecht „in der Mitte der zwanziger Jahre zum Amerikanismus" geführt haben mögen.

Eine Betrachtung dieses mit der Nummer 11 bezeichneten Gedichtes im Kontext der Geschwistergedichte macht eine solch positive Deutung unwahrscheinlich. Die Gedichte 9, 10 und 12 befassen sich ausschließlich mit dem Problem, worin der Unterschied zwischen einem Dummkopf, einem durchschnittlich Gebildeten und einem Intellektuellen im landläufigen Sinne besteht. Brecht bedient sich umgangssprachlicher Ausdrücke wie „Plattköpfe", „Dummköpfe" und „breite Köpfe". Für ihn sind all diejenigen „Plattköpfe", die sich mit der Masse treiben lassen, sich keine Gedanken machen und sich keine private Meinung leisten wollen. Sie leben ob der großen Ruhe, derer sie sich erfreuen, länger und haben von ihrer Haltung sowohl geschäftliche als auch politische Vorteile, weil sie nicht gegen den Strom schwimmen. Sie brauchen sich, „um *nichts* zu kümmern".[9]

Gedicht Nr. 10 behandelt die Frage, was für ein Mann Rockefeller war, der Gründer des ersten großen Trusts. Nach der vorhergehenden Definition eines „Plattkopfes", müßte er eigentlich einer sein: er ging mit der Mehrheit, denn an der „Standard Oil" bestand ein „allgemeines Interesse" und ihr Zustandekommen war nicht zu verhindern. Er hatte Sinn für Geld und wurde außerdem noch alt. Er ist zwar weder ein Dummkopf noch eine geistige Größe. Auf ihn paßt eher die in Gedicht Nr. 12 gegebene Definition des „breiten Kopfes", der anhand genauer Informationen handelt und die für ihn persönlich wichtigen Entscheidungen immer richtig trifft. Er tut von vornherein das, was die anderen rückblickend auch gern getan hätten. Auf seinen eigenen Vorteil bedacht, setzt er sich von der Masse insofern ab, als er *aktiv* mit dem Strom schwimmt und sich nicht wie die anderen *treiben* läßt. Der „breite Kopf" zeichnet sich mehr durch seine breite Stirn als durch seinen besonders hellen Kopf aus. Er ist aus demselben Holz geschnitzt wie die Dan Drews, Vanderbilts und Henry Fords. Der Bezug zu dem Rockefellergedicht (Nr. 10) wird deutlich genug gemacht:

An eine Sache, die Schwierigkeiten macht
Glaubt er nicht. Warum
Sollte eine Sache, die im allgemeinen Interesse liegt
Schwierigkeiten machen?[10]

Er kennt die Marktlage und weiß sie zu nützen, indem er versucht, den Markt ganz in seine Hand zu bekommen, wie Rockefeller mit seinem „Oil Trust". Als es Öl in Hülle und Fülle gab und sich ein allgemeiner Bedarf nach Öl abzeichnete, verspürte auch Rockefeller „Appetit" danach, d. h. er brachte die ganze Ölversorgung in seine Hand:

Einen breiten Kopf erkennt man daran
Daß er Appetit an Äpfeln hat
Wenn genügend Leute
Appetit nach Äpfeln haben und
Für alle diese genug Äpfel da sind.[11]

Nur dann hat es einen Sinn, den Markt zu kontrollieren.

Aus dem Zusammenhang der Geschwistergedichte wird deutlich, was Brecht meint, wenn er in Gedicht Nr. 11 von „Amerika" redet. Das kapitalistische Wirtschaftssystem, das für Brecht mit Amerika gleichbedeutend ist, kann man auch verstehen, ohne in Amerika gewesen zu sein. Brecht spielt mit der Bedeutung des Wortes „Amerika" genauso wie mit der des Wortes „verstehen" (wissen – begreifen). Die Aufforderung, von „Amerika" zu lernen, will nicht heißen, daß es (das kapitalistische System) zu imitieren sei. Vielmehr soll Amerika, das bisher als nachahmenswertes Vorbild galt, jetzt als abschreckendes Beispiel dienen, anhand dessen gewisse Dinge besser gemacht werden können. Heißt es doch in der zweiten und dritten Strophe des vorhergehenden Gedichtes:

Wer will beweisen, daß Rockefeller Fehler gemacht hat
Da doch Geld eingekommen ist.
Wissen Sie:
Es bestand Interesse daran, daß Geld einkam.
Sie haben andere Sorgen?
Aber ich wäre froh, wenn ich einen fände
Der kein Dummkopf ist, und ich
Kann es beweisen.[12]

Für Brecht, der mit der Figur des Altertumsforschers den herkömmlichen Typ des Intellektuellen kritisiert, ist es viel wichtiger, die Prozesse zu verstehen, die die Gegenwart formen, als darüber nachzugrübeln, was vor Tausenden von Jahren geschehen sein mag. Die Intentionen jener Kapitalisten von drüben sind klar – im Gegensatz zu den deutschen haben sie selbst darüber geschrieben – und werden von jedermann verstanden. Durch das Studium des Marxismus ist für Brecht 1926/27 nicht nur verständlich geworden, was Amerika so schnell hat wachsen und mächtig werden lassen, er versteht auch zur Zeit der Weltwirtschaftskrise den sich abzeichnenden, unaufhaltsamen Abstieg und Untergang Amerikas und damit des kapitalistischen Systems.

Wie das Opfer der Krise, der Heruntergekommene, der sich zwischen drei Wellblechschuppen schleppt, dort seine letzte Suppe auslöffelt und wie Baal lautlos im Freien verreckt, genauso wird auch Amerika von der Bildfläche verschwinden:

Gegen Mitternacht versanken drei Kontinente

Gegen Morgen zu verfiel Amerika

Und es war, als er verging, als wär es nie gewesen

Alles, was er sah und was er nicht sah.[13]

Brecht hatte das Gefühl, eine Zeitenwende mitzuerleben. Das alte Zeitalter des Kapitalismus ging immer rascher seinem Ende entgegen, während sich am Horizont das neue des Sozialismus abzeichnete. Diese Einschätzung der Lage läßt ihn ähnliche Situationen in der Geschichte überdenken, wie z. B. in dem Gedicht „Hier standen die alten Mauren".[14] Wie einst die Mauren ihren eigenen Untergang voraussahen, so sieht auch er, daß es keinesfalls wie bisher weitergehen kann. Ihn erfüllt keine Untergangsstimmung. Den Veränderungen sieht er eher gleichmütig entgegen. So wie die schwach gewordenen Mauren von stärkeren Völkern abgelöst wurden, so wird auch die heruntergewirtschaftete kapitalistische Gesellschaftsform von einer lebensfähigeren verdrängt werden. Reformen innerhalb des Kapitalismus können die notwendige Entwicklung nach unten bestenfalls verzögern, aber nicht aufhalten.

Das 1930 entstandene Gedicht „Verschollener Ruhm der Riesenstadt New York" ist als Schlußbilanz von Brechts jahrelanger Auseinandersetzung mit dem Amerikanismus anzusehen.[15] In Form einer Chronik gehalten, wird das große amerikanische „Jahrtausend", die Glanzzeit der USA, mit der gebührenden Distanz eines außenstehenden Beobachters beschrieben. Es wird der Anschein erweckt, als liege diese Periode des Ruhmes in weiter Vergangenheit, in Wirklichkeit aber handelt es sich um Begebenheiten aus der unmittelbaren Erfahrungswelt des Dichters, aus dem „Jahrzehnt nach dem großen Krieg" von 1918 bis 1928.

Im ersten Teil des Gedichtes (Strophen 1–12) werden die Errungenschaften und Leistungen genannt, die den Dichter beeindruckten und seine Begeisterung hervorriefen. Er stand wie viele andere der jungen Generation mit dieser jugendlichen Welt auf Du, bewunderte das große Sammelbecken, den Schmelztiegel der Welt, in dem Einwanderer aus aller Herren Länder unverkennbar zu „Amerikanern" wurden. Das amerikanische Wesen setzte sich immer durch. Führend und tonangebend in Technik, Sport, Industrie, Handel und Formen der Unterhaltung, entwickelten sie einen Lebensstil, in dem sozialer und geschäftlicher Erfolg, sportliche Fairneß und der Sinn für das Unkompliziert-Praktische zu neuen Idealen wurden. Großzügigkeit, Unbesorgtheit und Zuversicht zeichnete dieses Geschlecht aus. In der achten Strophe liefert Brecht ein seltenes Eingeständnis seines Verlangens, jenem amerikanischen Typ nachzustreben, der ausgestopfte Anzüge aus rohen Stoffen trägt, die einem ein breitspuriges Aussehen verleihen.[16] Das nonchalante Benehmen, die legeren Bewegungen, das lässige Kaugummikauen, die kühle Undurchsichtigkeit des „poker face", die Tugend des „keep smiling" waren sämtlich Eigenschaften jenes berühmten Menschenschlags, „welcher bestimmt schien / Die Erde zu beherrschen".[17] Dieser ganze erste Teil des Gedichts liest sich wie eine Aufzählung der markantesten Züge von Brechts frühem Amerikabild. In jeder Zeile schwingen Reminiszenzen aus seinen bisherigen Arbeiten über Amerika mit, meist aus den unpublizierten Fragmenten. Im Grunde knüpft er an die chronikhafte Erzählung Anne Smiths in *Mann aus Manhattan* an, wo in Gedichtform die Geschichte von der Eroberung Amerikas dargestellt wurde. Hier werden nun die amerikanischen Leistungen *nach* der industriellen Revolution geschildert und gefeiert. Auch damals wurde von jenen Leuten als einer „ewigen Rasse" gesprochen, die dazu bestimmt schien, die Welt zu beherrschen.[18] Was die amerikanische Gesellschaftsform betrifft, urteilt Brecht rückblickend:

Wahrlich, ihr ganzes System des Gemeinlebens war
unvergleichlich.
Welch ein Ruhm! Welch ein Jahrhundert![19]

In der dreizehnten Strophe kommt in lapidarem Stil die Antiklimax:

Allerdings dauerte dieses Jahrhundert
Nur knappe acht Jahre.

Dem bereits fast in Vergessenheit geratenen ruhmreichen Damals wird das enttäuschende Heute gegenübergestellt. Selbst das mächtige Amerika, Vorbild der jungen Generation Deutschlands, konnte gewissen systembedingten Krisen nicht standhalten und erlitt einen totalen Bankrott. Der schmachvolle Zusammenbruch mußte jedem noch so Begeisterten über jene vorbildhaften Errungenschaften endgültig die Augen öffnen. Technischer Fortschritt, Rekordleistungen und Unterhaltungsindustrie sind und bleiben Äußerlichkeiten, mit denen man sich nicht über Krisen hinwegtrösten kann. Die von aller Welt gerühmten Städte entpuppen sich als Schuttplätze, leb-

lose Steinhaufen, die Wolkenkratzer als verächtliche Schuppen. Der über-
hitzten Konjunktur ging der Dampf aus, die Prosperität weicht einer lang
anhaltenden Depression, die alle in die Gosse bringt, in der sie „zu liegen
scheinen wie für die Ewigkeit". Die Zuversichtlichkeit des „keep smiling",
die scheinbar angeborene Heiterkeit, erscheinen angesichts derartiger Zustände entweder als Dummheit oder Falschheit. Der technische Fortschritt
ist sinn- und belanglos angesichts der Heere von Arbeitslosen, Hungernden
und Obdachlosen. Abschließend, in der 23. Strophe, die ernüchternde Einsicht:

> Welch ein Bankrott! Wie ist da
> Ein großer Ruhm verschollen! Welch eine Entdeckung:
> Daß ihr System des Gemeinlebens denselben
> Jämmerlichen Fehler aufwies wie das
> Bescheidenerer Leute.[20]

Die Schlußstrophe hat strukturell gesehen dieselbe Funktion wie die oben
zitierte zwölfte Strophe, die den ersten Teil des Gedichtes beendet. Sie bilden die beiden antithetischen Hauptpunkte des Ganzen. Die Begeisterung
weicht der Enttäuschung. Beide Male wird ausdrücklich zu dem den Amerikanern eigenen „System des Gemeinlebens" Stellung genommen. Das in der
zwölften Strophe enthaltene Urteil, daß das amerikanische Gesellschaftssystem „unvergleichlich" war, regte manchen Kritiker dazu an, nur das
Negative in dem durchaus ambivalenten Adjektiv zu unterstreichen. So läßt
sich Klaus Schuhmann, der wohlgemerkt über den Lyriker Brecht *vor* 1933
schreibt, dazu verleiten, für seine Interpretation diesem zweideutigen Adjektiv ungebührliches Gewicht beizumessen. Er spricht schon an diesem
Punkt von „Gesellschaftssatire", der die nur „scheinbar unkritische Bewunderung" nunmehr Platz macht: „Das kapitalistische Wirtschaftssystem ist in
der Tat unvergleichlich – unmenschlich". Schuhmann zitiert hier aber nach
der 1951 in Ostberlin erschienenen Ausgabe der Hundert Gedichte in revi-
dierter Fassung, nicht nach der Erstfassung, die 1934 unverändert in der
Exilzeitschrift *Die Sammlung* erschien. Dort heißt der Wortlaut jener Strophe unzweideutig:

> Wahrlich, ihr ganzes System des Gemeinlebens war
> das bestmögliche.
> Welch ein Ruhm! Welch ein Jahrhundert![21]

Im Jahre 1930 konnte sich Brecht ein solch offenes Geständnis seiner frühen
Amerikabegeisterung leisten. Dem etablierten marxistischen Dichter mußte
so etwas peinlich sein. Rückblickend weiß er, daß jenes System seine Fehler

hatte, aber noch zuzugeben, daß er selbst einmal der Ansicht gewesen war, dies sei unter den damaligen Umständen das bestmögliche gewesen, ist zuviel. Das Gedicht zeigt unmißverständlich den endgültigen Bruch mit dem Amerikakult; es zeigt, wie tief der Einschnitt in Brechts Haltung Amerika gegenüber war.

Sein nächstes Drama, *Die heilige Johanna der Schlachthöfe* (1932), ist ähnlich wie die Oper *Aufstieg und Fall der Stadt Mahagonny* ein Sammelbecken der früheren, unveröffentlichten Arbeiten und Entwürfe, die mit Amerika in Beziehung zu bringen sind. Endlich gelingt ihm der Durchbruch, das längst geplante Drama über die zeitgenössischen wirtschaftlichen Umtriebe fertigzustellen. Der Mechanismus des Kapitalismus wird auf der Bühne entlarvt und angeprangert. Das Drama bildet zugleich Endpunkt und Höhepunkt jener Entwicklung, die mit den Fragmenten *Dan Drew* und *Joe Fleischhacker* begann und über die beiden *Mahagonny*-Stücke und *Happy End* zu den Fragmenten *Der Brotladen* und *Aus nichts wird nichts* führte.

Mit der *Johanna* hat Brecht ein entscheidendes Stadium seiner technischen Entwicklung als Dramatiker erreicht. Hatte er in den Lehrstücken versucht, seine eigene Position im Lichte marxistischer Ansichten zu klären, so unternimmt er es nun zum ersten Male, die Theorien des Marxismus in einem großen Stück im Stile des epischen Theaters auf die Bühne zu bringen. Vom artistischen Standpunkt aus betrachtet, bedeutet das Stück einen Höhepunkt im Schaffen Brechts, und diese Leistung ist in zahlreichen Interpretationen gewürdigt worden. Was die Entwicklung von Brechts Amerikabild anbetrifft, enthält das Drama wenig Neues. Mit ihm kommt ein wichtiger Abschnitt in Brechts Haltung Amerika gegenüber zu Ende. All die früheren – wohlgemerkt, der Öffentlichkeit unbekannten! – Ideen, die ihren Niederschlag in den zahlreichen Entwürfen und Bruchstücken gefunden hatten, stellen sich wieder ein. Diesmal ist es jedoch Brecht gelungen, aus den vielen durch gründliches Studium erarbeiteten Fakten und gewonnenen Eindrücken ein artistisches Ganzes zu bilden. All die bisher genannten amerikanischen und englischen Quellen finden hier ihren Niederschlag – allerdings keinen direkten, sondern einen durch die Arbeit an den Fragmenten gefilterten und geläuterten. Die verwirrende Masse der Details macht einigen prägnanten Aspekten Platz, die sich unmerklich und elegant in die Gesamtkonzeption dieses äußerst vielseitigen und an Ereignissen reichhaltigen Dramas einfügen. Hier sei innerhalb der drei Handlungsstränge des Dramas zusammenfassend (Johanna-, Mauler- und Arbeiter-Handlung) auf die für das Amerikabild wichtigen Aspekte und deren Quellen hingewiesen.

Die Johanna-Handlung, die Geschichte des Heilsarmeemädchens, das Gott zu den Arbeitslosen bringen will, später versucht, einen Kapitalisten, bzw. Verbrecher für die Sache Gottes zu gewinnen, deswegen aus der Bewegung ausgestoßen wird und deshalb zunächst aus Ehrgeiz mit ihrer Missionstätigkeit auf privater Basis fortfährt, ist eine Kombination der *Happy End-* und *Brotladen*-Handlungen,[22] die ursprünglich auf G. B. Shaws *Major Barbara* zurückgehen. Johanna kommt im Gegensatz zu ihren Vorgängerinnen zu der Erkenntnis, daß sie durch ihre religiöse Tätigkeit unwillentlich den gemeinsamen Interessen von Religion und Kapital Vorschub geleistet hat, und bekennt sich, wenn auch zu spät, zur Sache der Arbeiter. Die Religion als Handlangerin des Kapitals ist ein Thema, mit dem sich Brecht seit der Lektüre von Whites Drew-Biographie und Myers' Geschichtswerk eingehend befaßt hatte. Shaws Hinweis darauf in Verbindung mit der Heilsarmee sollte nach den eigenen Nachforschungen über die Sekte, die Brecht eigenartigerweise stets mit Amerika assoziierte, reiche Früchte tragen.

Die Verurteilung des Reformismus als Bremsschuh jedes wirklichen Fortschritts auf dem Wege zur Lösung der gesellschaftlichen Probleme war zu einem Hauptanliegen Brechts geworden. Beispiele dieses Reformismus und seines eigentlich tödlichen Leerlaufs hatte er in vielen Quellen getroffen. Zum Beispiel den Hinweis auf die Tatsache, daß die Bethallen nur wegen der dort gebotenen Wärme und Verpflegung, aber nicht aus religiösem Bedürfnis besucht werden, fand Brecht sowohl in Sinclairs *The Jungle,* Jensens *Das Rad* und Theodore Dreisers Schriften, mit denen er inzwischen vertraut geworden war.[23] Im Kampf gegen den Reformismus schreibt Brecht zur Zeit der Arbeiten an der *Heiligen Johanna* zwei wichtige Gedichte, die ihrerseits auf den Einfluß Dreisers und Tucholskys zurückgehen. Eine Episode aus dem „Curious Shifts of the Poor" überschriebenen 45. Kapitel von Dreisers Roman *Sister Carrie* lieferte den Stoff für das Gedicht „Die Nachtlager".[24] Im Gegensatz zu Dreiser, der der Tat des Bettenvermittlers volles Lob ausspricht, geht Brecht einen Schritt weiter und fordert die Veränderung der Gesellschaft, die solche Hilfeleistungen überhaupt nötig macht. Eine ähnliche Haltung vertritt er in dem zur selben Zeit entstandenen „Lied vom Flicken und vom Rock", das in der Erstfassung den deutlicheren Titel „Verurteilung des Reformismus" trug,[25] und später einen wichtigen Platz in *Die Mutter* einnimmt.[26] Dort gibt es das Signal für den Streik der Arbeiter. Es ist eine offene Imitation von Tucholskys Gedicht „Bürgerliche Wohltätigkeit" aus dem Jahre 1929.[27]

Wie die Entwürfe zur *Heiligen Johanna* zeigen, hatte Brecht sogar erwo-

gen, Gott selbst als alten Herrn nach Chicago zu bringen und in die Heils-
armeehandlung zu verwickeln. Die Strohhüte nehmen den alten Herrn, dessen Popularität rapide abgenommen hat, in ihre Obhut und wollen ihn aus-
staffieren, so daß er besser als die Fleischkönige aussieht. Sie rühren eifrig
die Reklametrommeln für ein Massentreffen in Chicago, bei dem er auftreten wird, denn „der Weg zu ihm führt in der Zukunft über uns".[28] Der Gott
der Schwarzen Strohhüte wird als durch und durch materialistischer Typ
präsentiert. Obwohl er in eigentlichen Geschäftssachen völlig naiv ist, be-
kundet er auf Schritt und Tritt seine Schwäche für materielle Dinge. Er läßt
sich zu gerne von einem Strohhut die Geschichten aus dem Alten Testament
vorlesen, in denen der Pomp und Glanz der mit Gold und Edelsteinen über-
häuften Tempel Salomons beschrieben wird, und schleicht sich heimlich zur
Börse, um dort neue Kniffe zu lernen. Als eine alte Witwe den Strohhüten
ihr größtes Opfer, ihr Sparkassenbuch, im Vertrauen darauf überreicht, daß
Gott in Zukunft für sie sorgen werde, erhebt sich Gott und verlangt unter
lauten Bravorufen sofort danach.[29] Brecht und seine Mitarbeiter bemerkten
zu diesem eigenartigen gegenseitigen Verhältnis von Religion und Geschäft:
> Wenn auch Religion im gewöhnlichen Geschäft
> nichts hat zu suchen so ist es anders doch
> mit dem Geschäft in der Religion.[30]

Dieser Sachverhalt wurde mit dem Schlagwort „Monroe Doktrin" charakterisiert, was einen interessanten Aufschluß über die Haltung gegenüber der
zeitgenössischen Politik Amerikas gewährt. Die Monroe Doktrin des
19. Jahrhunderts hatte eine entscheidende Wendung genommen: den europäischen Staaten war es nach wie vor nicht erlaubt, sich in amerikanische
Angelegenheiten einzumischen, während die USA, inzwischen zu den Gläu-
bigern Westeuropas geworden, sich immer stärker in der europäischen Politik engagierten. Amerika galt für Brecht als Verkörperung des Geschäfts
schlechthin. Hinzu kommt nun noch die Komponente des Imperialismus –
eine beträchtliche Entwicklung seit der Zeit *vor* den marxistischen Studien.
Im Mai 1926 hatte er noch wohlgemerkt – als Antwort auf eine Rundfrage,
welche Phrasen ihm am verhaßtesten seien – unter anderem „Business-
Amerika" erwähnt.[31]

Die Mauler-Handlung verfolgt den auf Kosten der Arbeiter unerbittlichen Konkurrenzkampf der Kapitalisten unter sich. Der Fleischkönig und
Philanthrop gewinnt durch rücksichtslose Anwendung aller erdenkbaren
Listen die Oberhand über seine Konkurrenten in einer grandiosen Börsenspekulation. Ihm ist darum zu tun, die Religion zur Beschwichtigung der

berechtigten Proteste der Arbeiter zu mißbrauchen. Eine Zeitlang führt er selbst die ehrlich für die Interessen der Arbeiter eintretende Johanna hinters Licht. Die früheren Versuche Brechts, die aktuelle Wirtschaftspolitik und eine Analyse vom Mechanismus des Kapitalismus auf die Bühne zu bringen, finden ihren erfolgreichen Abschluß. Die Vorarbeiten zu *Dan Drew* und *Joe Fleischhacker* sowie die aktive Einflußnahme an der Entstehung der Schlußfassung von Leo Lanias Petroleum-Stück *Konjunktur* (1928) trugen Früchte.[32] Aus dem Fleischhacker wird der Fleischpacker, dessen Vorname an den reichsten und rücksichtslosesten der amerikanischen Kapitalisten erinnert: John Pierpont Morgan. Die Beschreibung von Maulers großem Börsencoup geht in groben Zügen natürlich auf Frank Norris' *The Pit* zurück. Wie Curtis Jadwin und Fleischhacker wird Mauler zum „geheimen Bullen", der den Preis der Ware in astronomische Höhen treibt (Dollarweizen – Dollarfleisch) und schließlich ein Opfer der eigenen Spekulation wird. Mauler entrinnt aber seinem Bankrott. Daneben besteht ein weiterer entscheidender Unterschied zwischen der *Heiligen Johanna* und den *Drew-* und *Fleischhacker*-Fragmenten, in denen der Aufstieg und Fall eines individuellen Spekulanten vor Augen geführt werden sollte. Maulers Vorgänger hatten eigentlich keinen reellen Besitz, sie handelten mit Papieren. Als Fabrikbesitzer ist Mauler jedoch ein Produzent, der direkt Arbeiter unter sich hat, für deren Wohl er verantwortlich ist. Er wird mit den Folgen seiner Machinationen direkt konfrontiert. Die mit der Produktion verbundenen Probleme der Ausbeutung, der Schaffung von Mehrwert, lagen etwas jenseits der Papierspekulation mit Weizen. Die Karriere Maulers veranschaulicht in unmißverständlicher Weise, wie die Kapitalisten auf Kosten des Proletariats immer mehr Reichtum an sich raffen. Käte Rülicke hat gezeigt, in welch enger Anlehnung an den von Marx im *Kapital* dargestellten Krisenzyklus (Ende der Prosperität, Überproduktion, Krise, Stagnation) Brecht seine Fabel aufbaut.[33] Der Antagonismus Proletariat–Bourgeoisie entwickelt sich von Krisenerscheinungen bis zur Krise selber. Als der auf Grund der Lohnsenkungen geforderte Generalstreik der Arbeiter zum Teil wegen des unsolidarischen Verhaltens Johannas, zum Teil wegen der auf Veranlassung der Kapitalisten durchgeführten Polizeiaktionen scheitert, gelingt es den Industriellen, durch die Vernichtung der Produktion die Marktlage zu retten. Das sind Problemkomplexe, mit denen sich Brecht 1926/27 noch nicht auseinandersetzen konnte. Das Studium des Marxismus hat endgültig die lang ersehnte Klarheit in die wirtschaftlichen Zusammenhänge gebracht. Persönliche Eindrücke und Erfahrungen aus den Krisenjahren werden analysiert:

die Verbrennung von Weizen- und Kaffee-Ernten in Nord- und Südamerika bewiesen die Richtigkeit der Marxschen Theorien und spornten den Stückeschreiber zu neuen literarischen Werken an, darunter namentlich „Die drei Soldaten. Ein Kinderbuch".[34] Neu in der *Heiligen Johanna* ist jetzt die präzise Schilderung der Monopolbildung. Brecht war durch die Lektüre von Myers' Geschichtswerk, Jack Londons *The Iron Heel*, Ida Tarbells *The Life of Elbert H. Gary: The Story of Steel* und Sinclairs *Petroleum* mit dem Aufbau der zwei größten amerikanischen Trusts vertraut geworden, mit Rockefellers Standard Oil Company und J. P. Morgans U. S. Steel Company.[35] Mauler ist eine Kombination dieser zwei historischen Figuren, des völlig offenen, brutalen und böswilligen Morgan und des seine eigentlichen Absichten verdeckenden „Philanthropen" Rockefeller. So hob sich Brecht unter den *Johanna*-Materialien unter anderem eine Zeitungsfotografie des „fast neunzigjährigen" John Rockefeller (1839–1937) auf.[36] Das Erfolgsgeheimnis jener beiden Industriekapitäne war die gleichzeitige Kontrolle von Rohstoff, verarbeitender Industrie, Endprodukt und Transportwegen. Der Oil Trust verfügte über Erdölförderung, Pipelines und Raffinerien, der Steel Trust über Kohlengruben, Eisenbahnen und Stahlwerke. In ähnlicher Weise wird Mauler zum absoluten Herrscher über Rohstoff (Vieh) und Produkt (Fleisch) und kann somit die Konkurrenz in die Knie zwingen. Mit der Veranschaulichung der Formationsprozesse eines Trusts dringt Brecht in seiner Analyse bis in die Phase des Spätkapitalismus vor. Deshalb verlegt er die ursprünglich für kurz nach der Jahrhundertwende angesetzte Zeit der Handlung in die unmittelbare Gegenwart, in der die Symptome der Endphase des Kapitalismus am deutlichsten waren.

Die Arbeiter-Handlung setzt mit der Beschreibung der menschenunwürdigen Verhältnisse ein, in denen das Proletariat für die Profitgier der Kapitalisten blutet. Die Charakteristik dieser Zustände erklärt die Motivierung für den Protest gegen die Ausbeuter. Einzelne progressive Kämpfer innerhalb des Proletariats erkennen die Notwendigkeit eines solidarischen Widerstandes aller Werktätigen als einzige Möglichkeit einer Verbesserung ihrer Situation. Obwohl der geplante Generalstreik zunächst scheitert, gilt der von den Massen gemeinsam durchgeführte gewalttätige Umsturz weiterhin als einzige Lösung des Problems. Hier verquicken sich merkbar Einflüsse aus verschiedenen Quellen. Über *Joe Fleischhacker* sickert die Schlachthof-Atmosphäre aus Sinclairs *The Jungle* durch. Wie Reinhold Grimm in seiner Studie *Bertolt Brecht und die Weltliteratur* erwähnte, entstammen „Thema, Handlungszüge, Milieu und zahlreiche Einzelheiten" diesem Roman.[37] Sinclair hatte den Beef Trust als ein alles verschlingendes Untier mit tausend Mäulern bezeichnet und ihn den „Great Butcher" genannt, den Fleisch gewordenen Geist des Kapitalismus. Wie erwähnt, hatte auch Norris die Vorgänge in der Chicagoer Weizenbörse mit einem sich gegenseitigen Schlachten verglichen. Genauso konsequent wie in *Joe Fleischhacker* vergleicht Brecht hier die Welt mit einem riesigen Schlachthaus. Wie Fleischhacker bedient sich Mauler (engl. „to maul" = zerfleischen; übel zurichten) bildhafter Ausdrücke, die sein blutiges Metier widerspiegeln. Es entspricht seinem Naturell, den andern die „Haut abzuziehen", ihnen „Nackenstreiche" zu erteilen und sich wie Fleischhacker als Vorbereitung auf den großen Coup von rohem Fleisch zu ernähren. Der Kapitalist wird wie bei Sinclair als Metzger dargestellt, der die Arbeiter buchstäblich durch den Fleischwolf dreht. Züge des Arbeitermilieus in Fabrik und zu Hause werden übernommen: die bis aufs letzte rationalisierte Schlachtmethode, bei der alles bis auf das Grunzen des Schweines verarbeitet und verwertet wird, die durch ständige Beschleunigung der Produktion erhöhte Unfallrate; der Vorfall, daß der Witwe eines in die Sudkessel gefallenen und zu Blattspeck verarbeiteten Arbeiters vorsichtshalber erzählt wird, ihr Mann sei verreist; das Motiv, daß neue Stellen nur durch die Unfälle anderer frei werden. Hinzuzufügen wären die Charakterisierung der Arbeit in den Kunstdüngerkellern als schmutzigste und gefährlichste, weil unter Umständen permanent gesundheitsschädigend, im ganzen Konzern. Die Probleme jenseits des Arbeitsplatzes sind ähnlich:

Wie bezahl ich mein Häuschen jetzt, das schmucke feuchte
In dem wir zu zwölft sind? Siebzehn
Raten hab ich bezahlt und verfällt jetzt die letzte:
Werfen Sie uns auf die Straße, und nimmermehr
Sehen wir den gestampften Boden mit dem gelblichen Gras
Und nie mehr atmen wir
Die gewohnte verpestete Luft.[38]

Brecht summiert hier die Erfahrungen Jurgis Rudkus', des Hauptcharakters in Sinclairs Roman. In ähnlicher Weise zeigt auch Brecht, wie die Ausbeutung sowohl innerhalb als außerhalb der Fabriken zum System wird, an dem die Arbeiter körperlich und seelisch zugrunde gehen. Moralische und sittliche Werte müssen in einer solchen Umwelt zu einem Luxus werden, den man sich nicht leisten kann. Sinclair beschreibt außerdem die gewaltsame Niederschlagung eines Streiks auf den Schlachthöfen. Brechts Arbeiter gehen weiter. Sie erkennen, daß nur ein Generalstreik aller Werktätigen die

Revolution zum Ziele führen kann. Wie in Jack Londons *The Iron Heel*
wird die Notwendigkeit selbst eines zunächst noch aussichtlosen Kampfes
betont:

Diese Schlacht wird verloren gehen
Und vielleicht auch die nächste noch
Wird verloren gehen.
Aber ihr lernt das Kämpfen
Und erfahrt
Daß es nur durch Gewalt geht und
Wenn ihr es selber macht.[39]

Dies war schließlich auch die Botschaft von Karl Liebknechts berühmt ge-
wordenem letztem Aufruf vor seiner Ermordung: „Trotz alledem".[40]

Rückblickend auf die Entwicklung von Brechts Amerikabild seit dem
Studium des Marxismus läßt sich zusammenfassend sagen, daß mit der Um-
deutung der aus der Zeit der Amerikabegeisterung stammenden Mahagonnygesänge eine stete Wandlung in Brechts Haltung Amerika gegenüber ein-
setzte. Wie in einem Sammelbecken tauchen in der Oper *Aufstieg und Fall
der Stadt Mahagonny* die frühen Aspekte des Amerikanismus nochmals
auf, werden aber weitgehend einer Umwertung unterzogen. Positives und
Negatives stehen noch nebeneinander. Als positiv galten zu jener Zeit nach
wie vor Amerikas eindrucksvolle technische Leistungen und der dem wissenschaftlichen Zeitalter allein angemessene nüchterne Pragmatismus der Amerikaner, worin Brecht zuweilen die Hoffnung auf eine bessere Zukunft erblickte *(Lindberghflug)*. Doch wie Brecht bald einsieht, ist von dieser neuen
Lebenseinstellung, die die Religion, den Bremsschuh jeglicher effektiven sozialen Neuerungen, liquidieren würde, auf die Dauer keine ernsthafte Lösung der gesellschaftlichen Probleme zu erwarten. Durch die eingehende
Befassung mit der Interessenverflechtung von Religion und Kapital richtet
er mehr und mehr sein Interesse vom Kampf gegen den Reformismus auf die
unvergleichlich wichtigere Konfrontation der Arbeiter mit ihren Ausbeutern. Mit zunehmender Einsicht in die Mechanismen des kapitalistischen
Systems läßt sich eine graduelle Verschärfung seiner Amerikakritik feststellen. Die Zäsur dieses Entwicklungsprozesses ist in dem Gedicht „Verschollener Ruhm der Riesenstadt New York" zu erblicken, Brechts erster offenen
und konsequenten Absage an den Amerikanismus. Von der Lektüre zahlreicher Bücher über Amerika beeinflußt, erklärt Brecht die Vereinigten Staaten
schließlich zum Inbegriff des kapitalistischen Systems schlechthin. Der
Mahagonny-Oper ähnlich fungiert *Die Heilige Johanna* als Sammelbecken

für Brechts frühere kritische Stellungnahmen zum Thema Amerika. Obgleich Brecht sich mit den in Deutschland herrschenden Problemen auseinandersetzt, verwendet er in diesen Arbeiten meist Amerika als Schauplatz. Dramaturgische Überlegungen wie der Verfremdungseffekt spielen dabei gewiß eine Rolle, doch waren die Entwicklungen in Deutschland nicht zuletzt direkte Folgen der Zustände in Amerika (vgl. *Der Brotladen*). Amerika ist und bleibt das „Land des Fortschritts" für Brecht. Lediglich seine Definition des Begriffes „Fortschritt" änderte sich vom Positiven zum Negativen. Auf dem Weg zur unvermeidlichen Katastrophe des Kapitalismus war Amerika zweifellos weiter fortgeschritten als jedes andere Land. Wie Wieland Herzfelde berichtet, antwortete Brecht auf die Frage, welches Land moderner sei, Deutschland oder Amerika, ohne zu zögern, Amerika sei moderner. Seine Begründung:

> Wenn Deutschland sich auf dem Boden des Kapitalismus weiterentwickle, so werde es erst in Jahrzehnten den amerikanischen Tiefstand erreicht haben.[41]

Die nächsten Arbeiten in bezug auf Amerika sollten zeigen, was Brecht damit meinte.

KAPITEL IV

1933–1941
AMERIKA: MAKLER- UND VERBRECHERWESEN

a. Auf dem Weg zu „Arturo Ui"

Die Jahre des europäischen Exils wurden trotz der wiederholten Umzüge und der damit verbundenen Unannehmlichkeiten und großen persönlichen Opfern zu den produktivsten in Brechts Leben. Fern vom ehemaligen Zentrum des deutschen Theaterlebens, ohne die Möglichkeit, weiterhin als Regisseur zu fungieren, ohne größeren Freundes- und Bekanntenkreis, widmete sich Brecht mit ganzer Kraft dem literarischen Schaffen. In verhältnismäßig schneller Folge brachte er frühere Arbeiten zum Abschluß und fügte eine beachtliche Liste neuer Titel zu seinem Werk: *Die sieben Todsünden* (1933), *Die Rundköpfe und die Spitzköpfe* (1934), *Dreigroschenroman* (1934), *Die Horatier und Kuratier* (1934), *Die Gewehre der Frau Carrar* (1937), *Furcht und Elend des Dritten Reiches* (1938), *Leben des Galilei* (1938), *Die Geschäfte des Herrn Julius Caesar* (1939), *Mutter Courage und ihre Kinder* (1939), *Dansen* (1939), *Was kostet das Eisen* (1939), *Das Verhör des Lukullus* (1939), *Herr Puntila und sein Knecht Matti* (1940), *Flüchtlingsgespräche* (1941), *Der aufhaltsame Aufstieg des Arturo Ui* (1941). Praktisch zwei Drittel dieser Produktion waren dem Kampf gegen den Faschismus gewidmet. Amerika spielt nur in zweien dieser Werke eine direkte Rolle, und zwar bezeichnenderweise im ersten und im letzten. Ist es purer Zufall, oder gibt es tiefere Gründe dafür?

Nach Vollendung der *Heiligen Johanna* setzte Brecht seine Studien der marxistischen Klassiker mit Eifer fort. Im Winter 1932/33 hatte er bis kurz vor seiner Reise ins Exil regelmäßig Vorträge seines marxistischen Lehrers Karl Korsch über „Lebendiges und Totes im Marxismus" besucht. Gleichgesinnte Freunde trafen sich mit Korsch im Anschluß daran bei Brecht, wo in einer Arbeitsgemeinschaft Texte von Hegel, Marx und Lenin besprochen wurden.[1] Schon wie in *Die Maßnahme* (1929/30) und *Die Ausnahme und die Regel* (1929/30) hatte sich Brecht weiterhin mit dem Problem der menschlichen Güte auseinandergesetzt. Ihm ging es um die praktische Anwendung der marxistischen Theorien. In der *Maßnahme* behandelt er die Frage, ob auf die unmittelbare Hilfeleistung dem Nächsten gegenüber zugunsten einer Tat zu verzichten sei, die im Interesse der Allgemeinheit stünde. Dieser in den verschiedenen Fassungen des Lehrstückes gestaltete Zwiespalt – Entscheidung für das Individuum und damit gegen das Interesse des Kollektivs oder umgekehrt – löste heftige Debatten unter den Kritikern aus. In *Die Ausnahme und die Regel* beschäftigt ihn das Problem, ob es innerhalb der Gesellschaft überhaupt möglich ist, Grundlagen für die menschliche Güte zu schaffen, ohne selbst dabei große Risiken einzugehen. Dieser Fragenkomplex sollte Brecht zeit seines Lebens nicht mehr loslassen.

Im dialektischen Denken geschult, versuchte Brecht durch Aufzeigen der den bürgerlichen Wertbegriffen „Gut" und „Böse" innewohnenden Widersprüchlichkeit der gesellschaftlichen Wirklichkeit auf den Grund zu gehen. Brecht legt seinen Finger auf moralische Antinomien, die immer wieder zwischen Individual- und Kollektivethik auftreten müssen, solange die klassenlose Gesellschaft nicht geschaffen ist, die allein nach einer wirklich umfassenden Philosophie des vergesellschafteten Menschen ausgerichtet ist und in der das gleiche Glück für alle als höchstes Ziel gilt. Phrasen wie das für die Nationalsozialisten typische Motto „Gemeinnutz geht vor Eigennutz" griff Brecht mit unablässiger Vehemenz an, da sie den wahren Sachverhalt zu vertuschen suchten. Das dialektische Verhältnis von Gut und Böse, Wohltat und Verbrechen hatte Marx wiederholt zum Thema seiner Untersuchungen gemacht. Unter dem Stichwort „Abschweifung (über produktive Arbeit)" sprach Marx ausführlich über die Wohltat der Verbrechen und zitierte aus Mandeville:

> Das, was wir in dieser Welt das Böse nennen, das moralische so gut wie das natürliche, ist das große Prinzip, das uns zu sozialen Geschöpfen macht, die feste Basis, das Leben und die Stütze aller Gewerbe und Beschäftigungen ohne Ausnahme; hier haben wir den wahren Ursprung aller Künste und Wissenschaften zu suchen; und in dem Moment, da das Böse aufhörte, müßte die Gesellschaft verderben, wenn nicht gar gänzlich untergehen.[2]

Hier, wie an anderer Stelle, verwies Marx bei diesen Fragen stets auf Bernard de Mandevilles (1670–1733) sozial- und moralphilosophischen Traktat *The Fable of the Bees, or Private Vices, Public Benefits*. Brecht war mit dem

Werk zumindest durch seine Marx-Studien vertraut, und als 1934 eine neue
englische Auflage erschien, sicherte er sich ein Exemplar für seine Privat-
bibliothek.³ In der eigentlichen Fabel selbst schildert Mandeville in amüsan-
ten Knittelversen die Gesellschaft eines Bienenvolkes, die nur so lange blüht,
als deren Mitglieder individuell allen Lastern frönen, da Handel und Gewerbe, die gesamte Wirtschaft dadurch gefördert werden. Auf Anraten
eines Moralisten gehen die Leute in sich, führen plötzlich einen tugendhaf-
ten Lebenswandel und müssen zu ihrem Erstaunen feststellen, daß die Gesellschaft verarmt, Arbeitslosigkeit ausbricht und die Künste vernachlässigt
werden. Der kurzen Fabel folgt ein beträchtlicher Anhang philosophischer
Kommentare, in denen die moralischen Antinomien kritisch beleuchtet werden. Mandeville konzentriert sich bei seiner Untersuchung hauptsächlich
auf die sieben Todsünden, die häufigsten menschlichen Laster: *superbia,*
avaritia, voluptas, invidia, luxuria, ira und *ignavia.* Zur Illustration sei hier
ein Abschnitt zitiert:

Thus every part was full of vice
Yet the whole mass a paradise

. . .

This was the statecraft, that maintain'd
The whole, of which each part complain'd:
This as in music harmony,
Made jarrings in the main agree;
Parties directly opposite,
Assist each other, as 'twere for spite;
And temperance with sobriety,
Serve drunkenness and gluttony.
The root of evil, avarice,
That damn'd ill-natur'd baneful vice,
Was slave to prodigality,
That noble sin; whilst luxury
Employ'd a million of the poor,
And odious pride a million more:
Envy itself, and vanity,
Were ministers of industry;
Their darling folly, fickleness
In diet, furniture and dress.
That strange, ridic'lous vice, was made
the very wheel that turn'd the trade.⁴

Mandeville schrieb weder eine Apologie der Laster, noch der bestehenden Gesellschaftsordnung. Vielmehr bewies er, daß die Laster für die Klassengesellschaft unentbehrlich und nützlich sind. Karl Marx erwähnte ihn deshalb wiederholt, um auf die frühe sozialistische Tendenz innerhalb des Materialismus aufmerksam zu machen.[5]

Als Brecht im Mai 1933 in Paris eintraf, versöhnte er sich wieder mit dem ebenfalls ins Exil gegangenen Kurt Weill, mit dem er sich während der Proben von *Mahagonny* überworfen hatte. Weill hatte den bekannten Choreographen George Balanchine kennengelernt, der soeben eine Ballettgruppe (Les Ballets 1933) gegründet hatte. Balanchine bat Weill, ein neues Ballett für ihn zu komponieren. Weill akzeptierte und bat Brecht, den Text dazu zu schreiben. Brecht knüpfte sofort an die Fragenkomplexe an, die ihn in letzter Zeit beschäftigt hatten und schrieb binnen weniger Wochen den Text zu *Die 7 Todsünden der Kleinbürger*. Die Uraufführung fand am 7. Juni 1933 im Théâtre des Champs Elysées mit Lotte Lenja in der Rolle der Anna I statt.

Die Verwandtschaft von Brechts Aussage mit der Mandevilles liegt auf der Hand. Hatte Mandeville die Fabelform gewählt, um am Beispiel eines Bienenstaates das dialektische Verhältnis von Moral und Tugend klarzumachen, so griff Brecht auf jenes kapitalistische, mythische Amerika zurück, um durch die Verfremdung das Parabelhafte zu unterstreichen. Brecht ging aber einen Schritt weiter.

Unter Wiederaufnahme des Themas vom Einzug in die großen Städte verfolgt er das Schicksal zweier Schwestern, die von ihren in den Südstaaten der USA lebenden Eltern in die Großstädte geschickt werden, um dort mit ihrem höheren Verdienst den Bau eines neuen Familienhauses mitfinanzieren zu helfen. Um aber das gesteckte Ziel erreichen zu können, müssen sie sich den Gesetzen der Großstadt beugen und ihre Verhaltensweisen den in den Industriezentren des Kapitalismus üblichen anpassen. Anna I wird von Brecht als die Managerin und Verkäuferin bezeichnet, Anna II als die Künstlerin oder Ware. Anna I ist diejenige, die sich den ungeschriebenen Gesetzen der neuen Umgebung anpaßt, sie ist die kühle Rechnerin, die das materialistische Ziel, den Hausbau, nie aus den Augen verliert, während die Schwester dazu neigt, ihre Entscheidungen von moralischen Gesichtspunkten abhängig zu machen. Das Zweckmäßig-Rationale steht im Widerspruch zum Gefühlsmäßig-Moralischen. Die zwei Schwestern sind Personifikationen dieser beiden antithetischen Komponenten innerhalb eines jeden Individuums.

Wir sind eigentlich nicht zwei Personen
Sondern nur eine einzige.
Wir heißen beide Anna
Wir haben eine Vergangenheit und eine Zukunft
Ein Herz und ein Sparkassenbuch[6]

Brecht, der es liebte, Gegenentwürfe zu Werken anderer oder seinen eigenen Werken zu schaffen (vgl. H. Johsts *Der Einsame – Baal; Lindberghflug – Das Badener Lehrstück vom Einverständnis; Der Jasager – Der Neinsager*), liefert hier zumindest von der Struktur her ein Gegenstück zu Mandevilles Werk. Mandeville hatte gezeigt, daß das vom Standpunkt der Individualethik als lasterhaft bezeichnete Verhalten eines Individuums für die Kollektivethik als lobenswert gelten konnte, daß die absolut gesehenen sieben Todsünden zu relativen Tugenden werden konnten. Brecht jedoch setzt von vornherein innerhalb der kapitalistischen Gesellschaft die Kollektivethik als die allein gültige voraus und zeigt nun, daß die vom Kollektiv als Todsünden bezeichneten Laster vom Standpunkt der traditionellen Individualethik aus Tugenden sind. Die sieben Todsünden der Kleinbürger (z. B. Faulheit im Begehen des Unrechts) sind Tugenden im herkömmlichen Sinne. Durch die Veränderung der Perspektive gelingt es Brecht, die für eine erfolgreiche Existenz innerhalb der bürgerlichen Gesellschaft erforderlichen Verhaltensweisen mit größerer Wirkungskraft bloßzustellen. Hatte Mandeville seine Aufmerksamkeit mehr auf den Staat als solchen gerichtet und geprüft, welches Verhalten für ihn von Nutzen sei, so setzt Brecht dieses Verhalten bereits als das allgemein akzeptierte voraus und untersucht die Probleme des Individuums, das innerhalb dieser Gesellschaft Erfolg haben will. Brechts Text wird somit zur starken Anklage und Verdammung des kapitalistischen Systems.

Wie Kotschenreuther berichtet,[7] hatte Caspar Neher das Bühnenbild für die Uraufführung in Paris derart gestaltet, daß sieben Torbogen nebeneinander auf der Bühne standen. Ihre Öffnungen waren mit Papier überspannt und versinnbildlichten die Todsünden. Jedesmal, wenn Anna II einer Todsünde schuldig wurde, durchschritt sie einen der Bogen und zerriß die Bespannung. Indem sie eine christliche Todsünde beging, vermied sie eine bürgerliche. Von einer seitlich der Bühne angebrachten Plattform kommentierte die Familie besorgt die Handlungen der Tochter und verfolgte die stets emporwachsenden Mauern des Hauses. Die Vermeidung einer „bürgerlichen Todsünde", beziehungsweise das Begehen einer christlichen, wurde auf diese weise stets mit der materiellen „Belohnung" in Zusammenhang gebracht.

Das Ballett war eine beißende Satire auf das Bürgertum und die kapitalistische Gesellschaft, für die wiederum Amerika steht. Louisiana, Memphis, Los Angeles, Philadelphia, Boston und San Francisco sind einige Städte, in denen das „Schwesternpaar" Station macht. Die Geschichte der siebenjährigen Reise ist eine Geschichte des bürgerlichen Erfolges, der Anna jedoch hohe menschliche Opfer abforderte. Es besteht eine gewisse Ähnlichkeit zwischen ihrem Schicksal und dem ihrer zahlreichen Vorfahren in Brechts Werken. Vom Land in die Stadt verschlagen, muß sie sich an die grausam unmenschlichen Lebensbedingungen anpassen. Im Unterschied zu den anderen zwingt sie sich zur perfekten Assimilation und wird selbst zu einem Mitglied der bürgerlichen Klasse. Der Familie aus den Savannen in *Joe Fleischhacker* war ein anderes Los beschieden. Zwar wurde jeder einzelne von ihr ebenso zur Lasterhaftigkeit gezwungen, doch war ihnen außerdem noch der „Aufstieg" ins Bürgertum verwehrt. Die Enttäuschung darüber kommt in dem separat veröffentlichten „Lied einer Familie aus der Savanne" zum Ausdruck.[8] Die Familie zog durch dieselben Städte wie Anna, doch mit ihr ging es rapide bergab, was aus dem Zusammenhang des *Fleischhacker*-Stückes bekannt ist, weil sie sich nicht konsequent an die neuen Verhaltensweisen in den Städten anpaßte. War Amerika noch integraler Bestandteil der Konzeption des *Fleischhacker*-Fragments, so ist es innerhalb des Balletts nur mehr ein blasser stilisierter Hintergrund, dem hauptsächlich eine verfremdende Funktion zufällt wie zum Beispiel dem fernöstlichen Hintergrund in *Die Ausnahme und die Regel*. Dennoch muß jedem, der mit Brechts späterem Verhältnis zu Amerika und insbesondere mit seinen Erfahrungen in Hollywood vertraut ist, das dritte und vierte Bild des Balletts als Vorahnung seiner späteren Probleme mit der amerikanischen Filmindustrie gelten.

Das Ballett war freilich eine Breitseite gegen das kapitalistische Gesellschaftssystem, das sich nur mittels Verbrechen weiterhin am Leben halten konnte. Indirekt war es bereits der erste Versuch, sich im Kampf gegen den Faschismus zu engagieren, den Brecht stets mit dem Kleinbürgertum in Verbindung brachte. Für ihn, der nach der Weltwirtschaftskrise und dem totalen Zusammenbruch des kapitalistischen Systems als nächsten historisch logischen Schritt eine Revolution erwartet hatte, bedeutete der Umschwung zum Faschismus einen Schritt rückwärts. Im Faschismus sah er eine reaktionäre Form des Kapitalismus, die zwar die historischen Prozesse verzögern, auf die Dauer jedoch nicht aufhalten konnte. Wie er in dem Aufsatz „Fünf Schwierigkeiten beim Schreiben der Wahrheit" (1935) ausführte, konnte der

Faschismus nur als Kapitalismus bekämpft werden, „als nacktester, frechster, erdrückendster und betrügerischster Kapitalismus".[9] Die wirkungsvollste Form der Bekämpfung des Faschismus war in seinen Augen die Verbreitung der Wahrheit über ihn. Seine im Kapitalismus steckenden Wurzeln mußten ans Licht gebracht werden. Kein Jammern über die Barbarei konnte helfen, solange nicht gezeigt wurde, wie es dazu gekommen war: „weil die Eigentumsverhältnisse an den Produktionsmitteln mit Gewalt festgehalten werden."[10] In seiner Rede auf dem „I. Internationalen Schriftstellerkongress zur Verteidigung der Kultur" zu Paris formulierte Brecht präziser: „Die Roheit kommt nicht von der Roheit, sondern von den Geschäften, die ohne sie nicht mehr gemacht werden können."[11] Im Anschluß daran verwies er in einem Atemzug auf die Destruktion von Schlachtvieh und die Vernichtung der Kultur in Deutschland. Diese Zerstörung entspringt nicht barbarischen Trieben, vielmehr werden diese Verbrechen begangen, weil ein Teil dieser Güter zur Last geworden ist. „Wir haben heute in den meisten Ländern der Erde gesellschaftliche Zustände, in denen die Verbrechen aller Art hoch prämiert werden und die Tugenden viel kosten."[12]

Aus der Überzeugung heraus, daß zu allererst der Faschismus als reaktionäre Form des Kapitalismus erläutert und die Besitzideologie des Kleinbürgers als Ursprung allen Übels angeprangert werden muß, entscheidet sich Brecht, den Stoff der *Dreigroschenoper* in einem Roman neu zu behandeln. Im *Dreigroschenroman* unternimmt er den Versuch, deutlich darzulegen, daß die Politik die „Fortführung der Geschäfte mit anderen Mitteln" ist.[13] Obwohl die Handlung des Romans im England zur Zeit der Burenkriege spielt, und im groben der Oper und ihrer englischen Quelle folgt, so handelt es sich hier um eine andere Art von Verbrecherwesen. Brechts erstaunliches Detailwissen der komplizierten geschäftlichen Manipulationen basiert zum großen Teil auf der intensiven Beschäftigung mit der Literatur über die amerikanischen Kapitalisten. Die den ganzen Roman durchziehende Geschichte der Beschaffung von drei Truppentransportschiffen für die Regierung, also das Grundgerüst der geschäftlichen Handlung, stützt sich auf Gustavus Myers' eingehende Beschreibung einer Reihe von Skandalen, die sich in USA während des Bürgerkrieges bei der Beschaffung von Kriegsmaterial im Auftrage der Regierung abspielten. Namentlich die Beschreibung der unverantwortlichen Manipulationen Vanderbilts und J. P. Morgans lieferten das Vorbild. Vanderbilt hatte es fertiggebracht, ausgediente morsche Schiffe, die für Binnengewässer gedacht waren, als seetüchtige Truppentransporter an die Regierung zu verkaufen und verstand es, mittels undurchsichtiger Abkommen es so einzurichten, daß Instandsetzung und Beschaffung der Schiffe gänzlich auf Kosten der Regierung gingen, während er einen fetten Profit verbuchen konnte. Unnötig hinzuzufügen, daß später einige der Schiffe mit Mann und Maus untergingen.[14] Brecht hatte seine Vorlage genau studiert. Er übernahm sogar den Namen des Senators Hale für den von Coax bestochenen Verbindungsmann im Marineministerium.[15] Myers' Bericht über die Indienststellung seeuntüchtiger Schiffe durch profitgierige Großkapitalisten muß ebenfalls als Quelle für die zu jener Zeit entstandene Kurzgeschichte „Safety First" gelten,[16] in der gezeigt wird, wie sich die Finanziers benehmen, wenn sie auf solch ein Boot geraten. Ein verantwortungsvoller Kapitän lädt am Vorabend einer Seereise die Geldgeber zu einem üppigen Gelage an Bord. Zu fortgeschrittener Stunde wirft er die Maschinen an und erklärt ihnen, sie seien zur Fahrt mit eingeladen, worauf Panik unter den Reichen ausbricht, die allein über den Zustand des Schiffes Bescheid wissen. Ähnlich die Geschichte der Rüstungsaufträge J. P. Morgans, der regierungseigene, außer Dienst gezogene Karabiner durch einen Strohmann namens Eastman aufkaufen ließ[17] und sie später mit fast zehnfachem Profit durch Mittelsmänner anonym als neue Waffen zurückverkaufte. Morgans Namen blieb genauso im Hintergrund wie der Coax' bei Brecht. Brecht ging sogar so weit, Coaxens Strohmann denselben Namen zu geben. Der Hausbesitzer Eastman verhandelt, ohne es zu wissen, nicht für die TSV-Gesellschaft, sondern eigentlich für Coax' Privatinteressen.[18]

Neben dem Einfluß G. Myers' ist der von Sinclairs *The Jungle* im *Dreigroschenroman* zu bemerken. Kleine Einzelheiten werden übernommen, um die Atmosphäre gerecht zu gestalten. Hierbei handelt es sich ausschließlich um Elemente, die ihren Weg bereits in frühere Werke Brechts gefunden hatten. Die Kritik an den Riesenstädten, in denen fast unmerklich das Proletariat allmählich aber konsequent vernichtet wird:

> Verfälschte Lebensmittel und davon noch zu wenig, verpestete Wohnungen, Beschneidung aller Lebensfunktionen, das alles braucht lange, bis es den Mann unten hat. Der Mensch ist unglaublich haltbar.[19]

Der Hinweis, wie leicht man zu Geld kommen kann durch die Errichtung baufälliger Einfamilienhäuser, ist ein weiteres Beispiel. Man braucht sie nur

> auf Abzahlung zu verkaufen und zu warten, bis den Käufern das Geld ausgeht! Dann hat man die Häuser doch auch, und das kann man mehrere Male machen. Und ohne daß es die Polizei etwas angeht![20]

Ebenso die Art, durch plötzliche Entlassung kranker und schwacher Arbeiter das Arbeitstempo auf einem Höchststand zu halten, selbst wenn das Menschenmaterial dabei zu schnell verbraucht wird.[21]

Durch die Neubearbeitung des Dreigroschen-Stoffes in Form eines Romans hatte Brecht Gelegenheit, das Thema der korrumpierten Verquickung von Geschäft und Politik in epischer Breite mit realistischen Details zu behandeln. Es ist bezeichnend, daß er sich hierbei nochmals auf das stützt, was er aus der Lektüre amerikanischer Bücher gelernt hatte. Amerika als solches ist nur indirekt im Roman enthalten. Die durch die Befassung mit Amerika gewonnenen Einsichten werden nun in den Dienst gegen die faschistische Form des Kapitalismus gestellt. Es war nun endgültig zu demonstrieren, wie die Regierung schrittweise in die Hand von Verbrechern fällt, die das bestehende System mit aller Macht zu verteidigen gewillt sind und nicht davor zurückschrecken, das Volk in Kriege zu treiben, um ihre Geschäfte ungehindert weiterführen zu können.

Brechts Interesse an Amerika galt nun dem eingehenden Studium der Rolle des organisierten Verbrechens der in einzelnen Städten regierenden Banden und ihrem Einfluß auf Stadtverwaltung und Lokalpolitiker sowie, parallel dazu auf nationaler Ebene, der Einflußnahme der organisierten Verbrechersyndikate auf Kongreß und Senat.

Im Oktober 1935 reiste Brecht zum ersten Male nach Amerika. Anlaß der Reise war die amerikanische Uraufführung der *Mutter* durch die Theatre Union im Civic Repertory Theatre. Brecht und Eisler reisten zusammen und versuchten bei den letzten Vorbereitungen zugegen zu sein und darauf zu achten, daß das Stück möglichst unverfälscht zur Aufführung gelangte. Auf Brechts zum größten Teil enttäuschende Erfahrungen mit dem amerikanischen Theater soll hier jedoch nicht eingegangen werden.[22] Interessant in diesem Zusammenhang ist lediglich, daß Brecht erst Ende des Jahres (29. Dezember 1935) New York verläßt. Während des zweimonatigen Aufenthalts in New York hatte Brecht Gelegenheit genug, mit der amerikanischen Wirklichkeit vertraut zu werden. Wie aus seinen Schriften nach der Amerikareise deutlich wird, besuchte er die Theater und Kinos des Broadway und sah sich die Slums von New York an.[23] Auch verfolgte er die Tagesereignisse aufmerksam in der Presse. Besonders *ein* Thema vermochte Brechts Interesse zu fesseln. Die Serie von Ermordungen, die damals New York City und Newark heimsuchten, nachdem es zu einem offenen Krieg zwischen verfeindeten Banden um die Verteilung des Territoriums für illegalen Alkoholvertrieb gekommen war. Der Kampf um das riesige Prohibitionsgeschäft endete mit dem Tod des Bandenchefs „Dutch Schultz" (Arthur

Fliegenheimer) und sechs seiner Männer. Brecht sammelte Stöße von Berichten aus verschiedenen deutschen und englischen Zeitungen New Yorks und brachte das ganze Material mit nach Dänemark zurück.[24] Die detaillierten Analysen der Verbrechersyndikate verliehen Brecht Einblick in die ungeschriebenen Gesetze der amerikanischen Unterwelt und in die weiterreichende politische Einflußnahme durch Bestechung und Erpressung sowohl prominenter Politiker als auch des gesamten Polizeiapparates. Die Geschichte vom Aufstieg des Gangsterchefs Dutch Schultz, der durch seine Abmachungen mit dem Bandenführer Lou Amberg zum stärksten Boss New Yorks wurde und den italienischen Banden den Rang ablief, bis durch mehrere Massaker sowohl Schultz als Amberg „beseitigt" wurden, das war letztlich auch die Geschichte von Hitlers Konsolidierung der Macht. Es war genau die Art von Unterlage, mit der sich unter Umständen der Aufstieg der Faschisten parabelhaft darstellen ließ. Brecht erkannte die dramatischen Möglichkeiten dieses Stoffes, ließ das Material jedoch einige Jahre unberührt liegen.[25] Erst bei den Arbeiten zu *Arturo Ui* beschäftigte sich Brecht wieder damit.

In der Zwischenzeit versuchte er die Entwicklung der Diktatur in Deutschland durch eine Behandlung des Caesarstoffes zu erläutern. Hauptzweck dieses großen und schwierigen Unternehmens war es, die bedeutsame Unterlassungssünde der bisherigen Historiographie zu vermeiden, indem gebührender Wert auf die Rolle der Geschäfte innerhalb der Politik gelegt wurde. Die „Heldentaten" des großen römischen Volksführers hatten in eben dem Maße über seine „Geschäfte" hinwegzutäuschen vermocht wie bei Hitler. Deshalb die Wahl des Titels für Dramenentwurf wie Romanfragment: *Die Geschäfte des Herrn Julius Caesar*. Es galt, den Mythos des Helden zu zerstören und den Geschäftsmann zu entlarven. Wie Peter Witzmann in seiner Studie anmerkt, sollte Brechts Notizen gemäß im zweiten Teil des Romans der Weg zur Diktatur als völlig „legale" Konsequenz der Vorgänge geschildert werden.[26] Der Ursprung der Verbrechen war in den Geschäften zu suchen, doch das Entsetzen über die begangenen Verbrechen hatte von den eigentlichen geschäftlichen Machenschaften abgelenkt. Die Mythenbildung („Patriot", „Retter des Vaterlandes") konnte ihrerseits nur dazu dienen, wieder die Gräßlichkeit der Verbrechen zu vertuschen, beziehungsweise zu entschuldigen.

In den „Aufsätzen über den Faschismus" greift Brecht bei der Formulierung solcher Gedanken wiederholt auf Beispiele aus der Geschichte Amerikas zurück, deren Studium er letztlich diese Einsichten in die historischen

Prozesse verdankte. Als er sich mit eben diesem Problem der doppelten Ablenkung von den Geschäften auseinandersetzte und fragte, ob Hitler es ehrlich meine und warum man im allgemeinen dazu bereit sei, bei hohen Zielen („Rettung des Vaterlandes") ein Auge zuzudrücken und beträchtliche Opfer in Kauf zu nehmen, führte er das Beispiel Morgans und Henry Fords an: der Bankier Morgan zum Beispiel rettete das Vaterland (und verdiente 200 Millionen Dollar); Henry Ford rettete das Vaterland nicht (und verdiente ebenfalls 200 Millionen Dollar). Als Morgan einige hunderttausend Menschenleben opferte und das Vaterland rettete, kam etwas dabei heraus: 200 Millionen Dollar. Als er diese 200 Millionen Dollar verdient hatte, war das Vaterland gerettet.[27] Ford, der nichts für das Vaterland tat, brauchte auch keine Menschenopfer. Morgan hingegen war es ohne Menschenverluste nicht möglich, den großen Profit einzustreichen *und* das Vaterland zu retten. Deswegen würde es keiner Ford erlauben, durch Menschenopfer Geld zu verdienen, weil dem „Vaterland" dadurch nicht geholfen würde. Falls Ford diese Opfer verlangen würde, um seinen Profit machen zu können, hielten ihn die meisten für „unehrlich" im Gegensatz zu Morgan. Die Frage, ob Hitler (Caesar) es „ehrlich" meint, kann demnach nur beantwortet werden, wenn man weiß, für wen diese Handlungen von Nutzen sind und wer den Preis dafür bezahlt. Unter Verweis auf die korrupten Verwaltungen von Chicago und New York („Tammany Hall") faßt Brecht zusammen:

> Die weit wichtigere Frage ist: wem die Errungenschaften zu gut und wem sie zu schlecht kamen, und diese Frage betrifft alle Errungenschaften der Zivilisation, ob sie von ehrlichen oder korrupten Verwaltungen erzielt oder begleitet sind.[28]

Mit dem Caesarroman liefert Brecht eine Parabel über die Entstehung der Diktatur. Auf die Leserschaft der Arbeiter abgezielt, veranschaulichte der Roman auf allgemein verständliche Weise, wie die Weizenspekulanten, die Hochfinanz der Börse, Caesar zum Volksführer machen, wie er erst durch seine Schulden dazu gezwungen wird, „Caesar" zu werden.

In dem später „Faschismus und Kapitalismus" betitelten Aufsatz liefert Brecht eine Diagnose über die unmittelbare Zukunft des Faschismus. Für ihn steht fest, daß die Geschäfte des Kapitalismus ohne Roheit nicht mehr fortgesetzt werden können, und er sah den großen Entscheidungskampf herannahen, eine Phase, in der der Kapitalismus sich „der letzten Hemmungen entledigen und alle seine eigenen Begriffe wie Freiheit, Gerechtigkeit, Persönlichkeit, selbst Konkurrenz, einen nach dem anderen über Bord werfen"

würde.[29] So trete dann „eine einstmals große und revolutionäre Ideologie in der niedrigsten Form gemeinen Schwindels, frechster Bestechlichkeit, brutalster Feigheit, eben in faschistischer Form, zu ihrem Endkampf an".[30]

Dieser Fragenkomplex wurde zum Mittelpunkt von Brechts Plänen für eine Hitlersatire. Die ersten Prosaentwürfe dazu gehen nach dem Bericht Walter Benjamins bis auf das Jahr 1934 zurück. Brecht trug sich damals mit dem Gedanken, „eine Satire auf Hitler im Stile der Historiographen der Renaissance" zu schreiben. Der Name der Hauptfigur war damals schon Ui.[31] Wie erwähnt, sammelte er ausführliches Zeitungsmaterial über die New Yorker Gangsterwelt anläßlich seines ersten Amerikabesuches im darauffolgenden Jahr. Unter den im Brecht-Archiv erhaltenen Artikeln war einer besonders bedeutungsvoll für die spätere Entwicklung der Hitlersatire. Er trug den Titel „Gang Wars of New York"[32] und stammte von Fred Pasley, einem Soziologen, der im Jahre 1931 die erste Biographie Al Capones geschrieben hatte.[33] Der Artikel ging von dem Krieg gegen Dutch Schultz aus und stellte die Verbindung zwischen den früheren Bandenkriegen her, insbesondere dem St. Valentins Massaker, durch das Al Capone am 14. Februar 1929 endgültig die Herrschaft in Chicago an sich riß. Eine Fotografie der sieben Ermordeten in der Garage illustrierte den Artikel. Wie Brecht später in seinem Arbeitsjournal vermerkte, hatte er damals in New York daran gedacht, ein Gangsterstück über Hitler zu schreiben.[34]

Die Pläne blieben liegen. Anderen Arbeiten wurde der Vorrang gegeben: *Furcht und Elend des Dritten Reiches, Die Gewehre der Frau Carrar, Leben des Galilei.* Gegen 1938 kehrte er zu dem Plan der Hitlersatire zurück, und es entsteht das Prosafragment, das posthum den Titel „Die Geschichte des Giacomo Ui" erhielt.[35] Brecht greift darin in prophetischer Sicht den politischen Entwicklungen in Deutschland voraus und versucht – fünfzig Jahre nach dem Tode Uis – rückblickend dem Geheimnis seines ehemaligen Erfolges auf die Spur zu kommen. Dieser technische Kunstgriff erlaubt ihm die nüchterne Distanz des Historikers, der von der Aktualität der Ereignisse unbeeinflußt das Phänomen des unerklärlichen Aufstieges dieses Diktators unter die Lupe nimmt. Die Satire in diesem Fragment beschränkt sich mehr auf die Persönlichkeit Hitlers. Die politischen Manöver und zeitgeschichtlichen Zusammenhänge werden außer acht gelassen. Obwohl sich Brecht dann im *Ui*-Stück auf die chronologische Folge historischer Ereignisse konzentrierte, die zu dem „aufhaltsamen Aufstieg" des Diktators führten, sind zwei Aspekte, die später im Stück von einiger Wichtigkeit wurden, bereits im Prosafragment vorweggenommen. Nämlich Uis Versuch, die Unklarheit über seine Herkunft dazu auszunützen, sich als mehr auszugeben, als er in Wirklichkeit war, sowie der feste Entschluß, sich konsequent zu einem gro-ßen Redner heranzubilden:

> Reden und Schreiten lernte er bei einem alten Schauspieler, der ihm auch, da er einmal in seiner Glanzzeit den großen Colleone auf der Bühne dar-stellen hatte dürfen, dessen berühmte Haltung mit den vor der Brust ver-schränkten Armen beibrachte.[36]

b. Der aufhaltsame Aufstieg des Arturo Ui

Brecht, der schon ab Frühjahr 1939 an eine Ausreise nach den Vereinigten Staaten dachte und bereits den *Galilei* mit den New Yorker Theatern im Sinn geschrieben hatte,[1] nahm die alten *Ui*-Pläne im Frühjahr 1941 in Finn-land wieder auf. Mit dem neuen Stück sollte den Amerikanern der Aufstieg Hitlers in einem „vertrauten" Milieu – dem der amerikanischen Gangster-welt – dargestellt werden. Unter dem Datum des 10. März 1941 notierte er in seinem Journal:

> an das amerikanische theater denkend, kam mir jene idee wieder in den kopf, die ich einmal in new york hatte, nämlich ein gangsterstück zu schreiben, das gewisse vorgänge, die wir alle kennen, in die erinnerung ruft. (the gangsterplay we know). ich entwerfe schnell einen plan für 11–12 szenen. natürlich muß es in großem stil geschrieben werden."

Mit erstaunlich großer Geschwindigkeit schreibt Brecht das Drama unter Mitwirkung von Margarete Steffin nieder. Zweieinhalb Wochen später no-tiert er am 28. 3. 1941:

> inmitten all des trubels um die visas und die reisemöglichkeit arbeite ich hartnäckig an der neuen GANGSTERHISTORIE. nur noch die letzte szene fehlt. die wirkung der doppelverfremdung – gangstermilieu und großer stil – kann schwer vorausgesagt werden. noch die der ausstellung klassischer formen wie der szene in marta schwertleins garten und der werbungsszene aus dem dritten richard.
>
> steffs kenntnisse über die verwebungen der gangsterwelt mit der verwal-tung kommen mir zustatten.[3]

Die letzte Bemerkung enthält die wichtige Information, daß sein Sohn Ste-fan ihn über die amerikanische Gangsterwelt beraten konnte.[4] Interessant ist nun, daß Brecht in einer Notiz vom 8. Januar 1941 kurz auf einige Bücher verweist, die auf „steffs tisch" liegen:

> changing governments and changing cultures RUGG

von new york bis shanghai	F. WOLF
new york is not america	F. M. FORD
morkt skratt	SHERWOOD ANDERSON
an intoduction to problems of american culture	H. RUGG[5]

Allein die Titel zeigen, daß die Familie die bevorstehende Reise ins amerikanische Exil sehr ernst nahm und sich genau darauf vorbereitete. Bei den beiden Titeln von Rugg handelt es sich um Lehrbücher aus dem „Rugg Social Science Course". Der Band über die Probleme der amerikanischen Zivilisation enthielt unter anderem ein Kapitel über das organisierte Verbrechen in USA mit der Überschrift „Some Problems of Law Enforcement and Crime". In der dazugehörigen Bibliographie wurde auf ein Spezialwerk von F. M. Thrasher über das amerikanische Bandenwesen verwiesen.[6] Thrashers Buch ist bis auf den heutigen Tag ein wissenschaftliches Standardwerk unter den soziologischen Studien zu diesem Thema und wurde im Jahre 1960 wieder neu aufgelegt. Brecht kannte das Buch zumindest indirekt.[7] Es enthält eine Fülle von Material über Größe, Struktur, Bedeutung und Gefahren der einzelnen Banden, über Lebensart und spezielle Verhaltensweisen ihrer Mitglieder bis hin zu einem Glossar der unter Gangstern geläufigen Slangausdrücke. Gründlich behandelte Einzelprobleme sind „Gang Warfare", „The Gang and Organized Crime" und „The Gang in Politics". In der ausführlichen Bibliographie werden meist Artikel aus Zeitungen und Zeitschriften angeführt. Zwei Buchtitel stechen jedoch hervor: W. R. Burnetts *Little Caesar,* ein in Amerika bekannter Roman über das Leben in einer Chicago Bande, der unter dem gleichen Titel verfilmt worden war, und die Biographie Al Capones aus der Feder jenes F. D. Pasley, dessen Artikel über Dutch Schultz und Al Capone Brecht schon 1935 aufbewahrt hatte. Daß Brecht diese beiden Bücher kannte, ist ebenso anzunehmen.[8]

In der Biographie Capones fand Brecht tatsächlich eine beträchtliche Reihe stofflicher Elemente, die sich durch ihre Ähnlichkeit mit den entscheidenden Phasen von Hitlers Aufstieg geradezu ideal decken und ihm die schwierige Aufgabe, der Gangsterhandlung des Stückes das erwünschte Eigenleben zu verleihen, erheblich erleichterten. Die grobe Analogie Hitler – Capone ist jedermann bekannt, weist ja Brecht sogar im Text des Stückes, wenn auch versteckt, darauf hin.[9] Ein gründlicher Vergleich der biographischen Einzelheiten beider historischen Figuren zeigt, daß die Geschichte vom Aufstieg des fiktiven Arturo Ui eine geschickte Kombination ihrer Karrieren ist.

Die Parallelen Ui – Hitler liegen auf der Hand und sind ohne weiteres der dem Stück beigefügten „Zeittafel" zu entnehmen.[10] Andere Übereinstimmungen führte Brecht in einer Notiz systematisch auf:

Die Parallelen

Dogsborough	Hindenburg
Arturo Ui	Hitler
Giri	Göring
Roma	Röhm
Dullfeet	Dollfuß
karfioltrust	junker u. industrielle
gemüsehändler	kleinbürger
gangster	faschisten
dockshilfeskandal	osthilfeskandal
speicherbrandprozeß	reichstagsbrandprozeß
Chicago	Deutschland
Cicero	Österreich[11]

Hinzuzufügen wären: Clark (von Papen), Ragg (Strasser) und Fish (van der Lubbe).

Die Parallelen Ui (Hitler) – Capone sind den meisten unbekannt. So wie Hitler von der ausländischen Presse oft mit einem Gangsterkönig verglichen wurde,[12] so wurde Capone zur Zeit seiner größten Macht den Besitzern der Riesentrusts gleichgestellt: J. D. Rockefeller und J. P. Morgan. Pasleys Buch bildet hier keine Ausnahme.[13] Bis August 1922 war Capone praktisch unbekannt. Er kam aus dem New Yorker Stadtteil Brooklyn aus ziemlich ärmlichen Verhältnissen, arbeitete sich jedoch konsequent innerhalb der Banden hoch. Sobald er eine wichtigere Position einnahm, ließ er sich von dem urbanen Torrio den gesellschaftlichen Schliff beibringen. Capone war ziemlich roh, ungelenk, steif, streitsüchtig und aufbrausend. Von ihm hieß es: "He is as temperamental as a grand opera star, childishly emotional".[14] Der aalglatte Torrio brachte ihm das für die bessere Gesellschaft nötige Benehmen bei. Daß Hitler sich von einem Schauspieler in der Redekunst hätte ausbilden lassen, ist nicht belegt. Doch hatte Brecht die schnelle Entwicklung Hitlers zum Volksredner schon in dem Prosaentwurf von 1938 auf diese Weise gedeutet. Wie Brecht wahrscheinlich wußte, hatte Hitler tatsächlich Rednerposen studiert, sich von seinem Photographen Hoffmann in übertrieben dramatischen Stellungen aufnehmen lassen. Die Bilder wurden als eine NS-Postkartenserie zwischen 1924 und 1930 vertrieben.[15] Einer von Hitlers frühesten Mitarbeitern, der auch in *Mein Kampf* ausdrücklich erwähnt wurde, war der Dramatiker und Kritiker Dietrich Eckart, der unter anderem eine Versübersetzung von Ibsens *Peer Gynt* angefertigt hatte.[16] Hitlers freundliche Beziehungen zu Adolf Bartels und dem späteren Weimarer Theaterreferenten der Reichsleitung, Dr. Hans Severus Ziegler sind bekannt.[17] Diese historischen Einzelheiten verschmolzen dann zur sechsten Szene in *Arturo Ui,* wo der unansehnliche Emporkömmling von dem alten Theaterfachmann Mahonney (Spezialist für Shakespeare und Ibsen!) Unterricht in Rhetorik, Diktion und Haltung bekommt und ganz allgemein salonfähig gemacht wird. Ui ist also eine Verschmelzung von Al Capone und Adolf Hitler, Mahonney eine von Torrio und Ziegler/Bartels/Hoffmann.

Die Parallelen sind zahlreich. Die Besetzung Ciceros durch Ui entspricht der Machtübernahme in dem Chicagoer Stadtteil Cicero durch Capones Organisation am 1. April 1924. Für den in der Schlußszene des Stückes beschriebenen Wahlterror gibt es in Capones Laufbahn mehrere Beispiele. Pasley berichtet, daß Capones Aufstieg zum unbeschränkten Gangsterboss in Cicero durch ein heimliches Übereinkommen mit dem Wahlkandidaten Ed Konvalinka ermöglicht wurde. Capone sicherte seinen „Schutz" und seine finanzielle Unterstützung der Kampagne gegen das Versprechen zu, forthin vor Strafverfolgung immun zu sein. Der Sieg des Kandidaten wurde „organisiert". Am Wahltag kam es zu Schlägereien, Menschenraub, Wähler wurden belästigt und bedroht, Gangster rasten in ihren Autos durch die Stadt und verwickelten die Polizei in Feuergefechte, um die Wähler einzuschüchtern und von den Urnen fernzuhalten.[18] Die Geschichte Capones ist reich an Beispielen für die Verflechtung von Verbrechen und Politik. Esposito und Konvalinka, beide begannen als Gangster, wurden von den Syndikaten in ihrer Kandidatur unterstützt und fungierten als demokratisch gewählte „Vertreter" des Volkes, das von ihrer wahren Herkunft erst erfuhr, als sie in Bandenkriegen feindlichen Kugeln zum Opfer fielen. Uis Rede vor den Gemüsehändlern im Büro des Karfioltrusts hat ihr Äquivalent in der Wahlrede des späteren Chicagoer Bürgermeisters William Hale Thompson. „Big Bill" Thompson kritisierte die frühere Stadtverwaltung für die ansteigende Zuwachsrate der Verbrechen während ihrer Amtszeit:

> The people of Chicago demand an end of the present unprecedented and appalling reign of crime ... The chief cause of this condition is not at the bottom, not with the mass of the police department, but is at the top, with the powers, seen and unseen, which rule the force.[19]

Als „Big Bill the American" and „Big Bill the Builder" gefeiert, trat er mit seinem Wahlprogramm „America first" vor die Massen. Den Grund allen

Übels in Chicago vermeinte er in den niederträchtigen Machinationen briti-
scher Agenten und Spione zu sehen. Auf diese Weise schuf er einen Sündenbock (King George), auf den die Probleme bequem abgewälzt werden konnten. Er berief sich auf die amerikanischen Traditionen, führte neue patriotische
Lieder ein und nannte seine Anhänger „America Firsters". Insgeheim hatte
jedoch Capone beträchtlich zu seiner Wahlkasse beigetragen und erkaufte auf
diese Weise die Immunität für das Syndikat. Der Volkstribun machte gemeinsame Sache mit den Gangstern. Die Situation wurde unerträglich:

> He's [Thompson] been chasing a phantom King George up the alleys, and
> turning the city over to crooks and gamblers until today conditions are
> anathema in the eyes of Chicago.[20]

Weitere Ähnlichkeiten zwischen Ui und Capone: beide reisen von Leib-
wächtern umgeben in einem Panzerauto und haben ihr Hauptquartier in
einem Hotel, Ui im Mammoth Hotel, Capone im Metropole Hotel, wo alle
Fäden des weitverzweigten Gangsterimperiums („politics, booze, rackets,
vice, gambling") zusammenliefen.[21] Der Grund für die Namensänderung?
Wahrscheinlich war der Name nicht „amerikanisch" genug.[22] Je sicherer
sich der Gangsterboss fühlte, desto frecher, brutaler und unverhüllter wurden seine Methoden. Er ging zum Beispiel zum Rathaus und wartete dort
einen widerspenstigen Stadtrat ab. Als dieser aus dem Konferenzzimmer
trat, schlug Capone ihn vor allen Leuten nieder. Ein anderes Mal stürmten
seine Handlanger Chicagos City Hall während einer Stadtratssitzung und
jagten alle Teilnehmer auf die Straße.[23] Andere Gegner wurden öffentlich
im dichtesten Fußgängergedränge der Innenstadt erschossen.[24] Ui verfährt
mit Sheet und Bowl auf ähnliche Weise.[25]

Die Ermordung Romas schließlich ist in vielen Einzelheiten dem berüch-
tigten St. Valentins Massaker vom Februar 1929 nachgebildet, durch das
Capone mit einem Schlag die sieben engsten Vertrauten seines gefährlichsten
Gegenspielers Bugs Moran beseitigte. Die Motivierung ist in beiden Fällen
die gleiche. Capone war zum Ziel mehrerer Anschläge geworden, die rivali-
sierende Moranbande hatte einige Lastwagen von Capones Alkoholtrust an-
geschossen und zu entwenden versucht. Das Blutbad spielte sich in einer
Garage ab, in der die Moranbande auf die Ankunft einiger Vertrauter wartete. Wie bei Brecht gab es zuerst einen falschen Alarm, man dachte, die
Polizei hätte das Versteck ausgemacht. Capones Kumpanen kamen als Polizisten verkleidet, stellten die sieben gegen die Wand und mähten sie mit
ihren Maschinenpistolen (Marke Thompson!) nieder. Brecht läßt Ernesto
Roma zu einem „torpedo victim" werden. Pasley erklärt diese neue tod-

sichere Art des Gangstermordes am Untergang des früheren Bandenchefs der Moran Gruppe, O'Banion.[26] Der mit dem Mord Beauftragte ließ sich mit der Ausführung seines Befehls mitunter wochenlang Zeit, denn bei den stets von Bewaffneten umgebenen Bossen der Unterwelt mußte jegliches Risiko eines mißglückten Mordversuches ausgeschaltet werden. Der Mörder versuchte zuerst mit aller Geduld das Vertrauen seines Opfers zu gewinnen, so daß er, ohne verdächtigt zu werden, bis zu ihm persönlich vordringen konnte. Er schlich sich als „Torpedo" ein. War dieser Schritt geglückt, so benützte er die Gelegenheit, seinen „Mitarbeiter" dem Opfer vorzustellen. Im Augenblick des Händeschüttelns, wenn er abgelenkt war und die Rechte nicht nach der Waffe greifen konnte, schoß der zweite Mann ihn aus Hüfthöhe nieder. Das „Torpedo" gab ihm darauf den Gnadenschuß. Diese Art des „handshake murder" wurde zur Zeit Capones in Chicago eingeführt. Brecht, der mit Bühnenanweisungen im Text sonst ungewöhnlich sparsam umgeht, liefert bei der Ermordung Romas äußerst präzise Hinweise:

> Ui geht auf Roma zu und streckt ihm die Hand hin. Roma ergreift sie lachend. In diesem Augenblick, wo er nicht nach seinem Browning greifen kann, schießt ihn Givola blitzschnell von der Hüfte aus nieder.[27]

Für O'Banion, den ersten Chicagoer Gangster, der auf diese Weise umkam, mußte die neue Mordmethode eigens entwickelt werden, da er stets drei Pistolen bei sich trug und mit beiden Händen gleich gut schießen konnte. Eine Art Dr. Jekyll und Mr. Hyde, leitete er tagsüber einen Blumenladen und war nachts einer der gefürchtetsten Gangster, der mehr als 25 Morde auf dem Gewissen hatte und dennoch (wegen seiner Verbindungen zu Politikern) unbestraft blieb.[28] O'Banion drängte sich praktisch als Vorbild für die Givola/Goebbels-Figur auf: sein rechtes Bein war vier Zoll kürzer als das linke. Brecht spielt noch an anderer Stelle versteckt auf O'Banions Ermordung an, dessen „Torpedo" bei ihm im Blumenladen erschien, um vorbestellte Kränze und Blumen für die pompöse Beerdigung eines anderen Gangsters abzuholen:

> Ui: Givola?
> Roma: Besuch ich auf dem Rückweg. Und bestell
>   In seiner Blumenhandlung dicke Kränze
>   Für Dogsborough. Und für den lustigen Giri.
>   Ich zahl in bar.
>   (Er zeigt auf seinen Browning)[29]

In ähnlicher Weise verschmolzen Züge anderer Personen aus der Capone-Biographie zu den Figuren Dogsborough und Dullfeet. Der Kantinenwirt

Dogsborough vereinigt Eigenschaften des „soda-jerkers" Konvalinka und Joe Diamond Espositos. Beide wurden schließlich zu allseits beliebten Politikern und regelrechten „sheep herders" oder „Wahllokomotiven".[30] Ähnliches galt von Colosimo. Espositos Name wurde zu einem Begriff, zu einem Schlagwort. Obwohl er wie Dogsborough eine Hand im „racket" hatte, sah man in ihm eine „political, social and business institution".[31] Von Dogsborough heißt es:

... Dogsborough, das ist
Nicht nur ein Name und nicht nur ein Mann
's ist eine Institution![32]

Dullfeet aus dem benachbarten Cicero spiegelt sowohl Züge des österreichischen Kanzlers als auch des Journalisten Arthur St. John von der *Berwyn Tribune* wider. Berwyn ist der unmittelbar an Cicero angrenzende Stadtteil Chicagos, der zu jener Zeit noch „trocken" war. Capone versuchte, seinen illegalen Alkoholvertrieb auf Berwyn auszuweiten, stieß aber auf heftige Opposition durch St. John. Als Drohungen den Journalisten zu einer Einstellung seiner Angriffe nicht bewegen konnten, ließ Capone ihn kurzerhand terrorisieren: er wurde geschlagen, beschossen und schließlich entführt.[33] Der Einfluß von Pasleys Buch ließe sich bis in die kleinsten Details (Amerikanismen wie „fischig", „schattige Geschäfte", etc.) verfolgen. Es gibt Parallelen für Uis Vorsicht, bei jedem Mord ein genaues Alibi für sich selbst zu haben,[34] selbst für die zweimonatige Mordpause, über die sich Roma beklagt.[35] Mehrere Figuren des Dramas erweisen sich als eine Kombination aus jeweils zwei oder mehreren historischen Personen. Die Entwicklung der Konzeption und die Entsprechung der Schauplätze läßt sich schematisch darstellen:

Ui	Hitler	Capone/Thompson
Givola	Goebbels	O'Banion
Dogsborough	Hindenburg	Kovalinka/Esposito
Dullfeet	Dollfuß	St. John
Mahonney	Hoffmann/Bartels/Eckart	Torrio
Chicago	Deutschland	Cicero
Cicero	Österreich	Berwyn

Pasleys Beschreibung der Chicagoer Verbrecherwelt und Thrashers Darstellung der innerhalb der Banden herrschenden Verhaltensweisen bis zur Analyse ihres Sprachgebrauchs lieferten Brecht eine Flut von Material, um die enthüllende „Verhüllung" mit Eigenleben auszustatten. Funktion der Brechtschen Verfremdung ist es seit je gewesen, das Vertraute im Gewand des Ungewohnten erscheinen zu lassen. Erst dadurch wurde das allgemein Akzeptierte und wenig Beachtete kritisch analysierbar. Eine zu enge Verknüpfung von Gangsterhandlung und Nazihandlung mußte auf jeden Fall vermieden werden. Denn wie Brecht im Arbeitsbuch notierte, würde die Gangsterhandlung als bloße Symbolisierung der politischen Vorgänge in Deutschland lediglich dazu führen, daß die Zuschauer sich bei jeder Figur Gedanken über das Urbild machen würden. Dies zu verhindern, empfand Brecht als eine der größten Schwierigkeiten.[36]

Amerika als Schauplatz hatte bisher bei Brecht meist verfremdende Funktion gehabt. Erstaunlich ist jedoch, daß *Arturo Ui* von vornherein mit dem Gedanken an eine „Art music-hall-Aufführung am Broadway" geschrieben wurde.[37] Deshalb hatte sich Brecht zuerst auch keine große Mühe mit den Jamben gegeben. Der ursprünglich schlampige Vers stand seiner Meinung nach den Figuren an, weil der „verjazzte, synkopische" Jambus („fünf füße, aber steppend") mehr Tempo ins Epische bringe.[38]

Für ein amerikanisches Publikum mußte jedoch die Verfremdungsfunktion des Chicagoer Gangstermilieus fortfallen. Sein nachträglicher Kommentar, er habe hier versucht, „der kapitalistischen Welt den Aufstieg Hitlers dadurch zu erklären, daß er in ein ihr vertrautes Milieu versetzt wurde", deutet auf einen, so paradox es klingen mag, „invertierten V-Effekt". Für den amerikanischen Zuschauer wird etwas Fremdes in ein ihm angeblich vertrautes Milieu gesetzt.

Was mag Brecht dazu bewogen haben, in der Unterwelt Chicagos die für den Amerikaner schlechthin typische Umwelt zu sehen? Die persönlichen Eindrücke von 1935 mit dem damals tobenden Bandenkrieg in New York hatten zweifellos einen bleibenden Eindruck hinterlassen, doch würde sich Brecht gleich zu solch einer Verallgemeinerung hinreißen lassen? Hier hilft ein Blick auf Brechts Quelle für das Gedicht „Abbau des Schiffes Oskawa durch die Mannschaft",[39] die er als Louis Adamics Buch *Dynamite* angab. Michael Morley hat in seiner ausführlichen Interpretation dieses Gedichts nachgewiesen, daß Brecht die amerikanische (revidierte) Ausgabe von 1934 benutzt hatte.[40] Morleys Vermutung, Brecht sei während seines New Yorker Aufenthaltes auf das Buch gestoßen, würde bedeuten, daß das Gedicht in USA entstanden wäre, was aber zweifelhaft ist, da der Entwurf auf Brechts Maschine getippt ist und das Datum 1935 trägt, Brecht aber erst im Januar 1936 aus den Staaten zurückkehrte. Von Wichtigkeit ist jedoch, daß Brecht die revidierte Fassung des Buches kannte, in der der letzte Teil über die Ereignisse von 1929 bis 1934 völlig neu geschrieben worden war.

Adamic, der in seinem Werk die Geschichte der Gewalttätigkeit innerhalb der amerikanischen Arbeiterbewegung von den großen Chicagoer Unruhen im Jahre 1877 bis zur Gegenwart verfolgte, zeigte, wie die Verbrecher allmählich in den Klassenkampf mit hineingezogen wurden, wie sie in großem Umfang von Detektiv- und Sicherheitsagenten („Pinkerton") organisiert und zu Hunderten als „Gunmen" an die Mächtigen der Industrie vermietet wurden, um Fabrikeigentum und die Streikbrecher zu beschützen und die Streikenden zu bekämpfen; und wie die Gewerkschaften im Laufe der Zeit ihre Lehre aus den Methoden der Kapitalisten zogen und selbst Berufsverbrecher anheuerten, um Streikbrecher zu terrorisieren, verhaßte Vorgesetzte und Arbeitgeber permanent zu „beseitigen" und Bomben zu legen. Manche Banden dienten dem Proletariat, andere den Kapitalisten. Anstatt den Klassenkampf einer Lösung näherzubringen, gewannen die Banden immer mehr an Stärke und Einfluß. Die Gewerkschaften wurden schließlich so abhängig, daß sie völlig unter die Kontrolle einzelner Banden fielen. Gewisse Gangsterbosse wurden auf diese Weise zu Gewerkschaftsführern, organisierten Streiks, bestachen oder zwangen die (schlechter bewaffnete) Polizei, nichts gegen die Streikenden zu unternehmen. Die Mitgliedsbeiträge in den Gewerkschaften wurden zu monatlichen Protektionszahlungen an die Banden. Die Gewerkschaften wurden letzten Endes zu einem neuen lukrativen „racket" für die Unterwelt. Adamics Beschreibung der Methode, wie die Gangster die kleinen Händler und Geschäftsleute zu Mitgliedern einer riesigen zentral organisierten Vertriebsgenossenschaft „organisieren", ist zweifellos als eine der zahlreichen Quellen für die Vorgänge der siebten Szene des *Arturo Ui* zu betrachten. Einige Geschäfte werden von der Bande demoliert oder zerstört, und einige Tage später werden die Händler der sonst friedlichen Nachbarschaft von der Notwendigkeit und Rentabilität der Protektion „überzeugt".[41] Ab 1930 setzte eine neue Entwicklung ein. Die Banden begannen sich auf „legale" Geschäftszweige zu konzentrieren, da sie das Verbrechen (Spielcasinos, Wettbüros, Alkoholherstellung und -vertrieb, Prostitution) schon fest organisiert hatten. Mit das erste Ziel war der Lebensmittelhandel, dessen Markt sie bald vollends beherrschten. Offizielle Untersuchungen des „food racket" führten im Jahre 1930 zu haarsträubenden Ergebnissen. In New York beherrschten die Banden nicht nur den Großteil des Lebensmittelmarktes, sondern kontrollierten ganz oder teilweise 250 andere Gewerbe oder Geschäfte mit einem geschätzten Profit zwischen 200 bis 600 Millionen Dollar jährlich. Die Situation in Chicago und anderen Städten war nicht besser. Eine New Yorker „Grand Jury" nannte die Macht der „racketeers" größer als die der Regierung![42] Handel, Kleingewerbe und zum großen Teil die Gewerkschaften fielen unter die Macht der Verbrechersyndikate, ohne daß die Entwicklung hätte verhindert werden können. Nicht nur die Kapitalisten, sondern in großem Maße auch die Gewerkschaften verhalfen den Berufsverbrechern zu ihrer ungeheuren Vormachtstellung. Schon in einem frühen Stadium war das Gangstertum zu einem der Hauptfaktoren im amerikanischen Klassenkampf geworden:

> Labor racketeering, as it has begun to develop in the United States, is a natural and even necessary product of powerful and chaotic social and economic forces that have been operating in this country *uncontrolled* since the beginning of the Industrial Revolution in the eighteen-forties.[43]

Die in der American Federation of Labor (A. F. of L.) zusammengeschlossenen modernen Gewerkschaften bezeichnet Adamic als Oligarchien und „rackets", die der Bereicherung ihrer Führer und nicht mehr den wahren Interessen der Arbeiter dienen. Da besonders seit dem National Industrial Recovery Act unter Präsident Roosevelts „New Deal" die Gewerkschaften der A. F. of L. nur noch nutzloser geworden seien, weil sie sich auf die Seite der Industriellen schlugen, werde die Zukunft mehr Gewalttätigkeiten seitens der völlig desperaten Arbeiter bringen. Das Buch schloß mit einem besorgten Blick auf die bevorstehenden Ereignisse: mehr Streiks und strengere Gegenmaßnahmen durch die Regierung. Eine große Gefahr sah Adamic in der zunehmenden Faschisierung Amerikas:

> There will *doubtless* be other strikes, hundreds of them, during 1934 and 1935 – except, of course, if the "liberal" Roosevelt Administration goes full Fascist so far as labor is concerned and creates machinery to keep down industrial upheavals, which is not impossible . . .[44]

Während Brecht in den späten zwanziger Jahren durch die Lektüre der Biographien der großen amerikanischen Kapitalisten und insbesondere durch G. Myers' Werk zu der Überzeugung gelangt war, daß die Geschichte der großen amerikanischen Vermögen gleichzeitig auch die der großen amerikanischen Verbrechen war, so mußten ihn die inzwischen aus persönlicher Erfahrung und weiterem Studium hinzugewonnenen Eindrücke hierin nur noch weiter bestärken. Adamic hatte eine einleuchtende Erklärung für die Vormachtstellung der Syndikate innerhalb von Gesellschaft, Politik und Wirtschaft geliefert und die gegenwärtige Situation als die *natürliche* und *notwendige* Konsequenz der im 19. Jahrhundert in USA herrschenden wirtschaftlichen und sozialen Verhältnisse bezeichnet.

In Brechts Augen war also die Verbrecherwelt Chicagos wirklich ein Milieu, mit dem der Durchschnittsamerikaner vertraut war und auf das er sich als Dramatiker bei der Erklärung der politischen Ereignisse in Deutschland stützen konnte. Brecht wollte sich wahrscheinlich auf seine Art von seinem zukünftigen Gastland, der Hochburg des Kapitalismus, indirekt distanzieren. Diese Vermutung ist nicht ausgeschlossen, da Brecht in jenen Jahren auch an anderer Stelle meist stark negative Bemerkungen über Amerika fallen läßt. So wird in den *Svendborger Gedichten* den beiden „amerikanischen" Gedichten „Kohlen für Mike" und „Abbau des Schiffes Oskawa durch die Mannschaft" allein durch ihre Stellung innerhalb des „Chroniken" überschriebenen Abschnittes nun ein negativer Sinn gegeben. Umgeben von Lobgedichten auf Lenin und den ersten revolutionären Arbeiter- und Bauernstaat der Welt, wird die absichtliche Gegenüberstellung zu einer Kritik an Amerika. Das Gedicht „Die Teppichweber von Kujan-Bulak ehren Lenin" malt ein Bild der friedlichen Zusammenarbeit des russischen Proletariats im Interesse des allgemeinen Wohls. Dies kann offen geschehen, ist offizielle Politik, da ja das Proletariat die Regierung bildet, wohingegen die amerikanischen Eisenbahner darauf angewiesen sind, im Schutze der Nacht heimlich der Witwe zu helfen. In diesem „alten" System wird die dem Gefühl der Nächstenliebe entsprungene Tat als Verbrechen gewertet und ist mit großem persönlichen Risiko für die Helfenden verbunden. Dem Gedicht vom Abbau des Schiffes Oskawa werden die Gedichte „Inbesitznahme der großen Metro durch die Moskauer Arbeiterschaft am 27. April 1935" und „Schnelligkeit des sozialistischen Aufbaues" gegenübergestellt. Die Leistungen der amerikanischen Arbeiter (das Schiff wurde für zwei Millionen Dollar gebaut) dienen nur wieder der Ausbeutung anderer durch die Kapitalisten. Die unterbezahlte und nach allen Regeln der Kunst ausgebeutete Mannschaft wird durch das repressive System zu verzweifelten Sabotageakten hingerissen, um so die Genugtuung der persönlichen Rache an den Kapitalisten verspüren zu können. Adamic, der diesen Vorfall im Detail berichtete,[45] behandelte ihn nicht als Einzelfall, sondern griff ihn als repräsentatives Beispiel der Zustände heraus, die die amerikanische Handelsmarine plagten. Bei dieser Gelegenheit sei daran erinnert, was Brecht im Frühjahr 1926, also auf dem Höhepunkt seines Amerikanismus, über US-Schiffe zu sagen hatte:

Auf den amerikanischen Schiffen gibt es besseres Geld, besseres Essen, mehr Arbeit und mehr Sport als auf allen anderen, auch den deutschen.[46]

Amerika dient nun als negatives Gegenbeispiel zur Fortschrittlichkeit der Sowjetunion, wo es zum ersten Male auf der Welt geschehen ist, „daß die Frucht der Arbeit" denen zufiel, „die da gearbeitet hatten".[47] Rußland und Amerika. Hie Herrschaft des Proletariats und sozialistischer Aufbau, da Unterdrückung des Proletariats und „Abbau" aus Verzweiflung.

Hier sei ein kleiner Exkurs über den 1940 in Finnland entstandenen und bisher ungedruckten Entwurf *Die Judith von Shimoda* gestattet, der weitere Belege für Brechts negative Haltung Amerika gegenüber enthält. Den Eintragungen in Brechts Arbeitsbuch zufolge hatte Helene Weigel die Rechte für das Stück *Chink Okichi* des Japaners Yuzo Yamamoto erworben.[48] Brecht fand Gefallen an dem Stück und dachte sofort an eine Bearbeitung:

ich entwerfe schnell eine rahmenhandlung ... anhand der englischen (schlechten) übersetzung. das könnte eine japanische judith werden, dh eine zu ende erzählte geschichte der großen heldentat.[49]

Yamamotos Drama behandelt die Geschichte der Geisha Okichi, die von ihrer Regierung gezwungen wird, in die Dienste des ersten amerikanischen Generalkonsuls in Japan, Townsend Harris, zu treten. Okichi bringt für ihr Land, dem an guten Beziehungen mit Amerika gelegen ist, furchtbare Opfer. Sie verläßt ihren Verlobten, dem der Staat eine „Entschädigung" verspricht, und wird auf Drängen der Regierung zur Mätresse des gefürchteten Weißen. Nicht nur dem Spott ihrer eigenen Landsleute („Fremdenhure"), sondern auch den Erniedrigungen durch den Amerikaner ausgesetzt, ruiniert sie ihr eigenes Leben im Interesse der japanischen Regierung, die den mit Kriegsschiffen und Küstenbeschuß drohenden Amerikaner durch Okichis „Dienste" friedfertig stimmen will. Nach dem erfolgreich ausgehandelten Vertrag (Juli 1858), der US-Bürgern erstmals Handelsrechte sowie das Recht auf Wohnsitz und missionarische Tätigkeit zugestand, kehrte Harris nach USA zurück. Für Okichi begann ein Alptraum. Sämtliche von der Regierung eingegangene Versprechen erwiesen sich als Lügen. Obwohl sie nun als Nationalheldin gefeiert wird und zum Zentrum eines neuen Heldenmythos geworden ist, beginnt Okichis unabänderlicher Abstieg: eine zerrüttete Ehe, Trunksucht und Ende in Armut.

Brecht folgt in großen Teilen der Bearbeitung seiner Vorlage wortwörtlich und übernimmt die Technik des Japaners, die Konversationen zwischen Harris und seinem Dolmetscher Heusken im englischen Original zu belassen. Als Zweck seiner Umformung nannte Brecht die Absicht, „den Entschluß Okichis, der Nation einen Dienst zu erweisen, klarer herauszuarbei-

ten und mehr vom Zufälligen zu befreien".[50] Er bemängelte die Struktur des
Stückes, dessen zweite Hälfte zu sehr abfiel, da der Heldentat in der dritten
Szene neun weitere über Okichis Untergang folgten:

> zudem ist ihre heldentat mit so viel zurückhaltung geschildert, daß sie
> vergessen wird, sobald erzählt, wo nicht eine nationale legende vorhan-
> den ist. es muß ähnlich sein, als ob ich selber einen WILHELM TELL
> schriebe, und den tell noch 20 jahre nach dem geßlermord leben ließe.[51]

Brecht legt den fünften und sechsten Auftritt zusammen und verkürzt die
Handlung auf elf Szenen. Auch innerhalb der Szenen wird beträchtlich ge-
kürzt, doch hauptsächlich aus Gründen der Verfremdung entwirft Brecht
eine aus Vor- und Nachspiel sowie zehn Zwischenspielen bestehende Rahmenhandlung.[52] Der Zeitungsherausgeber Akimura hat den Dichter mit
zwei anderen Gästen, der amerikanischen Journalistin Ray und dem Cam-
bridger Universitätsprofessor Clive, dazu eingeladen, den Proben für die
Aufführung des Stückes beizuwohnen. Ihre Fragen an Dichter und Regisseur und ihre Diskussionen über die einzelnen Szenen liefern einen beredten
Kommentar zur Handlung des Stückes.

Die Amerikanerin Ray arbeitet für den *American Mercury*,[53] eine sozialistische Zeitschrift, und ist damit in der Lage, einen äußerst kritischen Standpunkt gegen das Verhalten ihrer eigenen Landsleute einzunehmen, ohne un-
glaubhaft wirken zu müssen. In dem vorgeführten Stück erscheinen die
Amerikaner als fremde Eindringlinge, die neue Verhaltensweisen einführen
und den Japanern gegenüber arrogant und überheblich auftreten. Sie sind
unverschämte Imperialisten, die bei Nichtbeachtung ihrer Wünsche (Han-
delsbeziehungen) kurzerhand mit kriegerischen Handlungen drohen. Ray
weiß, daß diese „neuen Holofernesse" nicht so gefährlich anmuten, weil sie
weniger mit Feuer und Schwert als mit Handelsverträgen drohen, die aber
„nicht weniger zerstörend" sind.[54] Der Brite Clive bringt die Methoden der
Amerikaner auf eine kurze Formel: „Ihr nehmt unser Petroleum oder wir
machen Lampen aus euren Häusern".[55] Im Laufe der Diskussionen werden
die grundsätzlichen Ähnlichkeiten zwischen der autokratischen Regierung
Japans und denen der modernen Demokratien beleuchtet, die auch nicht
„sehr viel besser klappen",[56] die Methoden jedoch nur besser verschleiern
können.

Von dem Schriftsteller Kito auf die Unehrlichkeit der amerikanischen
Historiographen hin angesprochen, die selbst die größten und furchtbarsten
Krieger Amerikas wie „blutarme und muckerische Schüler einer Sonntags-
schule" schilderten, erwidert Ray offen:

Es ist richtig. Wir verwehren Benjamin Franklyn[sic] ein Glas Wein und zwingen George Washington, allabendlich seinem Bruder einen Gutenachtkuß zu geben. Wir bestehen darauf, daß der Staat von keinen anderen als braven Männern gerettet wird. Die Armen müssen von ehrlichen Simpeln geführt, die klassischen Bücher von harmlosen Tugendbolden geschrieben werden. Wir sind sehr anspruchsvoll und streng gegen Leute, die etwas leisten.[57]

Den Angriff auf die in allen Geschichtsbüchern – sei es aus naivem Puritanismus oder absichtlicher Weißwäscherei – idealisierten Begründer des amerikanischen Freiheitsstaates weitet Brecht in den *Flüchtlingsgesprächen* (1940/41) auf das amerikanische Freiheitsideal selbst aus. In den Augen Kalles sind die Amerikaner ein großes Volk, nicht weil sie den freiheitlichsten Staat gegründet haben, sondern weil sie allen Heimsuchungen durch die Kapitalisten zum Trotz stark genug zum Überleben waren. Wie wilde Tiere haben sie sich nur durch ihre stete Wachsamkeit und geschickte Verteidigung am Leben erhalten können. Ihre Situation ist alles andere als beneidenswert:

Ständig werdens überfallen von den Nahrungsmittelkönigen, umzingelt von den Öltrusts, gebrandschatzt von den Eisenbahnmagnaten. Der Feind ist listig und grausam und verschleppt Frauen und Kinder in die Tiefe der Kohlenminen oder hält sie in Autofabriken gefangen. Von den Zeitungen werden sie in die Hinterhalte gelockt, und die Banken lauern ihnen beim hellichten Tag am Weg auf. Während sie jeden Augenblick gefeuert werden können, ja sogar wenn sie gefeuert sind, kämpfen sie wie die Wilden um ihre Freiheit, dafür daß jeder machen kann, was er will, was die Millionäre mit Freude begrüßen.[58]

Ihr Freiheitsideal entbehrt jeder Substanz, denn es gewährt in erster Linie den Ausbeutern und Verbrechern freie Hand in der Verfolgung ihrer egoistischen Ziele. Einerseits stimmt Kalle das bei den Amerikanern übliche „starke Gerede von Freiheit" verdächtig, denn niemand verliert auch nur ein einziges Wort über einen Schuh, der nicht drückt. Anderseits imponiert ihm die verblüffende Offenheit, mit der solche Probleme erörtert werden, und er versucht, in das Land der Freiheit auszuwandern. Leider vergebens, da seine „Freiheitsliebe" nicht ausreichte. Brecht schrieb diese Seiten höchstwahrscheinlich kurz vor seiner Ausreise in die Vereinigten Staaten und bezieht sich hierbei indirekt auf die großen Schwierigkeiten, die man ihm bei der Erlangung seiner Einreisepapiere machte:

Ich bin vom Pontius zum Pilatus gelaufen. Der Pontius hat keine Zeit gehabt, und der Pilatus war verhindert. Der Konsul hat verlangt, daß ich viermal um den Häuserblock kriech auf allen Vieren und mir dann von einem Doktor bestätigen laß, daß ich keine Schwielen gekriegt hab. Dann hab ich eidesstattlich versichern sollen, daß ich keine Ansichten hab. Ich hab ihm blau in die Augen geschaut und es versichert, aber er hat mich durchschaut und verlangt, daß ichs beweis, auch daß ich nie eine gehabt hab, und das hab ich nicht können. So bin ich nicht in das Land der Freiheit gelangt. Ich bin nicht sicher, daß meine Freiheitsliebe für das Land gereicht hätt.[59]

Durch die Figur Kalles drückt hier Brecht seine eigenen Gefühle über die Enttäuschungen und vielen Frustrationen aus, die mit der Erlangung seiner Einreisebewilligung für die USA verbunden war. Schon im Dezember 1940 hatte er sich sicherheitshalber mexikanische Visa beschafft, dann aber doch die amerikanischen Papiere abgewartet. Die Botschaft der Freiheitsstatue im New Yorker Hafen, die mit einladender Geste den Unterdrückten der Erde die Fackel der Freiheit entgegenhält, mußte auf ihn ironisch wirken. Diese innere Distanzierung von Amerika nimmt bei Brecht zur Zeit der Vorbereitungen auf das amerikanische Exil zu. Er wandert offensichtlich nicht aus, weil er in „God's own country" plötzlich ein neues Freiheitsparadies („The Land of the Free") oder endlich doch sein altes Ideal wiederentdeckt hat. Jenseits des Ozeans hoffte er, für sich und seine Familie größere Sicherheit als sonstwo zu finden. Seine Einstellung Amerika gegenüber hatte sich grundsätzlich nicht gebessert, eher verschlechtert.

Die in *Arturo Ui* zum Ausdruck gebrachte Haltung kann demnach nicht als von Stoff und Intention des Stückes her als systembedingt hinweginterpretiert werden. Die Reaktion des amerikanischen Publikums auf das „gangster play we know" wäre sicherlich Brechts Absichten zuwidergelaufen. Brüskiertheit, verletzter Stolz, Empörung über die Verzerrung der einheimischen Verhältnisse durch einen Ausländer wären eher eingetreten als Freude über den neugewonnenen Einblick in die bisher rätselhaft erscheinenden politischen Vorgänge in Mitteleuropa. Brechts ursprüngliche Absicht war es gewesen, mit Hilfe des Stückes zu verhindern, daß dem „Verüber großer politischer Verbrechen" nicht wie allen anderen großen Verbrechern die romantische Bewunderung des Volkes zuteil werde.[60] Er muß gewußt haben, daß zu jener Zeit bei einer Aufführung des Stückes in den Staaten auf keinen Fall Beifall zu erwarten war. *Arturo Ui* war eindeutig aus der Sicht des Europäers geschrieben. Brecht selbst sprach bezeichnenderweise von einer „Doppelverfremdung" (Gangstermilieu und großer Stil), deren

Wirkung „schwer vorausgesagt" werden konnte.[61] Das für den Amerikaner als „vertraut" bezeichnete Milieu und die dem Stück zugrundeliegende Gleichsetzung von reaktionärem Kapitalismus, Faschismus und Gangstertum entsprachen zwar der konsequenten Weiterbildung von Brechts Amerikabild, doch ließen sich damit kaum Freunde im neuen Exil gewinnen. Unmittelbar vor der Ausreise nach den Vereinigten Staaten – an ein Exil in Rußland hatte Brecht nicht ernsthaft gedacht und der Umweg über Moskau wurde erst notwendig, nachdem deutsche Truppen auch die nördliche finnische Hafenstadt Petsamo kontrollierten[62] – gerät Brecht in ein Dilemma. Der in den letzten zwei Jahrzehnten so häufig mit Erfolg benutzte Schauplatz eines mehr oder minder mythischen Amerika konnte nicht mehr vorbehaltlos verwendet werden. Denn mit der Beherrschung des gesamten europäischen Kontinents durch die Nazis war an ein europäisches Publikum für seine Werke vorerst nicht mehr zu denken. Auf Grund der weltpolitischen Ereignisse, die ihn aus Europa vertrieben und ihn dazu bewogen, nach USA ins Exil zu gehen (Elisabeth Hauptmann war schon einige Jahre zuvor hinübergegangen), büßte der amerikanische Schauplatz zumindest für die unmittelbare Zukunft seine verfremdende Funktion ein. Über Nacht war die ausgezeichnete Hitlersatire mitsamt ihrer gelungenen Doppelverfremdung zur Schublade verdammt. Brecht breitete den Mantel des Schweigens über das Stück aus. Erst einige Monate vor seinem Tode erachtete Brecht die Zeit für gekommen, an eine Aufführung des *Arturo Ui* zu denken, und übergab „unter strengster Diskretion" einigen der Mitarbeiter des Berliner Ensembles den Text zur Beurteilung.[63] Bei einer Aufführung in USA hätte es allzu leicht als Anklage einer zunehmenden Faschisierung Amerikas (die zweifellos enthalten war), als Undank seinem neuen Gastland gegenüber gewertet werden können, was wiederum der eigentlichen Absicht des Stückes, nämlich der Bekämpfung des Faschismus in Europa, abträglich gewesen wäre. Der Faschismus mußte von Amerika aus mit anderen Mitteln bekämpft werden. Ein Beispiel dafür sollte der Heydrich-Film *Hangmen Also Die* werden, an dessen Konzeption und Entstehung Brecht zwar maßgebend beteiligt war, der ihn jedoch wegen der vielen plumpen Eingriffe der Produzenten letztlich nicht zufriedenstellte.[64] Mit dem Gang ins amerikanische Exil begann die persönliche Auseinandersetzung mit dem Phänomen Amerika in der Wirklichkeit des Alltags.

KAPITEL V

1941–1956
BRECHTS PERSÖNLICHE EINSTELLUNG ZU AMERIKA

a. Im amerikanischen Exil

Dem Thema Brecht in Amerika kann hier auf beschränktem Platz freilich keine Gerechtigkeit widerfahren, auch ist für eine gründliche Behandlung dieser Frage noch zu wenig Material zugänglich. Dies müßte vor allem Brechts reichen Briefwechsel während der Jahre des amerikanischen Exils einschließen sowie Interviews mit Leuten, mit denen er damals Umgang pflegte. Hier soll abschließend lediglich ein kurzer Überblick über Brechts Einstellung zu seinem neuen Gastland gegeben werden, und zwar aufgrund seiner Schriften und Tagebucheintragungen aus jener Zeit. Dabei werden bestimmte Fragenkomplexe auftauchen, mit denen er sich beständig auseinandersetzte.

Brechts Reise nach Amerika war durch die tatkräftige Unterstützung einiger Freunde, darunter Lion Feuchtwanger, Kurt Weill und Dorothy Thompson ermöglicht worden. Am 21. Juli 1941 verließ Brecht das Schiff „Anni Johnson" und ging in San Pedro, Kalifornien, an Land, wo ihn Martha Feuchtwanger und der Schauspieler Alexander Granach begrüßten. Elisabeth Hauptmann lebte zu jener Zeit in der Nähe von New York. Lion Feuchtwanger riet ihm aus praktischen Erwägungen, im Westen der USA zu bleiben, da dort der Verdienst im Durchschnitt besser und die Lebenshaltungskosten niedriger seien als sonstwo. Für Brecht begann der Existenzkampf in einer völlig neuen Umgebung, in der er nie ganz heimisch werden konnte. Nicht nur den Wohnort, auch das Gastland hatte er seit 1933 wiederholt wechseln müssen, und man würde erwarten, daß Brecht auf eine erneute Umstellung besonders gut vorbereitet gewesen wäre. Die neuen Eindrücke überstürzten sich. Das „gelobte Land" befremdete ihn eher. Nach kaum drei Wochen Aufenthalt notiert er am 9. August 1941:

ich komme mir vor wie aus dem zeitalter herausgenommen, das ist ein

tahiti in großstadtform . . . sie haben natur hier, da alles so künstlich ist, haben sie sogar ein verstärktes gefühl für natur, sie wird verfremdet . . .[1]
Brecht versucht in der Filmindustrie unterzukommen und beginnt sofort, mit Ferdinand Reyher, den er schon aus früheren Jahren kannte, Pläne und Entwürfe für Drehbücher zu besprechen. Die später so innig gehaßte „Brotarbeit" beginnt bereits. Beim ersten Vergleich mit den anderen Exilländern schneiden die Vereinigten Staaten bereits schlecht ab, wenn auch noch aus anderen Gründen:

fast an keinem ort war mir das leben schwerer als hier in diesem schauhaus des easy going. das haus ist zu hübsch, mein beruf ist hier goldgräbertum, die glückspilze waschen sich hier aus dem schlamm faustgroße goldklumpen, von denen dann lange die rede ist, wenn ich gehe, gehe ich auf wolken wie rückenmärkler.[2]

Diese beiden frühen Bemerkungen deuten bereits die wichtigsten Gegenstände seiner Kritik an Amerika an: landschaftliche und gesellschaftliche Umwelt und das Problem der beruflichen Tätigkeit. Was die kalifornische Landschaft anbetrifft, findet Brecht kein gutes Wort. Der ewig dauernde Frühling, der fehlende Wechsel der Jahreszeiten, die üppig blühende Natur, das warme Wetter, all dies legt sich auf sein Gemüt. Er kann in diesem Klima nicht atmen, die Luft ist für ihn geruchlos, zu allen Tageszeiten drinnen und draußen gleich, im Sommer wie im Winter. Blickt er in die Landschaft um Los Angeles, muß er stets daran denken, daß dies ursprünglich alles Wüste war, und stellt sich vor, was geschähe, wenn die künstliche Bewässerung plötzlich aufhörte. Die Landschaft ist „produziert", nicht natürlich.

sanfte hügellinien, zitronengebüsch, eine kalifornische eiche und auch die eine oder andere tankstation ist eigentlich lustig; aber all das steht wie hinter einer glasscheibe, und ich suche unwillkürlich an jeder hügelkette oder an jedem zitronenbaum ein kleines preisschildchen. diese preisschildchen sucht man auch an den Menschen.[3]

Sein eigenes Haus ist ihm zu hübsch und deprimiert ihn wie alle anderen typischen Kleinbürgervillen der Umgebung. Die übrigen Wohnstätten nennt er häßliche Holzkästen, Anbauten von Garagen. Shelley, der das Leben in London mit dem in der Hölle verglichen hatte, konnte natürlich die Zustände in Los Angeles nicht voraussahnen. Auf diese Stadt der „Engel" paßt die Charakterisierung besser. In dem Gedicht „Nachdenkend über die Hölle"[4] beklagt Brecht sich über die Künstlichkeit, Wurzellosigkeit, Ziellosigkeit und Leere, die das Leben in der kalifornischen Metropole bestimmen und es so abstoßend machen. Fünf Jahre später hat sich seine Meinung nicht geändert:

Denn es ist eine Tatsache: Wir leben in einer würdelosen Stadt.
Es ist schwer zu beschreiben, ich habe oft angesetzt und es wieder aufgegeben. Natürlich muß es von den Menschen kommen.[5]

In seinem an amerikanische Leser gerichteten Artikel versucht Iring Fetscher der Brechtschen Kritik die Spitze zu nehmen.[6] Er läßt das eben zitierte „Wir leben in einer würdelosen Stadt" als "We live in a time without dignity" übersetzen. Auch führt er den Schluß des Gedichtes „Die Landschaft des Exils" an, um zu zeigen, daß Brecht sich den Schönheiten der kalifornischen Landschaft nicht verschließen konnte:

Die Öltürme und dürstenden Gärten von Los Angeles
Und die abendlichen Schluchten Kaliforniens und die Obstmärkte
Ließen auch den Boten des Unglücks
Nicht kalt.[7]

Gerade mit diesem für jene Zeit untypischen Gedicht war Brecht später unzufrieden, nicht nur aus stilistischen Gründen. Die Distanz zur Landschaft fehlte, die all seine anderen Gedichte aus Hollywood kennzeichnete. Er schloß es bezeichnenderweise absichtlich von der Auswahl der „Gedichte im Exil" aus.[8] Carl Zuckmayer teilte Brechts Entsetzen über die „nuttigen kleinbürgervillen mit ihren deprimierenden hübschheiten"[9] und die südkalifornische Landschaft im allgemeinen. Auch ihm wollte als Europäer dieses sonst so gepriesene künstliche Paradies gar nicht gefallen:

Auch behagte mir dieses von vielen Leuten als Paradies gepriesene Südkalifornien gar nicht, der ewige Frühling, durch Hitzewellen und Regenzeiten unterbrochen, schien mir schal und fade, die wüste, fast kahle Umgebung unerträglich, der falsche Stil der Prachtvillen, spanische Neu-Renaissance oder orientalische Gotik, mit ihren künstlich bewässerten Paradiesgärtlein noch unerträglicher, und die allgemeine Verfassung der Leute, mit denen ich durchweg zu tun hatte, der Filmleute nämlich, am unerträglichsten.[10]

Brechts negative Eindrücke waren nicht auf die Landschaft Kaliforniens beschränkt. Texas erinnerte ihn vom Zuge aus an Sibirien, die Leute schienen ärmlich zu sein, und selbst das früher so hoch gepriesene New York konnte ihn nicht mehr begeistern. Den Anblick der Wolkenkratzer fand er zwar atemberaubend, doch eher bedrückend als befreiend. Die Kulturlandschaft spiegelte den Menschen wider, der sie geformt hatte. Brecht hat immer wieder die Großzügigkeit und Freundlichkeit einzelner Amerikaner gepriesen. Die Gedichte „Immer wieder", „Überall Freunde" und „Der demokratische Richter" sind beredte Zeugnisse dafür, doch können sie nicht über Brechts große Enttäuschung über die amerikanische Gesellschaft im allgemeinen hinwegtäuschen. Er fühlte sich als Fremdkörper. In Europa als großer Dramatiker gepriesen, kennt ihn nun keiner; er ist einer der vielen Geflüchteten, der mit den vielen Anonymen auf gleicher Stufe konkurrieren, d. h. sich verkaufen muß. In seinen „Briefen an einen erwachsenen Amerikaner" legt Brecht ein offenes und ehrliches Geständnis seiner Unfähigkeit ab, sich in der neuen Welt heimisch zu fühlen. Unter den veröffentlichten Schriften sind sie zweifellos eines der persönlichsten Dokumente aus seiner Feder. Seine Nachbarn beurteilt er als typische Durchschnittsamerikaner, denen stets etwas „Leeres und Bedeutungsloses" anhaftet. Das Ideal der Gesellschaft ist der „regular nice guy", der allseits beliebt ist und sich aus diesem Grunde keine festen Überzeugungen leisten kann. Die Anpassungsfähigkeit mag eine Tugend sein, doch wäre zuerst die Frage zu lösen, woran man sich anpassen sollte.

Was die Meinungen angeht, herrschen die Ideen der Herrschenden nahezu unumschränkt. Nichtübereinzustimmen wird gemeinhin als bloßes Nichtkennen des allgemein Gebilligten angesehen, als ein gefährliches Unvermögen, sich anzupassen. Die Anpassung ist ein eigenes Lehrfach; der Intelligentere bringt es darin weiter, der Widerstrebende ist ein Problem der Ärzte und Psychologen. Um den „Job" zu halten ... muß man, jenseits der Qualifikation – auf die kommt es nicht so sehr an, alles ist eingerichtet für Auswechselbarkeit, also für das Minimum –, ein „regular guy" sein, das heißt normal. Das läßt wenig Möglichkeiten für Eigenart. „Die unbegrenzten Möglichkeiten" beginnen wie eine Legende zu klingen ..."[11]

Über eben dieses Thema – daß der Erfolg von Zufällen abhängt und nicht von Leistungen – entwarf er die Filmfabel *Rich Man's Friend*.[12] Der ausgezeichnete Filmdarsteller wird nicht seiner schauspielerischen Leistungen wegen angestellt, sondern weil er zufällig von einem Produzenten in einer komischen Situation „entdeckt" wird. In seinem Journal zeichnete Brecht die Erfahrungen auf, die ihn zu derartigen Werturteilen gelangen ließen. Seine Eigenart, stets ohne Krawatte in einem Jackett mit oben zugeknöpftem Kragen bei Parties zu erscheinen, wurde als „Problem" gedeutet. Man gab ihm den Rat, einen Psychologen aufzusuchen.

Der ständige Existenzkampf, die Unsicherheit des Arbeitsplatzes, der Mangel an finanzieller Sicherheit auf längere Sicht verhindern das Wurzelfassen. Ferdinand Reyher hatte versucht, Brecht einige Grundzüge des ame-

rikanischen Wesens zu erklären und Amerika gegen seine Angriffe zu verteidigen. Reyher nannte die Amerikaner ein Volk der Nomaden, eine Charakterisierung, deren sich Brecht von nun an häufig bediente, besonders
wenn er der Frage der Kulturlosigkeit Amerikas nachging. Die allgemeine
Unsicherheit und Abhängigkeit ist dabei als Wurzel für die Perversion des
ganzen Lebens zu betrachten:

> es sind tatsächlich nomaden. sie wechseln die berufe wie stiefel, bauen
> häuser für nur 20 jahre und wohnen die zeit nicht aus, so ist ihre heimat
> nichts lokales. nicht umsonst hat sich die GROSSE UNORDNUNG hier
> so üppig entwickelt.[13]

Der unaufhörliche Wechsel der Stellen und Berufe, die Gewohnheit, mit
dem Arbeitsplatz auch den Wohnsitz, manchmal über den ganzen Kontinent
hinweg zu wechseln, die große Mobilität, haben negative Folgen, besonders
für die menschlichen Beziehungen:

> So lernen sie ihre Behausungen kaum kennen, haben weder Vaterhaus
> noch Heimat. Keine Freundschaften wachsen und keine Feindschaften.[14]

Wurzel allen Übels ist der alles beherrschende Merkantilismus, der die
Gesellschaft in eine Verbrauchergesellschaft verwandelt hat:

> die elemente der lebensweise hier sind unedel. es muß die unwürdigkeit
> der produktionsverhältnisse sein, die da alles banal macht. hier, wenn
> irgendwo, wäre distanz nötig, aber niemand respektiert sie. das essen, das
> betrachten der landschaft, das gespräch, das schreiben eines buches, das
> lesen eines buches, die geschäfte, all das hat hier noch einen andern
> zweck, keinen ganz gut riechenden und ist so nicht würdig und nicht
> zulänglich in sich.[15]

> Kein Wunder, daß etwas Unedles, Infames, Würdeloses allem Verkehr
> von Mensch zu Mensch anhaftet und von da übergegangen ist auf alle
> Gegenstände, Wohnungen, Werkzeuge, ja auf die Landschaft selber.[16]

> Überall ist dieser Geruch der hoffnungslosen Roheit, der Gewalt ohne
> Befriedigung. In fünf Jahren sah ich einmal etwas Kunstähnliches ... die
> Reklamezeichnung einer Hautölfirma.[17]

Als eingefleischter Europäer konnte und wollte Brecht sich der neuen Umgebung nicht anpassen. Die Eintragungen in sein Journal zeugen davon, daß
für ihn Amerika ein Land der nivellierenden Standardisierung, des alles
beherrschenden Merkantilismus, des flachen Materialismus, ein Land ohne
Kultur und Tradition war, wo die unumschränkte Tyrannei des Dollars

alles zur Oberflächlichkeit verdammt hatte. Dieser Eindruck legt sich ihm aufs Gemüt, und er beklagte seine Unfähigkeit, in dieser Umgebung künstlerisch produktiv zu werden. In Dänemark und Finnland war es noch möglich gewesen, Caesars *De bello gallico* zu lesen, in Kalifornien mußte so etwas komisch wirken. Eine alles depravierende billige „hübschheit" hinderte ihn daran, „halbwegs kultiviert, d. h. würdig zu leben":[18]

> hier kommt man sich vor wie franz von assisi im aquarium, lenin im prater (oder oktoberfest), eine chrysantheme im bergwerk oder eine wurst im treibhaus. das land ist eben riesig genug, um alle andern länder selbst in der erinnerung zu verdrängen. man könnte dramen schreiben, wenn es selber keine hätte und keine brauchte, aber es hat das alles, im nichtigsten zustand. der merkantilismus erzeugt alles, nur eben in warenform, und hier schämt sich der ge[b]rauchswert, nicht der tauschwert in der kunst.[19]
>
> hier lyrik zu schreiben, selbst aktuelle, bedeutet: sich in den elfenbeinturm zurückziehen. es ist, als betreibe man goldschmiedekunst. das hat etwas schrulliges, kauzhaftes, borniertes. solche lyrik ist flaschenpost, die schlacht um smolensk geht auch um die lyrik.[20]

Eines der schwierigsten Probleme der europäischen Flüchtlinge in Kalifornien war der völlige Neubeginn. Auch für Brecht, den Dramatiker von europäischem Rang und Namen, wurde die plötzliche Feststellung, daß frühere Leistungen, bewiesenes Können und hart erarbeitete Erfahrung bei der Arbeitssuche in Hollywood von völlig nebensächlicher Bedeutung sind, zur großen Enttäuschung, die fast Schockeffekt hatte. Anstatt mit offenen Armen empfangen zu werden als einer, von dessen Ratschlägen man sich neue Erkenntnisse erhofft, mußte sich Brecht wie so viele andere den in der großen Filmfabrik herrschenden Spielregeln fraglos anpassen und auf Bestellung „produzieren". Er wurde in den für einen freischaffenden Künstler erniedrigenden Produktionsprozeß der Hollywoodschen Traumfabrik eingespannt und hatte gegen wöchentliche Bezahlung die „Ware" pünktlich zu liefern. Zweifellos hatte Brechts scharfe Kritik an Amerika mit seiner beruflichen Tätigkeit zu tun, dem Mangel an Kunst und Kultur und hauptsächlich dem Fehlen eines richtigen Theaters. Er gab sich aber Mühe, der großen Gefahr zu entgehen, die für alle Emigranten bestand, nämlich entweder „in ein wildes geschimpfe auf die ‚amerikaner' zu verfallen" oder alles gut zu heißen und ihnen heuchlerisch zu schmeicheln, solange der Verdienst gut ist.[21] Als häufigste Punkte der Kritik jener „Schimpfer" (und seinen Aufzeichnungen nach teilt er zumindest insgeheim ihre Meinung) nennt er gewisse kochkapitalistische Erscheinungen wie die fortgeschrittene Merkanti-

lisierung der Kunst, die Selbstzufriedenheit der Mittelklasse, das Betrachten
der Bildung als Tauschwert anstatt als Gebrauchswert und den weithin for-
malistischen Charakter der Demokratie, der durch die Monopolisierung das
notwendige ökonomische Fundament, nämlich die Konkurrenz selbständi-
ger Warenproduzenten, bereits abhanden gekommen ist. Brecht teilt zwar
viele Ansichten jener Schimpfer, doch vergißt er nie, daß er seinem Gastland für Aufnahme und körperliche Sicherheit Dank schuldet. Dennoch
pocht er auf seinen Status als Flüchtling, der ihm den Einwanderern gegenüber mehr Freiheit in der Bewertung des Landes erlaubt:

> es liegt mir an sich nicht, mit einer umgebung, unter diesen umständen
> besonders, nicht zufrieden zu sein. ich lege großes gewicht auf meinen
> stand, den distinguierten des flüchtlings, und dem flüchtling gegenüber
> schickt es sich eben gar nicht, so servil und gefallsüchtig zu sein wie es
> diese umgebung ist.[22]

Aus Höflichkeit seinen Gastgebern gegenüber vermied es denn Brecht,
öffentlich im politischen Kampf Stellung zu nehmen. In seiner 1947 für das
Verhör in Washington vorbereiteten Rede, die vorzulesen ihm jedoch nicht
erlaubt wurde, wollte er diesen Punkt ganz deutlich machen: „Als Gast der
Vereinigten Staaten betätigte ich mich in keiner Weise, dieses Land betref-
fend, auch nicht literarisch."[23] Doch seine Aufzeichnungen – veröffentlichte
und unveröffentlichte – verraten einige Grundpositionen seiner privaten
Kritik an Wirtschaft und Politik der Vereinigten Staaten. Seine in den Jahren vor 1941 so häufig vertretene Ansicht, daß Demokratie und Kapitalismus im Grunde unvereinbar sind, änderte sich keineswegs. Hier sei nochmals an die erwähnte Konversation zwischen Ziffel und Kalle in den
Flüchtlingsgesprächen erinnert, in der dem „Freiheitsgetue" der Amerikaner
auf den Zahn gefühlt wird, oder an das 12. Kapitel, in dem das Paradoxe
einer kapitalistischen Demokratie aufgezeigt wird.[24] Im Oktober 1941
sandte Karl Korsch einige Aufsätze, die er in der Zeitschrift *Living Marx-
ism* zu veröffentlichen beabsichtigte, an Brecht zur Durchsicht. In einem
davon gab Brechts ehemaliger „Lehrer" einen Überblick über den Stand der
Monopolisierung in den USA, was Brecht zutiefst beeindruckte. In sein
Journal notiert er, daß angesichts dieser Konzentration des Kapitals „tatsächlich die demokratischen prinzipien keinerlei funktion mehr haben können".[25] Das mußte negative Folgen haben, sowohl für die Gesellschaft im
allgemeinen als für das gesamte politische Leben.

Die fortschreitende Kartellisierung schaltet jede sinnvolle Konkurrenz
aus und versklavt die breite Masse völlig. Selbst Rieseninstitutionen wie

Schulen, Universitäten, Krankenhäuser und die Verwaltungen, die in Europa mehr oder weniger unter öffentlicher Kontrolle stehen, werden in USA offen von Geldleuten, beziehungsweise politischen Maschinen kontrolliert. Die Abhängigkeit des Durchschnittsbürgers von den Großen ist viel direkter und krasser. Das Fehlen eines festen Arbeitsverhältnisses und jeglicher damit verbundenen sozialen Sicherheit macht die Bevölkerung besonders krisenanfällig. Eine schwere Erkrankung kann eine Familie über Nacht um den hart erkämpften Wohlstand bringen und sie auf Jahre finanziell ruinieren. Damit steigt die Abhängigkeit von den Großkapitalisten, die durch Presse, Rundfunk und Film die öffentliche Meinung zu manipulieren verstehen.

Der Einfluß der schlecht unterrichteten Bevölkerung – Zeitungen und das Radio sind in der Hand einiger weniger Millionäre – auf die Geschichte des Landes ist schwach. Die politischen Maschinen beherrschen die Wahlen, und sie sind kontrolliert von den großen investierten Interessen. Die Korruption ist riesig. Zeitungen mit Dutzenden von Millionen Lesern deuten an, daß der höchste Beamte der Nation von einer Gangstergruppe „gemacht" worden sei. Viele haben das Gefühl, daß die Demokratie von einer Art ist, daß sie von einer Stunde auf die andere verschwinden kann. Wenige wagen, sich ein Bild davon zu machen, was die ungeheure Brutalität, die der ökonomische Kampf auf diesem Kontinent entwickelt hat, dann aus ihm machen würde.[26]

Kauf und Verkauf scheinen das ganze Leben zu regieren, der einzige Wert in dieser Gesellschaft zu sein. Brechts Überlegungen zum Gebrauch des Wortes „to sell" in der amerikanischen Umgangssprache erlauben ihm interessante Rückschlüsse auf die amerikanische Mentalität.[27] Wie der Präsident im Auftrag des Big Business die Aufgabe hat, dem Volk den Krieg zu „verkaufen", so wird auch Hollywood in den Dienst dieser Interessen gestellt. Mit den primitivsten Mitteln der sexuellen Ausbeutung von weiblichen Filmstars wird für die „hohen" Ideale des Patriotismus und der Opferbereitschaft geworben. Zu diesem Thema hatte Brecht Bilder aus amerikanischen Zeitungen gesammelt und sie mit Versen kommentiert. Bei der endgültigen Auswahl für die *Kriegsfibel* entschied er sich jedoch gegen ihre Aufnahme. Ziel der Brechtschen Kritik sind das Unwesen, das mit den Pin-Ups getrieben wird, um die „Moral" der Truppe zu heben;[28] die Werbemethoden für den Verkauf von Defense Stamps – auf den Fernzügen der Nation schenken Bikini tragende Schönheiten ihre aufdringliche Aufmerksamkeit denjenigen Passagieren, die solche Kriegsanleihen kaufen –;[29] die geschmacklos primitive Art, in der Hollywood den Kampfwillen zu stärken

versucht, indem die Sexidole der Leinwand in einer spärlichen Pseudouni-
form, einem mit Medaillen behangenen Lendenschurz, in aufreizender Stellung Modell stehen.[30] Die von Brecht dazu verfaßten Vierzeiler, die hier
leider nicht zitiert werden können, lassen keinen Zweifel an seinem Ekel
über solche Methoden aufkommen. Der Krieg wird buchstäblich mit den
niedrigsten Mitteln „verkauft". Offensichtlich hatten sowohl die Riesen-
konzerne der amerikanischen Industrie als auch die Regierung selbst das
einmalige Potential Hollywoods zur politischen Beeinflussung breitester Be-
völkerungsschichten erkannt. Nach seiner Rückkehr nach Europa wies
Brecht darauf hin, daß kurz nach dem Sieg der Alliierten über Deutschland
Hollywood Riesensummen von der Industrie vorgestreckt wurden, um anti-
russische Filme zu produzieren, die die Verbündeten von gestern als die
Feinde von morgen glaubhaft machen werden. Da diese Filme nie zustande
kamen, vermutete man in Regierungskreisen eine kommunistische Verschwörung innerhalb der Filmindustrie und schuf den „Untersuchungaus-
schuß für unamerikanische Umtriebe",[31] vor dem auch Brecht erscheinen
mußte.

Die Erkenntnis solcher Zusammenhänge mußte Brechts Ansichten über
die amerikanische Demokratie zutiefst beeinflussen. Zeugnisse echter Demokratie waren kaum auffindbar. Selbst die damals in Europa noch unbekannten institutionalisierten Gallup Poll Tests, in denen die Bevölkerung befragt
wird über politische Grundprobleme, Tagesereignisse oder selbst nebensächliche Dinge wie die beste Starbesetzung für die geplante Verfilmung eines
Romans, werden von Brecht als sinn- und zwecklos abgewiesen.

das gilt als demokratische institution. es ist in wirklichkeit ein test auf die
wirkung von reklame und propaganda.[32]

Das Ergebnis einer Meinungsumfrage hat natürlich keinerlei politische
Konsequenzen. Man erfährt nur, ob der Propagandakrieg verstärkt werden
muß. In der Diskussion mit H. Kline, der sich im Januar 1942 vom demokratischen Sinn der Amerikaner einen entschlossenen Widerstand gegen den
Faschismus versprach, mußte Brecht heftig widersprechen. In seinem Tagebuch begründet er seine Stellungnahme:

nun gibt es ganz zweifellos hier so etwas wie „demokratisches benehmen",
wahrscheinlich weil die ganze gesellschaft hier improvisiert wurde, kein
feudalismus bestand, militarismus überflüssig war das heißt aber nur, daß
der klassenkampf ohne salongetüh abgemacht wird ...[33]

Das wolle aber nur heißen, daß der Sieger die Besiegten nicht auch noch
verachte und der Gewinn in ungebildeter Weise „veraast" werde. Ein ameri-

kanischer Faschismus würde zweifellos diese Formen, beziehungsweise Formlosigkeiten berücksichtigen und insofern zumindest auf amerikanische Art „demokratisch" sein. Mit einem geschickten Hinweis deutet Brecht auf die Vigilanten, die ihre Haltung ja auch nicht nur der Uniform wegen eingenommen hatten. Angesichts der grundsätzlichen Schwachheiten dieses zumindest nach außen hin demokratischen Systems, in dem die Anpassung zum Gebot geworden ist, sind die weitverbreiteten Vorurteile gegen rassische und religiöse Minderheiten mit großen Gefahren verbunden. Brecht erwähnt dieses Problem mit Bezug auf Neger, Juden, Asiaten und Mexikaner. In der Behandlung der japanischen Bevölkerung innerhalb der Vereinigten Staaten, die nach dem Angriff auf Pearl Harbour wie alle anderen „enemy aliens" als verdächtig galten, war die Maske demokratischen Benehmens gefallen. Nach Beschlagnahme ihres Besitzes wurden sie – inklusive der „niseis", der in USA geborenen Japaner – zwangsweise in die von der Außenwelt völlig abgeschlossenen Internierungslager fern der Pazifikküste untergebracht. Brecht schrieb zu Bildern, die er den Tageszeitungen entnahm, Prosa- und Verstexte, die er sowohl als Material für sein Tagebuch als auch für die geplante Kriegsfibel sammelte. In sein Tagebuch klebte er ein Bild, das einen 26jährigen weißen Amerikaner zeigte, der sich mit lächelnder Miene im Regierungsbüro um von Japanern beschlagnahmtes Farmland bewirbt. Brechts Kommentar zu dieser beschämenden Behandlung einer rassischen Minderheit:

sie waren immer mißliebig hier bei den farmern, und jetzt fürchtet man ihre illoyalität. ausnahme und regel.[34]

Andere Eintragungen (25. März 1942 und 30. März 1942) beziehen sich auf den Umfang der Evakuierungen (ca. 100 000) und die erstaunliche Höflichkeit, mit der Japaner und Niseis das Unrecht über sich ergehen lassen. In dem Gedicht „Immer wieder"[35] preist er unter anderem die Haltung eines Weißen, der den ins Lager Ziehenden Mut zuspricht. Interessant ist hierbei jedoch, daß Brechts Parallelsituationen innerhalb des Gedichts diese Evakuierungen zumindest indirekt mit dem Terror der Nazihorden in Verbindung bringen. Trotz der Schlächtereien und groben Ungerechtigkeiten glaubt Brecht an das Gute im Menschen. Thema des Gedichts ist der Kommentar der Musiker im *Kaukasischen Kreidekreis*.

In den blutigsten Zeiten

Leben freundliche Menschen[36]

Aber der Glaube an die Güte des einzelnen darf nicht über die blutigen Zeiten – auch in Amerika nicht – hinwegtrösten.

Ähnlich preist Brecht in einem Vierzeiler, der für die *Kriegsfibel* gedacht war, das Verhalten eines GIs, der bei Rassenunruhen einem Neger hilfreich zur Seite stand und Brechts Meinung nach so mehr Mut bewies als in den größten Schlachten des Krieges.[37] Brecht unterscheidet genau zwischen der Regierung der Staaten und der Bevölkerung, in der sich wie in jedem anderen Lande positive Kräfte äußern. Aber die Haltung bleibt dieselbe wie in jenen vor 1936 entstandenen Gedichten „Kohlen für Mike", „Abbau des Schiffes Oskawa durch die Mannschaft", „Kantate Erster Mai" und dem Entwurf zu „Mother Bloor"[38], die progressiven Individuen Amerikas gewidmet waren und deren Lob eine implizite Kritik der amerikanischen Gesellschaft und Regierungsform enthielt. Amerika war zweifellos ein Land, das Helden nötig hatte.

Während seines ersten Aufenthaltes in New York hatte Brecht Kontakt mit den Vertretern der KP Amerikas aufgenommen, und während seines Exils beobachtet er mit Interesse die Situation der Gewerkschaften und der Arbeiterbewegung im allgemeinen. Er beurteilt die Lage als höchst unglücklich. Die sozialen Ungerechtigkeiten springen in die Augen. Rechtsanwälte, Richter und Regierungsbeamte verdienen so überdurchschnittlich gut, daß es fraglich wird, ob sie wirklich die Probleme der Bevölkerung verstehen und deren Interessen vertreten können. Als im Frühjahr 1942 die Kongreßmitglieder eigenmächtig den Beschluß faßten, sich eine Pension auszusetzen, vermerkte Brecht dies in seinem Tagebuch und klebte zwei Zeitungsbilder dazu, die zeigten, wie die Bevölkerung aus Protest für den „hungrigen" Kongreß Lumpen sammelte. Das Befremdende an der ganzen Sache war, daß die auf Zeit gewählten Kongreßabgeordneten sich pensionsberechtigt erklärten und ihr Gehalt erhöhten, während der Kriegszustand des Landes als Begründung dafür benutzt wurde, die Löhne niedrig zu halten und Streiks für illegal zu erklären. Für die *Kriegsfibel* versah Brecht ein anderes Bild, das einen alten Hut, einen Schirm und ein Paar Krücken zeigte (Spenden der Arbeiter aus Spokane), mit einem spöttischen Vierzeiler, der in unmißverständlichen Worten der Entrüstung des Volkes Ausdruck verleiht.[39]

Die Ausbeutung der Massen, die Betreibung der Politik als Mittel der Selbstbereicherung, ging in Brechts Augen so offen vor sich, daß für den Marxismus in Amerika von vornherein gewisse Chancen ausgeschaltet waren.

eine besondere chance, die der marxismus in europa hatte, fällt hier weg. die sensationelle enthüllung der geschäfte des bürgerlichen staats gab dem marxismus diesen aufklärungseffekt, der hier nicht möglich ist. hier hat

man einen direkt vom bürgertum eingerichteten staat vor sich, der sich
natürlich keinen augenblick schämt, bürgerlich zu sein. das parlament ist
mehr oder weniger eine agentur und handelt und spricht als eine solche.
das ist kaum korruption, da kaum eine illusion besteht. die volksvertreter
haben hier nicht einmal symbolisch gewänder ohne taschen, wie im alten
rom. jetzt im krieg wird „busines as usual" mitunter angeprangert (übrigens wird alles angeprangert, der pranger ist einfach die öffentliche an-
schlagsäule) als schlecht für den krieg, aber die reform wird lediglich sein
„business as usual", und gerade von diesem geschäftsgeist kann man sich
gewiß niederlagen für hitler erwarten, teure niederlagen, aber eben doch
niederlagen".[40]

Aus diesem Grunde bangte auch Brecht um seinen Tui-Roman. Die Enthüllung des Meinungsverkaufs der Intellektuellen – zu seinem neuen Studien-
objekt wurde das Frankfurter soziologische Institut unter der Leitung von
Max Horkheimer im New Yorker Exil[41] – wurde unter solchen Umständen
zwecklos. Zwar ließ der Kapitalismus Amerikas eine Niederlage Hitlers
erhoffen, aber mit einer radikalen Besserung der Zustände in Amerika war
vorerst noch nicht zu rechnen. Die amerikanische Arbeiterbewegung, über
die Brecht bereits in Adamics Buch ziemlich viel Negatives gehört hatte,
beurteilte er vom politischen Standpunkt aus als ziemlich primitiv und nicht
zielbewußt genug im Kampf gegen den Klassenfeind. Brecht fand besonderes Interesse an John L. Lewis, dem Führer der Bergarbeitergewerkschaft,
der nebenbei Barbiergehilfen, Dirtfarmers und Holzarbeiter organisierte,
von vielen als Faschist und Gangster beschimpft wurde, aber das volle Vertrauen der Grubenarbeiter genoß, weil er zäh für ihre Rechte kämpfte. Im
Gegensatz zu den anderen Gewerkschaftsführern, die nach dem Kriegsein-
tritt Amerikas blind die Regierung unterstützten und ihre Arbeiter im Stich
ließen, sogar „freiwillig" auf das Streikrecht verzichteten, ohne zuerst ihre
Mitglieder zu befragen, und so zu Mitverbündeten der Kapitalisten wurden,
setzte sich John Lewis voll für die Mitglieder seiner Gewerkschaft ein und
verkündete, daß der Slogan „Nieder mit Hitler" nicht gleichbedeutend sein
dürfe mit „Nieder mit den Löhnen". Brecht spielte sogar mit dem Gedanken, die dramatischen Möglichkeiten dieses Stoffes zu nutzen.

für den dramatiker ist jetzt john lewis interessant, der als eine große
sinistre figur angesehen wird.[42]

Ende Juni 1942 beurteilte Brecht die Möglichkeiten der amerikanischen Gewerkschaften als ziemlich schlecht:

es ist wohl so, daß die amerikanische arbeiterbewegung zu primitiv ist, um eine dialektische politik zu betreiben. so repräsentieren ihre führer die nackten gegensätze. ihre gegner in der großen industrie dagegen führen sehr wohl eine dialektische politik. – vom standpunkt des dramatikers aus: sollte der fünfte akt des gigantischen dramas NEW DEAL ein tragischer oder ernüchternder werden, würde ein lewis der fortinbras sein.[43]

Die Chancen würden sich eben nur im Falle des völligen Versagens von Roosevelts Politik des New Deal verbessern. Doch drei Jahre später, am 25. Juli 1945, hatte sich seine Meinung geändert. Das Fehlen einer starken Umsturzpartei schien ihm keineswegs eine Garantie dafür zu sein,

daß die amerikanische bourgeoisie das heft für lange zeit in der hand haben wird.[44]

Die politische Zukunft in USA malt er mit düsteren Farben. Dennoch gibt er die Hoffnung auf eine Wendung zum Sozialismus hin nicht auf, eine Hoffnung, die mit den außen- und innenpolitischen Entwicklungen nach Kriegsende wieder verfliegt. Schuld daran sind vor allem der beginnende Kalte Krieg, der innerhalb des Landes zu faschistischen Tendenzen führt, der Kontrolle der politischen Ansichten, Zensur der Kunst und dem House Committee for Un-American Activities, der institutionalisierten Kommunistenjagd unter McCarthy.

Brecht ist sich der Tatsache bewußt, daß sein Journal meist aus Klagen besteht:

dieses journal zeigt allein durch die vielen eintragungen die bedrängte lage, in der ich bin, geworfen in das zentrum des weltrauschgifthandels unter die allerletzten der tuis dieses gewerbes.[45]

Er ist der Meinung, daß an seiner großen Unzufriedenheit und Ungeduld letztlich wahrscheinlich doch die Arbeitsverhältnisse schuld sind. Die 1942 entstandenen Gedichte "Hollywood", „Liefere die Ware" und „Das will ich ihnen sagen" sind Klagen über die Erniedrigungen des Sichverkaufens:

Ich fragte mich: warum reden mit ihnen?
Sie kaufen das Wissen ein, um es zu verkaufen.
Sie wollen hören, wo es billiges Wissen gibt
Das man teuer verkaufen kann. Warum
Sollten sie wissen wollen, was
Gegen Kauf und Verkauf spricht?[46]

Hollywood – Traumfabrik und Lügenmarkt – verurteilte den freien Künstler zur täglichen Prostitution seiner Talente. Jeder Tag bedeutete einen erneuten Verrat an der Kunst und an sich selbst.[47] Die Tagebucheintragungen bezeugen mit konstanter Regelmäßigkeit Brechts Erstaunen, Befremden und schließlich Entsetzen über die amerikanische Filmindustrie, deren Primitivität und Geistlosigkeit ihn zu den stärksten Zornausbrüchen bewegen konnte. Zeit seines Lebens hat Brecht diese seine Meinung nicht veröffentlicht und selbst in den *Gesammelten Werken* befinden sich nur zwei versteckte Hinweise auf die unerhörte Rückständigkeit des mit Banalitäten handelnden Filmgeschäfts, nämlich in dem „Die große Liebesgeschichte" überschriebenen Abschnitt des *Tui Romans*[48] und in den Ausführungen über „Bühnenbau und Musik des epischen Theaters".[49] Brecht mokiert sich über die Phantasielosigkeit und das niedere Niveau der Produktionen. Er spielt mit der Bedeutung des Wortes „film executive" (Haupt) und nennt den Leiter des Studios einen „film executioner" (Enthäupter). Einer dieser „Enthäupter" vermeint, eine sensationelle Entdeckung gemacht, das größte aller Themen gefunden zu haben, nämlich die Liebe. Dies war natürlich nur durch eine öffentliche Meinungsumfrage erfahrbar gewesen.

Im Dezember 1941 arbeitete Brecht mit dem ehemaligen Conférencier und Schauspieler Robert Thören an einem Filmlustspielstoff und war entsetzt über die Art, wie in Amerika ein Film entsteht. Gesamtkonzeptionen sind nicht gefragt, ein fertiger Film ist ausnahmslos das Endprodukt einer langwierigen Flickschusterei, wobei der ursprüngliche Entwurf durch zahlreiche andere Hände geht und umgearbeitet wird. Es ist eine Art Fließbandproduktion. Szenen werden gestrichen oder durch völlig neue ersetzt, so daß die ganze Motivierung verändert wird und neue Nebenmotive gefunden werden müssen. Am Ende hat die „akzeptable" Story nichts mehr mit der ursprünglich eingereichten gemeinsam.

> es existieren keinerlei gesetze der psychologie, des gesunden menschenverstands, der ökonomie, der moral, der wahrscheinlichkeit. als richtig gilt, was schon einmal fotografiert wurde und „durchging", als gut, was ein honorar erhöhte. das herumraten, puzzlespielen, schadronieren [sic], der dauernde inzest des beklatschten und bezahlten mit dem beklatschten und bezahlten in neuer position ist so weit gediehen, daß die einfachsten lustspiele bereits (wie der neue garbofilm) für die scripts bis zu 250 000 $ aufbrauchen, da nur eine armee von writers und produzenten noch eine mittelmässige fabel zusammenstoppeln können.[50]

Finanzielle Überlegungen tragen durchwegs mehr Gewicht als irgend sonst welche. Das Produkt muß vor allem verkäuflich sein. Man stöpselt herum und dreht und dreht, bricht nach gewisser Zeit die Arbeit ab, sieht sich an, was man hat, sucht sich die besten Szenen zusammen und schneidet einen Film daraus oder wirft das Ganze in den Müll. Trotz dieser Stümpereien

vom künstlerischen Standpunkt aus blüht das Geschäft. Wie Brecht vermerkt, lag der Reingewinn der Metro-Goldwyn-Meyer allein bei 17 Millionen Dollar jährlich.

immer wieder staune ich über die primitivität des filmbaus. diese „technik" kommt mit einem erstaunlichen minimum an erfindung, intelligenz,
humor und interesse aus. man klettert von situation zu situation und setzt
beliebige figuren ein. es wird damit gerechnet, dass die schauspieler nicht
spielen und die zuschauer nicht denken können.[51]

Zu seiner Enttäuschung muß er feststellen, daß die Industrie, das Big Business, einen unerhörten Einfluß auf Hollywood ausübt und unter Umständen
darüber entscheidet, was gedreht werden kann und was nicht. Brecht notierte sich ein Beispiel subtiler Zensur, von dem er im Oktober 1941 erfuhr.
Ein Garbofilm über Madame Curie enthielt ursprünglich eine Hauptszene,
in der gezeigt wurde, wie die Französin den Verkauf einer Erfindung an die
US Industrie ablehnte, weil sie als Wissenschaftlerin nicht das Recht habe,
ihre Erfindungen zu monopolisieren. Auf Drängen der amerikanischen Industrie hin wurde die Szene schließlich gestrichen.[52]

Klaus Völker gibt in seiner *Brecht-Chronik* einen guten Abriß über
Brechts Arbeiten innerhalb der amerikanischen Filmindustrie. Als einziger
Film, der direkt auf die bezahlte Arbeit als „writer" zurückgeht, entstand in
Zusammenarbeit mit F. Lang der Streifen *Hangmen Also Die,* der ihm die-
ses Produzieren auf Bestellung ein für allemal verleidete. Nach Fertigstel-
lung des Skripts zeigte man Brecht im Studio ein Album der für die Verfil-
mung „erhältlichen" Stargesichter, deren Ausdruckslosigkeit ihn entsetzte.
Wie aus dem Programmheft eines kleinen Stadttheaters muteten sie ihn an.
Über die schauspielerischen Leistungen der einzelnen verlor man kein
Wort.[53] Clifford Odets, den Brecht zwei Monate zuvor kennengelernt hatte,
beklagte sich über genau dasselbe beim Theater. Alles in den USA sei nivel-
liert, es gebe keinen Unterschied mehr zwischen einer Schauspielerin, einer
Bankdirektorstochter oder einer Prostituierten. Alle Leute seien gleich und
die Stars seien sogar stolz darauf.[54] Obwohl ihn die Arbeit an dem Heydrich-Film bis auf weiteres finanziell unabhängig gemacht hatte und ihm den
Umzug in ein besseres Haus ermöglichte, notierte sich Brecht, daß er nun
einsehe, daß ihn die Arbeit an diesem Film fast krank gemacht hatte.[55] Es
folgt ein ungewöhnlich leidenschaftlicher Ausbruch der Kritik über die
Stümpereien der Studios, wo extra Zeilen anderen Schauspielern gegeben
werden, nur weil sie schon 10 000 $ verdienen, nicht weil sie zu ihrer Rolle
paßten. Der Arbeiter, für den die Zeile bestimmt war, kann sie nicht bekom-

men, weil man dem Darsteller der kleinen Rolle sonst die Gage erhöhen müßte. Das unkollegiale Verhalten der anderen „writers", ihre Verleumdungen, Böswilligkeiten und der geistige Diebstahl[56] sind alles Folgen der unerbittlichen Jagd nach dem allmächtigen Dollar. Wie angewidert Brecht von dem Betrieb in Hollywood war, vermittelt eine Notiz anläßlich einer Sitzung der Screenwriters' Guild, an der er teilnahm.

der anblick geistiger verstümmelung macht mich physisch krank, diese geistig verkrüppelten und moralisch verletzten kann man kaum im selben Zimmer aushalten.[57]

Ein Großteil der in den Staaten entstandenen Filmexposés und Szenarien gehen auf frühere Arbeiten beziehungsweise Ideen Brechts zurück. Bereits Anfang Oktober 1941 erzählte er Reyher, der auf neue Filmstoffe aus war, die Fabel von *Joe Fleischhacker*. Brecht dachte wahrscheinlich an eine Verwendung im Sinne des Entwurfes *Der Hamlet der Weizenbörse*, der jedoch Fragment blieb.[58] Die Tatsache, daß er zuerst an diesen „uramerikanischen" Stoff dachte, zeigt seine Hoffnung, auch in den Staaten durch das Medium des Films politisch gegen den Kapitalismus wirken zu können. Sämtliche während des amerikanischen Exils entstandenen Entwürfe lassen sich nach Konzeption und Intention in je zwei Kategorien unterteilen: 1. Neu erfundene Stoffe – Bearbeitung existierender oder fremder Stoffe. 2. Pure Unterhaltungsfilme – Filme mit klarer ideologischer Aussage. Mit Amerika direkt haben die wenigsten zu tun. Von den Plänen gehören hierher lediglich: *Die Fliege, Uncle Sams Property, All Our Yesterdays* und *The Goddess of Victory*. Der erste Entwurf ist eine Würdigung des amerikanischen Arztes und Wissenschaftlers Walter Reed, der das gelbe Fieber besiegte, der zweite eine Art Adaption von Schnitzlers *Der Reigen*. *All Our Yesterdays*, das den Alternativtitel *Lady Macbeth of the Yards* trug, entstand unter der Mitarbeit von P. Lorre und F. Reyher. Diese Transposition des Shakespeareschen Stoffes in die Welt des amerikanischen Westens und das Schlachthofmilieu ist zugleich ein Gegenstück zu *Die Ausnahme und die Regel*. Hier sind die Rollen genau vertauscht. Der ärmliche Fleischhacker Machacek rettet dem wohlhabenden Rancher und Viehhändler Duncan das Leben, worauf dieser ihm eine hohe Belohnung verspricht, die ihm den Kauf einer eigenen Metzgerei ermöglichen würde. Das Benehmen des eigensinnigen Individualisten befremdet die beiden Machaceks derart, daß sie glauben, Duncan würde sein Versprechen nicht einhalten. Beim nächsten Besuch des Ranchers entdeckt die Frau seine dicke Brieftasche und überredet ihren Mann dazu, den dicken Reichen umzubringen, da er sowieso nicht daran denke, ihnen finanziell zu helfen. Nach dem Mord erreicht sie ein Brief Duncans mit der versprochenen Belohnung ... Im Gegensatz zu dem nüchternen Lehrstück wirkt dieser Entwurf überladen und üppig. Das Cowboymilieu, die Shakespeare-Persiflage und die anschließende Detektivgeschichte (Identifizierung und Stellung des Mörders) überwuchern die soziale Aussage. Die vorgenommene Vertauschung der Rollen ist der Hauptabsicht des Lehrstückes, nämlich den vorherrschenden gesellschaftlichen Zuständen die Hauptschuld für die Ermordung zuzuschreiben, abträglich. Die Charakterisierung der beiden Antagonisten wirkt diesem Ziel entgegen. Die Tatsache, daß der Kapitalist Duncan als guter Mensch eine seltene Ausnahme innerhalb seiner Klasse bildet, wird nicht stark genug betont. Außerdem wird Machacek von vornherein als kaltblütiger Metzger charakterisiert, der plötzlich aus Ungeduld und unbezähmbarer Besitzgier seinen Schuldner abschlachtet. Der gutmütige reiche Individualist fällt dem mißtrauischen, geldgierigen Metzger zum Opfer. Die Sympathien des Zuschauers würden zweifellos dem Rancher gelten. Wahrscheinlich nahm Brecht die Änderungen unter dem Einfluß seiner Mitarbeiter vor und ließ sich auf eine verwässerte Version seines Lehrstückstoffes ein. In seinen Notizen berichtet er wiederholt von ähnlichen Erfahrungen. Als er zum Beispiel mit M. Gorelik im April 1945 an einem Stück mit dem Titel *Der Essigschwamm* arbeitete, wollte er unter anderem zeigen, wie ein junger Mann, der unbedingt Arbeit braucht, zuerst einen älteren Mann arbeitslos machen muß, um zu einer Stelle zu gelangen. Das Motiv erinnert an Sinclairs *The Jungle*. Doch bei der Erklärung, warum der junge Mann die Stelle so dringend benötigt (er braucht Geld), stieß Brecht auf Schwierigkeiten. Gorelik riet ab, denn am Broadway sei dieses Thema tabu. Als Motiv der Arbeitssuche wäre zum Beispiel der Tod des unversicherten Vaters, also eine Naturkatastrophe, in Frage gekommen. Selbstmord der Mutter oder gar die Wahrheit über die finanzielle Situation wären ganz unmöglich gewesen.[59] Dieses weitere Beispiel veranschaulicht den unwahrscheinlich starken Einfluß des Big Business auf Film und Theater, und es ist durchaus möglich, daß Brechts ursprüngliche Konzeption für den Streifen *All Our Yesterdays* völlig anders ausgesehen hat als die persiflierende Detektivgeschichte, die schließlich dabei herausgekommen ist. Vorerst muß es bei dieser Vermutung bleiben. Ein endgültiges Urteil darüber kann aber ohne Brechts eigene deutsche Entwürfe, die bis jetzt verschollen sind, nicht gefällt werden.

In *The Goddess of Victory* sollte hauptsächlich gezeigt werden, „daß die Leute es sich durchaus gefallen lassen, zu besseren Menschen erzogen zu werden, wenn es sich für sie lohnt".[60] Hätte man den Film wirklich gedreht, wäre daraus ein ziemlich negativer Kommentar auf die Haltung der amerikanischen Helden geworden, die die Italiener vor den unmenschlichen Nazis befreiten. Bei genauerer Untersuchung der Motive für die Handlungen der Amerikaner treten stets materielle Erwägungen zutage. Die Hilfe am Nächsten entpuppt sich als geschickt getarnte Selbsthilfe. Kriegsverbrechern widerfährt Sonderbehandlung, solange es sich für einen selbst lohnt. Die demokratischen Befreier atmen erleichtert auf, wenn sie ihre egoistischen Ziele (Verschleppung italienischer Kunstgegenstände nach Amerika) ohne Repressalien gegen die Zivilbevölkerung erreichen können, um nicht sofort mit den verhaßten Nazis verglichen zu werden. Hauptthemen der Brechtschen Kritik tauchen wiederholt auf: das Fehlen jeglicher Kunst und das Verlangen, sich Kunst und Tradition zu kaufen, der Aberglaube großer Bevölkerungsteile, die der Astrologie und dem Psychiater blind vertrauen, die Seichtheit des amerikanischen Freiheitsideals, mit dem sich ohne weiteres ein Komitee für Unamerikanische Umtriebe vereinbaren läßt, und schließlich die unverbesserlich materielle Grundeinstellung des Amerikaners, die es zum Beispiel den Besiegten ermöglicht, mittels dieser Schwäche den Sieger in die Hand zu bekommen.

Die ihm verhaßte Brotarbeit und die allgemeine Ablehnung der amerikanischen Lebensweise hielt ihn während seines sechsjährigen Aufenthaltes in den Staaten von der eigentlichen literarischen Produktion ab. Es ist daher nicht verwunderlich, wenn seine Jahre des europäischen Exils viel ertragreicher waren. Die einzigen in USA entstandenen größeren Werke waren das mit Lion Feuchtwanger geschriebene Stück *Die Gesichte der Simone Machard* (1941–1943), die Bearbeitung *Schweyk im zweiten Weltkrieg* (1941–1944) und der *Kaukasische Kreidekreis* (1944–1945). Alle haben bezeichnenderweise nichts mit Amerika zu tun. Die zahlreichen wichtigen Pläne und Projekte mußten der nebensächlichen Filmarbeiten wegen zurückgestellt werden, was Brecht mitunter zur Verzweiflung trieb:

was für eine vergeudung, dieses storyentwerfen für die pictures, das große roulette. und vor allem, daß man niemals größere zeitspannen vor sich gesichert sieht, materiell.[61]

Anschließend klagt Brecht darüber, daß der Caesarroman noch nicht beendet, der *Tui-Roman* noch nicht begonnen ist und der *Messingkauf* noch in Unordnung liegt. Außerdem würde er gern die *Reisen des Glücksgottes* schreiben. Es ist daher nicht verwunderlich, daß Brecht sich nie mit dem Gedanken befaßte, in Amerika zu bleiben. Nicht nur das allgemeine Gefühl

des Unwohlseins hielt ihn von der Produktion ab, er begann auch schon
Schwierigkeiten mit der deutschen Sprache zu haben:

> hin und wieder vergesse ich jetzt ein deutsches wort, ich, der sich nur hin
> und wieder eines englischen erinnert. suche ich dann, kommen mir nicht
> die hochdeutschen, sondern die dialektwörter in den sinn, wie dohdle für
> godfather.[62]

Er betrachtete sich als Flüchtling und sehnte sich nach einer Rückkehr in
den deutschen Sprachraum. Sein Journal gibt darüber Aufschluß, daß er
bereits lange Zeit vor der Vorladung zum „House Committee for Un-American Activities" die Papiere für eine Reise in die Schweiz beantragt hatte,
die er im März 1947 erhielt. Der Entschluß zur Rückkehr war längst gefaßt
und das Verhör in Washington, bei dem sich Brecht in den Worten des
Vorsitzenden „vorbildlich" benahm, endete ohne Anklage.[63] Am Abend des
Verhörs notiert Brecht in sein Journal:

> das verhör ist unverhältnismäßig höflich und endet ohne anklage; es
> kommt mir zugute, daß ich mit HOLLYWOOD beinahe nichts zu tun
> hatte, in amerikanische politik nie eingriff, und meine vorgänger auf dem
> zeugenstand den kongreßleuten die antwort verwehrt hatten. – die 18
> sind sehr zufrieden mit meiner aussage, auch die anwälte.[64]

Rückblickend auf sein Exil in Amerika konnte Brecht nie das Gefühl
loswerden, daß es beruflich gesehen eine Periode der Vergeudung und Leere
gewesen war. In *Me-ti* gibt er in dem Abschnitt „Beschreibung von Städten"
einen leicht verschleierten Hinweis auf die einzelnen Städte, in denen er
bisher gelebt hat:

> Kin-jeh erzählte: In der Stadt Ni Ji trank ich. In der Stadt Ko redete ich.
> In der Stadt Bi-leh arbeitete ich. In der Stadt Len schlug ich meine Zeit
> tot. In der Stadt Mo-su lernte ich. So, jetzt habe ich euch meine Beschrei-
> bung dieser Städte gegeben.[65]

Für jeden, der mit Brechts Lebensgeschichte vertraut ist, sind die ver-
schlüsselten Städtenamen nicht schwer zu identifizieren. Kin-Jeh, Brecht,
bezieht sich der Reihe nach auf New York,[66] Kopenhagen, Berlin, Los
Angeles und Moskau, das hier als Heimat des Kommunismus zu verstehen
ist. Die beiden amerikanischen Städte sind Orte, an denen Brecht die literarische Tätigkeit fast unmöglich war. Als Brecht im Herbst 1946 zur Aufführung seiner Bearbeitung von Websters *The Duchess of Malfi* im Osten
der USA war, schrieb er einen kurzen „Epitaph", den er dann in einen
„Epitaph für M.", für den 1930 gestorbenen Majakowskij umänderte.[67] Es
liegen fast überhaupt keine Zeugnisse über Brechts Tätigkeiten im Jahre

1946 vor. Im Journal füllt das ganze Jahr nicht einmal eine Seite. Der Epitaph ist, soweit sich feststellen läßt, das einzige Gedicht aus jenem Jahr, und es spiegelt Brechts pessimistische Stimmung wider. Die erste Fassung, die wohlgemerkt den Verweis auf Majakowskij nicht enthielt, kann sich auch auf Brechts eigene Gefühle beziehen:

Epitaph
Den Tigern entrann ich
Die Wanzen ernährte ich
Aufgefressen wurde ich
Von den Mittelmäßigkeiten.
New York, Herbst 1946[68]

b. In Ostberlin

Die Jahre des amerikanischen Exils waren eine dunkle Periode in Brechts Leben. Sie waren eine Zeit der Enttäuschung nicht nur im persönlichen und beruflichen Bereich. Nur einmal zwischen 1941 und 1947 vertraut er seinem Journal an, daß er sich merkwürdigerweise „freier in dieser welt als in der alten" fühle.[1] Dabei handelt es sich um *die* Ausnahme unter den vielen Klagen. Mit der amerikanischen Wirklichkeit konfrontiert, hatte er feststellen müssen, daß die vor Jahren im *Arturo Ui* implizit ausgesprochene Warnung vor einem amerikanischen Faschismus nichts an Aktualität verloren hatte. Im Gegenteil, die Gefahr einer zunehmenden Faschisierung wurde mit Ausbruch des kalten Krieges nur noch größer. In der für das Verhör in Washington ausgearbeiteten „Anrede",[2] die vorzulesen ihm nicht gestattet wurde, unterstrich Brecht deutlich die Parallelen zwischen den damaligen Vorgängen in den Vereinigten Staaten und denen der letzten Jahre der Weimarer Republik, wo Verfolgungen auf dem Gebiet der Kultur und eine politische Hetzjagd gegen alles „Undeutsche" nur Vorboten viel drastischerer Maßnahmen waren, die schließlich zum totalen Krieg führten. Die Ähnlichkeit der Entwicklung in Amerika wurde deutlich, als man sich plötzlich wegen „unamerikanischer" Tätigkeiten zu verantworten hatte, als der freie „Wettbewerb auf kulturellem Gebiet" eingeschränkt wurde und man bereits von bevorstehenden großen bewaffneten Konflikten sprach. Wie immer machte Brecht auch in dieser „Anrede" einen genauen Unterschied zwischen dem amerikanischen Volk, das er stets bewundert hat, und der Regierung, dem amerikanischen „System".

Brechts Interesse an Amerika ließ keineswegs nach, und es wäre falsch zu behaupten, daß er mit seiner Rückkehr nach Europa der neuen Welt endgültig den Rücken zugekehrt habe. Wie Reinhold Grimm berichtet, äußerte Brecht noch 1946/47 die Absicht, eine Reihe von „kurzstücken über amerikanische geschichte" zu schreiben.[3] Darüber, was er mit jenen Kurzstücken genau im Sinne hatte, läßt sich ohne Zugang zur Korrespondenz aus jenen Jahren nur spekulieren. Wahrscheinlich dachte er an Episoden aus der reichhaltigen Geschichte der amerikanischen Arbeiterbewegung, so wie er um 1935 einige Gedichte über fortschrittliche Individuen in Amerika geschrieben und geplant hatte. Mit ähnlichen Themen befaßte er sich während der letzten Jahre. In diesen Umkreis gehört wahrscheinlich auch der Plan, Jack Londons Novelle *The Mexican* zu verfilmen,[4] in der beschrieben wird, wie ein Junge verbissen als Boxer trainiert, bis er die höchsten Gagen erzielt. Ansporn zu seinen Leistungen ist nicht die Gier nach Reichtum, sondern das Verlangen, die sozialistische Partei unterstützen zu können, die aktiv das Elend in den Slums der mexikanischen Bevölkerung bekämpft. Hierher gehört auch der geplante Streifen *The Trailor*,[5] in dem gezeigt werden sollte, wie trotz des Einflusses eines Streikbrecherbosses, der früher selbst einmal Streiker gewesen war, die Unions wachsen. Der in den *Gesammelten Werken* gegebene Titel beruht möglicherweise auf einem Lesefehler und sollte sicher „The Traitor" (Der Verräter) lauten.[6] An Beispielen solch verräterischen Verhaltens fehlt es in der Geschichte der Arbeiterbewegung Amerikas leider nicht. Das prominenteste hierfür war Allan Pinkerton, früher selbst Radikaler, später der berüchtigtste Streikbrecher Amerikas, der seine eigens uniformierten „security agents" wie eine Armee in die Fabriken schickte.[7]

Die Zahl der letzten literarischen Arbeiten und Entwürfe, die direkt mit Amerika in Verbindung zu bringen sind, ist leider klein. Das „Lied der Ströme"[8] aus dem Jahre 1954 stellt sowohl die Rücksichtslosigkeit Washingtons gegenüber der verarmten Bevölkerung der Südstaaten bloß als seinen groben Imperialismus in Südamerika, insbesondere in Brasilien. Der amerikanische Imperialismus ist ebenso Thema des „Die Amiflieger" überschriebenen Gedichtentwurfs (um 1950),[9] in dem Brecht die gräßlichen Auswirkungen der bakteriologischen Kriegführung anprangert. Längst nachdem der Kampf gegen die Nazis erfolgreich beendet ist, leiden unschuldige Kinder Hunger. Ihnen kann nicht geholfen werden; denn die Flugzeuge, die zwar die Unterdrücker besiegten, warfen außer Bomben auch Kartoffelkäfer ab, die auf Jahre hinaus die Ernte vernichtet haben. Brechts unausgesprochene Kritik läuft darauf hinaus, daß der Kampf sich nicht auf die Niederwerfung eines genau definierten Gegners (Nazis) beschränkte, sondern die Formen eines Eroberungszuges annahm, durch den ein Volk in völlige Abhängigkeit geraten sollte. In dem Gedichtfragment „soll es von eurer stadt new york einmal heißen ..."[10] wird die Frage gestellt, warum die Amerikaner Flugplätze in der Lombardei bauen, Tanks in Lissabon ausladen und in ihren Panzerwagen durch die Champagne rollen. Prophetisch sieht der Dichter die Zeit kommen, da die Bewohner New Yorks vier Kontinente verheeren, um die Welt beherrschen zu können. Der Blick in die Zukunft erfüllt ihn mit Besorgnis, denn jegliches Streben nach militärischer Macht zielt letzten Endes auf den Gebrauch dieser Macht ab. In einem neuen Krieg gäbe es aber keinen Sieger mehr, und deshalb würden durch all diese Vorbereitungen nur die Geier mit Hoffnung erfüllt.

Gegen Ende seines Lebens wurde Brechts Haltung Amerika gegenüber immer negativer. Die Hexenjagden eines McCarthy waren in seinen Augen nur der Beginn eines sich zunehmend totalitär verhaltenden Regimes. Es waren die Jahre der fortgesetzten Atomwaffenversuche. Das Meer und die Luft, die bisher ohne Besitzer gewesen waren, fanden nun Herren, „die sich das Recht über sie anmaßten, nämlich das Recht, sie zu verseuchen".[11] Das sogenannte demokratische Regime setzte sich über den Willen des Volkes und der meisten Wissenschaftler hinweg und verfolgte eine Politik des Atommonopols, die alle anderen Länder in Abhängigkeit bringen sollte. Es war die Zeit der Verhöre gegen politisch „unzuverlässige" Wissenschaftler. Selbst die Zuverlässigen mußten fortan hermetisch von der Umwelt abgeschlossen und unter ständiger Bewachung durch Sicherheitsbeamte ihrer Arbeit nachgehen. Brecht befaßte sich eingehend mit dem Fall Oppenheimer, studierte die Akte gegen Ethel und Julius Rosenberg und fand beide unschuldig. Zur selben Zeit begann auf Drängen der Alliierten die Wiederbewaffnung Deutschlands. In seiner Bearbeitung *Pauken und Trompeten* (1954/55) von G. Farquhars *The Recruiting Officer* veränderte Brecht den Konflikt von einem Krieg zwischen England und Frankreich zu dem Freiheitskampf der Amerikaner gegen die Kolonialmacht England. Wie Brecht erwähnte,[12] wollte er zur Zeit der Wiederbewaffnung Westdeutschlands durch Amerika mit der Bearbeitung des englischen Lustspiels zeigen, welch wichtige Rolle bei der Werbung einer Armee letztlich die egoistischen finanziellen Gesichtspunkte spielen. Mit dem ausdrücklichen Bezug auf die Ereignisse in Westdeutschland, das nur auf Drängen der USA wieder aufrüstete, betonte Brecht zugleich den eklatanten Unterschied zwischen dem revolutionären Ursprung Amerikas und seiner gegenwärtigen Politik, die mehr derjenigen des früheren Kolonialreiches England gleicht.

Amerikas Aufstieg zur Atommacht und seine Perfektionierung der Was-
serstoffbombe ließen Brecht die Thematik der letzten Fassung von *Leben
des Galilei* wieder aufnehmen, denn am konkreten Fall des 1955 verstorbenen Einstein, so glaubte er, konnte die Erbsünde der modernen Wissenschaftler und ihr gesellschaftlicher Verrat viel deutlicher dargestellt werden.
Er machte sich an die Materialsammlung für ein Stück *Leben des Einstein*,
das die schrecklichen Folgen einer „puren Wissenschaft" vor Augen führen
sollte.[13] In einer Notiz hielt er den Kernsatz für das Verständnis des geplanten Werkes fest, nämlich daß Kenntnisse über die Natur ohne Wissen über
die Natur der menschlichen Gesellschaft tödlich sind.[14] Der überzeugte Pazifist Einstein entdeckt die große Formel, kann sie, als sich ihre Tödlichkeit
erwiesen hat, jedoch nicht mehr zurücknehmen. Zwei Mächte – Deutschland
und Amerika – und eine dritte (Kommunismus) liegen im Kampf miteinander und er übergibt der einen die Formel, um durch sie beschützt zu werden.
Einstein übersieht aber die Ähnlichkeit der beiden ersten Mächte.[15] Aus
Furcht vor einem mit Atomwaffen ausgerüsteten Deutschland drängt er die
USA zum Bau der Bombe. Das Tragische sah Brecht darin, daß sich die
freundliche Macht Amerika nach ihrem Sieg in die „schreckliche" verwandelt, sich „die besieger des faschismus" als „faschisten zu erkennen" geben
und nunmehr Einsteins Schüler auf ihre politische Zuverlässigkeit gegenüber
den neuen Faschisten überprüft werden.[16] Der Pazifist Einstein hatte zur
Bekämpfung des Faschismus Amerika die tödliche Waffe ausgehändigt, aber
mußte enttäuscht erkennen, daß der Feind des Faschismus inzwischen selbst
faschistische Züge angenommen hatte.[17]

Trotz seiner zunehmend amerikafeindlichen Einstellung beschäftigt sich
Brecht weiterhin mit amerikanischen Themen. Für das Berliner Ensemble
plante er die Aufführung einer Bearbeitung von Barrie Stavis' Stück *Joe
Hill*[18] über den berühmten Streikführer, der seit seiner Hinrichtung in zahlreichen Arbeiterliedern gefeiert wird. Allein nach den zur Zeit seines Todes
in seiner Privatbibliothek enthaltenen Büchern zu schließen, nahm Brechts
Interesse an Amerika während der fünfziger Jahre zu. Das Publikations-
datum einer beträchtlichen Anzahl der über 100 amerikanischen und amerikakundlichen Bücher fällt in diese Zeit. Die im Anhang nach Autoren alphabetisch geordnete Liste der Werke, die jedoch Kriminalromane und
Werke über Einstein, beziehungsweise Atomkriegführung nicht berücksichtigt,[19] spiegelt deutlich die Schwerpunkte seines Interesses an Amerika
wider: Rassenprobleme, Politik, Rüstung, Literatur, religiöse Sekten, Ge-
heimpolizei, faschistische Gruppen (Father Coughlin), amerikanische

Geschichte im allgemeinen und die Geschichte der Arbeiterbewegung im besonderen.

Als überzeugten Marxisten konnten ihm die politischen Ereignisse während seiner letzten Lebensjahre nicht gleichgültig sein. Das so oft von ihm gepriesene amerikanische Volk war seiner Meinung nach einer führenden Machtschicht („power elite") hilflos ausgeliefert, die es zweifellos in einen Konflikt nach dem anderen treiben würde.

Einundeinhalbhundert Millionen fleißiger, wacher, in vielen Gewerben und Praktiken geschulter Menschen sehen sich unter einem Regime, das ihre Intelligenz mißachtet und ihre Gerechtigkeitsliebe verlacht. Angesichts offenen Unrechts wissen sie nicht (sic). An der Verschwörung des Regimes nehmen alle großen Zeitungen des Landes teil, die Rundfunknetzwerke, der Film, der Sehfunk. Die 150 Millionen erfahren so kaum, was einem der ihren passiert. Erführen sie es, könnten sie zunächst wenig machen.[20]

Amerika hatte seine revolutionäre Vergangenheit verraten und war reaktionär geworden. Es stand nunmehr für das Alte. Die Sowjetunion hingegen, die Brecht trotz allem, trotz der Pogrome und grausamen Säuberungsaktionen unter Stalin progressiv und wegweisend nannte, versinnbildlichte für ihn das Neue. Die Russen, so meinte er, kämpfen gegen die Armut und für die Kunst, die Amerikaner jedoch gegen die Kunst und für den Profit.[21] Wem unter den Gegnern des kalten Krieges seine Sympathien galten, darüber konnte es keinen Zweifel geben.

Die Fehler der Russen sind Fehler von Freunden,
die Fehler der Amerikaner sind Fehler von Feinden.[22]

ZUSAMMENFASSUNG

Aufgabe dieser Arbeit war es, den Wandel von Brechts Amerikabild chronologisch zu verfolgen und zu deuten. Das erste identifizierbare Zeugnis für seine Beschäftigung mit Amerika ist das „Lied von der Eisenbahntruppe vom Fort Domald" aus dem Jahre 1916. Bis zu seinem Tode vierzig Jahre später verlor dieses Interesse nichts an Intensität. Wohl aber änderte sich Brechts Einstellung Amerika gegenüber grundlegend. In dem Wandel vom ersten positiven Interesse des jugendlichen Dichters über die offene Begeisterung des jungen Mannes, die beginnende Kritik mit zunehmender Reife bis zur schließlichen Ablehnung durch den Spätfünfziger –, in diesem Wandel lassen sich fünf deutliche Stadien in Brechts Haltung zu Amerika feststellen.

In den Jahren von 1916 bis 1924 vollzog sich ein bedeutsamer Wechsel für Brechts späteres Amerikabild. Noch unter dem Einfluß teils der Jugendlektüre, teils der kosmischen Dichtungen (z. B. Whitmans) stehend, sieht Brecht in Amerika ein exotisches Land der Ferne, ein Land der Urwälder, der weiten Prärien und schrecklichen Naturkatastrophen. Mit Ende des ersten Weltkrieges wird die neue Welt ganz allgemein für die junge Generation Deutschlands zum vielbewunderten Vorbild gegenüber dem erschöpften alten Europa. Amerika gilt als Land des Fortschritts, wo jedem starken jungen Individualisten der Erfolg sicher ist. In *Prärie* und *Im Dickicht* beginnt Brecht das Ideal des Kampfes und das Gesetz des Stärkeren zu feiern. Die Thematik entspringt noch weitgehend der jugendlichen Auflehnung gegen die ältere (schwächere) Generation, die dennoch das Heft in der Hand behalten hatte.

In der Zeit von 1924 bis 1926 erreicht Brechts Amerikanismus den Höhepunkt. Es sind die Jahre, in denen der amerikanische Einfluß in der Weimarer Republik besonders auf den Gebieten der Politik, des Sportes, der Unterhaltung und der Technik überhandnahm. Alles Amerikanische galt als größer, schneller, besser, praktischer, fortschrittlicher und deshalb nachahmenswert. Brechts Amerikanismus und die einsetzende Kritik wurden von den verschiedensten Quellen beeinflußt, worunter drei besonders wichtig sind: die um die Brüder Herzfelde entstehende „Malik"-Gruppe und die linksgerichteten Intellektuellen, für deren Ideen das Feuilleton der *Roten*

Fahne ein guter Spiegel ist, sowie die in den Zeitschriften *Die Weltbühne* und *Der Querschnitt* erschienenen Beiträge über Amerika. Durch das Interesse daran, wie man schnell zu Reichtum gelangen kann, beginnt Brecht die Biographien reicher Amerikaner zu lesen. Zur gleichen Zeit nimmt er dem Einfluß aus Übersee gegenüber eine kritischere Stellung ein und plant eine Parodie auf den Amerikanismus. Bei den Vorarbeiten zu *Joe Fleischhacker*, einem Stück über Weizenspekulationen, stößt er bei dem Versuch, das Börsenwesen und die davon abhängigen Preisschwankungen im einzelnen zu verstehen, auf ein zunächst unüberwindliches Hindernis. Durch die Lektüre von G. Myers' *Geschichte der großen amerikanischen Vermögen* von den ungeheuren Mißständen innerhalb des kapitalistischen Systems endgültig überzeugt, treibt er auf Anraten seiner zahlreichen sozialistischen und kommunistischen Freunde nationalökonomische Studien und liest *Das Kapital* von Karl Marx.

Während der nächsten sechs Jahre (1927–1933) versucht er zunächst seine früheren Werke im Sinne des Marxismus neu zu interpretieren, namentlich die „Mahagonny Gesänge", aus denen das Songspiel und schließlich die Oper hervorgehen. Mitunter tauchen noch Aspekte des alten positiven Amerikabildes auf, doch unter dem Einfluß des Marxismus wird Amerika zunehmend negativ als Musterbeispiel des verachteten kapitalistischen Systems betrachtet. Der endgültige Bruch kommt mit der Weltwirtschaftskrise um 1929/30. Das Gedicht „Verschollener Ruhm der Riesenstadt New York" ist hierbei als Wendepunkt in der Entwicklung von Brechts Amerikabild zu werten. Im *Brotladen*-Fragment (Frühfassung), in *Happy End* und in *Die heilige Johanna der Schlachthöfe* gilt Amerika bereits als Sinnbild des zu bekämpfenden kapitalistischen Systems schlechthin.

Von 1933 bis 1941 konzentriert sich Brecht mehr denn je auf die negativen Seiten Amerikas. Hatte die Konstruktion eines mythischen Amerikas in seinen früheren Werken oft dazu gedient, mittels Verfremdung die Situation in Deutschland erkennbar zu machen, so findet Brecht nun im Kampf gegen den Nazismus, daß der Faschismus nur als Kapitalismus zu bekämpfen ist, und transponiert erstmals im *Arturo Ui* durch die „Doppelverfremdung" deutsche Probleme nach Amerika. Aufgrund amerikanischer Bücher und eigener Erfahrungen während seines ersten Amerikaaufenthaltes im Jahre 1935 sieht er Amerika als das Land der Makler und Verbrecher, als ein Land, das definitiv faschistische Züge aufzuweisen hat.

Während seiner Exiljahre in den Vereinigten Staaten (1941–1947) muß sich Brecht in der Wirklichkeit des Alltags persönlich mit dem Phänomen

Amerika auseinandersetzen. Amerika verliert die verfremdende Funktion innerhalb seiner Werke. Der Aufenthalt wird zur dunklen Periode seines Lebens. Zu Brotarbeit gezwungen, vermißt er jegliche Kunst und Kultur und ist entsetzt über den alles beherrschenden Merkantilismus. Seine wenigen literarischen Arbeiten über Amerika aus jener Zeit spiegeln die große Desillusion wider. Nach seiner Rückkehr nach Europa (1947–1956) kehrt er Amerika keineswegs den Rücken. Er plant weitere Arbeiten über amerikanische Themen und Probleme, wobei die Kritik des amerikanischen Kapitalismus in eine Warnung vor einem neuen Imperialismus und Faschismus umschlägt.

ANHANG

Auswahlbibliographie der amerikanischen und amerikakundlichen Zeitschriften und Bücher in Brechts Privatbibliothek

Zeitschriften:

Accent, A Quarterly of New Literature, Vol. 6, No. 4, Urbana, Illinois, Summer 1946.

Fortune, April, May, June 1956 (3 Nummern), Chicago, Illinois.

The Nation, Vol. 182, No. 22, June 2, 1956, New York.

Theatre Arts Monthly, Vol. 22, No. 8, August 1938, New York.

Bücher:

Adams, Henry, *The United States in 1800,* Ithaca, N.Y. 1955.

Adams, Walter and Gray, Horace M., *Monopoly in America,* New York 1955.

Allan, Ted and Gordon, Sydney, *Arzt auf drei Kontinenten.* Der Lebensweg des kanadischen Arztes Dr. Norman Bethune, Deutsch von Eduard Klein, Berlin 1954.

Allen, Robert S. and Shannon, William V., *The Truman Merry-Go-Round,* New York 1950.

Amado, Jorge, *Die Auswanderer von San Franzisko,* Berlin 1952.

Anderson, Jack and May, Ronald, *McCarthy, der Mann, der Senator, der McCarthyismus.* Aus dem Englischen übersetzt von Alvin Stueb, Hamburg 1953.

Baker Eddy, Mary, *The First Church of Christian Scientist,* Boston 1927.

–, *Science and Health,* Boston 1906.

Baldwin, James, *Notes of a Native Son,* Boston 1955.

Beard, Charles A., *An Economic Interpretation of the Constitution of the United States,* New York 1954.

Beebe, Lucius and Clegg, Charles, *Hear the Train Blow.* A Pictorial Epic of America in the Railroad Age, New York 1952.

Botkin, B. A. and Harlow, Alvin F., *A Treasury of Railroad Folklore.* The Stories, Tall Tales, Traditions, Ballads and Songs of the American Railroad Man, New York 1953.

Boyer, Richard O. and Morais, Herbert M., *Labors's Untold Story,* New York 1955.

Brackett, Leigh, *No Good from a Corpse,* New York 1944.

Cantine, Holley R. and Rainer, Dachine, *Prison Etiquette; the Convict's Compendium of Useful Information.* With a preface by Christopher Isherwood, Bearsville, New York 1950.

Cash, W. J., *The Mind of the South,* New York 1954.

Chambers, Whittaker, *Witness,* New York 1952.

Chaplin, Ralph, *Wobbly,* The Rough-and Tumble Story of an American Radical, Chicago 1948.

Chase, Stuart, *Prosperity. Fact or Myth*, New York 1930.

Coughlin, Charles Edward, *Father Coughlin's Radio Sermons*. October 1930 – April 1931. Complete, Baltimore 1931.

Dinneen, Josef F., *Ward Eight*, Boston 1947.

De Voto, Bernhard, *The Course of Empire*, Boston 1952.

–, *The Year of Decision 1846*, Boston 1943.

Dobie, Frank, *Coronado's Children*. Tales of Lost Mines and Buried Treasures of the Southwest, New York 1931.

Dorson, Richard M. [Hrsg.], *Negro Folktales in Michigan*, Cambridge, Mass. 1956.

Drake, St. Clair and Cayton, Horace R., *Brave Metropolis*. A Study of Negro Life in a Northern City, New York 1945.

Dreiser, Theodore, *Eine amerikanische Tragödie*, Übers. v. Marianne Schön, Berlin 1952.

Durant, John and Durant, Alice, *Pictorial History of American Presidents*, New York 1955. [Inliegend 6 Zeitungsausschnitte].

Eliot, T. S., *Beiträge zum Begriff der Kultur*, Übers. v. Gerh. Hensel, Berlin 1949.

–, *Ausgewählte Essays 1917–47*, Frankfurt/M. 1950.

Faulkner, William, *The Hamlet*, New York 1940.

–, *A Fable*, New York 1954.

Fiedler, Leslie A., *An End to Innocence*. Essays on Culture and Politics, Boston 1955.

Flynn, John T., *The Roosevelt Myth*. (18th Printing) New York 1953 [Auf Vorsatzseite vorn von St. Brecht: „Für Bidi"].

Ford, Henry, *Philosophie der Arbeit*. Autorisiertes Interview mit Fay Leone Faurote, 2. Aufl. Dresden o. J. [1927]. [Auf Einband: Namenszug „Hauptmann", verschiedene Anstreichungen].

Ford, Leslie, *Siren in the Night*, New York 1943.

Foreman, Grant, *Indians and Pioneers*. The Story of the American Southwest Before 1830, Norman 1936.

Frazier, E. Franklin, *The Negro in the United States*, New York 1951.

Gilbert & Sullivan, *The Complete Plays of Gilbert and Sullivan*, New York o. J.

Gold, Michael, *Das Lied von Hoboken*. Ein Drama aus dem Negerleben in 3 Aufzügen, Dt. v. Hermynia zur Mühlen, Berlin 1929.

Gorelik, Mardecai, *Paul Thompson Forever*. Play in One Act, Boston und Colorado 1950.

Gould, E. W., *Fifty Years on the Mississippi, or Gould's History of River Navigation*, Saint Louis 1889 [Reprint:] Columbus, Ohio 1951.

Goyen, William, *Zamour und andere Erzählungen*, Übers. v. E. Schnack, Berlin, Frankfurt/M. o. J.

Graham, William A., *The Custer Myth. A Source Book of Custeriana*. To which is added important items of Custeriana and a complete and comprehensive bibliography by Fred Dustin, Harrisburg, Pennsylvania 1953.

Greenway, John, *American Folk Songs of Protest*, Philadelphia 1953 [Auf der Vorsatzseite vorn von St. Brecht: „Für Bidi: v. p. 185–197 – Joe Hill".]

Gregg, Josiah, *Commerce of the Prairies,* Edited by Max L. Moorhead, Norman, Oklahoma 1954.

Guss, M., *Die amerikanischen Imperialisten als Inspiratoren der Münchener Politik,* Berlin 1954 [Mit Widmung des Autors an Brecht 25. 5. 1955 Moskau].

Hansen, Marcus Lee, *The Immigrant in American History,* Hrsg. und eingeleitet von A. M. Schlesinger, Cambridge, Mass. 1948.

Harris, Herbert, *American Labor,* New Haven, London, Oxford 1952.

Harte, Bret, *Kalifornische Erzählungen,* Bde. I, II, III, Leipzig o. J.

Hermlin, St. (Übers.), *Auch ich bin Amerika.* Dichtungen amerikanischer Neger. Anthologie, Berlin 1948.

Holbrook, Stewart H., *The Columbia.* Illustrated by Ernest Richardson, New York, Toronto 1956.

Hopkins, Claude C., *Propaganda. Meine Lebensarbeit,* Dt. v. E. Krahnen, Stuttgart 1928.

Hughes, Richard [Arthur Warren], *Hurrikan im Karibischen Meer.* Eine Seegeschichte, Berlin, Frankfurt/M. o. J.

Josephson, Matthew, *Sidney Hillman.* Statesman of American Labour, New York 1952.

Jowitt, William A. J., *The Strange Case of Alger Hiss,* New York 1953.

Kelley, Stanley jr., *Public Relations and Political Power,* Baltimore 1956.

Kirwan, Albert D., *Revolt of the Rednecks.* Mississippi Politics 1876–1925, Lexington 1951. [Im Buch zahlreiche Anstreichungen. Von wem?].

Knight, Charles (Hrsg.), *Half-Hours with the Best Authors.* Including Biographical and Critical Notes, London, New York 1892.

Legman, G., *Love and Death.* A Study in Censorship, New York 1949.

London, Jack, *Der Mexikaner Felipe Rivera.* Der Schrei des Pferdes, Leipzig 1951.

Lorant, Stefan, *F. D. Roosevelt.* A Pictorial Biography, New York 1950.

Lorca, F. G., *Poeta en Nueva York,* New York 1952.

Lowenthal, Max, *The Federal Bureau of Investigation,* New York 1950.

Lundberg, Ferdinand, *Amerikas 60 Familien.* Sensationelles Tatsachenmaterial über Amerikas mächtigste Familien. Roosevelt im Kampf gegen die Privilegien der Geldmagnaten, Amsterdam 1938.

Malinowski, Bronislaw, *Magic, Science and Religion,* and other Essays. With an Introduction by Robert Redfield, New York 1955.

Matusow, Harvey, *False Witness,* New York 1955.

McConnell, Grant, *The Decline af Agrarian Democracy,* Berkeley, Los Angeles 1953.

McDermott, John Francis, *Tixier's Travels on the Osage Prairies,* tr. from the French by Albert J. Salvan, Norman 1940.

McWilliams, Carey, *Factories in the Field.* The Story of Migratory Farm Labor in California, Boston 1939.

Miller, Henry, *Tropic of Cancer,* Paris o. J.

Mills, C. Wright, *White Collar.* The American Middle Classes, New York 1952.

–, *The Power Elite,* New York 1956.

Morlan, Robert Loren, *Political Prairie Fire.* The Nonpartisan League, 1915–22, Minneapolis 1955.

Mott, Frank Luther, *The News in America,* Cambridge, Mass. 1952.

Nationalrat der Nationalen Front des demokratischen Deutschland (Hrsg.), *Weißbuch über die amerikanisch-englische Interventionspolitik in Westdeutschland und das Wiedererstehen des deutschen Imperialismus,* Berlin 1955.

Norris, Frank, *The Pit.* A Story of Chicago, Leipzig 1903.

Odets, Clifford, *Goldene Hände ("Golden Boy").* Deutsche Übertragung von Louise Anna Eisler, Wien o. J. [Bühnenmanuskript].

O'Hara, John, *Here's O'Hara* [3 novels and 20 short stories], New York 1946.

Olmsted, Frederick Law, *The Cotton Kingdom.* A Traveller's Observations on Cotton and Slavery in the American Slave States, ed. and introd. by A. M. Schlesinger, New York 1953.

Ottwald, Ernst, *Kalifornische Ballade,* 12 Szenen, Musik v. H. Eisler, Berlin 1932 [Von Brecht nach 1949 erworben].

Paquet, Alfons, *Fahnen.* Ein dramatischer Roman, München 1923.

Paulding, James Kirk, *The Lion of the West.* A Farce in 2 Acts. Retitled "The Kentuckian, or A Trip to New York", Stanford 1954.

Pimlott, J. A. R., *Public Relations and American Democracy,* Princeton 1951.

Plummer, Alfred, *International Combines in Modern Industry,* London 1934.

Poe, Edgar A., *Grausige und humoristische Geschichten.* Übersetzt von Hedda Moeller-Bruck und Hedwig Lachmann, Minden 1911.

–, *Phantastische Erzählungen. Der Goldkäfer, Die Maske des roten Todes, Morella,* Deutsch von Bruno Busse. Leipzig o. J. (Insel).

–, *Seltsame Geschichten,* I, II, III, V [4 Bändchen], ins Deutsche übertragen und herausgegeben von Carl W. Neumann, Leipzig o. J. (Reclam).

Replansky, Naomi, *Ring Song.* Poems, New York 1952.

Robinson, George O. jr., *The Oak Ridge Story.* The Saga of a People Who Share in History, Kingsport, Tenn. 1950.

Root, Frank A. and Connelly, W. E., *The Overland Stage to California,* Topeka, Kansas 1901. Reprinted by Long's College Book Co., Columbus, Ohio 1950.

Rose, Arnold, *The Negro in America,* New York 1948.

Sandburg, Carl, *Always the Young Strangers,* New York 1953.

Sheehan, Donald, *This Was Publishing.* A Chronicle of the Book Trade in the Gilded Age, Bloomington 1952.

Sinclair, Upton, *Die Maschine.* Schauspiel in 3 Aufzügen, Berlin o. J. [1921].

–, *Prinz Hagen.* Ein phantastisches Schauspiel, Berlin 1921.

Skinner, Cornelia Otis, and Kimbrough, Emily, *Our Hearts Were Young and Gay,* New York 1942.

Stampp, Kenneth M., *The Peculiar Institution.* Slavery in the Anti-Bellum South, New York 1956.

Starkey, Marion L., *The Little Rebellion,* New York 1955.

Stavis, Barrie, *Lamp at Midnight,* New York 1948.

–, *The Man Who Never Died,* New York 1954.

–, *Joe Hill. Der Mann, der niemals starb,* Dt. von G. F. Alexan, Berlin 1956.

Stone, Irving, *Clarence Darrow. For the Defense,* New York 1941.

Stribling, T. S., *The Sound Wagon,* New York 1935.

Sutherland, Edwin H., *White Collar Crimes,* New York 1949.

Tarbell, Ida M., *The Life of Elbert H. Gary*. A Story of Steel, New York, London 1926.

Twain, Mark, *Ausgewählte Skizzen*, Reclam o. J.

U. S. Government, *Munitions Industry, Naval Shipbuilding*. Preliminary Report of the Special Committee on Investigation of the Munitions Industry, Washington 1935 [S. 1 Namenszug: Stefan Brecht].

U. S. Senate, *Munitions Industry*. Report on Wartime Taxation and Price Control by the Special Committee on Investigation of the Munitions Industry, Washington 1935 [S. III Namenszug: St. Brecht].

Walcher, Jakob, *Ford oder Marx*. Die praktische Lösung der sozialen Frage [Fotokopie], Berlin 1925.

Warshaw, Robert Irving, *Wall Street*. Paa Dansk red Asger Frydenlund, Kopenhagen 1933 [S. 5 Namenszug: Stefan Brecht].

Weinstone, William, *The Great Sit-Down Strike*, New York 1937.

Welty, Eudora, *A Curtain of Green and Other Stories and The Wide Net and Other Stories*, New York 1943.

White, Newman Ivey (Hrsg.), *The Frank C. Brown Collection of North Carolina Folklore*, in Five Volumes. Bd. 3: *Folksongs of North Carolina*, hrsg. von Henry M. Belden und Arthur Palmer Hudson, Durham, N.C. 1952.

Whitman, Walt, *Auf der Brooklyn Fähre*, Berlin und Frankfurt/M. 1949.

–, *The Complete Poetry and Prose*. Two Volumes in One. Vol. I: Poetry, Vol. II: Prose. New York 1954 [Auf der Vorsatzseite vorn Notiz von St. Brecht: „Bd. II S. 3–178 – Bürgerkriegstagebuch – sollte übersetzt und veröffentlicht werden"].

Williams, Oscar (Hrsg.), *The Pocket Book of Modern Verse*, New York 1954.

Wolfe, Bertram D., *Three Who Made A Revolution*. A Biographical History, Boston 1955 [Verschiedentl. Anstreichungen Brechts; auf dem Vorsatzblatt hinten Notizen Brechts: „617 50 7 Lenin an Gorki"].

Wolfe, Thomas, *You can't go home again*, New York 1942.

Wood, John Seymor, *College Days or Harry's Career at Yale*, New York, London 1894.

Woodward, C. Vann, *Reunion and Reaction*. The Compromise of 1877 and the End of Reconstruction, New York 1956.

Wright, Richard, *Black Power*. A Record of Reactions in a Land of Pathos, New York 1954.

Wyckoff, Walter Augustus, *The Workers; An Experiment in Reality . . . The East*, New York 1898. [Darin Zeitungsausschnitt „Workers Silence Quill Amid Hostile Din as He Visits a Bus Garage in Brooklyn", *New York Times*, 7. 4. 1956].

–, *The Workers; An Experiment in Reality . . . The West*, New York 1898.

Zischka, Anton, *Der Kampf um die Weltmacht Baumwolle*, Bern, Leipzig 1935.

ABKÜRZUNGSVERZEICHNIS

Die folgenden Abkürzungen werden verwendet:

BBA   = Bertolt-Brecht-Archiv
Gedichte = Bertolt Brecht, Gedichte, 9 Bde., Frankfurt/M. 1960.
GW   = Bertolt Brecht, Gesammelte Werke, 20 Bde., Frankfurt/M. 1967.
TF   = Bertolt Brecht, Texte für Filme, 2 Bde., Frankfurt/M. 1969.

Für die vollen Titel der zitierten Bücher sei jeweils auf das Literaturverzeichnis am Ende der Arbeit verwiesen.

ANMERKUNGEN

[1] Reinhold Grimm, Bertolt Brecht und die Weltliteratur, Nürnberg 1961.

[2] James Schevill, „Bertolt Brecht in New York", Tulane Drama Review, VI/1 (1960), 98–107.

[3] Eric Bentley, „Introduction" in: Seven Plays by Bertolt Brecht, New York 1961, ix–li.

[4] Richard Ruland, „The American Plays of Bertolt Brecht", American Quarterly, XV (1963), 371–389.

[5] Thomas O. Brandt, „Bertolt Brecht und sein Amerikabild", Universitas (Stuttgart), XXI (1966), 719–734. Leicht überarbeitet als „Das Amerikabild Brechts" abgedruckt in Th. O. Brandt, Die Vieldeutigkeit Bertolt Brechts, Heidelberg 1968, S. 27–43.

[6] Barbara Margarete Glauert, Brechts Amerikabild in drei seiner Dramen, M. A. Thesis (Masch.), University of Colorado 1961. (Behandelte Werke: Im Dickicht der Städte, Aufstieg und Fall der Stadt Mahagonny und Die heilige Johanna der Schlachthöfe).

[7] Klaus Schuhmann, Der Lyriker Bertolt Brecht. 1913–1933, Berlin 1964.

[8] Frederic Ewen, Bertolt Brecht. His Life, His Art and His Times, New York 1967.

[9] Hans Bunge, Fragen Sie mehr über Brecht. Hanns Eisler im Gespräch, Nachwort von Stefan Hermlin, München 1970.

[10] Iring Fetscher, „Bertolt Brecht and America", Salmagundi, Nr. 10–11 (1969–70), S. 246–272.

[11] Patty Lee Parmalee, Brecht's America, Ph. D. Thesis (Masch.), University of California at Irvine, October 1970.

KAPITEL I

1916–1924. VOM FRÜHEN EXOTISMUS ZUM AMERIKANISMUS

a. Frühe Lyrik und Prärie (S. 7–28)

[1] Dieter Schmidt, „Baal" und der junge Brecht: Eine textkritische Untersuchung zur Entwicklung des Frühwerks, Stuttgart 1966, S. 36.

Siehe auch: Helge HULTBERG, Die ästhetischen Anschauungen Bertolt Brechts, Kopenhagen 1962, S. 27. Klaus SCHUHMANN, Der Lyriker Bertolt Brecht: 1913–1933, Berlin 1964, S. 26. Björn EKMANN, Gesellschaft und Gewissen, Kopenhagen, 1969, S. 13.

[2] Reinhold GRIMM, »Brechts Anfänge« in: Aspekte des Expressionismus, hrsg. von Wolfgang Paulsen, Heidelberg 1968, S. 133–152.

[3] Hans Otto MÜNSTERER, Bert Brecht. Erinnerungen aus den Jahren 1917–1922, Zürich 1963, S. 49.

[4] MÜNSTERER, a.a.O., S. 74.

[5] Bert BRECHT, „Lied von der Eisenbahntruppe vom Fort Donald" in: Augsburger Neueste Nachrichten (von nun an ANN). „Der Erzähler", No. 78, (13. 7. 1916), abgedruckt in Schuhmann, a.a.O., S. 26 f.

[6] SCHUHMANN, a.a.O., S. 29.

[7] HULTBERG, a.a.O., S. 28.

[8] B. BRECHT, Hauspostille, Berlin 1927, S. 72 f.

[9] Der Titel von 1927 lautet: „Das Lied der Eisenbahntruppe von Fort Donald".

[10] Vgl. „Deutsches Frühlingsgebet", GW, VIII, 5. „Karfreitag", VIII, 7.

[11] John MOODY, The Railroad Builders: A Chronicle of the Welding of the States, New Haven, Toronto, London, Oxford 1919, S. 20–94.

[12] SCHUHMANN, a.a.O., S. 28.

[13] Obwohl Arnolt BRONNEN behauptet, das harte „t" in „Bertolt" sei seinem Namen nachgeformt, verwendet Brecht das kurze „Bert", ehe er überhaupt Bronnen kennenlerte. John WILLET, The Theatre of Bertolt Brecht, New York 1968, S. 70 verweist auf ähnliche Namensbildungen in den zwanziger Jahren: Walter Mehring nennt sich Walt Merin, Hellmut Herzfelde wird zu John Heartfield. Dies sind aber erst spätere Entwicklungen. Plausiblere Vorbilder wären Namen wie Frank Wedekind, Walt Whitman und Bret Harte.

[14] GW, VIII, 13 f.

[15] In Zeitschriften wie *Pan, Die Weißen Blätter, Die Aktion, Der Sturm* und die *Neue Rundschau.*

[16] GW, VIII, 228.

[17] Ebenda.

[18] GW, VIII, 223.

[19] SCHUHMANN, a.a.O., S. 30, zitiert den Text der frühesten Fassung, die am 12. März 1918 im ‚Erzähler' der ANN, Nr. 20 erschien. Nach D. SCHMIDT, a.a.O., S. 190, wäre der 30. März 1918 als der Terminus post quem für Baal anzusetzen. SCHUHMANN gibt ohne jeglichen Kommentar das Jahr 1917 für die Entstehung des Gedichts an. H. O. MÜNSTERER, a.aO., S. 80, nennt als Entstehungsdatum das Frühjahr 1918. Nach Herta RAMTHUN, Bertolt-Brecht-Archiv, Bestandsverzeichnis, Bd. 2, Nr. 5438, S. 57, ist 1918 das richtige Datum.

[20] BRECHT, Hauspostille, Berlin 1927, S. 79. Abgedruckt in SCHUHMANN, a.a.O., S. 31. Vgl. John WILLETT, a.a.O., S. 33 (New York 1968), der ein Gedicht „Ballade vom Tod der Männer im Hatourywald" erwähnt, das zum *Berliner Requiem* gehörte.

[21] SCHUHMANN, a.a.O., S. 31.

[22] Als typisches Beispiel sei auf das Gedicht „Tahiti" (1921) verwiesen, dessen

erste Strophe in *Aufstieg und Fall der Stadt Mahagonny* übernommen wurde. Aus „Tahiti" wurde dabei „Alaska".

[23] Vgl. besonders den „Choral vom großen Baal".

[24] BRECHT, Baal. Drei Fassungen, Hrsg. D. Schmidt, Frankfurt am Main, 1966, S. 13.

[25] SCHMIDT, Baal und der junge Brecht, S. 11–24.

[26] BRECHT, Baal. Drei Fassungen. In der Fassung von 1918 bleibt es technisch gesehen offen, wer den Choral singt (S. 58). „Tod im Walde", S. 63 f. In der zweiten Fassung von 1919 wird der Choral zu Beginn des Stückes von Baal selber vorgetragen (S. 81 f.).

[27] Man denke an Gedichte wie „Song of Myself", „The Sleepers" und „A Woman Waits for Me".

[28] Siehe: Harry LAW-ROBERTSON, Walt Whitman in Deutschland, Gießen 1935, und Anna JACOBSON, „Walt Whitman in Germany since 1914", Germanic Review, I (1926), S. 132–141. Zu Whitmans frühen Übersetzern zählten Freiligrath (1870), Joh. Schlaf (1907), K. Federn (1904), W. Schölermann (1904), O. E. Lessing (1905).

[29] MÜNSTERER, a.a.O., S. 84.

[30] MÜNSTERER, S. 14. – Hier sei auf Whitmans „Song of Myself" verwiesen, dessen frühere Titel „Poem of Walt Whitman, an American" (1856) und „Walt Whitman" (1867) lauteten.

[31] BBA, 455/1–25.

[32] BBA, 455/02.

[33] BBA, 455/06.

[34] BBA, 455/07.

[35] BBA, 455/19.

[36] BBA, 455/25.

[37] BRECHT, Im Dickicht der Städte. Erstfassung und Materialien, hrsg. von G. Bahr, Frankfurt 1968, S. 19. Erst später wird klar, was damit gemeint ist. Vgl. S. 26.

[38] GW, I, 138.

[39] Vgl. „Lied einer Familie aus der Savannah", GW, VIII, 144; „Komm mit mir nach Georgia", VIII, 135.

[40] Knut HAMSUN, Abenteurer. Ausgewählte Erzählungen, München 1914, S. 91 f.

[41] BBA, 455/25.

[42] Reinhold GRIMM, „Zwei Brecht-Miszellen", Germanisch-Romanische Monatsschrift, LX (1960), S. 448 ff., verweist auf Charlotte Westermanns Knabenbriefe, die die von Brecht angegebene Briefsammlung sein könnte, deren „kalter und endgültiger Ton" ihn bei den Arbeiten am Dickicht beeinflußt hatten. Typisch für die Westermannsche Sammlung ist der gelassene Ton, in dem beiläufig die gräßlichsten Morde eingestanden und beschrieben werden.

[43] HAMSUN, a.a.O., 73 f.

[44] BBA, 455/05.

[45] HAMSUN, S. 78 f.

[46] BBA, 455/12 f.

b. Im Dickicht (S. 28–50)

¹ MÜNSTERER, a.a.O., S. 150 f.

² BRECHT, Im Dickicht der Städte. Erstfassung und Materialien, Hrsg. G. Bahr, Frankfurt/M. 1968, S. 157–163. (Fortan: BAHR, Materialien.)

³ BRECHTS Rezension des „Don Carlos" in Der Volkswille, Augsburg, 15. April 1920, abgedruckt in GW, XV, 9–11.

⁴ K. FASSMANN, Brecht. Eine Bildbiographie, München 1958, S. 30.

⁵ Von JENSEN waren schon ab 1909 Beiträge in der Neuen Rundschau erschienen, ab 1914 mit ziemlicher Regelmäßigkeit.

⁶ Siehe R. GRIMM, Brecht und die Weltliteratur, Nürnberg 1961, S. 11 f. Ebenso BAHR, Materialien, S. 145–163.

⁷ GW, XVIII, 14.

⁸ Vgl. BAHR, Materialien, S. 8.

⁹ GW, XVIII, 8. Notiz vom 30. 8. 1920.

¹⁰ BAHR, Materialien, S. 117–137.

¹¹ Herta RAMTHUN, Bertolt-Brecht-Archiv. Bestandsverzeichnis des literarischen Nachlasses, Bd. 1, Berlin, Weimar 1969, S. 284.

¹² GW, XVII, 949.

¹³ BAHR, a.a.O., S. 145.

¹⁴ Johannes V. JENSEN, Das Rad, Berlin 1908, S. 107.

¹⁵ Ebenda, S. 190.

¹⁶ Ebenda, S. 327 f.

¹⁷ BBA, 459/4.

¹⁸ JENSEN, a.a.O., S. 345.

¹⁹ Ebenda, S. 349.

²⁰ Ebenda, S. 120.

²¹ Ebenda, S. 200.

²² BBA, 450/12.

²³ James K. LYON, "Brecht's Use of Kipling's Intellectual Property; A New Source of Borrowing", Monatshefte, LXI (1969), S. 376–386. Lyon weist nach, daß Brecht mit Kurzgeschichten Kiplings in der Lindauschen Übersetzung vor 1922 bekannt war. Andrerseits erwähnt Brecht Kipling bereits in einer Notiz aus dem Jahre 1920. GW, XVIII, 4.

²⁴ Rudyard KIPLING, "Moti Guj-Mutineer" in: Kipling, Life's Handicap, Being Stories of Mine Own People, London 1913, S. 355–364. Der Name bedeutet „Perlenelefant" und von dem Tier heißt es: "He was the absolute property of his mahout". Seinem Herrn ganz ergeben, ist es plötzlich ohne ihn und weigert sich, anderen Leuten zu gehorchen. Moti Guis Situation ist ähnlich, wenn er später seinen Herrn verliert. Sein Name paßt gut zu den Tiernamen der anderen Figuren.

²⁵ BAHR, Materialien, S. 116. A. BRONNEN, Tage mit Bertolt Brecht, München 1960, S. 107, meint über die spätere Überarbeitung mit Feuchtwanger im Winter 1922/23: „Der Garga wurde unverwechselbar Brecht, der Shlink erhielt die souveräne, gedehnte, humorige Sprache Feuchtwangers."

²⁶ Aus der ersten Gesamtfassung, BBA (2123) von 1923. BAHR, Materialien, S. 120.

[27] Ebenda, S. 130.

[28] Ebenda, S. 136. Notiz vom Frühjahr 1922.

[29] Ebenda, S. 127.

[30] GW, XVIII, 10.

[31] Ingrid SCHUSTER, „Alfred Döblins ‚chinesischer Roman'", Wirkendes Wort, XX (1970), S. 339–346. Siehe besonders S. 345: „Im Wang-lun wurden beide Komponenten wirksam: das ‚Lebenspathos' ebenso wie die unmittelbare Begegnung mit den taoistischen Klassikern".

[32] Man denke hier an den chinesischen Weisheitsspruch, mit dem Garga Shlinks östliche Haltung zu charakterisieren sucht: „Sie wissen, daß die Wasser es mit ganzen Gebirgen aufnehmen". (BAHR, Materialien, S. 77). Diesen Spruch verwendet Brecht später in dem Gedicht „Legende von der Entstehung des Buches Toateking, auf dem Weg des Laotse in die Emigration", GW, IX, 661.

[33] Brecht lag viel an solchen verfremdenden und zugleich bühnenwirksamen Stilisierungen und Übertreibungen, wie z. B. in *Mann ist Mann* (Soldaten auf Riesenstelzen) und *Die Rundköpfe und die Spitzköpfe*.

[34] Lee hatte sogar eine Abhandlung verfaßt, in der er Amerika als das wiedergefundene Atlantis feiert. Die Einwanderung sei eine Fortsetzung der nordischen Völkerwanderung und biete die einmalige Möglichkeit, die germanische Kultur so zu verwirklichen, wie sie in Europa hätte entstehen können, wären die Germanen nicht dem Einfluß der Gallier unterlegen.

[35] Siehe Günter RÜHLE, Theater für die Republik. 1917–1933, Frankfurt 1967, S. 446–453.

[36] GW, XVII, 972.

[37] Unter Punkt 2 (BBA, 450/11) notiert Brecht Oscar Wildes Spruch: "The cynic knows the price of everything and the value of nothing." – Eine Vorwegnahme von Shlinks Ausruf „Geld ist alles" (GW, I, 138).

[38] Gegen Ende des *Dickicht* wird der sich nähernde Lynchmob ähnlich beschrieben: „die Tiere kommen mit ihrem Geschrei". BAHR, Materialien, S. 89.

[39] BAHR, Materialien, S. 133.

[40] Ebenda, S. 15.

[41] Ebenda, S. 100.

[42] GW, I, 139.

[43] BRONNEN, Tage mit Bertolt Brecht, S. 86.

[44] Ebenda, S. 119.

[45] Ebenda, S. 128.

[46] GW, XV, 75. Unterstreichungen von mir.

[47] BAHR, Materialien, S. 161.

[48] Jacob GEIS, „Bertolt Brecht", in Theaterzeitung der staatlichen Bühnen Münchens, IV, Nr. 164–167 (Mitte Mai 1923), S. 3. Zitiert nach Dieter SCHMIDT, Baal und der junge Brecht, S. 45.

[49] RÜHLE, a.a.O., S. 449.

[50] Ebenda, S. 451.

[51] Ebenda, S. 452.

[52] Ebenda, S. 447.

[53] Ebenda, S. 448.

[54] Berlin. Kurzgefaßt, Berlin 1967, S. 13.

[55] BAHR, Materialien, S. 9 f.

[56] GW, XV, 197 (Anmerkung vom 31. März 1929).

[57] GW, I, 126.

[58] BRECHT, Im Dickicht der Städte, Berlin (Propyläen) 1927. Anhang: vier Bildtafeln. In dem Nekrolog „Vom armen B. B.", Sinn und Form, 2. Sonderheft, 1957, S. 427, schreibt Hans Henny Jahnn hierzu: „Da sieht man im Anhang des Buches abgebildet diesen Menschenbär mit dicken oder groben Händen, ungeschliffen, aber mit zerstörerischem Managergeist hinter der Stirn, der noch kein Geschäft gefunden hat, noch mit Erde verklebt ist, – und das in allen erotischen Fragen gedrängelte und verdrängelte Mädchen, zu allem fähig und zu nichts bestimmt, als über das zu nörgeln, was selbstverständlich ist. Daneben dann die keineswegs zahmen Vorgänger der heutigen Überwolkenkratzer."

[59] GW, XV, 67.

[60] GW, XII, 969, „Für das Programmheft zur Heidelberger Aufführung".

[61] BAHR, Materialien, S. 134.

[62] GW, XVII, 971 f. Unterstreichungen von mir.

[63] BAHR, Materialien, S. 105.

[64] GW, XVII, 971.

[65] Hansjürgen ROSENBAUER, Brecht und der Behaviorismus, Bad Homburg v. d. H., 1970, S. 27.

[66] GW, XVII, 971. Garga beschreibt dies ausführlich in der Erstfassung: „Ich weiß nicht, was Sie mit mir vorhaben. Sie haben mich harpuniert. Sie zogen mich an sich. Es scheint Stricke zu geben. Ich werde mich an Sie halten, Herr." (BAHR, Materialien, S. 25).

[67] BAHR, Materialien, S. 48.

[68] Parallelen lassen sich bis ins Detail nachweisen:
Jensen: Sein Blick war nicht von Lees Augen gewichen, er hatte kein einziges Mal auf Lees Mund oder seine Hände hingeschielt. Affen, die miteinander kämpfen, sehen auch nicht auf Zähne oder Glieder, sie starren sich gegenseitig stier in die Augen, wo jeder Biß und die Richtung jeder Ohrfeige beginnt. (S. 101).
Brecht: Garga: ... Er bietet mir seinen Holzhandel an. Behält mich dabei scharf im Auge. Ich bin allein in der Prärie. Materialien, S. 29. Garga: ... Der Wald! Von hier kommt die Menschheit, nicht? Haarig, mit Affengebissen, gute Tiere, die zu leben wußten. Sie zerfleischten sich einfach, und alles war so leicht. Ich sehe sie deutlich, wie sie mit zitternden Flanken einander das Weiße im Auge anstierten und sich in ihre Hälse verbissen und hinunterrollten, und der Verblutete zwischen den Wurzeln, das war der Besiegte ... Materialien, S. 93.

[69] JENSEN, a.a.O., S. 100. BAHR, Materialien, S. 147.

[70] JENSEN, S. 220.

[71] JENSEN, S. 202 ff. Evanston rät Lee, Margarete zu heiraten und verhindert eine engere Bindung zwischen den beiden.

[72] Z. B.: Lees Bewunderung für Walt Whitman, seine Liebe zu Margarete, seine Ideen über Arier, etc. Gargas Liebe zu Büchern, seine Liebe zu Jane, seine Sehnsucht nach Tahiti, etc.

[73] JENSEN, S. 250–252 passim.

74 Der Name des Zuhälters Pavian, der Jane konsequent mißhandelt und sie dennoch für sich zu gewinnen versteht, scheint auf eine Stelle in Jensens Roman zurückzugehen: „... es ist ja nun einmal des Weibes Lust, von einem möglichst boshaften und schmutzigen Pavian geohrfeigt zu werden". (S. 84).

75 BAHR, Materialien, S. 19. Pavian: Kurz, sie hat einen Leib, der einige Pfund wert ist. Können Sie die bezahlen, Herr? S. 22: Garga: Ja, ich versteigere diese Frau! S. 30: Shlink: Jede Frau ist auf dem Markt.

76 GW, I, 138.

77 BAHR, Materialien, S. 27: „Das ist Sumpf. Zweimal verkaufen!"

78 Ebenda, S. 31.

79 Ebenda, S. 35.

80 Ebenda, S. 92.

81 Ebenda, S. 26.

82 Ebenda, S. 66. Siehe ebenso Brechts Notat S. 123: „Was schwach ist, wird niedergetreten". In einem Entwurf aus dem Jahre 1921 findet sich ein ähnlicher Gedanke (S. 135). Eine Abwandlung dieser Ansicht, die auch später in den Gedichten auftaucht, ist der Ausdruck auf S. 67: „Der kranke Mann stirbt und der starke Mann ficht."

83 Ebenda, S. 29 und GW, I, 141.

84 Ebenda, S. 37.

85 Ebenda, S. 40.

86 Ebenda, S. 88. In der Spätfassung richtet sich der Zorn des Mobs gegen Shlink und seine gelben Brüder. Man hängt Gelbe wie „farbige Wäsche". (GW, I, 184).

87 Ebenda, S. 43.

88 Ebenda, S. 71.

89 Ebenda, S. 62.

90 Ebenda, S. 94 f. In einem früheren Entwurf heißt es noch: „Und der Ch(inese) wird gelyncht, weil das weiße Mädchen bei ihm ist!" (S. 122).

91 Ebenda, S. 15.

92 Ebenda, S. 60. Vorher wurde Gui aufgefordert, mit den Zähnen ein „Zehngroschenstück" aus dem Spülwasser zu holen. (S. 46).

93 JENSEN, a.a.O., S. 94 f.

94 BAHR, Materialien, S. 31 und 75.

95 Ebenda, S. 28.

96 Ebenda, S. 83.

97 Ebenda, S. 63.

98 Ebenda, S. 29.

99 Ebenda, S. 74 f.

100 Ebenda, S. 23.

101 Ebenda, S. 108.

102 Ebenda, S. 109 und 151.

103 Ebenda, S. 133.

104 Ebenda, S. 39.

105 Ebenda, S. 99. Vgl. die Szene „Chinesisches Hotel" im Anhang, wo es heißt: „Jetzt geht zum Beispiel ein kühler Wind in der Savanne, wo wir früher waren, ich bin sicher." (S. 109).

[106] BAHR, Im Dickicht der Städte: Ein Beitrag zur Bestimmung von Bertolt Brechts dramatischem Frühstil, Diss. (Masch.), New York University 1966, S. 5.

[107] G. RÜHLE, a.a.O., S. 564–571.

[108] GW, I, 127. Dies ist ein gutes Beispiel dafür, wie Brecht neue Eindrücke aus seiner Lektüre amerikanischer Bücher in ältere Werke einarbeitet. In Bouck Whites Buch über Daniel Drew (siehe Bibliographie) wird dessen Adresse in New York als 52 Bleeker St., Ecke Mulberry St. angegeben.

[109] GW, I, 171.

[110] GW, I, 170.

[111] GW, I, 146.

[112] GW, I, 150.

[113] GW, I, 146.

[114] GW, I, 182.

[115] GW, I, 181.

[116] GW, I, 157.

[117] GW, I, 184.

[118] GW, I, 129.

[119] GW, I, 169.

[120] GW, I, 131.

KAPITEL II
1924–1926. DER HÖHEPUNKT DES BRECHTSCHEN AMERIKANISMUS

a. *Allgemeine Einflüsse in den frühen zwanziger Jahren* (S. 51–61)

[1] GW, XX, 10.

[2] GW, VIII, 68.

[3] Gottfried BENN, Gesammelte Werke, hrsg. v. D. Wellershoff, Bd. 3, Wiesbaden 1963, S. 20.

[4] Eine den technischen Fortschritt Amerikas (Wolkenkratzer, Stoppuhr, Metermaß, etc.) darstellende Montage, das Produkt der Zusammenarbeit von George Grosz und John Heartfield aus dem Jahre 1919. Abgebildet in: John Heartfield, 1891–1968. photomontages, London 1968, S. 6.

[5] John WILLETT, Das Theater Bertolt Brechts, Reinbek 1964, S. 62.

[6] Ebenda.

[7] Arnolt BRONNEN, Tage mit Bertolt Brecht, S. 133–136 und „Epitaph" in: Der Querschnitt, 1923, S. 59–60.

[8] Der Querschnitt, 1929, zwischen Seite 718 und 719.

[9] Der Querschnitt, 1931, S. 802–806: „Sulivan Slift zeigt Johanna Dark die Schlechtigkeit der Armen. Aus dem Schauspiel ‚Die heilige Johanna der Schlachthöfe' von Brecht".

[10] Der Querschnitt, 1921, S. 142–144 „Gladiators".

[11] Der Querschnitt, 1921, S. 218–221.

[12] Der Querschnitt, 1921, S. 221–222.

[13] Der Querschnitt, 1926, S. 383–384.

[14] Der Querschnitt, 1921, S. 140 f.

[15] Der Querschnitt, 1924, S. 112 f.

[16] Der Querschnitt, 1924, S. 264.
[17] Der Querschnitt, 1926, S. 200.
[18] GW, XI, 116.
[19] GW, XI, 121.
[20] GW, XI, 142.
[21] GW, XI, 126.
[22] GW, I, 391.
[23] Klaus VÖLKER, Brecht-Chronik, München 1971, S. 39.
[24] GW, X, 307.
[25] BBA, 424/22–31.
[26] BBA, 424/30.
[27] MORUS, Wie sie groß und reich wurden, Lebensbilder erfolgreicher Männer, Berlin (Ullstein) 1927.

b. *Mann aus Manhattan* (S. 61–69)

[1] Carl ZUCKMAYER, „Drei Jahre" in: Theaterstadt Berlin. Ein Almanach, Hrsg. H. Jhering, Berlin 1948, S. 87 ff.
[2] Alfons PAQUET, Fahnen. Ein dramatischer Roman, München 1923. Ein Exemplar dieser Ausgabe befindet sich in Brechts Privatbibliothek.
[3] Erwin PISCATOR, Das politische Theater, (Faksimiledruck der Erstausgabe 1929), Berlin 1968, S. 57 f.
[4] Leo LANIA, „Fahnen. Entheiligte Kunst", Wiener Abendzeitung, (2. Juni 1924), abgedruckt in E. PISCATOR, a.a.O., S. 53–54.
[5] GW, XV, 289 f.
[6] BBA, 424/96.
[7] BBA, 461/58.
[8] BBA, 214/76.
[9] Herta RAMTHUN, Bertolt-Brecht-Archiv, Bestandsverzeichnis, Bd. 1, Berlin 1969, S. 295 f.
[10] BBA, 214/66.
[11] BBA, 214/74 f.
[12] Ebenda.
[13] Ebenda.
[14] GW, VIII, 306 f.
[15] Brecht stützt sich hierbei nicht auf das 1. Buch Mose, das den Bericht vom Untergang der beiden Städte beschreibt. Er folgt hier allgemeinen Eindrücken, die er beim Bibellesen gewonnen hatte. (Vgl. Jesaia 19).
[16] BBA, 424/96.
[17] BBA, 214/96.
[18] BBA, 214/76.

c. *Dan Drew* (S. 69–90)

[1] BBA, 194/67 a.
[2] BBA, 194/56.
[3] BBA, 194/67 a–b.
[4] BBA, 194/42, 164/42, 1196/36.

[5] Edward Harald Mott, Between the Ocean and the Lake. The Story of Erie, New York 1901.

[6] Stewart Daggett, Railroad Reorganization, Boston, New York 1908.

[7] Slason Thompson, Short History of American Railways, Chicago 1925.

[8] John Moody, a.a.O.

[9] Charles F. jr. and Henry Adams, Chapters of Erie and Other Essays, New York 1871.

[10] Gustavus Myers, Geschichte der großen amerikanischen Vermögen, Berlin 1923.

[11] GW, XVIII, 52.

[12] Charles F. jr. und Henry Adams, a.a.O.

[13] Bouck White, The Book of Daniel Drew. A Glimpse of the Fisk-Gould-Tweed Regime from the Inside, New York 1910.

[14] Bouck White, Das Buch des Daniel Drew (The Book of Daniel Drew). Leben und Meinungen eines amerikanischen Börsenmannes. (Eingeleitet von Hanns Heinz Ewers. Deutsch von M. Ewers-aus'm Weerth), München (Georg Müller) 1922.

[15] Ebenda, S. 187 f.

[16] Ebenda, S. 5.

[17] Ebenda, S. 8.

[18] Bouck White, Songs of the Fellowship. For Use in Socialist Gatherings, Propaganda, Labor, Mass Meetings, the Home and Churches of the Socialist Faith, New York (The Socialist Literature Co.) 1912.

[19] BBA, 194/18.

[20] BBA, 194/21.

[21] BBA, 194/30.

[22] BBA, 194/44.

[23] BBA, 194/45.

[24] BBA, 194/44 und 45.

[25] Einziger Druck: Gedichte, IX, 137.

[26] Georg Büchner, Sämtliche Werke und Briefe, Hamburg (Wegener) 1967, Bd. 1, S. 49.

[27] Bernhard Reich, „Erinnerungen an den jungen Brecht", Sinn und Form, Zweites Sonderheft Bertolt Brecht 1957, S. 434 f.

[28] BBA, 345/10.

[29] Ramthun, a.a.O., Bd. 2, S. 581.

[30] GW, VIII, 261.

[31] BBA, 194/2.

[32] BBA, 194/2 f.

[33] BBA, 194/5.

[34] BBA, 194/3 f.

[35] BBA, 194/2.

[36] BBA, 194/57.

[37] Bouck White, a.a.O., S. 133.

[38] Ebenda, S. 139.

[39] BBA, 194/5.

[40] BBA, 194/8.

41 BBA, 194/67 b.
42 BBA, 194/37.
43 BBA, 194/27.
44 BBA, 194/12.
45 BBA, 194/15.
46 BBA, 194/39.
47 BBA, 194/15.
48 BBA, 194/36.
49 BBA, 194/40.
50 BBA, 194/38.
51 BBA, 194/40.
52 BBA, 194/35.
53 Ebenda.
54 MYERS, a.a.O., Bd. 1, S. 269 f.
55 BBA, 194/57.
56 BBA, 194/54.
57 BBA, 194/62.
58 BBA, 194/59.
59 Ebenda.

d. Der Untergang der Paradiesstadt Miami (S. 90–99)

1 BBA, 214/44.
2 BBA, 214/38 f.
3 BBA, 214/48.
4 BBA, 214/45 f.
5 BBA, 214/53.
6 BBA, 524/21.
7 BBA, 524/70.
8 BBA, 524/78.
9 BBA, 524/126.
10 GW, VIII, 134.
11 GW, XI, 101.
12 GW, XI, 103.
13 Der berühmte italienische Film „Die letzten Tage von Pompeji" (1908) gehörte zu den damals gefeierten „klassischen" Streifen. „Sodom und Gomorrha", ein Wiener Sascha-Film, erregte 1923 erhebliches Aufsehen. (Vgl. Rote Fahne, 28. 8. 1923).
14 Siegfried JACOBSOHN, „Die Sündflut", Die Weltbühne, XXI (1925), Nr. 14, (14. April), S. 554–555.
15 BBA, 214/10.
16 BBA, 214/5.
17 BBA, 214/13.
18 BBA, 214/12.
19 BBA, 214/12 und 20.
20 BBA, 214/14.
21 BBA, 214/4 hier heißt der Prophet noch Gob.

[22] GW, IX, 723 f.

[23] GW, XI, 101.

[24] Erich MENDELSOHN, Amerika (bilderbuch eines architekten), Berlin 1926.

[25] GW, XVIII, 52.

[26] GW, VIII, 129 f.

[27] Upton SINCLAIR, The Millenium. A Comedy of the Year 2000, London 1924.

[28] Die Übersetzung erschien, soweit sich feststellen läßt, erst im Jahre 1931 im Hamburger Sieben Stäbe Verlag unter dem Titel: Nach der Sintflut. Roman aus dem Jahre 2000.

[29] Abgebildet in: John HEARTFIELD, 1891–1968. photomontages, London 1969, S. 14.

[30] BBA, 214/24–31.

[31] BBA, 214/29 f. „Die Paläste der Reichen im Hurrikan".

[32] BBA, 214/29 und 27.

[33] BBA, 214/23.

[34] Ebenda.

[35] New York Times, 20. Sept. 1926. "Realty Boom Area in Path of Storm – Developments Radiating from Miami, on Which Millions Were Spent, Are Now in Ruins".

[36] BBA, 214/55. Vossische Zeitung, 20.Sept. 1926.

[37] BBA, 214/17.

[38] BBA, 214/18.

e. Revue für Reinhardt (S. 99–109)

[1] Erwin PISCATOR, Schriften, Bd. 1, Berlin 1968, S. 60.

[2] Ebenda.

[3] Ebenda, S. 61.

[4] Ebenda, S. 66.

[5] Zum Beispiel die Gruppen „Rotes Sprachrohr", „Rote Blusen", „Rote Raketen", „Die Nieter", „Galgenvögel". Vgl. PISCATOR, a.a.O., Bd. 1, S. 62.

[6] Im Wesentlichen deckt sich diese Definition des Terminus „Amerikanismus" mit den Bedeutungen, die ihn während der Zwanziger Jahre zu einem Schlagwort werden ließen. Man vergleiche die „Amerikanismus"-Debatte, die zwischen Otto Basler und Theodor Lüddecke 1930 in der Deutschen Rundschau geführt wurde: Otto BASLER, „Amerikanismus. Geschichte des Schlagwortes", Dt. Rundschau, LVI (1930), 142–146. Theodor LÜDDECKE, „Amerikanismus als Schlagwort und als Tatsache", Dt. Rundschau, LVI (1930), 214–221.

[7] BBA, 450/50.

[8] Siehe S. 60 dieser Arbeit.

[9] BBA, 450/51.

[10] Vgl. Rudolf GROSSMANN, „Bei Coué", Der Querschnitt, Heft 5, 1926, S. 348–350. Ebenso Wolfgang SCHUMANN, „Coué", Die Weltbühne, XXII (1926), Nr. 28 (13. Juli), S. 61–63.

[11] In dem oben erwähnten Heft des Querschnitts, das den Coué-Artikel enthält, erschien zwischen den Seiten 344 und 345 eine Abbildung des Tarzan-Darstellers mit dem Text: „Johnny Weißmüller, der schnellste Schwimmer der Welt". Es ist

durchaus möglich, daß Brechts Idee zu der Tarzan und Coué kombinierenden Revuenummer von hier ihren Ausgang nahm.

[12] BBA, 450/53.

[13] GW, XV, 187.

[14] BBA, 424/83.

[15] GW, XVIII, 52.

[16] Der Querschnitt, VI (1926), Heft 3, S. 223.

[17] Ebenda, zwischen S. 200 und 201.

[18] Die Weltbühne, 9. Feb. 1926, S. 214–218.

[19] Ebenda, S. 214.

[20] GW, XVIII, 52.

[21] E. MENDELSOHN, a.a.O., S. 202.

[22] Ebenda, S. 156 ff.

[23] Ebenda, S. 128 ff.

[24] BBA, 424/83.

[25] G. B. SHAW, Cashel Byron's Profession, London, Bombay, Sydney 1924. Ähnliche Motive: Finanzielle Ausnützung eines Boxers durch einen Gentleman, der ihm Zutritt in die höheren Kreise ermöglicht; die aus gesellschaftlichen bzw. finanziellen Gründen bedingte Verheimlichung der Verheiratung des Boxers.

[26] BBA, 424/83.

[27] Ebenda.

[28] Brief aus New York, 14. Mai 1925. BBA, 803/24–30.

[29] BBA, 803/30.

[30] In „Aufbau und Spielplan der Piscator-Bühne", Die Rote Fahne, 19. Aug. 1927, werden als Mitglieder des Kollektivs genannt: Béla Balázs, Joh. R. Becher, Bert Brecht, Manfred Georg, Wilhelm Herzog, A. Holitscher, F. Jung, E. E. Kisch, Leo Lania, H. Mann, W. Mehring, E. Mühsam, A. Paquet, G. Pohl, K. Tucholsky, E. Toller, E. Welk, A. Wolfenstein. Als mitarbeitende Sachverständige für Bühnenbild und Musik agierten G. Grosz, J. Heartfield, H. Eisler, K. Weill und E. Meisel.

[31] Kurt Gerron hatte schon Ende 1919 mit Helene Weigel zusammen gearbeitet. Sie belegten damals die Hauptrollen in J. K. Jeromes Der Fremde im Berliner Central Theater. Im Februar 1926 spielte Gerron den Mäch in Brechts Baal-Inszenierung in „Der jungen Bühne" und übernahm später die Rolle Tiger Browns in der Aufführung der Dreigroschenoper.

[32] „Oh! U.S.A.!" von F. E., Berliner Tageblatt, 21. Dez. 1926.

[33] Die Rote Fahne, 23. Dez. 1926: „Oh! USA!" von Slang und am 22. Jan. 1927 „Börsencoup in Wallstreet".

[34] Die Rote Fahne, 22. Jan. 1927.

f. Joe Fleischhacker (S. 109–131)

[1] Die Rote Fahne, 9. Sept. 1924.

[2] Ebenda, 11. Sept. 1924.

[3] BBA, 678/1–71.

[4] BBA, 678/19.

[5] E. HAUPTMANN, „Notizen über Brechts Arbeit," Sinn und Form, 2. Sonderheft Bertolt Brecht 1957, S. 243.

[6] BBA, 461/14–16; 678/3–9.

[7] BBA, 451/43.

[8] BBA, 678/1.

[9] E. HAUPTMANN, a.a.O., S. 243.

[10] BBA, 678/11 f.

[11] E. HAUPTMANN bemühte sich auch um Bildmaterial, das die Atmosphäre Chicagos wiedergeben sollte. Unter den Fleischhacker-Materialien befindet sich ein an eine „Fa. Dr. Hauptmann" adressierter "Picture Folder of Greater Chicago", in dem markante Gebäude und Wahrzeichen der Metropole abgebildet sind. Darunter der Michigan Boulevard, das Wrigley Building, die Union Stockyards, verschiedene Bahnhöfe und die Ecke State Street – Madison Street, "The busiest corner in the world".

[12] Acht Uhr Abendblatt, 4. März 1926.

[13] Handelsblatt des Berliner Börsen-Couriers, Nr. 11, 2. Beilage, ohne Datum, wahrscheinlich vom Frühjahr 1926, als die deutschen Roggenpreise mit den Weizenpreisen gleich lagen.

[14] Die Rote Fahne, 14. März 1926. Am 15. April 1926 veröffentlichte das Blatt einen Artikel von E. Hoernle mit exakten Tabellen der deutschen Preisschwankungen vom 27. 3. bis zum 1. 4. 1926.

[15] BBA, 678/15. Joseph Simont, Charles Mygatt, Charles S. Chapman, George H. Kelland, Frederic F. Van de Water, W. E. Webster, David D. Brunner, Oliver Herford, etc.

[16] BBA, 524/103–105.

[17] BBA, 524/103 f.

[18] Frank NORRIS, The Pit. A Story of Chicago, New York (Doubleday, Page & Co.) 1903. Die Seitenangaben in Klammern beziehen sich auf diese Ausgabe. Ein in Leipzig bei Tauchnitz (1903) verlegtes englisches Exemplar des Romans befindet sich in Brechts Privatbibliothek.

[19] Die Rote Fahne, 22. August 1926.

[20] F. NORRIS, „Das Epos des Weizens", Der Octopus, Stuttgart und Leipzig 1907, Die Getreidebörse, Stuttgart und Leipzig 1912.

[21] Franklin WALKER (Hrsg.) The Letters of Frank Norris, San Francisco 1956, S. 34.

[22] Siehe Charles KAPLAN, "Norris' Use of Sources in The Pit", American Literature, XXV (1953), S. 75–84 und Donald PIZER, The Novels of Frank Norris, Bloomington and London (Indiana University Press), 1966, S. 162 ff.

[23] BBA, 524/24. Entwurf per Hand durchgestrichen.

[24] In den frühesten Entwürfen trägt er den Namen „Mortimer". So hieß auch der Gegenspieler des Königs in: Leben Eduard des Zweiten von England.

[25] BBA, 524/23; 524/50 f.; 678/7 f.

[26] BBA, 524/90 f.

[27] Pollocks Bühnenbearbeitung blieb unveröffentlicht. Die Aufführungen werden erwähnt in: The Best Plays of 1899–1909, edited by B. Mantle and G. P. Sherwood, New York (Dodd Mead Co.) 1910, S. 454 sowie in: Robert L. SHERMAN, Drama Cyclopedia. A Bibliography of Plays and Players, Chicago 1944, S. 432.

[28] Motion Pictures 1912–1933. Catalogue of Copyright Entries. Cumulative

Series. Washington, D.C. (U.S. Government Printing Office) 1951, S. 666. Von Norris' Kurzgeschichte "A Corner in Wheat", in der die Spekulation selbst im Vordergrund steht, wurde unter der Leitung des berühmten D. W. Griffith ein Film gleichen Titels gedreht (1809). (Vgl. Robert M. HENDERSON, D. W. Griffith. The Years at Biograph, New York 1970, S. 203). Ob Brecht einen dieser Filme kannte, ist reine Spekulation.

[29] BBA, 524/87–89 und 678/9.

[30] BBA, 524/12.

[31] BBA, 524/92.

[32] BBA, 524/59.

[33] BBA, 524/92.

[34] BBA, 524/14.

[35] BBA, 524/7.

[36] BBA, 524/32.

[37] BBA, 524/33.

[38] BBA, 524/109.

[39] BBA, 524/8.

[40] BBA, 524/44.

[41] Hansjürgen ROSENBAUER, Brecht und der Behaviorismus, Bad Homburg v. d. H. 1970. Die Übereinstimmungen mit Watsons Theorien erreichen bei Brecht ihren Höhepunkt gegen Mitte der zwanziger Jahre.

[42] BBA, 524/9.

[43] BBA, 524/11.

[44] GW, VIII, 143 f. Innerhalb des Fragments geht die Regieanweisung voraus: „Calvin auf dem elektrischen Stuhl über den Einzug der Menschheit in die großen Städte zu Beginn des dritten Jahrtausends".

[45] Gedichte, IX, S. 13 f.

[46] H. RAMTHUN, a.a.O., Bd. 2, S. 165. In Band 1 wird das Gedicht (S. 310, Nr. 3506) nicht datiert.

[47] BBA, 524/87–89.

[48] GW, II, S. 575. Vgl. „Leben des Galilei", GW, III, 1233. Der erste Transatlantikflug fand im Jahre 1919 statt, doch das Rennen um den ersten Soloflug begann 1926.

[49] BBA, 524/108. Hinweis darauf ebenso in 524/11.

[50] BBA, 524/79.

[51] BBA, 524/28.

[52] BBA, 524/63.

[53] BBA, 524/21.

[54] BBA, 524/69.

[55] BBA, 524/42.

[56] BBA, 524/123. Das Schlachthofmilieu entnimmt Brecht teils aus Sinclairs *The Jungle*, mit dem er sich im Zuge der Dickicht-Revisionen erneut beschäftigt und teils Norris' *The Pit*, wo die Makler untereinander in ähnlichem Ton sprechen: "They'll slaughter you . . . slaughter you in cold blood. You're just one man against a gang–a gang of cutthroats". (S. 196 f.).

[57] BBA, 524/123.

[58] BBA, 524/33.

[59] GW, XX, 46.

[60] Ebenda.

[61] TF, Bd. 2, S. 353–355.

[62] Ebenda, 355.

[63] Ebenda, S. 353.

[64] GW, VII, 3016 f. Ausführlicheres hierzu in: R. Symington, Brecht und Shakespeare, Bonn 1970, S. 97 und S. 162 f.

[65] Brecht entnahm dem Buch den Stoff für das Gedicht „Kohlen für Mike". Sherwood Anderson, Poor White, New York, o. J. Deutsche Erstausgabe: Der arme Weiße, Leipzig 1925. Brecht las damals auch Ida M. Tarbell, The Life of Elbert H. Gary. A Story of Steel, New York, London 1925. Das Buch blieb ohne nennenswerten Einfluß auf ihn.

[66] E. Hauptmann, a.a.O., S. 242.

[67] Sherwood Anderson, a.a.O., S. 314. Die deutsche Übersetzung der Stelle befindet sich unter den Fleischhacker-Materialien (BBA, S. 524/60), wurde aber nicht verwendet. Brecht hatte demnach die deutsche Ausgabe des Romans gelesen.

[68] Vossische Zeitung, 23. Mai 1926.

[69] Klaus Schuhmann, Der Lyriker Bertolt Brecht 1913–1933, Berlin 1964, S. 211.

[70] Ebenda, S. 213.

[71] Ebenda.

[72] Ebenda, S. 214.

[73] Anderson, a.a.O., S. 318.

KAPITEL III

1927–1933. AMERIKA WIRD ZUR VERKÖRPERUNG DES KAPITALISMUS

a. Studium des Marxismus und Neuinterpretation der früheren Werke (S. 132–140)

[1] Vgl. Werner Hecht, Brechts Weg zum epischen Theater. Beitrag zur Entwicklung des epischen Theaters. 1918–1933, Berlin 1962, S. 56 f. Klaus Völker, Brecht-Chronik. Daten zu Leben und Werk, München 1971, S. 40 (23. März 1923).

[2] Brecht schrieb 1927: „Als ich Das Kapital von Marx las, verstand ich meine Stücke". (GW, XV, 129).

[3] GW, XV, 64.

[4] Brecht, Baal, Der böse Baal der asoziale. Texte, Varianten und Materialien, Frankfurt/M. 1968, S. 86.

[5] GW, XVII, 967.

[6] GW, XVII, 978.

[7] Ausnahmen sind hier die wenigen patriotischen Gedichte des Gymnasiasten Brecht. Siehe R. Grimm, „Brechts Anfänge", in: Paulsen, W. (Hrsg.), Aspekte des Expressionismus, Heidelberg 1968, S. 133 ff.

[8] GW, XVII, 1004–1016.

[9] Ebenda, S. 1016.

[10] The Musical Times, CIV (1963), S. 18–24.

[11] BRECHT, WEILL, Mahagonny Songspiel. Das kleine Mahagonny. Urfassung 1927. Wiederhergestellt und herausgegeben von David Drew, Wien 1963, S. 1.

[12] Vgl. Carl NIESSEN, Brecht auf der Bühne, Köln 1959, Abbildung Nr. 31.

[13] Programmheft der Deutschen Kammermusik, Baden-Baden 1927, S. 13 zitiert nach M. ESSLIN, Brecht. Das Paradox des politischen Dichters, München (dtv) 1970, S. 55.

[14] BRONNEN, a.a.O., S. 143 f.

[15] Bert Brechts Hauspostille, Berlin 1927, S. 103.

[16] Ebenda, S. 105. Dieser Song wurde in späteren Fassungen der Hauspostille gestrichen. Abgedruckt in Gedichte, II, 202 f. In den Gesammelten Werken nur innerhalb der Oper abgedruckt.
Brecht bevorzugte in der Erstausgabe die an den Wilden Westen erinnernde Schreibweise „saloon".

[17] Bert Brechts Hauspostille, S. 107.

[18] Walter BENJAMIN, Briefe, hrsg. u. mit Anmerkungen versehen von Gershom Scholem und Theodor Adorno, Bd. 2, Frankfurt/M. 1966, S. 514. Benjamin hatte Brecht erst im Frühjahr 1929 kennengelernt und nannte in seinem Brief vom 25. 4. 1930 die Gedichtinterpretationen seine letzte kleine Arbeit, den ersten Niederschlag seines in letzter Zeit intensiven Umgangs mit Brecht. Er übernimmt folglich Brechts eigene Interpretation des Gedichts aus dem Jahre 1930.

[19] Walter BENJAMIN, „Kommentare zu den Gedichten von Brecht" in: Versuche über Brecht, Frankfurt/M. 1966, S. 55 f.

[20] Dies ist der Wortlaut des Refrains der Strophen 1–4 in der Version der Hauspostille von 1927 und des Songspiels Mahagonny (S. 68). In späteren Ausgaben wurde das protestierende „Nein" in den Refrain der vierten Strophe vorverlegt.

[21] Hauspostille, 1927, S. XI.

[22] GW, I, 335.

[23] Gedichte, II, 204 f.

b. *Mahagonny – Songspiel und Oper* (S. 140–153)

[1] Nicolas SLONIMSKY, Music since 1900, zitiert nach John WILLET, Das Theater Bertolt Brechts. Eine Betrachtung, Reinbek bei Hamburg 1964, S. 19.

[2] Mahagonny – Songspiel, S. 74–84.

[3] Im folgenden wird auf die Opernversion von 1929 verwiesen, K. WEILL, Aufstieg und Fall der Stadt Mahagonny. Oper in drei Akten. Text von Brecht, Wien, Zürich, London 1929, UE 9581, Klavierauszug.

[4] BBA, 1107/4, Datum der Eintragung: 28. 2. 1926.

[5] GW, XIII, 1079 und 1088. Siehe auch XIX, 504.

[6] Im Kleinen Mahagonny hieß es noch:
Oh, moon of Alabama
We must now say good-bye.
und:
Benares
Worst of all, Benares
Is said to have been perished in an earth-quake!
. . .

Worst of all, Benares

Is said to have been punished in an earth-quake! (S. 52 f.)

⁷ Vgl. die überarbeitete Version vom „Lied der Eisenbahntruppe von Fort Donald", GW, VIII, 13.

⁸ Ein sogenannter „skipping rhyme", z. B.

Johnny over the ocean,

Johnny over the sea.

If you can catch Johnny,

You can catch me.

oder: . . .

You may catch Johnny

But you can't catch me.

Vgl. B. A. Botkin (ed.), A Treasury of American Folklore, Stories, Ballads, and Traditions of the People, with a Foreword by Carl Sandburg, New York 1944, S. 55 f.

⁹ Ebenda, S. 855.

¹⁰ Näheres über Weills Musik in: Hellmut Kotschenreuther, Kurt Weill, Berlin-Halensee, Wunsiedel/Ofr. 1962, S. 61 f.

¹¹ Songspiel, a.a.O., S. 254.

¹² Songspiel, a.a.O., S. 309.

¹³ Songspiel, a.a.O., S. 83.

¹⁴ Bret Harte, Kalifornische Erzählungen, 3 Bde., Leipzig (Reclam) o. J.

¹⁵ BBA, 1107/4. Eintragung vom 10. 3. 1926.

¹⁶ „Lotte Lenya Remembers Mahagonny" in Beilage zur Schallplattenaufnahme (S. 8) der Columbia Records, K 3 L 243: Weill, Rise and Fall of the City of Mahagonny.

¹⁷ Vgl. GW, XVII, 1016.

¹⁸ Songspiel, a.a.O., S. 10 f.

¹⁹ Songspiel, a.a.O., S. 141 f.

²⁰ Songspiel, a.a.O., S. 287.

²¹ Songspiel, a.a.O., S. 300.

²² Songspiel, a.a.O., S. 301.

²³ Songspiel, a.a.O., S. 303.

²⁴ Anonym [Heuss, Alfred], „Aufstieg und Fall der Stadt Mahagonny. Uraufführung in Leipzig", Zeitschrift für Musik, April 1930, S. 292. Vgl. auch seinen gleichfalls entrüsteten Artikel „Wird es endlich dämmern?", Zeitschrift für Musik, Mai 1930, S. 392–395.

²⁵ Klaus Pringsheim, „Mahagonny", Die Weltbühne, 28. Januar 1930, S. 433 ff.

²⁶ Die Linkskurve, Januar 1931, S. 12.

²⁷ Adolf Aber, „Bert Brecht und Kurt Weill: Aufstieg und Fall Stadt Mahagonny. Uraufführung in Leipzig", Die Musik, XXII/7 (April 1930), S. 521 f.

²⁸ H. H. Stuckenschmidt, Die Szene, 1930, S. 75 ff.

²⁹ Alfred Baresel, „Von Bayreuth nach Mahagonny", Der Auftakt (Moderne Musikblätter Prag), X (1930) Heft 3, S. 87–89.

³⁰ Im 2. Heft der Versuche, Berlin (Kiepenheuer) 1930. Praktisch identisch mit der Fassung in GW, II, 499–564.

[31] David DREW, a.a.O., S. 19.

[32] GW, II, 547.

[33] GW, II, 560 f.

[34] a.a.O., S. 91.

[35] SCHUMACHER, a.a.O., S. 273 und B. EKMANN, Gesellschaft und Gewissen, Munksgaard 1969, S. 111 f.

[36] Arnold HEIDSIECK, Das Groteske und Absurde im modernen Drama, (Bd. 53 „Sprache und Literatur"), Stuttgart, Köln, Mainz 1969, S. 96.

[37] SCHUMACHER, S. 278.

c. *Happy End* (S. 153–160)

[1] BBA, 209/68.

[2] Wahrscheinlich eine Reminiszenz aus der Arbeit mit Hamsuns Novelle Zachäus.

[3] Vgl. Bernhard REICH, Im Wettlauf mit der Zeit. Erinnerungen aus fünf Jahrzehnten deutscher Theatergeschichte, Berlin 1970, S. 306 ff.

[4] Siehe S. 53 dieser Arbeit.

[5] Paul WIEGLER, Figuren, Leipzig (Verlag der weißen Bücher) 1916. Brecht notierte sich die Lektüre dieses Buches im Jahre 1920, GW, XVIII, 9.

[6] Siehe James K. LYON, „The Source of Brecht's Poem ‚Vorbildliche Bekehrung eines Branntweinhändlers'", Modern Language Notes, 84 (1969), 802–806.

[7] BBA, 209/68.

[8] WIEGLER, a.a.O., S. 163.

[9] G. B. S. SHAW, Major Barbara, Berlin (S. Fischer) 1926.

[10] Die Rote Fahne, Nr. 273, 5. Dezember 1926, 2. Beilage.

[11] BBA, 448/35–43.

[12] BBA, 895/6 bzw. 895/53 bzw. 898/26 f.

[13] BBA, 895/54.

[14] BBA, 895/1–3.

[15] BBA, 895/3.

[16] Siehe GW, XVIII, 9.

[17] BBA, 902/1–23.

[18] BBA, 902/24–34.

[19] GW, XI, 175–183.

[20] TF, II, 320–328.

[21] BBA, 828/19.

[22] Brechts steigendes Interesse an Henry Ford und dem Fordismus bzw. Taylorismus setzt ab 1926 ein (Vgl. GW, XX, 24) und erreicht um 1928/29 einen Höhepunkt. Das in seiner Privatbibliothek enthaltene Buch Jakob WALCHERS Ford oder Marx, Berlin 1925, scheint er kurz nach Erscheinen gekannt zu haben. In einem Notizbuch Brechts aus den späten zwanziger Jahren befinden sich 20 Seiten (BBA, 828/1–20) detaillierter Aufzeichnungen in der Handschrift eines seiner Mitarbeiter (vermutlich E. Hauptmanns) über die Gründung der Fordschen Fabriken, ihre Finanzierung mit genauen Angaben der Namen der Beteiligten und der vorgestreckten Summen, über prägnante Aussprüche Fords und gewisse Erlebnisse aus dem Leben des Autokönigs. Durch eine abgekürzte Namens- und Titelangabe läßt sich

die Quelle identifizieren: Samuel Simpson MARQUIS, Henry Ford, Zwei Jahrzehnte persönlicher Erlebnisse und Mitarbeiterschaft an seinem Werden und Wirken. (Aus d. Eng. übertragen v. O. Marbach) mit 8 Bildern u. einem Anhang (Der wahre Ford) von Sarah T. Bushnell, Dresden (C. Reissner) 1927.

Bei näherer Untersuchung ergibt sich, daß die Notizen über die Finanzierung der Fabriken alle dem Anhang entnommen sind. Die englischen Originaltitel waren:

S. S. MARQUIS, Henry Ford. An Interpretation, Toronto 1923.

S. T. BUSHNELL, The Truth About Henry Ford, Chicago 1922.

Direkter Niederschlag dieser Lektüre ist der im Das wirkliche Leben des Jakob Geherda-Komplex enthaltene Gedichtentwurf „Der große ford war nicht von anfang groß", (BBA 527/54.)

[23] BBA, 286/92 Zeichnung Caspar Nehers im Maßstab 1 : 25 „St. Ford", 286/93 „St. Rockefeller", 286/93 „St. Morgan". Siehe auch Carl NIESSEN, Brecht auf der Bühne, Köln 1959, Abb. 34. Einem früheren Entwurf zufolge dachte man zuerst daran, eine Abbildung Commodore Vanderbilts anstatt Morgans zu verwenden (BBA, 898/3), was auf die starke Einflußnahme Brechts hinweisen dürfte.

[24] BBA, 898/28.

[25] BBA, 898/9.

[26] BRECHT, Gedichte, Bd. 2, 247. Das Lied sollte später in das Brotladen-Fragment übernommen werden.

[27] Ernst Jose AUFRICHT, Erzähle, damit du dein Recht erweist, München 1969, S. 110.

[28] BBA, 994/61.

[29] Bisher ungedruckt sind die Texte von: „Der kleine Leutnant des lieben Gottes", „Geht hinein in die Schlacht", „Bruder, gib dir einen Stoß", „Fürchte dich nicht" und „Das Lied von der harten Nuß".

d. Der Lindberghflug/Ozeanflug (S. 160–167)

[1] Der Ozeanflieger, Operette in 3 Akten von Oskar Seibt, Text von Animus. Uraufführung: 24. April 1929, Stadttheater Gablonz. (Vgl. Dt. Bühnenjahrbuch 1930; Theatergeschichtliches Jahr- und Adressbuch, Berlin 1930, S. 71).

[2] Walther JÄGER, „Radio Querschnitt", Der Querschnitt, VIII (1928), S. 491.

[3] Gerhard HAY, „Bertolt Brechts und Ernst Hardts gemeinsame Rundfunkarbeit", Jahrbuch der deutschen Schillergesellschaft, XII (1968), S. 123.

[4] Ebenda, S. 128. In der Erstfassung fehlten Szene Nr. 8 (Ideologie) und der Zusatz zu Nr. 16.

[5] Vgl. die ähnliche Formulierung dieses Gedankens in Leben des Galilei: „10. Januar 1610 – Himmel abgeschafft", GW, III, 1260.

[6] E. SCHUMACHER, a.a.O., S. 301 f.

[7] Charles A. LINDBERGH, We, New York 1927.

[8] Rainer POHL, Strukturelemente und Entwicklung von Pathosformen in der Dramensprache Bertolt Brechts, Bonn 1969, S. 100.

[9] LINDBERGH, a.a.O., S. 205.

[10] Charles A. LINDBERGH, Wir zwei. Im Flugzeug über den Atlantik, Leipzig 1927.

[11] GW, II, 580 f. Unterstreichungen von mir. Nach HAY, a.a.O., S. 125, wurde

in der ersten Fassung der „konkrete Held" Lindbergh verwendet. Nach der Uraufführung wurde dafür der Plural „Die Lindberghs" eingeführt. Wegen Lindberghs Sympathien für die Achsenmächte während des 2. Weltkrieges wurde 1950 der Name endgültig gestrichen und durch den Plural „Die Flieger" ersetzt. Vgl. Brechts Erklärung dazu in: Versuche 1–17, Heft 1–8, Frankfurt/Berlin 1959, S. 355 f.

[12] GW, II, 576 f.

[13] GW, II, 571.

[14] SCHUMACHER, a.a.O., S. 304.

[15] LINDBERGH, We, zwischen S. 50 und 51. Als Erklärung: "St. Louis, Mo. – Financial Backers of the Non-Stop New York to Paris Flight" und die acht Namen, die mit denen der Widmung korrespondieren.

[16] Hierher gehört auch der „Sang der Maschinen". GW, III, 297–302.

[17] GW, II, 576.

[18] Vgl. Versuche, 1, S. 24.

[19] SCHUMACHER, a.a.O., S. 313.

[20] GW, II, 573.

[21] Ein Beispiel der französischen Sensationslust waren die anfänglichen Erfolgsmeldungen der Pariser Morgenzeitungen, die am Abend des 10. Mai 1927 dementiert werden mußten. – Nungesser war mit Jaqueline Logan in dem Pathé Film "The Sky Raider" aufgetreten. Als Insignien für seine Maschine wählte der Waghalsige einen Totenkopf mit gekreuzten Knochen darunter und einem Sarg darüber, alles auf dem Hintergrund eines Herzens. Vgl. New York Times, 16. Mai 1927, S. 2.

[22] GW, II, 610.

e. Der Brotladen (S. 167–175)

[1] BBA, 895/60 f.

[2] BBA, 895/77 u. 82.

[3] BBA, 895/80.

[4] BBA, 895/106 f.

[5] BBA, 895/83.

[6] John MASON, "The Salvation Army", Monthly Review, X (1904), 56–81.

[7] BBA, 895/108.

[8] Bruno R. FRIEDRICH und Joh. HEIN (Hrsg.), 60 Jahre Heilsarmee. Festschrift zum 5. Juli 1925, Berlin (Verlag Heilsarmee GmbH), o. J. In dieser Schrift wird wiederholt auf »Clasens Buch« verwiesen. Hierbei handelt es sich um P. A. CLASEN, Der Salutismus. Eine sozialwissenschaftliche Monographie über General Booth und seine Heilsarmee, Jena (Diederichs) 1913. Ob Brecht dieses Buch kannte, läßt sich nicht nachweisen.

[9] Zum Beispiel: Strahlen im Dunkeln (Heilsarmee Zeitschrift), Dezember 1929. Der junge Soldat (Heilsarmee Wochenschrift), 14. Dezember 1929. Der Kriegsruf (Heilsarmee Wochenschrift), 14. Dezember 1929. Die Heilsarmee. Die Arbeit der Heilsarmee in Deutschland (Flugschrift). Auf der Rückseite befindet sich eine Jahresstatistik für 1928. Unter den Materialien befindet sich ebenso eine Schrift mit dem Titel „Aufklärung über die Heilsarmee",

worin in sieben Kapiteln über Gründung, Lehren, Methoden, die Gottesdienste, den Kampf gegen die Trunksucht, die Organisation und die Finanzen der Bewegung von offizieller Seite referiert wird.

[10] BBA, 897/20 und 34. Die Ausführungen bezogen sich auf das Winterhilfsprogramm der Sekte in Leipzig.

[11] Die Rote Fahne, 6. November 1929. Schlagzeile: „Eine Milliarde Mietsteigerung. – 350 000 Wohnungen fehlen in Berlin". 8. November 1929: „Zehnköpfige Familie zum zweiten Male exmittiert".

[12] BBA, 163/1.

[13] BBA, 1353/2.

[14] BBA, 1353/5.

[15] BBA, 1354/38.

[16] BBA, 1353/24.

[17] BRECHT, Der Brotladen. Stückfragment, Hrsg. M. Karge, M. Langhoff, Frankfurt/M. 1969, S. 33.

[18] John MASON, a.a.O., S. 60.

[19] BBA, 1353/64.

[20] BBA, 1352/19. Siehe auch: Der Brotladen. Stückfragment, S. 50.

[21] BBA, 1353/64.

[22] BBA, 1355/92.

[23] Der Brotladen. Stückfragment, S. 137.

[24] BBA, 1353/21.

[25] BBA, 1353/7.

[26] BBA, 1354/38.

[27] BBA, 1353/2.

[28] Der Brotladen. Stückfragment, S. 138.

[29] Jack LONDON, The Iron Heel, New York 1924.

–, Die eiserne Ferse. Ein sozialer Roman. Zum ersten Mal ins Deutsche übertragen von Fritz Born. Konstanz 1922.

–, Die eiserne Ferse, übersetzt von E. Magnus, Berlin 1927.

[30] Franz JUNG, Der Weg nach unten. Aufzeichnungen aus einer großen Zeit, Berlin-Spandau 1961, S. 352.

[31] Der Brotladen. Stückfragment, S. 61 f. Unterstreichung von mir. In seinem Journal vermerkt Brecht später in Finnland, daß ein Sieg Hitlers das Zeitalter der „eisernen Ferse" einleiten würde. (BBA, 277/71; 13. 4. 1941).

f. Die Gedichte und „Die Heilige Johanna der Schlachthöfe" (S. 175–190)

[1] Der Brotladen. Stückfragment, S. 16.

[2] GW, VIII, 330.

[3] GW, VIII, 286.

[4] GW, VIII, 287.

[5] GW, XV, 131 f.

[6] GW, XV, 94.

[7] Klaus SCHUHMANN, a.a.O., S. 224. Iring FETSCHER „Bertolt Brecht and America", Salmagundi, 10/11 (1969/70), S. 250.

[8] SCHUHMANN, a.a.O., S. 225.

[9] GW, VIII, 284.

[10] GW, VIII, 287.

[11] Ebenda.

[12] GW, VIII, 285.

[13] GW, VIII, 334.

[14] GW, VIII, 332.

[15] GW, IX, 475–483.

[16] Man vergleiche die Zeichnungen Caspar Nehers zu Lion Feuchtwangers PEP. J. L. Wetcheeks amerikanisches Liederbuch, Potsdam 1928, sowie zu *Im Dickicht* und zur *Hauspostille* (Wasser-Feuer-Mensch), in denen sämtlich dieser Typ verherrlicht wird.

[17] GW, IX, 478.

[18] BBA, 214/74 f.

[19] GW, IX, 480.

[20] GW, IX, 483.

[21] Die Sammlung (Amsterdam), I (1934), S. 358.

[22] Im Frühstadium heißt Johanna Dark „Johanna Heep", Slift noch Swift und Mauler Cracker. Vgl. BBA, 117/52.

[23] Brecht kannte unter anderem die Romane *The Titan* („Trilogie der Begierde") und *An American Tragedy*, an dessen Dramatisierung Piscator gerade arbeitete, sowie das Drama *The Hand of the Potter* (»Ton in des Töpfers Hand«).

[24] GW, VIII, 373 f. Vgl. A. ERCK und K. GRÄF, „Bertolt Brechts Gedicht ,Die Nachtlager'", Weimarer Beiträge, 1967 (Heft 2), 228–245.

[25] RAMTHUN, a.a.O., Bd. 2, S. 120.

[26] GW, II, 839 f.

[27] Kurt TUCHOLSKY, Gesammelte Werke, Bd. 3, Reinbek bei Hamburg 1961, S. 311 f.
Vergleiche die beiden Refrains:
Tucholsky: Und die Arbeiter dürfen auch in den Park . . .
Gut, Das ist der Pfennig.
Aber wo ist die Mark –? (S. 311).
Brecht: Gut, das ist der Flicken.
Aber wo ist
Der ganze Rock? (GW, II, 840).

[28] BBA, 115/25.

[29] BBA, 115/27–31.

[30] BBA, 118/40.

[31] GW, XVIII, 34.

[32] Vgl. E. PISCATOR, a.a.O., Bd. 1, S. 211.

[33] Käthe RÜLICKE-WEILER, Die Dramaturgie Brechts. Theater als Mittel der Veränderung, Berlin 1968, S. 137 ff.

[34] GW, VIII, 340–363.

[35] LONDON gibt in einer sich über drei Seiten erstreckenden Anmerkung einen präzisen Überblick über die Entstehungsgeschichte von Rockefellers Standard Oil Company und National City Bank. Auch in anderer Hinsicht zeigen sich verwandte Züge, z. B. in der Beschreibung des Verhältnisses zwischen Kapital und

Kirche: "While a slaughter house was made of the nation by the capitalists, the Church was dumb" (London, a.a.O., S. 159 f. und S. 34). Ob Brecht TARBELLS Buch The History of the Standard Oil Company (New York 1904) kannte, ist fraglich.

[36] BBA, 113/3.

[37] Reinhold GRIMM, Bertolt Brecht und die Weltliteratur, Nürnberg 1961, S. 10 f.

[38] GW, II, 676.

[39] GW, II, 753.

[40] Die Rote Fahne, 15. Januar 1919. Diese Worte lieferten den Titel für die 1925 von Piscator inszenierte politische Revue über die Geschichte der Novemberrevolution.

[41] Wieland HERZFELDE, „Über Bertolt Brecht" in: Erinnerungen an Brecht (Hrsg. Hubert Witt), Leipzig 1964, S. 133.

KAPITEL IV
1933–1941. AMERIKA: MAKLER- UND VERBRECHERWESEN

a. Auf dem Weg zu „Arturo Ui" (S. 191–203)

[1] Klaus VÖLKER, Brecht-Chronik. Daten zu Leben und Werk, München 1971, S. 55.

[2] Karl MARX, Friedrich ENGELS, Werke (Hrsg. vom Institut für Marxismus-Leninismus beim ZK der SED), Bd. 26/1, S. 364.

[3] Die Ausgabe in Brechts Bibliothek: Bernard de MANDEVILLE, The Fable of the Bees, or Private Vices, Public Benefits, edited and introduced by Douglas Garman, London 1934.

[4] MANDEVILLE, a.aO., S. 33 f.

[5] Vgl. Karl MARX, Friedrich ENGELS, Werke, Bd. 2, Berlin 1959, S. 138 f. (Kapitel VI in „Die heilige Familie").

[6] GW, VII, 2860.

[7] Hellmuth KOTSCHENREUTHER, Kurt Weill, Wunsiedel 1962, S. 72.

[8] GW, VIII, 144 f.

[9] GW, XVIII, 227.

[10] GW, XVIII, 238.

[11] GW, XVIII, 244.

[12] Ebenda.

[13] GW, XIV, 916.

[14] MYERS, a.a.O., Bd. 1, S. 281–288.

[15] GW, XIII, 773.

[16] GW, XI, 210.

[17] MYERS, a.a.O., Bd. 2, S. 535 f.

[18] GW, XIII, 766.

[19] GW, XIII, 910.

[20] GW, XIII, 999.

[21] GW, XIII, 1100.

[22] Vgl. GW, XVII, 1076–1080; Werner HECHT, Materialien zu Brechts ‚Die Mutter', Frankfurt/M. 1969, S. 63 ff. und S. 89 ff.; Hans Joachim BUNGE, Hanns Eisler, Fragen Sie mehr über Brecht, München 1970, S. 231 f.; Klaus VÖLKER, a.a.O., S. 65.

23 BBA, 469/1–130. Systematische Aufstellung des identifizierbaren Materials:
New Yorker Staats-Zeitung und Herold: 3. Sept. 1935, 27. Okt. 1935 (Sonntagsblatt).
New York Daily News: 21. Okt. 1935, 26. Okt. 1935, 28. Okt. 1935, 7. Nov. 1935.
New York Post: 1. Nov. 1935, 4. Nov. 1935, 8. Nov. 1935, 27. Nov. 1935.
New York World Telegram: 23. Okt. 1935, 24. Okt. 1935, 13. Nov. 1935.
24 GW, XIX, 416; XV, 274 ff.
25 Im Jahre 1961 wurde in USA ein biographischer Film über Dutch Schultz gedreht, der die historischen Fakten sehr frei behandelte: „Portrait of a Mobster" (Hauptdarsteller: Vic Morrow und Leslie Parrish).
26 Peter WITZMANN, Antike Tradition im Werk Bertolt Brechts, Berlin 1964, S. 72 Anmerkung.
27 GW, XX, 199.
28 GW, XX, 205.
29 GW, XX, 188.
30 Ebenda.
31 Walter BENJAMIN, Versuche über Brecht, Frankfurt/M. 1966, S. 125.
32 BBA, 469/8. New York Daily News, Datum und voller Titel unleserlich. Untertitel: "This is the second article of a series dealing with New York gangdom as typified by the career of Dutch Schultz".
33 Fred D. PASLEY, Al Capone. The Biography of a Self-Made Man, London (Faber and Faber Ltd.) 1931.
34 BBA, 277/68. Eintragung vom 10. 3. 1941.
35 GW, XI, 252–263.
36 GW, XI, 262.

b. Der aufhaltsame Aufstieg des Arturo Ui (S. 203–218)

1 Klaus VÖLKER, a.a.O., S. 75.
2 BBA, 277/68.
3 BBA, 277/69.
4 Henning RISCHBIETER, Brecht, Bd. 1, („Friedrichs Dramatiker des Welttheaters" Bd. 13) Velber 1966, S. 144, Rischbieter deutet „Steff" offensichtlich als eine Abkürzung für Margarete Steffin, die jedoch auf derselben Seite des Journals als „Grete" bezeichnet wird, wenn Brecht über ihre Ratschläge betreffs der Jamben im Ui spricht. Brecht nennt seinen Sohn Stefan konsequent „Steff". Vgl. BBA, 281/33 (6. Juni 1944) als sein Sohn das Universitätsstudium in den Staaten begann.
5 BBA, 277/61. Harold Ordway RUGG, Changing Governments and Changing Cultures. The World's March Toward Democracy. Boston, New York (Ginn & Co.) 1932. ("The Rugg Social Science Series", 2nd Course, vol. VI).
Friedrich WOLF, Von New York bis Shanghai. Eine politische Revue gegen den imperialistischen Krieg, Deutscher Staatsverlag 1936.
Sherwood ANDERSON, Morkt skratt (= dänische Übersetzung von Dark Laughter).
Ford Madox FORD, New York is not America. Being a Mirror to the States, New York (A. & C. Boni) 1927.

Harold Ordway Rugg, An Introduction to Problems of American Culture, Boston, New York (Ginn & Co.) 1931 ("The Rugg Social Science Series" 2nd Course, vol. V).

[6] Frederic M. Thrasher, The Gang. A Study of 1313 Gangs in Chicago, Chicago 1927.

[7] Nach schriftlicher Mitteilung Stefan Brechts las er das Buch zu jener Zeit, kann aber nicht dafür bürgen, daß es sein Vater selbst gelesen hat.

[8] Schriftliche Mitteilung Stefan Brechts, wie oben. Manfred Wojcik, Der Einfluß des Englischen auf die Sprache Bertolt Brechts, (Diss.) Humboldt-Universität Berlin, Philosophische Fakultät, 1967, S. 128 stützt sich auf mündliche Aussagen E. Hauptmanns, Brecht habe die erwähnten Bücher von Thrasher, Burnett und Pasley gekannt. Wojcik deutet auch auf einige Parallelen zwischen Ui und Capone hin.

[9] GW, XI, 1742: „Givola, heißt es, war/Schon bei Capone um Arbeit".

[10] GW, XI, 1836 f.

[11] BBA, 673/23.

[12] Vgl. Sunday Express (London), 1. Juli 1934. Schlagzeile: "Hitler Stamps Out a Mutiny Like a Gangster. Seven of His Commanders Executed. General And His Wife Shot Dead By the Same Bullet. Orgy of Ruthlessness. His Prisoners Slaughtered Without Trial".

[13] Pasley, a.a.O., S. 3, 9, 126 f., 139.

[14] Ebenda, S. 11.

[15] Die Aufnahmen sind abgedruckt in: Hans Bernd Gisevius, Adolf Hitler. Versuch einer Deutung, München 1963 (Bildbeilage). Nach dem Kriege erschienen diese Aufnahmen in den Illustrierten Westdeutschlands. Brecht legte sich eine Sammlung dieses Materials an. Darunter ist besonders bemerkenswert ein im Jahre 1950 in der Zeitschrift „Quick" erschienener Artikel: „Ein Volk, ein Reich, ein Grammophon" mit sieben Bildern der NS-Kartenserie. BBA, 1198/8 f.

[16] Adolf Hitler, Mein Kampf, München 1934, S. 781.

[17] Vgl. Hans Severus Ziegler, „Hitler bei Adolf Bartels im März 1925", in: Wer war Hitler? Beiträge zur Hitler-Forschung (Hrsg. H. S. Ziegler), Tübingen 1970, S. 166 ff.

[18] Pasley, a.a.O., S. 34.

[19] Ebenda, S. 137.

[20] Ebenda, S. 139.

[21] Ebenda, S. 60.

[22] Knapp einen Monat später mietete sich Brecht im Hotel Metropol in Moskau ein. Siehe Völker, a.a.O., S. 86.

[23] Pasley, a.a.O., S. 59. Brecht übersetzt "City Hall" konsequent mit „Stadthaus", GW, IV, 1779.

[24] Ebenda, S. 206.

[25] GW, IV, 1760 und 1767.

[26] Pasley, a.a.O., S. 49 f.

[27] GW, IV, 1809.

[28] Thrasher, a.aO., S. 478. Edward S. Sullivan behandelt in seinem Buch Rattling The Cup on Chicago Crime, New York 1929, das auch in Thrashers Bibliogra-

phie aufgeführt wurde, praktisch dieselben Aspekte der Unterwelt wie Pasley. Einzelne Kapitel werden Capone, "Dion O'Banion and the Flower Shop" (S. 8–28), Bill Thompson, dem St. Valentins Massaker und der Korruption der Gerichte (S. 166–74) gewidmet. Stefan Brecht kann sich nicht daran erinnern, das Buch gelesen zu haben. Die Chance, daß sein Vater es kannte, den er ja beraten hatte, ist damit gering.

[29] GW, IV, 1801.

[30] PASLEY, a.a.O., S. 173.

[31] Ebenda.

[32] GW, IV, 1757.

[33] PASLEY, a.a.O., S. 59.

[34] Ebenda, S. 113, 217, 227. Bei den Mordfällen Weiss, Uale und dem St. Valentins Massaker.

[35] GW, IV, 1739. Nach der „Friedenskonferenz" von 1926 fand zwischen dem 21. Okt. und 30. Dez. 1926 kein Bandenkrieg in Chicago statt. PASLEY, S. 129.

[36] BBA, 277/69, Eintragung vom 1. 4. 1941.

[37] Manfred WEKWERTH, Notate. Über die Arbeit des Berliner Ensembles 1956 bis 1966, Frankfurt/M. 1967, S. 38.

[38] BBA, 277/69 (2. 4.1941), Vgl. auch GW, IV, 4 sowie Brechts Kommentar in „Über reimlose Lyrik mit unregelmäßigen Rhythmen": „Die akustische Umwelt hat sich außerordentlich verändert ... Ein amerikanischer Unterhaltungsfilm zeigt in einer Szene, wo der Tänzer Astaire zu den Geräuschen einer Maschinenhalle steppte, die verblüffende Verwandtschaft zwischen den neuen Geräuschen und dem Jazz mit seinem Stepprhythmus." (GW, XIX, 402).

[39] GW, IX, 670 f.

[40] Michael MORLEY, „The Source of Brecht's ‚Abbau des Schiffes Oskawa durch die Mannschaft'", Oxford German Studies, 2 (1967), 149–162.

Louis ADAMIC, Dynamite. The Story of Class Violence in America, Revised Edition, New York (Viking Press) 1934.

[41] ADAMIC, a.a.O., S. 354.

[42] Ebenda, S. 357 ff.

[43] Ebenda, S. 348 f.

[44] Ebenda, S. 456.

[45] Ebenda, S. 386–389.

[46] GW, XI, 142.

[47] GW, IX, 675.

[48] Yuzo YAMAMOTO, "The Story of Chink Okichi", S. 83–247 in: Y. Yamamoto, Three Plays, trsl. from the Japanese by Glenn W. Shaw, Tokyo (The Hokuseido Press) 1935. Identischer Nachdruck: 1957. Eintragung vom 25. 9. 1940. BBA, 277/45.

[49] Ebenda.

[50] BBA, 159/45.

[51] BBA, 277/45.

[52] Siehe auch den Entwurf für einen Film gleichen Titels, TF, II, S. 647.

[53] Herausgeber des *American Mercury* war Michael Gold, von dem wiederholt Aufsätze und Erzählungen im *Querschnitt* erschienen waren. Brecht selbst besaß

ein Exemplar von Golds Stück *Das Lied von Hoboken* (Ein Drama aus dem Negerleben, Volksbühnen Verlag, Berlin 1929), das in der Bearbeitung von Günter Weisenborn am 31. März 1930 in der Volksbühne Premiere hatte.

[54] BBA, 518/6.

[55] BBA, 518/10.

[56] BBA 518/12.

[57] BBA, 518/26.

[58] GW, XIV, 1447.

[59] Ebenda, 1449.

[60] GW, XVII, 1177 f.

[61] BBA, 277/69. Datum: 28. 3. 1941.

[62] Vgl. VÖLKER, a.a.O., S. 85 f.

[63] M. WEKWERTH, a.a.O., S. 38.

[64] Reinhold GRIMM und Henry J. SCHMIDT, "Bertolt Brecht and 'Hangmen Also Die'", Monatshefte, LXI (1969), No. 3, 232–240. Eintragungen in Brechts Journal vom 20. und 27. 7. 1942. BBA, 280/23.

KAPITEL V
1941–1956
BRECHTS PERSÖNLICHE EINSTELLUNG ZU AMERIKA

a. Im amerikanischen Exil (S. 219–238)

[1] BBA, 278/3. (9. 8. 1941).

[2] BBA, 278/5. (1. 8. 1941).

[3] BBA, 279/7. (21. 1. 1942).

[4] GW, X, 830.

[5] GW, XX, 294.

[6] Iring FETSCHER, "Bertolt Brecht and America", Salmagundi, No. 10–11 (1969/70), S. 266.

[7] GW, X, 831.

[8] BBA, 282/14 (Dezember 1944).

[9] BBA, 280/18 (18. 6. 1942).

[10] Carl ZUCKMAYER, „Amerika ist anders", Der Monat, Sonderheft 34 (1952). Zitiert nach: Ian C. Loram und Leland R. Phelps (Hrsg.), aus unserer zeit. dichter des zwanzigsten jahrhunderts, New York 1965, S. 322 f.

[11] GW, XX, 295–296.

[12] TF, II, 401–405.

[13] BBA, 278/7 (4. 10. 1941).

[14] GW, XX, 295.

[15] BBA, 278/24 (30. 3. 1942).

[16] GW, XX, 297.

[17] GW, XX, 298.

[18] BBA, 279/21 (23. 3. 1942).

[19] Ebenda.

[20] BBA, 280/1 (5. 4. 1942).

[21] BBA, 278/15 (14. 11. 1941).

[22] BBA, 279/7 (21. 1. 1942).

[23] GW, XX, 305.

[24] GW, XIV, 1464 f.

[25] BBA, 278/11 (27. 10. 1941).

[26] GW, XX, 296.

[27] GW, XX, 299 und BBA, 279/7 (21. 1. 1942).

[28] GW, X, 1042 (Nr. 41).

[29] BBA, 2096/272.

[30] BBA, 2101/82.

[31] GW, XIX, 490 f.

[32] BBA, 280/22 (12. 7. 1942).

[33] BBA, 279/9 (7. 2. 1942).

[34] BBA, 279/15 (26. 2. 1942).

[35] GW, X, 859 f.

[36] GW, V, 2038.

[37] BBA, 2101/79.

[38] BBA, 365/8–9 und BBA, 400/70. Das Gedicht sollte ein Lob auf Ella Reeve Bloor (1862–1951) werden, die in der amerikanischen Gewerkschaftsbewegung und der KP Amerikas durch ihre unermüdliche Tatkraft berühmt wurde und von den Arbeitern den Namen „Mother Bloor" erhielt. Sie hatte Lenin, Liebknecht und Clara Zetkin persönlich gekannt, arbeitete mit Upton Sinclair in den Schlachthöfen Chicagos für bessere Lebensmittelkontrollen, organisierte Massenversammlungen zur Verteidigung Saccos und Vanzettis und organisierte fast alle wichtigen Streiks zwischen 1929 und 1933 in Amerika. Siehe: Ella Reeve BLOOR, We are Many. An Autobiography by Ella Reeve Bloor, New York 1940.

[39] BBA, 2101/78.

[40] BBA, 279/11 (18. 2. 1942).

[41] Näheres in Hans BUNGE, Fragen Sie mehr über Brecht. Hanns Eisler im Gespräch, München 1970, S. 186 f.

[42] BBA, 280/14 (31. 5. 1942).

[43] Ebenda.

[44] BBA, 282/18 (25. 7. 1945).

[45] BBA, 280/23 (27. 7. 1942).

[46] GW, X, 852.

[47] Vgl. das Gedicht „Tagesanbruch", GW, X, 868.

[48] GW, XII, 674 f.

[49] GW, XV, 494.

[50] BBA, 278/18 (2. 12. 1941).

[51] BBA, 280/26 (20. 8. 1942).

[52] BBA, 278/11 (27. 10. 1941).

[53] BBA, 280/23 (27. 7. 1942).

[54] BBA, 280/14 (30. 5. 1942).

[55] BBA, 280/32 (22. 10. 1942).

[56] In einem Gespräch geäußerte Ideen Brechts zu einem neuen Film wurden von jemand anders für 35 000 $ an ein Studio verkauft. BBA, 280/2 (11. 4. 1942). Siehe hierzu das Gedicht „Die Schande", GW, X, 858.

[57] BBA, 281/6 (20. 1. 1943).

[58] TF, II, 353–355.

[59] BBA, 282/21 (2. 4. 1945).

[60] TF, II, 476.

[61] BBA, 281/19 (5. 9. 1943).

[62] BBA, 282/11 (17. 11. 1944).

[63] Für das vollständige Protokoll des Verhörs siehe: U.S. Congress, House, Hearings Regarding the Communist Infiltration of the Motion Picture Industry. Hearings Before the Committee on Un-American Activities, House of Representatives, Eightieth Congress, First Session, Public Law 601 [Section 121, Subsection Q (2)], Oct. 20–24, 27–30, 1947, Washington, D.C. 1947, S. 491–504.

Ein etwas gekürzter Abdruck ist im Beiheft zur Schallplatte „Bertolt Brecht Before the Committee on Un-American Activities. An Historic Encounter", Folkways Records Album FD 5531, New York 1963.

Auszüge des Verhörs ebenso in: Peter DEMETZ (Hrsg.), Brecht. A Collection of Critical Essays, Englewood Cliffs, N. J. 1965, S. 30–42. Vgl. auch das Kapitel „Brechts Verhör durch den Kongreßausschuß", in: Ernst SCHUMACHER, Drama und Geschichte. Bertolt Brechts ,Leben des Galilei' und andere Stücke, Berlin 1968, S. 207–218.

[64] BBA, 282/40 (30. 10. 1947).

[65] GW, XII, 565 f.

[66] Vgl. Hans BUNGE, a.a.O., S. 234, wo Brecht zitiert wird: „... ich halte es ohne Whisky in New York nicht aus".

[67] GW, X, 942.

[68] Sinn und Form, 2. Brecht Sonderheft 1957, S. 123. (BBA, 1196/44).

b. In Ostberlin (S. 238–242)

[1] BBA, 279/19 (18. 3. 1942).

[2] GW, XX, 303–306.

[3] R. GRIMM, Bertolt Brecht, Stuttgart 1971, S. 106.

[4] TF, II, 653. Ebenso Jack LONDON, "The Mexican", in: The Great Adventure Stories of Jack London, New York 1967, S. 224–248.

[5] TF, II, 653.

[6] Daß die *Gesammelten Werke* von ähnlichen Lesefehlern nicht frei sind, beweist u. a. die Anmerkung zu S. 859 („Anrede an den Kongreß für unamerikanische Betätigung") des Textes: GW, XX, 25*, wo „Comitee" statt „Committee" und „encomiter" statt „encounter" stehen.

[7] Vgl. Richard O. BOYER and Herbert M. MORAIS, Labor's Untold Story, New York 1965, S. 50 Fußnote und S. 68 f.

[8] GW, X, 1024–1026.

[9] BBA, 74/16, 47, 48 und 52.

[10] BBA, 10/71 (um 1947).

[11] GW, XX, 339.

[12] Bernhard REICH, „Erinnerungen an Brecht", Beilage zu: Theater der Zeit, XXI (1966), Nr. 14, S. 18.

[13] Ernst SCHUMACHER, Drama und Geschichte, S. 318–328, liefert eine ausführ-

liche Beschreibung des gesammelten Materials und zitiert fast alle Entwürfe im Wortlaut.

14 BBA, 938/1.

15 BBA, 1206/13.

16 BBA, 1206/1.

17 BBA, 1206/4.

18 BBA, 238/62 und 1080/26. Vgl. auch die korrigierte deutsche Fassung des Liedes „Joe Hill" in BBA, 913/22. Man beachte auch die beiden Titel von Barrie Stavis in Brechts Privatbibliothek im Anhang zu dieser Arbeit. Am 29. September 1970 fand in Ostberlin im Rahmen der „XIV. Berliner Festtage des Theaters und der Musik" die Uraufführung der Oper „Joe Hill" (Musik: Alan Bush, Text: Barris Stavis) statt.

19 Für eine Liste von Brechts Büchern über Einstein und Atomwaffen im allgemeinen siehe E. SCHUMACHER, a.a.O., S. 449 f. und 475. Für sämtliche Titel, die Brecht in seiner „Schlafzimmerbibliothek" hatte, siehe: Reinhold GRIMM, „Zwei Brecht-Miszellen", Germanisch-Romanische Monatsschrift, IX (1960), 448–453.

20 GW, XX, 338.

21 GW, XIX, 502.

22 Ebenda.

LITERATURVERZEICHNIS

ABER, Adolf, „Bert Brecht und Kurt Weill: Aufstieg und Fall der Stadt Mahagonny, Uraufführung in Leipzig", Die Musik, XXII/7 (April 1930), 521–522.

ADAMIC, Louis, Dynamite. The Story of Class Violence in America, Revised Edition, New York (The Viking Press) 1934.

ADAMS, Charles F. jr. and Henry, Chapters of Erie and Other Essays, New York 1871 (Nachdruck: New York 1967).

ADORNO (= Wiesengrund), Theodor W., „Mahagonny", in: Moments musicaux, Frankfurt/M. 1964, S. 131–140.

ANDERS, Günther, Bert Brecht. Gespräche und Erinnerungen, Zürich 1962.

–, „Brecht-Porträt. Tagebuch-Aufzeichnungen Santa Monika 1942/43", Merkur, XI (1957), 838–847.

ANDERSON, Sherwood, Poor White, New York o. J., (Deutsche Erstausgabe: Der arme Weiße, Leipzig 1925).

ANONYM, Berlin. Kurzgefaßt, Berlin 1967.

ARENDT, Hannah, Benjamin, Brecht. Zwei Essays, München 1971.

ARNHEIM, Rudolf, „Die Heilsarmee", Die Weltbühne, 6. Juli 1926, S. 29–30.

AUFRICHT, Ernst Josef, Erzähle, damit du dein Recht erweist, München 1969.

BAHR, Gisela E., Im Dickicht der Städte: Ein Beitrag zur Bestimmung von Bertolt Brechts dramatischem Frühstil, Ph. D. Thesis (Masch.), New York University 1966.

BARESEL, Alfred, „Von Bayreuth nach Mahagonny", Der Auftakt (Moderne Musikblätter Prag), X (1930) Heft 3, S. 87–89.

BASLER, Otto, „Amerikanismus. Geschichte des Schlagwortes", Deutsche Rundschau, LVI (1930) 142–146.

BAXANDALL, Lee, „Brecht in America, 1935". Tulane Drama Review, 12/1 (1967), 69–87.

BENJAMIN, Walter, Briefe, 2 Bde., hrsg. und mit Anmerkungen versehen von Gershom Scholem u. Theodor Adorno, Frankfurt/M. 1966.

–, Versuche über Brecht, Frankfurt/M. 1966.

BENN, Gottfried, Gesammelte Werke, 4 Bde., hrsg. von D. Wellershoff, Wiesbaden 1958–63.

BENTLEY, Eric, „Introduction" in: Seven Plays by Bertolt Brecht, Edited and with an Introduction by Eric Bentley, New York 1961, S. ix-li.

BLOOR, Ella Reeve, We are Many. An Autobiography by Ella Reeve Bloor, New York (International Publishers) 1940.

BOTKIN, Benjamin Albert, A Treasury of American Folklore. Stories, Ballads, and Traditions of the People. With a Foreword by Carl Sandburg, New York 1944.

BRANDT, Thomas A., „Bertolt Brecht und sein Amerikabild", Universitas (Stuttgart), XXI (1966), 719–734.

–, Die Vieldeutigkeit Bertolt Brechts, Heidelberg 1968.

BRECHT, Bertolt, Baal. Der böse Baal der asoziale, kritisch ediert und kommentiert von Dieter Schmidt, Frankfurt/M. 1968.

–, Baal. Drei Fassungen, kritisch ediert und kommentiert von Dieter Schmidt, Frankfurt/M. 1967.

–, Bert Brechts Hauspostille, Berlin 1927.

–, Der Brotladen. Stückfragment. Die Bühnenfassung und Texte aus dem Fragment, (Hrsg.) Manfred Karge und Matthias Langhoff, Frankfurt/M. 1969.

Gedichte, 9 Bde., Frankfurt/M. 1960–65.

–, Gesammelte Werke in 20 Bänden, Frankfurt/M. 1967.

–, Im Dickicht der Städte, Berlin 1927.

–, Im Dickicht der Städte. Erstfassung und Materialien, ediert und kommentiert von Gisela E. Bahr, Frankfurt/M. 1968.

–, und WEILL, Kurt, Mahagonny Songspiel. Das kleine Mahagonny. Urfassung 1927, Wiederhergestellt und hrsg. von David Drew, Klavierauszug, Wien 1963.

–, Materialien zu Bertholt Brechts ‚Die Mutter‘, zusammengestellt und redigiert von Werner Hecht, Frankfurt/M. 1969.

–, „Sulivan Slift zeigt Johanna Dark die Schlechtigkeit der Armen“, Der Querschnitt, XI, Heft 12 (Dez. 1931), 802–806.

–, Texte für Filme, 2 Bde., Frankfurt/M. 1969.

–, „Verschollener Ruhm der Riesenstadt Newyork“, Die Sammlung (Amsterdam), I (1934), 355–360.

–, Versuche, 15 Hefte, Frankfurt/M. 1957–59.

BREUER, Robert, „Amerikanische Bauten“, Die Weltbühne, 9. Feb. 1926, S. 214–218.

BRONNEN, Arnolt, Arnolt Bronnen gibt zu Protokoll. Beiträge zur Geschichte des modernen Schriftstellers, Hamburg 1954.

–, Tage mit Bertolt Brecht. Die Geschichte einer unvollendeten Freundschaft, Wien, München, Basel 1960.

BÜCHNER, Georg, Sämtliche Werke und Briefe, Historisch-kritische Ausgabe mit Kommentar, hrsg. von Werner R. Lehmann, Bd. 1 und 2, Hamburg 1967 f.

BUNGE, Hans (Joachim), Fragen Sie mehr über Brecht. Hanns Eisler im Gespräch, Nachwort von Stefan Hermlin, München 1970.

BURNETT, William Riley, Little Caesar, New York 1929.

BUSHNELL, Sarah T., The Truth about Henry Ford, Chicago 1922.

CLASEN, P. A., Der Salutismus. Eine sozialwissenschaftliche Monographie über General Booth und seine Heilsarmee, Jena (Diederichs) 1913.

DAGGETT, Stewart, Railroad Reorganization, Boston, New York 1908.

DAHLKE, Hans, Cäsar bei Brecht. Eine vergleichende Betrachtung, Berlin und Weimar 1968.

DEMETZ, Peter (Hrsg.), Brecht. A Collection of Critical Essays, Englewood Cliffs, N. J. 1965.

Die Rote Fahne, Zentralorgan der Kommunistischen Partei Deutschlands, Berlin, Jahrgänge I–XVI (1918–1933).

DREISER, Theodore, Sister Carrie, New York 1932.

Drew, David, "The History of Mahagonny", The Musical Times, CIV (1963), 18–24.

Ekmann, Bjørn, Gesellschaft und Gewissen. Die sozialen und moralischen Anschauungen Bertolt Brechts und ihre Bedeutung für seine Dichtung, Kopenhagen 1969.

Erck, A. und K. Gräf, „Bertolt Brechts Gedicht ‚Die Nachtlager': Versuch einer Interpretation", Weimarer Beiträge, Heft 2, 1967, 228–245.

Esslin, Martin, Brecht. Das Paradox des politischen Dichters, München 1970.

Ewen, Frederic, Bertolt Brecht. His Life, His Art and His Times, New York 1967.

Fassmann, Kurt, Brecht. Eine Bildbiographie, München 1958.

Fetscher, Iring, "Bertolt Brecht and America", Salmagundi, No. 10–11 (1969–70), S. 246–272.

Feuchtwanger, Lion, Drei angelsächsische Stücke, (Die Petroleuminseln; Kalkutta, 4. Mai; Wird Hill amnestiert?), Berlin 1927.

–, PEP, J. L. Wetcheeks amerikanisches Liederbuch, Potsdam 1928.

Fiebach, Joachim, „Die Herausbildung von E. Piscators ‚politischem Theater' 1924/25", Weimarer Beiträge, Heft 2, 1967, 179–227.

Ford, Henry, My Philosophy of Industry, New York 1929.

–, Mein Leben und Werk, Unter Mitwirkung von Samuel Crowthier, Leipzig (Paul List) 1923.

Ford, Madox Ford, New York is not America, Being a Mirror to the States, New York (A. & C. Boni) 1927.

Friedrich, Bruno R. und Hein, Joh. (Hrsg.), 60 Jahre Heilsarmee. Festschrift zum 5. Juli 1925, Berlin (Verlag Heilsarmee GmbH) o. J.

Gisevius, Hans Bernd, Adolf Hitler. Versuch einer Deutung, München 1963.

Glauert, Barbara Margarete, Brechts Amerikabild in drei seiner Dramen, M. A. Thesis (Masch.) University of Colorado 1961.

Goldbeck, Eduard, „Das Lächeln des Amerikaners", Die Weltbühne, 14. Sept. 1926, S. 403–405.

Grimm, Reinhold, Bertolt Brecht, Stuttgart 1971.

–, „Bertolt Brecht" in: Benno von Wiese (Hrsg.), Deutsche Dichter der Moderne, Berlin 1965, S. 500–524.

–, "Bertolt Brecht and 'Hangmen Also Die'", Monatshefte, LXI (1969), 232–240.

–, Bertolt Brecht. Die Struktur seines Werkes, Nürnberg 1962.

–, Bertolt Brecht und die Weltliteratur, Nürnberg 1961.

–, „Brechts Anfänge", in: Paulsen, Wolfgang (Hrsg.), Aspekte des Expressionismus, (Poesie und Wissenschaft, Bd. VIII), Heidelberg 1968, S. 133–152.

–, „Brechts dramatisches Schaffen" in: W. Jäggi (Hrsg.), Das Ärgernis Brecht, Basel, Stuttgart 1961, S. 126–131.

–, „Marxistische Emblematik. Zu Bertolt Brechts ‚Kriegfibel'", in: Renate von Heydebrand u. Klaus Günther Just (Hrsg.), Wissenschaft als Dialog. Studien zur Literatur und Kunst seit der Jahrhundertwende, Stuttgart 1969, S. 351–379.

–, Struktuuen. Essays zur deutschen Literatur, Göttingen 1963.

–, „Zwei Brecht-Miszellen", Germanisch-Romanische Monatsschrift, IX (1960), 448–453.

Grossmann, Rudolf, „Bei Coué", Der Querschnitt, Heft 5, 1926, S. 348–350.

Grosz, George, Ein kleines Ja und ein großes Nein, Hamburg 1955.

GUÉRIN, Daniel, Die amerikanische Arbeiterbewegung 1867–1967, Frankfurt/M. 1970.

HAMSUN, Knut, Abenteuer. Ausgewählte Erzählungen, München (A. Langen) 1914.

HARRER, Jürgen, „Die amerikanischen Kapitale im Werk Bertolt Brechts", Neue Kritik (Frankfurt), VI, Heft 32 (Okt. 1965), 42–45.

HARRIS, Frank, Frank Harris. His Life and Adventures. An Autobiography, London 1952.

HARTE, Bret, Kalifornische Erzählungen, 3 Bde., Leipzig (Reclam) o. J.

HAUPTMANN, Elisabeth, „Notizen über Brechts Arbeit 1926", Sinn und Form, Zweites Sonderheft Bertolt Brecht 1957, 241–243.

HAY, Gerhard, „Bertolt Brechts und Ernst Hardts gemeinsame Rundfunkarbeit", Jahrbuch der deutschen Schillergesellschaft, XII (1968), 112–131.

HEARTFIELD, John, John Heartfield. 1891–1968. photomontages. London (Arts Council of Great Britain) 1969.

HECHT, Werner, Aufsätze über Brecht, Berlin 1970.

–, Bunge, H. J., Rülicke-Weiler, K., Bertolt Brecht. Sein Leben und Werk, Berlin 1969 (= Schriftsteller der Gegenwart, Deutsche Reihe, Nr. 10).

–, (Hrsg.) Brecht-Dialog 1968. Politik auf dem Theater. Dokumentation 9.–16. Feb. 1968, München 1969.

–, Brechts Weg zum epischen Theater. Beiträge zur Entwicklung des epischen Theaters, 1918–33, Berlin 1962.

–, und Unseld, Siegfried (Hrsg.), Helene Weigel zu ehren, Frankfurt/M. 1970.

HEIDSIECK, Arnold, Das Groteske und das Absurde im modernen Drama, Stuttgart 1969 (= Sprache und Literatur Bd. 53).

HEINIG, Kurt, „Das amerikanische Tempo", Die Weltbühne, 18. Mai 1926, S. 782–784.

–, „Das fließende Band", Die Weltbühne, 19. Jan. 1926, S. 108–111.

–, „Der Autoismus", Die Weltbühne, 12. Jan. 1926, S. 72–74.

–, „Deutscher Amerikanismus", Die Weltbühne, 28. Dez. 1926, S. 1010–1012.

HENDERSON, Robert M., D. W. Griffith. The Years at Biograph, New York 1970.

HENNENBERG, Fritz, Dessau – Brecht. Musikalische Arbeiten, Berlin 1963.

HERZFELDE, Wieland (Hrsg.), Der Malik-Verlag 1916–1947. Ausstellungskatalog der Deutschen Akademie der Künste zu [Ost-]Berlin, Berlin und Weimar o. J.

–, John Heartfield, Leben und Werk, Dresden (Verlag der Kunst) 1962.

–, „Über Bertolt Brecht. 1956", in: Erinnerungen an Brecht, Leipzig 1964, S. 129–138.

[HEUSS, Alfred], „Aufstieg und Fall der Stadt Mahagonny. Uraufführung in Leipzig", Zeitschrift für Musik, April 1930, S. 292.

–, „Wird es endlich dämmern?", Zeitschrift für Musik, Mai 1930, S. 392–395.

HINCK, Walter, Die Dramaturgie des späten Brecht, Göttingen 1966.

HITLER, Adolf, Mein Kampf, München 1934.

HULTBERG, Helge, Die ästhetischen Anschauungen Bertolt Brechts, Kopenhagen 1962.

JACOBSEN, Hans Hendrik, „Bert Brecht in Dänemark 1933–1939", Orbis Litterarum, XV (1960), 247–49.

JACOBSOHN, Siegfried, „Die Sündflut", Die Weltbühne, 14. April 1925, S. 554–555.

JACOBSON, Anna, "Walt Whitman in Germany since 1914", Germanic Review, I (1926), 132–141.

JÄGER, Walther, „Radio Querschnitt", Der Querschnitt, VIII (1928), S. 491.

JAHNN, Hans Henny, „Vom armen B. B.", Sinn und Form, Zweites Sonderheft Bertolt Brecht 1957, 424–429.

JENSEN, Johannes Vilhelm, Das Rad, Berlin 1908.

JHERING, Herbert, Von Reinhardt bis Brecht. Vier Jahrzehnte Theater und Film, 3 Bde., Berlin 1961.

JUNG, Franz, Der Weg nach unten. Aufzeichnungen aus einer großen Zeit, Berlin-Spandau 1961.

KAISER, Georg, Von morgens bis mitternachts, Stuttgart 1965.

KAPLAN, Charles, "Noris' Use of Sources in The Pit", American Literature, XXV. (1953), 75–84.

KESTING, Marianne, Bertolt Brecht in Selbstzeugnissen und Bilddokumenten, Reinbek bei Hamburg 1959.

KIPLING, Rudyard, Rudyard Kipling's Verse. Inclusive Edition. 1885–1918, Toronto o. J.

–, »Moti Guj – Mutineer« in: Kipling, Life's Handicap, Being Stories of Mine Own People, London 1913, S. 355–364.

KLOTZ, Volker, „In die Städte kam ich zur Zeit der Unordnung . . . Die industrialisierte Gesellschaft im Werk Bert Brechts", Vir, I (1957), Heft 4, 101–106.

–, Bertolt Brecht. Versuch über das Werk, Darmstadt 1962.

KORTNER, Fritz, Aller Tage Abend, München 1959.

KOTSCHENREUTHER, Hellmut, Kurt Weill, Berlin, Wunsiedel 1962.

LAW-ROBERTSON, Harry, Walt Whitman in Deutschland, Gießen 1935.

LENJA, Lotte, „Lotte Lenya Remembers Mahagonny" in Beilage zur Plattenaufnahme der Columbia Records K 3 L 243: Weill, K., Rise and Fall of the City of Mahagonny.

LINDBERGH, Charles A., We, New York 1927. (Deutsche Erstausgabe: Wir zwei. Im Flugzeug über den Atlantik, Leipzig (F. A. Brockhaus) 1921).

LONDON, Jack, Die eiserne Ferse. Ein sozialer Roman, Zum ersten Mal ins Deutsche übertragen von Fritz Born, Konstanz 1922.

–, Die eiserne Ferse, übersetzt von E. Magnus, Berlin 1927.

–, The Iron Heel, New York 1924.

–, „The Mexican" in: The Great Adventure Stories of Jack London, New York 1967, S. 224–248.

LÜDDECKE, Theodor, „Amerikanismus als Schlagwort und als Tatsache", Deutsche Rundschau, LVI (1930), 214–221.

LYON, James K., "Brecht's Use of Kipling's Intellectual Property: A New Source of Borrowing", Monatshefte, 61 (1969), 376–386.

–, „The Source of Brecht's Poem ‚Vorbildliche Bekehrung eines Branntweinhändlers'", Modern Language Notes, 84 (1969), 802–806.

MANDEVILLE, Bernhard de, The Fable of the Bees, or Private Vices, Public Benefits, edited and introduced by Douglas Garman, London 1934.

MANTLE, B. and SHERWOOD, G. P. (Hrsg.), The Best Plays of 1899–1909, New York 1910.

MARQUIS, Samuel Simpson, Henry Ford. An Interpretation, Toronto 1923.

MARX, Karl und ENGELS, Friedrich, Werke, Hrsg. vom Institut für Marxismus-Leninismus beim ZK der SED, 36 Bde., Berlin 1957 f.

MASON, John, "The Salvation Army", Monthly Review (Toronto, London), XVII (November 1904), 56–81.

MAYER, Hans, Brecht in der Geschichte. Drei Versuche, Frankfurt/M. 1971.

MEHRING, Walter, Die Gedichte, Lieder und Chansons des Walter Mehring, Berlin 1929.

MENDELSOHN, Erich, Amerika (bilderbuch eines architekten). Mit 100 meist eigenen aufnahmen des verfassers, Berlin 1928.

MENNEMEIER, Franz Norbert, „Bertolt Brecht als Elegiker", Deutschunterricht, XXIII (Februar 1971), 59–73.

MITTENZWEI, Werner, Bertolt Brecht. Von der ‚Maßnahme' zu ‚Leben des Galilei', Berlin und Weimar 1962.

MOODY, John, The Railroad Builders. A Chronicle of the Welding of the States, New Haven, Toronto, London, Oxford 1919 (= "The Chronicles of America Series", Bd. 38).

MORLEY, Michael, „The Source of Brecht's ‚Abbau des Schiffes Oskawa durch die Mannschaft'", Oxford German Studies, II (1967), 149–162.

MORUS (= Richard Lewinsohn), Wie sie groß und reich wurden. Lebensbilder erfolgreicher Männer, Berlin 1927.

MOTT, Edward Harald, Between the Ocean and the Lake. The Story of Erie, New York 1901.

MÜLLER, Klaus-Detlef, Die Funktion der Geschichte im Werk Bertolt Brechts. Studien zum Verhältnis von Marxismus und Ästhetik, Tübingen 1967.

MÜNSTERER, Hans-Otto, Bert Brecht. Erinnerungen aus den Jahren 1917–1922. Mit Photos, Briefen und Faksimiles, Zürich 1963.

MYERS, Gustavus, Geschichte der großen amerikanischen Vermögen, 2 Bde., Berlin 1923.

NIESSEN, Carl, Brecht auf der Bühne, Köln 1959.

NORRIS, Frank, The Octopus. A Story of California, New York 1969. (Deutsche Erstausgabe: „Das Epos des Weizens", 1. Teil, Der Oktopus. Eine Geschichte aus Kalifornien, Stuttgart (Deutsche Verlagsanstalt) 1907).

–, The Pit. A Story of Chicago, New York 1903. (Deutsche Erstausgabe: „Das Epos des Weizens", 2. Teil, Die Getreidebörse. Eine Geschichte aus Chikago, Stuttgart (Deutsche Verlagsanstalt) 1912).

NUBEL, Walter, „Bertolt Brecht-Bibliographie", Sinn und Form, Zweites Sonderheft Bertolt Brecht 1957, 481–623.

PAQUET, Alfons, Fahnen. Ein dramatischer Roman, München 1923. (Abgedruckt in: Deutsche Revolutionsdramen, Hrsg. und eingeleitet von R. Grimm und J. Hermand, Frankfurt/M. 1970, S. 433–489).

PARMALEE, Patty Lee, Brecht's America, Ph. D. Thesis (Masch.), University of California at Irvine, Oktober 1970.

PASLEY, Fred D., Al Capone. The Biography of al Selfmade Man, London 1931.

PETERSEN, Klaus-Dietrich, Bertolt-Brecht-Bibliographie. Mit einem Geleitwort von Johannes Hansel, Bad Homburg v. d. H., Berlin, Zürich (Gehlen) 1968.

Piscator, Erwin, Schriften, 2 Bde., Hrsg. von L. Hoffmann, Berlin 1968.

Pizer, Donald, The Novels of Frank Norris, Bloomington and London 1966.

Pohl, Rainer, Strukturelemente und Entwicklung von Pathosformen in der Dramensprache Bertold [sic] Brechts, Bonn 1969.

Pringsheim, Klaus, „Mahagonny", Die Weltbühne, 28. Januar 1930, S. 433 ff.

Pozner, Vladimir, „bb", Sinn und Form, Zweites Sonderheft Bertolt Brecht 1957, 444–456.

Ramthun, Herta, Bertolt-Brecht-Archiv. Bestandsverzeichnis des literarischen Nachlasses, Bd. 1: Stücke, Berlin und Weimar 1969. Bd. 2: Gedichte, Berlin und Weimar 1970.

Reich, Bernhard, „Erinnerungen an Brecht", Beilage zu Theater der Zeit, XXI/Nr. 14 (1966).

–, „Erinnerungen an den jungen Brecht", Sinn und Form, Zweites Sonderheft Bertolt Brecht 1957, 431–436.

–, Im Wettlauf mit der Zeit. Erinnerungen aus fünf Jahrzehnten deutscher Theatergeschichte, Berlin 1970.

Rischbieter, Henning, Brecht, 2 Bde., Velber bei Hannover 1966.

Rosenbauer, Hansjürgen, Brecht und der Behaviorismus, Bad Homburg 1969.

Rugg, Harold Ordway, An Introduction to Problems of American Culture, Boston, New York 1931.

—, Changing Governments and Changing Cultures. The World's March Toward Democracy, Boston, New York 1932.

Rühle, Günther, Theater für die Republik. 1917–1933. Im Spiegel der Kritik, Frankfurt/M. 1967.

Rühle, Jürgen, Literatur und Revolution. Die Schriftsteller und der Kommunismus. München, Zürich 1963.

–, Theater und Revolution. Von Gorki bis Brecht, München 1963.

Rülicke-Weiler, Käthe, Die Dramaturgie Brechts. Theater als Mittel der Veränderung, Berlin 1968.

Ruland, Richard, "The American Plays of Bertolt Brecht", American Quarterly, XV (1963), 371–389.

Schevill, James, „Bertolt Brecht in New York", Tulane Drama Review, VI (1960), 98–107.

Schlenstedt, Dieter, „Satirisches Modell im ‚Dreigroschenroman'", Weimarer Beiträge (Brecht-Sonderheft 1968), 74–100.

Schmidt, Dieter, ‚Baal' und der junge Brecht. Eine textkritische Untersuchung zur Entwicklung des Frühwerks, Stuttgart 1966.

Schuhmann, Klaus, Der Lyriker Bertolt Brecht. 1913–1933, („Neue Beiträge zur Literaturwissenschaft", Bd. 20), Berlin 1964.

Schumacher, Ernst, Die dramatischen Versuche Bertolt Brechts 1918–1933, Berlin 1955.

–, Drama und Geschichte. Bertolt Brechts ‚Leben des Galilei' und andere Stücke, Berlin 1918.

Schumann, Wolfgang, „Coué", Die Weltbühne, 13. Juli 1926, S. 61–63.

Schuster, Ingrid, „Alfred Döblins ‚chinesischer Roman'", Wirkendes Wort, XX (1970), 339–346.

SCHWARZ, Peter P., „Legende und Wirklichkeit des Exils: Zum Selbstverständnis der Emigration in den Gedichten Brechts", Wirkendes Wort, XX (1969), 267–276.

SHAW, George Bernard, Cashel Byron's Profession, London, Bombay, Sydney 1924.

–, Major Barbara, Berlin (S. Fischer) 1926.

SINCLAIR, Upton, The Jungle, New York 1906.

–, The Millenium. A Comedy of the Year 2000, London 1924. (Deutsche Erstausgabe: Nach der Sintflut. Roman aus dem Jahr 2000, Hamburg (Sieben Stäbe Verlag) 1931).

SPAETHLING, R. H., „Zu Bertolt Brechts Caesarfragment", Neophilologus, 45 (1961), 213–218.

STEFFENS, Lincoln, The Autobiography of Lincoln Steffens. Complete in one volume, New York 1931.

STEINHARD, Erich, „Aufstieg und Fall der Stadt Mahagonny", Der Auftakt (Moderne Musikblätter Prag), X/7–8 (1930), 176–178.

STERNBERG, Fritz, Der Dichter und die Ratio. Erinnerungen an Bertolt Brecht, Göttingen 1963.

STEVENSON, Robert Louis, Treasure Island, New York 1913.

SULLIVAN, Edward Dean, Rattling the Cup on Chicago Crime, New York 1929.

SYMINGTON, Rodney T. K., Brecht und Shakespeare, Bonn 1970.

TARBELL, Ida M., The History of the Standard Oil Company, New York 1904.

–, The Life of Elbert H. Gary. A Story of Steel, New York, London 1925.

THOMPSON, Slason, Short History of American Railways, Chicago 1925.

THRASHER, Frederic M., The Gang. A Study of 1313 Gangs in Chicago, Chicago 1927.

TIGER, Theobald (= Kurt Tucholsky), „Coué", Die Weltbühne, 23. Februar 1926, S. 299.

TUCHOLSKY, Kurt, Gesammelte Werke, Hrsg. Fritz Raddatz, 3 Bde., Reinbek bei Hamburg 1961.

U. S. CONGRESS, House, Hearings Regarding the Communist Infiltration of the Motion Picture Industry. Hearings Before the Committee on Un-American Activities, House of Representatives, Eightieth Congress, First Session, Public Law 601 (Section 121, Subsection Q (2)), October 20–24, 27–30, 1947. Printed for the Use of the Committee on Un-American Activities, Washington, D.C. 1947.

VÖLKER, Klaus, Brecht-Chronik. Daten zu Leben und Werk, München 1971.

WALKER, Franklin (Hrsg.), The Letters of Frank Norris, San Francisco 1956.

WEILL, Kurt, „Anmerkungen zu meiner Oper ‚Mahagonny'", Die Musik, XXII/6 (März 1930), 440–441.

–, Aufstieg und Fall der Stadt Mahagonny. Oper in drei Akten. Text von Brecht. Klavierauszug mit Text von Norbert Gingold, Wien, Zürich, London 1929.

–, Das Berliner Requiem. Text B. Brecht, Wien 1967.

–, „Über den gestischen Charakter der Musik", Die Musik, 1929, S. 429 ff.

WEKWERTH, Manfred, Notate. Über die Arbeit des Berliner Ensembles 1956 bis 1966, Frankfurt/M. 1967.

WHITE, Bouck, Das Buch des Daniel Drew (The Book of Daniel Drew). Leben und

Meinungen eines amerikanischen Börsenmannes. Eingeleitet von Hanns Heinz Ewers. Deutsch von M. Ewers aus 'm Weerth, München (Georg Müller) 1922.

–, Songs of the Fellowship, for Use in Socialist Gatherings, Propaganda, Labor Mass Meetings, the Home, and Churches of Social Faith, New York (The Socialist Literature Co.) 1912.

–, The Book of Daniel Drew. A Glimpse of the Fisk-Gould-Tweed Regime from the Inside, New York 1910.

WIEGLER, Paul, Figuren, Berlin (Hyperion) 1916.

WILLETT, John, Das Theater Bertolt Brechts. Eine Betrachtung, Reinbek bei Hamburg 1964.

–, The Theatre of Bertolt Brecht. A Study from Eight Aspects, New York 1968.

WINTER, Helmut, „Brecht y Einstein. Comentarios sobre unos apuntes póstumos", Humboldt, X (1969), Nr. 37, 68–70.

WITZMANN, Peter, Antike Tradition im Werke Bertolt Brechts, Berlin 1964.

WOJCIK, Manfred, Der Einfluß des Englischen auf die Sprache Bertolt Brechts, (Diss.) Humboldt-Universität Berlin, Philosophische Fakultät, 1967.

WOLF, Friedrich, Von New York bis Shanghai. Eine politische Revue gegen den imperialistischen Krieg, Deutscher Staatsverlag 1936.

WÖLFEL, Kurt "Kipling or His Translators? The Question of Brecht's Acquaintance with Kipling's Ballads", in: S. S. Prawer, R. H. Thomas, L. Forster (Hrsg.), Essays in German Language, Culture and Society, London (Institute of Germanic Studies) 1969.

YAMAMOTO, Yuzo, Three Plays. Tr. from the Japanese by Glenn W. Shaw, Tokyo (The Hokuseido Press) 1957.

ZIEGLER, Hans Severus, „Hitler bei Adolf Bartels im März 1925", in: H. S. Ziegler (Hrsg.), Wer war Hitler? Beiträge zur Hitlerforschung, Tübingen 1970, S. 166 ff.

ZUCKMAYER, Carl, „Drei Jahre" in: Theaterstadt Berlin, ein Almanach, Hrsg. H. Jhering, Berlin 1948, S. 87 ff.

–, „Amerika ist anders", Der Monat, Sonderheft Nr. 34 (1952). Abgedruckt in: Ian C. Loram und Leland Phelps (Hrsg.), aus unserer zeit, dichter des zwanzigsten jahrhunderts, New York 1965, S. 311–348.

NAMENREGISTER

Das Register enthält alle in Text und Anmerkungen erwähnten Namen. Die Namen der Verfasser der in den Anmerkungen angeführten Sekundärliteratur sind nicht berücksichtigt.

REGISTER VON BRECHTS WERKEN

ENTWÜRFE, PROJEKTE, FRAGMENTE